Macar ve Polonyalı Mülteciler
OSMANLI'YA SIĞINANLAR

YEDİTEPE YAYINEVİ®

Yeditepe Yayınevi: 47
İnceleme-Araştırma: 31

Macar ve Polonyalı Mülteciler
OSMANLI'YA SIĞINANLAR
Bayram Nazır

© Yeditepe Yayınevi

İç Düzen: Burhan Maden

Kapak: Sabahattin Kanaş

Baskı-Cilt: Şenyıldız
Gümüşsuyu Cad.
No: 3, K: 2 Topkapı/İstanbul
Tel: 0212 483 47 92

ISBN: 978-975-6480-54-8

1. Baskı: Ekim 2006
2. Baskı: Şubat 2007

Yeditepe Yayınevi
Çatalçeşme Sk. No: 27/15
34410 Cağaloğlu-İstanbul
Tel: (0212) 528 47 53
Faks: (0212) 512 33 78

http://www.yeditepeyayinevi.com
e-mail: bilgi@yeditepeyayinevi.com

Macar ve Polonyalı Mülteciler

OSMANLI'YA SIĞINANLAR

BAYRAM NAZIR

Yrd. Doç. Dr. Bayram NAZIR

01.07.1967 tarihinde Gümüşhane'de doğdu. İlkokulu Yukarı Çayırardı Köyü'nde okudu. Orta ve lise tahsilini Gümüşhane'de bitirdi. 1987 tarihinde Atatürk Üniversitesi Fen-Edebiyat Fakültesi Tarih Bölümü'nü kazandı ve 1991 yılında bu bölümden mezun oldu. Aynı yıl yüksek lisansı kazandı. 1993'te *"Osmanlı-Rus Savaşlarında Acaralılar 1774-1829"* adlı yüksek lisans tezini bitirdi.

1993 yılında Yüzüncüyıl Üniversitesi Eğitim Fakültesi'nde Araştırma Görevlisi olarak göreve başladı. Aynı yıl Atatürk Üniversitesi Sosyal Bilimler Enstitüsü'nde Yakınçağ Anabilim Dalı'nda doktoraya başladı. 1999'da *"Mülteciler Meselesi 1849-1851"* adlı doktora tezini tamamladı.

2003 yılında Dumlupınar Üniversitesi Fen- Edebiyat Fakültesi Tarih Bölümü'nde Yrd. Doç. Dr. olarak göreve başladı. Halen aynı üniversitede görev yapmaktadır.

e-mail: bayramn@hotmail.com

Bu eserimi, sevgili anneciğim Rukiye NAZIR'ın aziz ruhuna ve eşim Hatice NAZIR'a ithaf ediyorum

İçindekiler

ÖNSÖZ..13

GİRİŞ..19

BİRİNCİ BÖLÜM

MACARİSTAN'IN İŞGALİ VE İHTİLALCİLERİN OSMANLI
DEVLETİ'NE İLTİCASI..27

  A. Macaristan'ın İşgali..27

    1-Temeşvar Savaşı ve Bozgun..27

    2- Lajos Kossuth'un Devlet Başkanlığından İstifası...........31

    3- Macar Ordusunun Ruslara Teslimi...................................36

  B. İhtilalcilerin Osmanlı Devleti'ne İlticası..............................38

    1- İlk Mülteci Kafilesi ve Osmanlı Devleti'nin
      Aldığı Tedbirler..38

    2- Mor Perczel, Dembinski, Lazar Meszaros ve
      Miklos Perczel'in İlticası..41

    3- Lajos Kossuth'un Osmanlı Devleti'ne İlticası.................46

      a. Kossuth'un Eşiyle Vedalaşması....................................46

      b. Kossuth'un Macaristan Topraklarını Terk
        Ederken Yaptığı Konuşma..52

    4- Jozef Bem'in Osmanlı Devleti'ne İlticası.........................57

İKİNCİ BÖLÜM

VİDİN KAMPI..61

  A.Vidin Şehri...61

B- Mültecilerin Yaşantıları......64

   1-Kampta Gündelik Hayat......64

   2- Mültecilerin Karşılaştıkları Güçlükler......67

   3- Mülteci Olmayanların Kamptan Ayrılmaları......69

   4- Kossuth'un Vidin'deki Hayatı ve Diplomatik
Faaliyetleri......71

     a. Hayatı......71

     b. Diplomatik Faaliyetleri......73

C- Din Değiştiren Mülteciler......81

D-Vidin'den Anavatanına Geri Dönen Mülteciler......87

   1- Hauslab'ın Vidin'e Gönderilmesi ve Faaliyetleri......87

   2- Mültecilerin Vidin'den Ayrılışı......96

   3- Geri Dönüşü Engellemek İçin Kossuth'un Girişimleri..98

E- Güvenliğin Sağlanması......102

F- Mültecilere Yapılan Yardımlar......105

   1- Aynî Yardımlar......106

   2- Nakdî Yardımlar......107

G- Mültecilerin Şumnu'ya Nakledilmesi......109

   1- Nakil Sebepleri......109

   2- Mültecilerin Vidin'den Ayrılması......114

     a-Polonyalıların Vidin'den Ayrılması......117

     b-İtalyanların Vidin'den Ayrılması......118

     c-Din Değiştiren Mültecilerin Vidin'den Ayrılması....119

     d-Macarların Vidin'den Ayrılması......119

   3- Mültecilerin Balkanlar'dan Şumnu'ya Yolculuğu......123

H- Nakil Olayının Malî Yönü......127

ÜÇÜNCÜ BÖLÜM

ŞUMNU KAMPI......129

A. Şumnu Şehri...129

B. Mültecilerin Şumnu'ya Yerleştirilmesi 130

C. Perczel'in Kossuth'a Muhalefeti...................................132

D. Mültecilerin Kütahya'ya Gönderilme Kararı ve
Bu Karara Gösterilen Tepkiler....... 133

E. Kossuth'a Göre Şark Meselesi Açısından
Mülteciler Meselesinin Önemi......................................151

F.Mültecilerin Yılbaşı Kutlamaları...................................156

G. Avusturya Konsolosu Rössler'in Şumnu'ya Gelişi..........157

H. Halim Paşa'nın İstanbul'a Çağrılması...........................162

I. Kossuth'a Suikast Girişimleri.....................................166

J. Bayan Kossuth'un Şumnu'ya Gelişi 172

K. Ahmed Vefik Efendi'nin Şumnu'ya Gönderilmesi..........173

L. Şumnu'da Kalan Mülteciler.......................................183

1-Şumnu'da Kalan Mültecilerin Miktarı.......................183

2- Müslüman Mültecilerin Bosna İsyanını
Bastırmaya Götürülmeleri 186

3- Fuad Efendi'nin Şumnu'daki Mültecileri Ziyareti 189

4- Şumnu'daki Mültecilerin Dağılması........................190

M. Macaristan'dan Amerika'ya Giden İhtilalciler................200

DÖRDÜNCÜ BÖLÜM
DİPLOMATİK KRİZ...203

A. Mültecilerin Osmanlı Devleti'ne Sığınmasına
İlk Tepkiler...203

1- Rusya'nın Tepkisi...203

2- Avusturya'nın Tepkisi..208

3- İngiltere'nin Tepkisi...211

4- Osmanlı Devleti'nin Tepkisi.................................216

B- Osmanlı Devleti'nin Gösterdiği Tepkilerin
Siyasi Yansımaları 226

   1- Rusya ve Avusturya'nın Osmanlı Devleti
   Üzerindeki Baskıları..226

   2- Rusya ile Siyasi Münasebetlerin Kesilmesi...............239

   3- Avusturya İle Siyasi Münasebetlerin Kesilmesi..........241

C- Siyasi Münasebetlerin Kesilmesinin Yankıları..................243

   1- Osmanlı Devleti'nde 243

   2- İngiltere'de 245

   3- Fransa'da 247

   4- Amerika'da..248

D. Halkın Zarar Görmemesi İçin Alınan Tedbirler...............251

E. Bâbıâli'nin Destek Arayışları ve Diplomatik Girişimler.252

   1- Bâbıâli'nin İngiltere ve Fransa Elçileriyle
   Dirsek Teması 252

   2- Fuad Efendi'nin Petersburg'a Gönderilmesi...............256

   3- Siyasi Münasebetlerin Yeniden Kurulması 278

      a. Rusya İle Siyasi Münasebetlerin Yeniden
      Kurulması 278

      b.Avusturya İle Siyasi Münasebetlerin
      Yeniden Kurulması..287

BEŞİNCİ BÖLÜM
ŞUMNU KAMPININ DAĞITILMASI ve
MÜLTECİLERİN YENİ YERLEŞİM YERLERİ....................297

A.Kütahya'ya Gönderilen Mülteciler 297

   1-Yapılan Hazırlıklar..297

   2-Mültecilerin Şumnu'dan Ayrılması 303

   3-Mültecilerin İzlediği Güzergah...............................306

   4- Mültecilerin Kütahya'ya Yerleştirilmesi 308

a. Kütahya'ya Sonradan Gelen Mülteci Grubu 312

b. General Dembinski'nin Kütahya'ya Gelişi 314

c. Kossuth'un Çocuklarının Kütahya'ya Gelişi 316

d. Kossuth'u Kaçırma Girişimleri ve Alınan Tedbirler319

e. Kossuth'un Şumnu'daki Mültecilerle İlişkisi 325

f. Mültecilere Yapılan Nakdî Yardımlar 327

B. Mültecilerin Serbest Bırakılması 328

1- Mültecilerin Serbest Bırakılmaları İçin İlk Girişimler...328

2- Serbest Bırakılan İlk Mülteci Grubu 342

C. Halep'e Gönderilen Mülteciler 359

1-Yapılan Hazırlıklar...359

2- Mültecilerin Halep'e Gönderilmesine Karar Verilmesi360

3- Mazhar Bey'in Mültecileri Halep'e Götürmekle
Görevlendirilmesi 364

4- Halep'e Yerleştirilen Mültecilere Rütbe ve
Maaş Tahsisi...370

5- Murad Paşa (Jozef Bem)'nın Ölümü (10 Aralık 1850) ..373

6- Halep'teki Mültecilerin İstihdamı..........................377

D. Malta Adası'na Gönderilen Mülteciler.......................384

1-Yapılan Hazırlıklar..384

2- Şakir Bey'in Mültecileri Malta'ya Götürmekle
Görevlendirilmesi ve Adaya Yolculuk 385

SONUÇ...389

BİBLİYOGRAFYA 393

EKLER.. 399

RESİMLER VE FOTOĞRAFLAR................................. 427

İNDEKS..447

ÖNSÖZ

Mülteciler meselesiyle ilgili yapılan ilk çalışma, 1909 yılında Mehmed Galib'in Yeni Tasvir-i Efkar Gazetesi'nde *"Leh ve Macar Mültecilerine Ait Vesâik"* adı altında yayınladığı belgelerdir. Bu çalışma, Hazine-i Evrak'ta bulunan yüzlerce vesikadan çok az bir kısmını ihtiva etmekteydi. Daha sonra meşhur tarihçi Ahmed Refik, *"Türkiye'de Mülteciler Meselesi"* (İstanbul 1926) isimli eserinde Hazine-i Evrak'ta bulunan belgelerin büyük çoğunluğunu yayınlamıştır. Ancak adı geçen eserdeki belgeler, asıllarıyla karşılaştırıldığında önemli ölçüde satır atlamaları ve matbaa hatasından kaynaklanan bazı yazım yanlışları dikkat çekmektedir. Aynı yazar, *"Mülteciler Meselesine Dair Fuad Efendi'nin Çar I. Nikola İle Mülâkatı"* adlı bir de makale yayınlamıştır (Türk Tarih-i Encümeni Mecmuası 1 Teşrîn-i Sâni 143, nr.12; I Kanûn-ı Sâni 1926, nr.13). Ancak bu makale, yazarın yukarıda adı geçen eserindeki belgelerin tekrarı gibidir. Mülteciler Meselesine ait arşiv vesikalarına dayalı ilk çalışma, Yuluğ Tekin Kurat'ın *"Osmanlı İmparatorluğu ve 1849 Macar Mültecileri Meselesi"* (VI. Türk Tarih Kongresi, Ankara 1967, 20-22 Ekim 1961, s.451-459) adlı bildirisidir. Fakat bu bildiride, konu muhtasar olarak ele alınmıştır. M. Tayyib Gökbilgin, *"XIX. Asır Sonlarında Türk-Macar Münasebetleri ve Yakınlığı"* (Nemeth Armağanı, Ankara 1962, s.171-182) isimli tebliğinde mülteciler meselesine kısa deyinmelerde bulunmuştur. İsmail Hakkı Uzunçarşılı ise, *"Kütahya Şehri"* (İstanbul 1932) adlı eserinde *"Kütahya'da Macar ve Leh Mültecileri"* başlığı adı altında konuyla ilgili üç sayfalık bilgi vermiştir. Konuyla ilgili diğer bir çalışma da, Prof Dr. Kemal Karpat'ın *"Kossuth in Turkey: The Impact of Hungarian Refugees in the Ottoman Empire 1849-1851"* (Osmanlı Öncesi ve Osmanlı Araştırmaları Uluslararası Komitesi VII. Sempozyumu

Bildirileri, Ankara 1994, s.107-123) adlı makalesidir. Mülteciler mese-
lesiyle ilgili en son çalışma ise Abdullah Saydam'a aittir. Saydam,
*"Osmanlıların Siyasi İlticalara Bakışı, Ya da 1849 Macar Mültecileri Mese-
lesi"* (Belleten, LXI, Ağustos 1997, sa.231, s.339-387) isimli makalesin-
de konuyu arşiv belgeleri ışığında incelemiştir.

Dönemin vak'anüvisi Lütfi Efendi'nin eserinde 1848 Avrupa İh-
tilalleri'ne geniş yer ayırmasına karşılık, mülteciler meselesine dair,
Fuad Efendi'nin Petersburg'a gönderilmesinin dışında, hemen hiçbir
malumat vermez. Devletin resmi yayın organı Takvim-i Vekâyi'de
ise konuyla ilgili, bir belgenin dışında, hiçbir bilgi yoktur.

Macar Mülteciler hakkında batıda yapılan en önemli çalışma
Istvan Hajnal'ın *"A Kossuth-emigracio Törökorszagban"* (Budapest,
1927) adlı kitabıdır. Hajnal bu kitabında Macar, İngiliz ve Avustur-
ya'nın arşiv malzemesinden ve zengin literatüründen istifade etmiş-
tir. Oldukça değerli olan bu kitapta yazar, konuyla ilgili bilgi ver-
menin yanında, Avrupa arşivlerinde bulunan belgeleri de eserinde
neşretmiştir. Fakat bu kitap, ne yazıkki Osmanlı Arşivi'ndeki belge-
leri içermez. Bu konudaki diğer bir çalışma da Denes Janossy'nin
"Die Ungarische Emigration und der Krieg im Orient" (Budapest 1939)
adlı kitabıdır. Bu çalışma, mülteciler meselesinden ziyade, Osmanlı
hizmetine giren Macar ve Polonyalı mülteciler hakkında bilgi ver-
mektedir. Yine Charles d'Eszlary'nin *"L'emigration hongroise de Louis
Kossuth en Turquie entre 1849-1850"* (VI. Türk Tarih Kongresi, Ankara
1967, 2022 Ekim 1961) adlı makalesini önemli çalışmalar arasında
zikretmek gerekir.

Macar ve Polonyalı mültecilerle ilgili Başbakanlık Osmanlı Arşi-
vi ve batılı kaynaklara dayanılarak yapılan çalışmaların yetersizliği,
bizi bu konuda kapsamlı bir araştırma yapmağa sevk etti. Konunun
ilk kaynağı, Başbakanlık Osmanlı Arşivi'nin değişik fonlarında bu-
lunan belgeler olmuştur. Ayrıca, Österreichisches Staatsarchiv Huas
Hof und Staatsarchiv'den imkânlar ölçüsünde faydalandık. Yukarıda
adı zikredilen Istvan Hajnal'ın eserinden özellikle belgeler kısmından
geniş ölçüde istifade ettik. Ayrıca Osmanlı Devleti'ne iltica eden mül-
tecilerin hatıraları bizim için temel kaynak niteliğinde olmuştur. Bu
hatıralar, bazen belgelerde hiç değinilmeyen konulara açıklık getir-

miştir. Bu bakımdan Philipp Korn'un *"Kossuth und Ungarn in der Türkei"* (Hamburg und New-York 1851), Vahot Imrefi'nin *"Die Ungarischen Flüchtlinge in der Türkei"* (Leipzig 1851) ve Joseph Hutter'in *"Von Orsova bis Kiutahia"* (Braunschweig 1851) adlı hatıralarından etraflı bir şekilde istifade ettik. Diğer taraftan Macar Özgürlük Savaşı hakkında bilgi veren K. M. Pataky'nin *"Bem in Siebenbürgen zur Geschichte des Ungarischen Kriges 1848 und 1849"* (Leipzig 1850) adlı eserinden de yeri geldikçe yararlandık.

Çalışmamız giriş ve beş bölümden oluşmaktadır. Girişte 1848 İhtilalleri hakkında kısa bir bilgi verdik. Birinci bölümde Macar ve Lehlerin, Rus ve Avusturya orduları karşısında mağlup olmaları ve Osmanlı Devleti'ne iltica etmelerine değindik. İkinci bölümde, mültecilerin Vidin'e yerleştirilmeleri ve buradaki yaşamları üzerinde durduk. Üçüncü bölümde mültecilerin Şumnu'daki yaşamları ve Kütahya'ya gitmemek için yaptıkları girişimleri anlattık. Dördüncü bölümde, Osmanlı Devleti'nin mültecilerle ilgili yaptığı diplomatik girişimler üzerinde durulmuştur. Nihayet beşinci bölümde ise, mültecilerin Kütahya ve Halep'e gönderilmeleri ve buradaki yaşamları hakkında bilgi verdik.

Çalışmalarımızı değerli tavsiyeleri ile yönlendiren Prof. Dr. Enver Konukçu ve danışman hocam Prof. Dr. Selçuk Günay'a teşekkür ederim. Tezin her satırını büyük bir titizlik ve sabırla okuyan Yrd. Doç. Dr. Selahattin Tozlu, karşılaştığım güçlükleri aşmamda zamanını cömertçe harcadı. Bunun için aziz dostuma minnettarım. Marmara Üniversitesi Tarih Bölümü Öğretim Üyesi Prof. Dr. Ali Akyıldız, hummalı çalışmaları arasında tezi okuma özverisinde bulundu. Değerli hocama sonsuz şükranlarımı sunuyorum. Keza, İstanbul Üniversitesi Tarih Bölümü'nden emekli Öğretim Üyesi Prof. Dr. Kemal Beydilli, tezi okuma nezaketi gösterip kıymetli tavsiyelerde bulundu. Aziz hocam Beydilli'ye şükran borçluyum. Her türlü yardım ve desteklerinden dolayı Prof. Dr. Nedim İpek'e ve yurt dışındaki kaynaklara ulaşmamda yardımlarını esirgemeyen Prof. Dr. Nejat Göyünç'e teşekkürlerimi sunarım. Almanca metinlerin tercümesinde yardımlarını esirgemeyen yazar ve mütercim Senail Özkan'a teşekkür etmek benim için bir zevk olacaktır. Ankara Üniversitesi Dil Tarih Coğrafya Fakültesi'nden Prof. Dr. Hicran Yusufoğlu, Arş. Gör. Erdal Çoban ve Arş. Gör. İsmail Doğan Macarca belgeleri tercüme ederek kullanımıma sundular. Gösterdikleri desteğe minnettar olduğumu belirtmek isterim. Yine tezi okuyup değerli önerilerde bulunan Yrd. Doç. Dr. Ersin Gülsoy'a müteşekkirim. Yrd. Doç. Dr. Mehmet Tezcan, her zaman yapıcı eleştirilerde bulunarak teze büyük katkı sağladı. Yrd. Doç. Dr. Kemalettin Kuzucu konuyla ilgili bulduğu belge ve eserlerden beni haberdar etti. Her iki araştırmacıya yardımlarından dolayı müteşekkirim. Görme imkânı bulamadığım bazı kaynaklardan beni haberdar eden Prof. Dr. Ali Birinci'ye şükran borçluyum. Ayrıca, Yrd. Doç. Dr. Abdullah Saydam, arşivde ulaşamadığım belgeleri bana verme cömertliğinde bulundu. Almanca ve Fransızca belgelerin tercümesinde hiçbir fedakârlıktan kaçınmayan Arş. Gör. Mehmet Baki, Arş. Gör. Yakup Yaşa, Arş. Gör. Kader Bayrakçı ve Arş. Gör. İlhami Ege'ye de teşekkür ediyorum. Arşiv çalışmalarım sırasında her türlü yardım ve kolaylığı gösteren Başbakanlık Osmanlı Arşivi araştırma salonu görevlileri teşekkürü fazlasıyla hak ediyorlar.

Dr. Sandor Papp, Macaristan'da elde ettiği arşiv malzemesi ve kitaplarını gönderme nezaketinde bulundu. Aynı şekilde Dr. Istvan Nytrai, konuyla ilgili Macaristan'daki çalışmalardan beni haberdar etti. Afoston Gabor, Macaristan'daki kaynakların temininde bana yardımcı oldu. İstanbul'daki Avusturya Konsolosu Erwin Lucius, Avusturya'dan belge temin etmemde gerekli her türlü kolaylığı sağladı. Konsoloslukta çalışan Çiğdem İkiışık elinden geleni fazlasıyla yaptı. Yine Ankara'daki Alman Kültür Merkezi, Berlin Devlet Kütüphanesi'nde bulunan kaynak eserleri Erzurum'a kadar getirtme özverisinde bulundu. Kendilerine bütün bu yardımlarından dolayı minnettarım.

* * *

Eğitim hayatım boyunca sevgili babam Yaşar NAZIR'dan hep uzak kaldım; ama bir an için olsun onun maddi ve manevi desteğinden mahrum olmadım. O, uzun yıllar Almanya'da, bir çimento fabrikasında ağır işlerde çalışarak ailemizin geçimini sağladı ve benim tahsilimi sürdürmem için hiçbir fedakârlıktan çekinmedi. Kendisi uzun yıllar ayrılığı ve gurbeti yaşadı; bize de hasretin ne olduğunu hissettirdi. Sevgili anneciğim Rukiye NAZIR maalesef bu eseri göremedi. Burada onu rahmet ve hasretle anıyorum. Her ikisine de hayatım boyunca hürmetkârım, minnettarım.

Nihayet sevgili eşim Hatice NAZIR, benim için en güzel çalışma ortamı hazırladı, hiçbir fedakârlıktan kaçınmadı. Kendisine medyun-i şükrânım. Bu çalışmam dolaysıyla kızım İlayda ve oğlum Ensar için ayırmam gereken zamanı ayıramadım. İlerde tüm fedakârlıkların kendi istikballeri için yapıldığını anlayacakları düşüncesiyle teselli buluyorum.

Bayram NAZIR

Ağustos 2006

GİRİŞ

Avrupa'da 1815-1830 yılları arasında görülen siyasi, sosyal, ekonomik ve kültürel gelişmeler, 1830 İhtilalleriyle daha da güçlenerek 1848'lerde kıtada yeni ve değişik bir ortam yaratmıştı. 1848 İhtilalleri 1830 İhtilallerinden daha umumi bir mahiyetteydi. Bu ihtilallerin bir Avrupa hareketi olarak ortaya çıkmasındaki temel etken, Avrupa'nın her tarafında statükonun yıkılması için atılmış bir adım olmasıydı. Fakat İhtilaller, her ülkenin siyasi ve iktisadi vaziyetine göre değişik şekillerde gelişmişti. Örneğin ihtilaller, liberalizmin 1830'dan itibaren yerleştiği Batı Avrupa ülkelerinde sosyalist hareketler şeklinde ortaya çıkmıştı. Orta Avrupa ülkelerinde, Avusturya'da olduğu gibi milli istiklal, İtalya ve Almanya'da ise milli birlik hareketleri şeklinde belirdi[1]. Ortaya çıkan sosyalist, bağımsızlık ve milliyetçilik akımlarının etkisiyle 1848'lere doğru Avrupa'da toplumlar arasında kaynaşmalar meydana gelirken, devletler arası ilişkilerde de değişmeler oluyordu. Mutlakiyetçi Doğu Bloğu ülkeler, birbirlerine daha çok yaklaşarak liberal devletler karşısında güçlenme çabası içerisine girmişlerdi[2].

---

[1] Şükrü Esmer, *Siyasi Tarih*, İstanbul 1944, s.154.
[2] İşin ilginç yanı Batı Bloğu'na bağlı bulunan Fransa da Doğu Bloğuna kaymaya başlamıştı. Fransa'nın böylesi bir tutum içerisine girmesinde Mısır Valisi Mehmed Ali Paşa'nın isyanında izlediği strateji etkili olmuştur. Zira, Fransa bu asi Paşa'ya dayanarak İngiltere'ye karşı Doğu Akdeniz egemenliğini sağlamak düşüncesindeydi (Rıfat Uçarol, *Siyasi Tarih*, İstanbul 1985, s.91).

İlk olarak Fransa'da ortaya çıkan 1848 İhtilalleri, siyasi olduğu kadar içtimai bir özellik de taşıyordu. Bu tarihe kadar siyasi hakları elde etmek için mücadele veren sınıflara işçiler de katılmıştı. 1848 İhtilaliyle Fransa'da meşrutiyet krallığının temsilcisi olan Lui Filip, görevden uzaklaştırılarak krallık rejimi yerine cumhuriyet ilan edildi. Fransa'da meydana gelen bu hadiseler, Avrupa'nın bir çok ülkesinde siyasi ve içtimai haklar kazanmak için uzun süre çalışmakta olan kurumların hükümdarlarına karşı başkaldırmalarına neden oldu. İhtilaller kısa sürede İspanya, İtalya, İrlanda, Belçika, Hollanda, Avusturya ve Macaristan'da da etkisini gösterdi[3].

Bu çalışmada, 1848'de patlak veren ve bütün Avrupa'yı sarsan ihtilallerin sadece Avusturya'da meydana getirdiği tesirler üzerinde durulacaktır. Bilindiği gibi Habsburg İmparatorluğu çok çeşitli ırk ve mezhepten meydana gelen toplumsal bir yapıya sahipti. Oysa, bu tarihlerde Osmanlı İmparatorluğu ve Rus Çarlığı'nı hesaba katmazsak diğer büyük güçlerin her birinde halkın büyük bir çoğunluğu ortak bir dili ve dini paylaşmaktaydılar. Örneğin, bu dönemde Fransızların en az %90'ı Fransızca konuşuyor ve aynı oranda Katolik kilisesine bağlı bulunuyordu. Prusya'daki halkın %80'inden fazlası Almandı. Britanya adalarında oturanların %90'ı ise İngilizce konuşuyordu ve %70 oranında Protestandı. Bu tür ülkeleri birlik içinde tutmak için büyük çaba göstermeye gerek yoktu. Halbuki, Habsburg İmparatorluğu içerisinde sekiz milyon Alman vardı. Buna karşılık bu sayının iki katı kadar Çek, Slovak, Polonyalı, Ruthenyalı, Slovenyalı, Hırvat ve Sırplar bulunuyordu. Ayrıca beş milyon Macar, beş milyon İtalyan ve iki milyon da Romanyalı vardı. Bu etnik çeşitlilik Habsburg İmparatorluğu'nun en önemli kurumlarından biri olan ordusuna da yansıyordu[4]. Kuşkusuz, Avusturya İmparatoru'nun en büyük korkusu 1848 İhtilal fikirlerinin bu toplumlar tarafından benimsenmesi ve bunların Avusturya yönetimine karşı harekete geç-

---

3   Enver Ziya Karal, *Osmanlı Tarihi*, V, Ankara 1988, s.213.
4   1865'te orduya 128.286 Alman, 96.300 Çek ve Slovak, 52.700 İtalyan, 22.700 Slovenyalı, 20.700 Romen, 19.000 Sırp, 50.100 Ruthenyalı, 37.700 Polonyalı, 35.500 Macar 27.600 Hırvat ve 5.100 kadar başka uluslardan asker kayıtlıydı. (Paul Kennedy, *Büyük Güçlerin Yükselişi ve Çöküşleri*, çev. Birtane Karanakçı, Ankara 1990, s.193-194).

meleriydi. Gerçekten de 1848 İhtilalleri bu korkunun yersiz olmadığını ortaya koymuştu. Bir taraftan ülkede mutlakıyetin kaldırılması istenirken, diğer taraftan da Alman olmayan milletler bağımsızlıklarını elde etmek üzere harekete geçtiler. Bu yönüyle diğer ülkelerden farklı olarak 1848 İhtilalleri Avusturya'da iki yönlü gelişme göstermiştir[5].

Fransa'daki ihtilal hareketleri Avusturya'da duyulur duyulmaz, Metternich ve onun sistemine karşı bazı olaylar başladı. Halk, 13 Mart 1848'de anayasal haklar ve özgürlükler için ayaklandı. Bu ayaklanmanın bir sonucu olarak Metternich Başbakanlıktan istifa etti ve İngiltere'ye kaçtı. Böylece, 1815'ten itibaren bütün hürriyetçi hareketlere karşı olan ve Avrupa'da devletlerarası siyasette de önemli rol oynayan Metternich ve onun dönemi sona ermiş oldu. Metternich'in istifasından sonra İmparator Ferdinand, halkın isteğine uygun olarak ıslahat yapacağına dair söz verdi. Ayrıca Macarların kendisine bağlı kalmak şartıyla ayrı bir hükümet kurmalarını kabul etti. Ancak gelişmelerden hiç kimse memnun kalmadı ve Avusturya daha da karıştı. İmparator ülkeyi terk etmek zorunda kaldı. Onun kaçışından sonra 22 Temmuz 1848'de Viyana'da Kurucu Meclis toplandı. Mecliste, Macarların dışında, Avusturya İmparatorluğu'nda bulunan her millet temsil ediliyordu. Meclis ilk iş olarak derebeylik vergilerini kaldırdı ve sosyal adaleti ilan etti. Bir süre önce Viyana'yı terk eden İmparator, geri çağrıldı[6].

Avusturya'da meydana gelen olaylar başlangıçta mutlakıyet rejimini ortadan kaldırmaya yönelikken daha sonra şekil değiştirmeğe başladı. Zira, Ağustos 1848'den itibaren Avusturya'nın her bölgesinde ihtilaller baş gösterdi. Macaristan, Hırvatistan ve İtalya'da özgürlük için mücadeleler başladı. Bunların en önemlisi kuşkusuz Macar Özgürlük Savaşıydı[7].

Macarlar, 1848 yılından önce de Avusturya egemenliğinden kurtularak bağımsızlıklarını kazanmak için bazı teşebbüslerde bulun-

---

5 Uçarol, *Aynı eser*, s.94.
6 Esmer, *Aynı eser*, s.163; Uçarol, *Aynı eser*, s.163.
7 Esmer, *Aynı eser*, s.163.

muşlardı. Ancak Avusturya Başbakanı Metternich buna fırsat vermemişti. Fakat Fransa'daki ihtilal haberi, Avrupa'nın her tarafında olduğu gibi Macaristan'da da büyük tesir uyandırmıştı. Bunu fırsat bilen Macar gençliği, yazarlar ve öğrenciler harekete geçtiler. Bu hareketli günlerde Kossuth, 3 Mart 1848'de halkına yaptığı etkili bir nutukla serfliğin kaldırılması ve bütün milletin mebuslarından oluşan bir millet meclisi kurulmasını söyledi. Ayrıca, Avusturya ve Macaristan'ın ortak çıkarlarının daha iyi korunabilmesi için de Avusturya'ya teşkilat-ı esasiye kanunu verilmesi talebinde bulundu. 15 Mart 1848'de ise Macarların milli şairi Sandor Petöfi ve arkadaşları Kossuth'un isteklerini 12 madde halinde bastırdılar. Daha sonra Petöfi'nin milli marşını bastırıp ve yazar Mihaly Tancsics'i serbest bıraktırdılar.

Diğer taraftan Kossuth, her şeyden önce serflerin azledilmesini istiyordu. Kendi deyimiyle *"yarım milyon asilden ibaret olan milletin sayısını on üç milyona çıkarmak için"* iyi bir fırsat yakalanmıştı[8]. Zira serfliğin kaldırılmasıyla köle olan köylüler, bu sayede yeni sorumlulukları ve aynı derecede özgürlükleri olan vatandaş olacaktılar[9]. Neticede serflik kaldırılmış ve Kossuth amacına ulaşmıştı. Halk artık hürriyetini Habsburglara değil Kossuth'a borçluydu[10]. Macarlar, gazeteci ve fikir adamı olan Kossuth'un başkanlığında toplanarak Avusturya'dan idari muhtariyet talep ettiler. İmparator da Macarların bu isteğini kabul etmek zorunda kaldı. Kossuth, Batthyany'nin başkanlığında kurulan hükümete maliye bakanı sıfatıyla girdi. Daha sonra Macaristan'da halk tarafından "Diyet Meclisi" seçildi. Bu meclis asilzadelerin imtiyazlarını ve derebeylik vergilerini kaldırdı. Artık Macaristan kendi mukadderatına hakim olmuştu. Devletin ayrı bayrağı, ayrı ordusu, ayrı parası ve dışişlerinde temsil yetkisi vardı. Macarları Avusturya'ya bağlayan yegane bağ, Avusturya İmparatoru'nun her iki ülkenin de hükümdarı olmasıydı[11].

---

8   F. Eckhart, *Macaristan Tarihi*, (çev. İbrahim Kafesoğlu), Ankara 1949, s.199-200.
9   K.M. Pataky, *Bem in Siebenbürgen Zur Geschichte des Ungarischen Kriges 1848 und 1849*, Leipzig 1850, s.2.
10 Eckhart, *Aynı eser*, s.202.
11 Esmer, *Aynı eser*, 164.

Avusturya muhtelif din, mezhep ve ırklardan meydana gelen bir İmparatorluk olduğu gibi Macaristan da mütecanis bir yapıya sahip değildi. Macaristan'da Hırvat, Sırp, Slovak ve Romenler vardı. Macarlar, Avusturya'dan ayrılmak istediği gibi adı geçen milletler de Macaristan'dan ayrılmak istiyorlardı. Üstelik Avusturya, Macaristan'ı zor duruma sokmak için bu milletlerin bağımsızlık isteklerini teşvik ediyor ve destekliyordu[12].

Avusturya'nın desteği ile Hırvat milliyetperverliğiyle tanınan Jozef Jellacsics, 23 Mart 1848'de Macaristan'a bağlı memleketlerin birbirleriyle anlaşmalarına mani olmak için Sırbistan banlığına tayin edildi. Yeni ban, görevine gelir gelmez, Macaristan aleyhine çalışmaya başladı. Nihayet 29 Mayıs'ta Hırvatistan'ın Macaristan'dan ayrıldığını ve doğrudan doğruya Viyana'ya bağlandığını ilan etti. Diğer taraftan Güney Macaristan'daki Sırplar, bağımsızlıklarını ilan ederek Macar Hükümeti'ne karşı yapılacak savaşlarda Jellacsics'e yardım edeceklerini açıklamışlardı. Çok geçmeden Mayıs ayında isyan patlak vermiş ve Sırp çeteleri Macar topraklarına girerek tahribata başlamışlardı. Sırpların Macarlara karşı isyanı Avusturya tarafından da destekleniyordu. 15 Mayıs'ta bu kez Romenler Macaristan ile milli birlik içerisinde olmayı reddettiler. Romenler, yalnız İmparatora itaat edeceklerini ve Macar Hükümeti'ni tanımadıklarını ilan ederek Macarlara karşı harekete geçtiler. Bu Romen birlikleri, Avusturyalı subaylar tarafından idare ediliyordu[13].

Macar idaresi altında yaşayan ve Macar olmayan halkların kısa sürede Macar Devleti'ne isyan etmeleri karşısında, Macar Hükümeti'nin memleketi ve kendi itibarını savunması zorunlu hale gelmişti. Macar Hükümeti, 11 Temmuz 1848'de kendini savunmak amacıyla 200.000 kişilik bir ordu kurulmasını kararlaştırdı. Bu ordunun teşkilatlanmasında en büyük rolü Kossuth oynuyordu. Kossuth, bir taraftan büyük bir azimle bu teşkilatlanmayı sağlamış, diğer taraftan da ateşli nutuklarla binlerce vatanseveri ülkelerini savunmak amacıyla Macar Krallık bayrağı altında toplamayı başarmıştı[14].

---

12 Esmer, *Aynı eser*, 164.
13 Eckhart, *Aynı eser*, s.206-207.
14 Eckhart, *Aynı eser*, s.208-209.

Yeni teşkilatlanan Macar ordusunun Tuna ötesinde bulunan Jellacsics'in idaresindeki birlikleri püskürtmesi Macarlar açısından umut verici bir gelişme olmuştu. Ancak yeni birliklerin gönderilmesiyle ordusunu güçlendiren Jellacsics, ihtilalcilerin mukavemetini çabuk kırdı[15]. Kuşkusuz, acil bir şekilde oluşturulan ve silah tecrübesi bulunmayan askeri birlikten fazla bir şey beklenemezdi. O sırada Avusturya ordusunun büyük bir bölümü İtalya'da savaşıyordu ve Macar ordusunun temel birlikleri de buradaydı. Bunların geri çağrılması Avusturya İmparatorluğu ile olan ilişkilerin sona erdirilmesi anlamına gelirdi. Bu yüzden Viyana Hükümeti ile bir görüşme yapıldı ve İtalya'da olmayıp Avusturya'nın diğer bölgelerinde bulunan Macar ordularının ülkelerine gönderilmeleri istendi. Karşılığında da Macaristan'daki Macar olmayan birlikler gönderilecekti. Bu teklif, Avusturya tarafından da kabul gördü. Konuyla ilgili emir İmparatorca onaylanmış ve gazetelerde yayınlandıktan sonra da ilgili generallere bildirilmişti. Fakat emre uyulmadı. Çünkü bu emirle birlikte generallere aksini isteyen başka bir emir daha gönderilmişti. Bunun üzerine Avusturya'nın değişik bölgelerinde bulunan Macar vatansever birlikleri, vatanlarının tehlike altında bulunduğunu duyunca sıkı bir gözetim altında olmalarına rağmen sınırı geçip kardeşlerinin yardımına koştular. Bütün bunlara rağmen, Macaristan'da düzenli asker sayısı yetersizdi. Dolayısıyla bu Macar birlikleri Jellacsics'in idaresindeki birliklerle baş edemediler[16]. Jellacsics'in Macarları yenilgiye uğratmasının en önemli nedeni, Avusturyalı General Alfred Windischgratz komutasındaki birliklerce desteklenmesiydi. Macar kuvvetleri tarafından durdurulamayan Windischgratz, 5 Ocak 1849'da Macaristan'ın başkentini işgal etti. Ancak Görgei, komutanlık kabiliyeti ile kaybolmuş gibi görünen özgürlük mücadelesini bir süre için kurtardı. Görgei, İmparatorluk ordusunu mağlup ettikten sonra Klapka'nın komuta ettiği Yukarı Tisa ordusu ile birleşti. Kossuth, bu birleşmiş ordunun başkomutanlığını kendisine rakip gördüğü Görgei'ye değil, 1831 Polonya ayaklanmasını da idare etmiş olan General Dembinski'ye verdi. Fakat bir süre sonra Dembinski'nin

15 Eckhart, *Aynı eser*, s.210.
16 Pataky, *Aynı eser*, 6-8.

böyle bir orduyu sevk ve idare edemeyeceğinin anlaşılması üzerine idareyi tekrar Görgei'ye verdi[17].

Ordunun sevk ve idaresini üstüne alan Görgei, 1849 Nisan ayında Avusturya ordusuna karşı bir çok zafer kazandı. Ayrıca Jozef Bem de, Erdel'de İmparatorluk ordularını yenilgiye uğrattı. Diğer taraftan Sırplar da Güney Macaristan'da mağlup edildiler. Böylece memleket bir anda Macar özgürlükçülerinin eline geçmişti[18]. Kazanılan zaferler, Macarlar ile Avusturya arasındaki ilişkilerin tamamen kopmasına neden oldu. Kossuth'un önerisiyle 15 Nisan 1849'da Macaristan'ın bağımsızlığı ilan edildi ve Kossuth geçici olarak devlet başkanlığına getirildi. Fakat zafer sarhoşluğu uzun sürmedi. Macaristan'ın kendisinden koparılması tehlikesiyle karşı karşıya kalan Avusturya Hükümeti, bu ülkeyi yeniden elde etmek için tüm kuvvetlerini topluyordu. Bu işin komutanlığı da aşırı sertliği ile tanınan Baron Haynau'ya verildi[19]. Diğer taraftan Avusturya İmparatoru Franz Joseph, Macar ihtilalini tek başına bastıramayacağını anlayınca, Felik Schwarzenberg'in tavsiyesi üzerine Rus Çar'ı I. Nikola'dan yardım istemeye karar verdi. Nikola, Macar ihtilalinin başarıya ulaşması halinde Macar ordusunda savaşan Polonyalıların Rusya'ya karşı harekete geçeceklerinden korkuyordu. Bu nedenle Nikola, Avusturya'nın kendisinden istediği desteği esirgemedi[20]. Buna karşılık Macaristan, hiçbir taraftan yardım bekleyemezdi. Zira, Avrupa'da bütün ihtilal hareketleri bastırılmıştı[21].

---

17 Eckhart, *Aynı eser*, s.211.
18 Eckhart, *Aynı eser*, s.211.
19 Tehadee Gasztowtt, *La Pologne et L'Islam*, Paris 1907, s.190.
20 Charles d'Eszlary, "L'émigration hongroise de Louis Kossuth en Turque entre 1849-1850", *Türk Tarih Kongresi*, IV, (20-26 Ekim 1961) Ankara 1967, s.432.
21 İhtilalin büyük şairi Sandor Petöfi, Macarların özgürlük mücadelesinde başka devletlerce yalnız bırakılmasını şu mısralarla dile getirmiştir:
Karpatlar'dan Aşağı Tuna'ya kadar
Bir kızgın haykırış, bir fırtına var,
Dağılmış saçları, kanlı alnıyla
Önünde yapyalnız duruyor Macar.
Ben Macar doğmamış olsaydım bile,
Kendini onlardan sayardım yine,
Çünkü bu dünyada benim milletim
Yapyalnız kalmıştır, kimsesiz, yetim. (Eckhart, *Aynı eser*, s.212).

Bütün gelişmeler Macaristan'ın aleyhine döndüğü bir sırada Macarlar Budin kalesini işgal ettiler. Bu zafer, Macarların kazandığı en büyük ve son zafer oldu. Bundan sonra Macarlar, Rus ve Avusturya kuvvetleri karşısında yenilmeye başladılar. Rus Generali Paskeviç'in emrindeki 200.000 kişilik bir ordu Galiçya'ya girdi. General Lüders ve 40.000 Rus ordusu Erdel tarafında General Puhner'i destekledi. Rus ve Avusturya ordusu 275.000 askerden oluşuyordu. Macarlar ise ancak bunun yarısı kadardı. Haziran sonlarına doğru Rus ve Avusturya birlikleri Macaristan'a girdiler. Müttefik orduların kazandığı zaferlerden sonra Macarlar, hükümet merkezini Szeged'e taşıdılar. Rus ve Avusturya orduları büyük zaferler kazanırken Görgei, zaman kaybediyor ve plansız hareket ediyordu. Bu sebeple başkomutanlık ondan alınarak Dembinski'ye verildi. Ancak, komutanlar arasındaki çekişme nedeniyle faydalı adımlar atılamıyordu. Binlerce askerden oluşan üç birliğin başında bulunan Görgei, merkezi kararlara uymayı kabul etmiyordu. Kısacası Macaristan'da her şey kötüye gidiyordu. Bu durumdan istifade eden Haynau, Szeged üzerine yürüdü[22]. Macarlar, iki İmparatorluk orduları karşısında ard arda savaş kaybetmeye başladılar. Birinci bölümde değinileceği gibi, Macarlar 9 Ağustos 1849'da kaybedilen Temeşvar savaşından sonra bütün ümitlerini kaybettiler. Görgei'nin 13 Ağustos'ta Vilagos kalesi önünde Ruslara karşı silah bırakmasıyla da Macarlar, başta Osmanlı Devleti olmak üzere Avrupa'nın her tarafına dağılmışlardır.

---

[22] Gasztowtt, *Aynı eser*, s.191-192.

BİRİNCİ BÖLÜM

MACARİSTAN'IN İŞGALİ VE İHTİLALCİLERİN OSMANLI DEVLETİ'NE İLTİCASI

A. Macaristan'ın İşgali

1-Temeşvar Savaşı ve Bozgun

Birçok yazar, Macar Özgürlük Savaşı'nı "kahramanca bir savaş dramı" olarak tarif eder. Belki de bu tanımlama doğrudur. Ancak, bu dramın sonu bir trajediydi ve hatta korkunçtu. Bir dramın son sahnesi çarpıcı ve oyunun doruk noktası olmalıydı. Oyuncunun görevi, finalde oyunun ifadesini azaltmak değil, aksine güçlendirmektir. Oysa, Macar Özgürlük Savaşı'nda bu özelliklerin hiçbirisi yoktu. Hatta oyuncular, içerisine düştükleri çaresizlik ve ümitsizliğin kıskancında rollerini bile unuttular. Bu sebeple, bu kahramanca savaş dramında giriş ve gelişme bölümünden sonra finalde büyük bir hayal kırıklığı yaşanmıştır. Daha Avusturya ordusu, Peşte'ye yaklaşıp 1848 yılının sonunda Görgei ve Perczel'in ordularını bozguna uğrattığında, birçok Macar devlet adamı ve milletvekili zaferden endişe duymaya başlamışlardı. Imrefi'nin ifadesine göre, daha o zaman çoğu kaçacak ülke aramaya girişmişlerdi[23]. Ancak, 1848 yılının sonunda alınan bu mağlubiyetlere rağmen, 1849 yılının ilk ayları Macarlar açısından son derece başarılı geçmişti. Fakat, bu başarılar çok

---

23   Vahot Imrefi, Die Ungarischen Flüchtlinge in der Türkei, Leipzig 1851, s.1.

kısa sürmüştü. Haziran sonuna doğru Görgei yüzünden kaybedilen Raab savaşından sonra Rusya ve Avusturya orduları, Baron Haynau[24] komutasında Peşte'ye doğru ilerlemeye başladığında ihtilal yönetimi ve milletvekilleri Szeged'e çekilmişlerdi. Fakat o zamanlar yurt dışına kaçışı çok az kişi düşünüyordu. Çünkü birçoğu, kaybedilen yerlerin yeni bir savaşla geri alınabileceği kanaatindeydi[25]. Ancak, Henri Dembinski[26], Richard Guyon[27] ve Tümgeneral Lazar

---

[24] Baron Haynau, 14 Ekim 1786'da doğmuş ve 14 Mart 1853'te Viyana'da ölmüştür. Avusturya ordusunda subay olarak 1805, 1809 ve 1813-1815 savaşlarına katıldı. 1848 İtalya savaşları sırasında Verona kumandanı oldu ve önemli başarılar kazandı. 31 Mart 1849'da Brescia'daki isyanı sert bir şekilde bastırdı. 1849'da ordu kumandanlığına getirildikten sonra, Macaristan'da Görgei'ye karşı savaşma emri aldı. 28 Haziran 1849'da Raab'a saldırdı ve düşmanlarını Komarom'a kadar püskürttü. Daha sonra Szeged'i işgal etti (2 Ağustos 1849). Dembinski idaresi altındaki birlikleri yenilgiye uğratarak Temeşvar'ı aldı (9 Ağustos 1849). İhtilalin önemli isimlerini 6 Ekim 1849'da öldürttü. Aşırı sertliğinden dolayı 1850 Temmuz'unda görevinden alındı (*Der Große Brockhaus*, Leipzig 1931, s.271-272).

[25] Imrefi, *Aynı eser*, s.1-2.

[26] Henri Dembinski, I. Napolyon'un emrinde Rusya'ya karşı 1812'deki savaşa katıldı. Ayrıca 1830 ayaklanmasında da aktif bir rol oynadı. (Edmond Bapst, *Les Origines de la Guerre de Crimee la France et la Russie de 1848 a 1854*, Paris 1912, s.85).

[27] Macar Özgürlük Savaşı'nın kahramanları arasında Guyon'un çok önemli bir yeri vardır. Macar ordusu, Avusturya'ya karşı organize edildiği sırada, askeri bilgilerinden dolayı kısa zamanda yüzbaşılığa yükseldi ve Macar ordusuna katıldı. Onun Macar ordusunda ilk hizmeti, Macarlar Viyana önündeyken 29 Ekim 1849'da Schwechat Savaşı'nda olmuştu. Bu savaşta gösterdiği üstün başarılardan dolayı binbaşılığa getirildi. Gösterdiği büyük kahramanlıklar sayesinde Mansworth alınmıştı. Ancak, Mansworth'ün ele geçirilmesi sırasında bindiği at kurşunlandığından, birliğini yürüyerek yönetmek zorunda kalmıştı. Guyon, Macaristan'a en büyük hizmeti, Branyiszka savaşında yapmıştı. Aslında, Guyon'a Branyiszka'yı alma emri verildiğinde onun bunu başaracağına hiç kimse inanmıyordu. Hatta bu emri ona veren Görgei bile bu işin *"gereksiz kan dökülmesi ve kurşun harcaması"* olacağını ifade etmişti. Fakat o, kendisine verilen bu görevi, mükemmel bir şekilde sonuçlandırdı. Guyon'un bu başarısı bütün Macaristan'da mucize olarak anlatıldı. Orduda herkes, ondan hayranlıkla bahsediyordu. Bu hizmetine karşılık, ona Macaristan'ın ikinci derece askeri hizmet madalyası verildi. Buna benzer bir kahramanlığı da 22 Nisan 1849'da Komarom'un alınışında göstermişti. Buradaki başarılarından dolayı Macar Hükümeti tarafından generalliğe yükseltilmişti. Arad'ın Macarlar tarafından alınmasından sonra, General Guyon, Jellacic'in ordusuyla savaşmak üzere Perlass'a gitti. Fakat Dembinski'nin yardım istemesi üzerine 1 Ağustos 1849'da 10.000 askeriyle Szeged'e geldi. Bu tarihten sonra talih Avusturya ordusundan yana döndü. Temeşvar'da Macar ordusu dağıldı. Guyon, dağılan Macar ordusunu toplamak üzere hemen Lugos'a gitti. Temeşvar yenilgisinden sonra birçok kimse Macar meselesinden vazgeçti. Guyon, General Bem ile Erdel'e gitti. Fakat, burada başarı sağlayamamış ve Macarlarla birlikte Osmanlı Devleti'ne ilti-

Meszaros idaresindeki 34.000 kişilik ordu ile yönetim, Szeged'i terk ettiğinde hem orduda hem de sivil yönetimde kargaşa çıkmıştı. Dahası, para ve yiyecek eksikliğinden ve Görgei idaresindeki birliklerin geç kalması yüzünden kaybedilen Szoreg savaşından sonra kaos giderek arttı. Macaristan adına gelişen bu talihsiz olaylardan sonra, birçok kişi yurt dışına kaçış için hazırlık yapmağa başlamıştı[28]. Fakat, bu başarısızlıklara rağmen Macaristan'ın bağımsızlığına beslenen inanç tamamen ortadan kalkmamıştı. Dembinski, Becsey, Görgei ve Joseph Bem[29] idaresindeki ordularla yapılacak bir savaşta Rus ve

---

ca etmişti. Osmanlı Devleti'ne sığınırken bile birliklerine tekrar Macaristan'ın fethedileceği ümidini vermişti. Guyon, General Hauslab'ın Avusturya tarafından Vidin'e gönderilmesine büyük tepki göstermişti. Ona göre, Hauslab, Vidin'e mültecileri kaçırmak amacıyla gelmişti (Korn, *Aynı eser*, s.155-162). Guyon, Vidin'de bir süre kaldıktan sonra İstanbul'a gelmişti (Imrefi, *Aynı eser*, s.202; Korn, *Aynı eser*, s.113). İstanbul'da mülteciler için çalışmalar yapan Guyon, daha sonra Osmanlı ordusunda istihdam olunmak için istekte bulunmuştu. Onun bu isteği Serasker-likçe Sadâret'e bildirilmiş ve neticede Guyon, 7.500 kuruş maaş ile Arabistan ordusunun merkezi olan Şam'da istihdam edilmiştir (BOA., DUİT., 75-2/42-1 24 CA 66/7 Mayıs 1850 tarihli irade).

[28] Imrefi, *Aynı eser*, s.2.

[29] Macar Özgürlük Savaşı kahramanlarından Jozef Bem, Polonyalı asil bir ailenin çocuğu olarak 14 Mart 1794'te Tarnov'da dünyaya geldi. Varşova Askeri Akademisi'nde eğitimini tamamladıktan sonra Napolyon komutası altında katıldığı Rusya'ya karşı yapılan savaşın ardından 1813'te Varşova'daki topçuluk okulunda hocalık yaptı. Daha sonra askerlik görevinden ayrılarak teknik ve tabii ilimler üzerinde çalışmalarda bulundu. Ardından topçu olarak Polonyalıların Rusya'ya karşı giriştikleri 1830-31 ayaklanmasına iştirak etti. Bu savaşlarda büyük başarı göstermesine rağmen, Varşova kuşatmasında, General Paskeviç idaresindeki Rus ordusuna yenilmekten kurtulamadı. Ayaklanmanın Ruslar tarafından bastırılmasının ardından Batı Avrupa'ya göç etti. 1832'den sonra Paris'e yerleşen Bem, bu tarihten sonra Polonyalı mültecilerin teşkilatlanması üzerine çalıştı. Burada bazı bilimsel yayınlar yaptı. Bu arada İspanya, Portekiz, Belçika ve Hollanda'yı dolaştı. Daha sonra Viyana'ya geldi ve Macarların Avusturya'ya karşı başlattıkları özgürlük savaşında aktif rol aldı. Kasım 1848'de Lajos Kossuth tarafından Erdel ordusuna komutan tayin edildi. Bem, burada Avusturya ordusuna karşı sayısız başarılar elde etti. Ancak, Avusturya'nın yardım teklifini kabul eden Rusya'nın 200.000 kişilik bir orduyu Macar ve Polonyalılar üzerine göndermesinden sonra, komuta ettiği kuvvetler dağıldı. Son olarak Dembinski ile Avusturyalı General Haynau'ya karşı verdikleri mücadelede de başarılı olamadı ve atından düşerek yaralandı. Macarların Rus ve Avusturya müttefik orduları karşısında kesin yenilgiye uğramasından sonra Osmanlı Devleti'ne iltica etti (*Magyar Nagy Lexikon*, III., Budapest 1994, s.579-580). Macar Özgürlük Savaşı'nın kahramanları arasında yer alan Bem, aynı zamanda "*Légion d'honneur*" sahibiydi (Thadée Gasztowtt, *La Pologne et L'Islam*, Paris 1907, s.204).

Avusturya birlikleri bozguna uğratılabilirdi. Hatta bunun için Macar Hükümeti bir plan dahi yapmıştı. Buna göre, General Dembinski, birlikleriyle Temeşvar yerine Arad'a çekilecek ve buradaki Görgei'nin birlikleriyle ortak hareket edecekti. Fakat Dembinski, bir süreden beri arasının açık olduğu Görgei'nin değil, Becsey'in yanına gitmeyi tercih etti. Kendisi Temeşvar'ın düşmesini istemediği için böyle bir harekete giriştiğini belirtirse de, daha sonra Vidin'den yazdığı bir mektupta bunun bir hata olduğunu ifade eder. Görgei ise Klapka'ya yazdığı mektupta Dembinski'nin kendisini kıskandığı için böyle davrandığını iddia etmektedir. Dembinski, Becsey ile buluştuktan sonra, 40.000 kişiye yaklaşan ordusu ile 9 Ağustos 1849'da sayıca kendisinden kat kat üstün olan Rus ve Avusturya ordularıyla savaşa giriştirler. Savaşın başında Macarlar daha üstün durumda olmalarına rağmen bir süre sonra vaziyet tersine döndü ve Dembinski'nin kuvvetleri yenilgiye uğradı[30]. Avusturya ordusu bu fırsatı iyi değerlendirerek kaçanları takip etti. Macarların bir çoğu tutuklandı ya da öldürüldü. Top ve silahların büyük bir kısmı düşman eline geçti. Arkasından Haynau, Temeşvar'ı aldı[31].

Temeşvar'ın Macarların elinden çıkması sivil yönetim üzerinde olumsuz tesir yapmıştı. Bunun sonucu olarak da Arad'da bulunanlar, kaçış için hazırlık yapmağa başlamışlardı. Ayrıca, banknot makinesi Arad'dan Lugos'a taşındı. Bu arada, Temeşvar savaşının yenilgiyle bittiği haberi de gelince Arad'da bulunan Macarların ümitleri tamamen yok oldu[32]. Bu savaştan sonra Macar birlikleri çözülmeye ve dağılmaya başladı[33].

---

[30] Imrefi, *Aynı eser*, s.3.
[31] Macar ordusu bu yenilgiden sonra 9.000 kişi kadar kaldı. Bunlardan 2.000'i düzenli bir şekilde Kmety ile Rekas'a, 4.000'i Becsey ile birlikte Kizeto'ya, 3.000'i Guyon ve Bem ile Lugos'a çekilirken, Biscoky ve Monti, Polonyalı ve İtalyan birlikleriyle Karonsedes'e çekildiler. Imrefi'nin iddiasına göre, bu savaşın mağlubiyetle sonuçlanmasının tek sorumlusu Dembinski'nin hatalı adımı değil, aynı zamanda General Bem'in aşırı gerginliğiydi. (Imrefi, *Aynı eser*, s.3). Temeşvar savaşına Dembinski'nin idaresindeki orduda katılan Philipp Korn ise, hatıratında yenilginin sorumlusu olarak Görgei'yi gösterir (Korn, *Aynı eser*, s.39-40).
[32] Imrefi, *Aynı eser*, s.5.
[33] Joseph Hutter, *Von Orsova bis Kiutahia*, Braunschweig 1851, s.4.

Lajos Kossuth ve Görgei, savaşın kaybedildiğini 10 Ağustos'ta Arad'da duydular. Bunun üzerine birkaç bakanı ile birlikte istifa eden Kossuth, bir süre sonra devlet başkanlığı görevini Görgei'ye bıraktı. Ancak Görgei'ye güvenmeyen yüksek dereceli askeri ve sivil memurlar, yurdun içinde güvenilir bir yer arama ya da Yeni Orsova üzerinden Osmanlı Devleti'ne iltica kararı aldılar. Bunların sayısı fazla değildi. Nitekim, birçoğu, Görgei'ye güvenerek geride kalmıştı. Dembinski ve Bem'in idaresindeki birlikler, 9-11 Ağustos tarihlerinde Lugos'ta toplanmaya başladı. Ancak, aç ve yorgun bir şekilde burada toplanan birlikler gelecekten hiç de ümitvar değildi. Bu sebeple söz konusu birlikler dağınık bir şekilde ormanlara ve Eflak köylerine doğru kaçmaya başladılar. Imrefi, Macar ordusunun Temeşvar'dan kaçışını tam bir kaos olarak değerlendirir. Hatta bunu bir deli kaçışına benzetir. Öte yandan Macar banknotlarının değeri bir anda düşmüştü. Herkes Macar parasını bir başka para ile değiştirmeye çalışıyordu. Bütün bu olumsuzlukların üzerine bir de maaşları ödenmemiş devlet memurları, hizmetçiler ve işçilerin protestoları eklenince durum daha da karışık bir hal almıştı[34].

2- Lajos Kossuth'un Devlet Başkanlığından İstifası

General Bem, Temeşvar savaşında atından düşmüş ve kolunda bir ezilme meydana gelmişti. Aynı zamanda, yüzünü sıyırıp geçen bir kurşun yüzünden de hafifçe yaralanmıştı[35]. Yaralanan Bem, Rekas'a gelmiş ve dinlenmeye çekilmişti[36]. Kolunun kırıldığına ve

[34] Imrefi, *Aynı eser*, s.5-6.
[35] Pataky, *Bem in Siebenbürgen zur Geschichte des Ungarischen Kriges 1848 und 1849*, Leipzig 1850, s.117; Imrefi, *Aynı eser*, s.4.
[36] Temeşvar savaşında mağlup olan ordunun önemli bir kısmı Rekas'a gelmişti. Pataky, General Bem'in savaştan sonraki gece bir doktor eşliğinde Rekas'a ulaştığında burada büyük bir kargaşa olduğunu yazar. Yine Pataky'nin yazdıklarına göre, ordu büyük bir düzensizlik içerisindeydi. Açlık ve yorgunluk, ordudaki kaosu giderek arttırıyordu. Ordunun bu dağınıklığı ve General Bem'in de yaralı halde bulunması, ülkenin üst düzey yetkililerini çaresizlik içerisine düşürmüştü. Pataky'e göre, bu çaresizlik yüzünden bazı generaller para ve sivil giysiler tedarik ediyorlardı. Hatta, Dembinski, Meszaros, Perczel ve Bisocky istifa edip Türk sınırına doğru yola çıkmışlardı. Generallerin istifa etmesiyle birlikler başsız kaldığından Bem'in ilk yaptığı iş düzeni yeniden sağlamak olmuştu. Bu amaçla da İngiliz Richard Guyon'u birliklerin başına tayin etmişti. Ancak, her şeyden önce ordunun

hareket edemeyecek kadar yaralandığına dair dedikodular etrafa yayılmıştı. Bem'in yaralanmasına rağmen, savaş bütün şiddetiyle devam ediyordu. Savaş devam ederken bir ulak, Arad'da bulunan Kossuth'a Bem'in komutayı aldığına ve savaşın Macaristan lehine döndüğüne dair bir haber getirdi. Bu haber Kossuth için ümit verici bir gelişmeydi. Zira o, Bem'in ordusuyla hemen Arad'a gelip Görgei'nin ordusuyla birleşmesini ve komutayı eline almasını istiyordu. Fakat kısa bir süre sonra Guyon tarafından gönderilen başka bir ulak, Arad'a gelip yenilgi haberini Kossuth'a iletmişti. Haberde, Macar ordusunun dağınık halde geri çekildiği, Bem'in kolunun kırıldığı, artık hizmet verecek durumda olmadığı ve her şeyin kaybedildiği söyleniyordu[37].

Bu üzücü haber, Kossuth'un istifasını hızlandırdığı gibi, artık kendisini kurtarmaktan başka çare kalmadığını ve bunun için de çok az zaman kaldığını düşünmeye sevk etmişti. Kossuth, Temeşvar yenilgisinden sonra Bem'e bir ulak göndererek onun Arad'a gelmesini istedi. Ulak, 10 Ağustos 1849'da Bem'e ulaşabilmişti. Bem, dağılan Macar ordusunu yeniden düzene koyduktan sonra Arad'a gitmeyi planlıyordu. Kossuth'a gönderdiği mektupta durumun göründüğü kadar kötü olmadığını belirtiyordu. Birliklere hızla yeni bir düzen verdiğini ve yaralarının o kadar da önemli olmadığını bildiriyordu. Avusturya ordusunun kazandığı başarıların önemli olmadığını ve henüz her şeyin bitmediğini söylüyordu. Bem, mektubunda orduyu düzenledikten sonra Arad'a gideceğine dair söz veriyordu[38]. Ancak bu mektup, ulağın sorumsuzluğu yüzünden Kossuth'a ulaşmadı. Pataky'e göre, eğer bu mektup Kossuth'a zamanında ulaşmış olsaydı, Bem'in gelmesini bekler ve istifasını geciktirirdi[39].

---

beslenme sorununun çözümlenmesi gerekiyordu. Çünkü bu sorun çözülmeden moralsiz olan ordunun bir düzene konulması zor görünüyordu. Banknot makinesinin çalışmaması yüzünden birliklerin acil ihtiyaçları da karşılanamıyordu. Bem, bu sorunu halktan yiyecek toplayarak geçici de olsa, bir süre için çözüme kavuşturmuştu (Pataky, *Aynı eser*, s.118-121).

[37] Pataky, *Aynı eser*, s.117.
[38] Pataky, *Aynı eser*, s.121.
[39] Pataky, *Aynı eser*, s.122.

Bem'den haber gelmemesi üzerine Arad'da bütün ümitler yavaş yavaş yok olmaya başlamıştı. Bu arada Görgei, Arad'da ümitleri kırılan Macar devlet erkanına, *"Bana başkumandanlığı verin, sizi Peşte'ye götüreyim"*[40] demişti. Bem'den bir haber gelmemesinin yanı sıra, Kossuth'un dışarıdan destek alacak bir ümidi de kalmamıştı[41]. Bu şartlar altında 11 Ağustos sabahı Arad'da Kossuth'un evinde bakanlar kurulu toplanmıştı. Kossuth, Temeşvar savaşının sonucunu bildiren Guyon'un mektubunu bakanlara okuduktan sonra izlenecek stratejiler görüşüldü[42]. Devlet adamları, bundan sonra Macarların savaşı kazanmalarının zor olduğu kanaatine vardılar. Kossuth, gücünün kalmadığını ve yetkilerini Görgei'ye devrettiğini açıkladı[43]. İmrefi'ye göre, Macar yöneticileri o sırada suda boğulmak üzere olan bir insana benziyordu. Bu insan, çaresizce dalgalarla savaşıyor ve akıntıya karşı durabilmek için bir saman çöpüne sarılıyordu[44]. Görgei, görevi aldıktan sonra hem kendisi hem Kossuth, Macar halkına 11 Ağustos 1849'da birer bildiri yayınladılar[45].

Kossuth, bildiride Rusya ve Avusturya'nın birleşik gücü karşısında özgürlük savaşının başarıya ulaşma şansının azaldığını belirtiyordu. Bu şartlar altında devlet başkanlığını daha fazla devam ettiremeyeceğini ifade ediyordu. Macar halkının kendi yöneticisini seçecek duruma gelinceye kadar devlet başkanlığı yetkisini Görgei'ye devrettiğini ilan ediyordu. Kossuth, Görgei'den bu gücü Macaristan'ın kurtuluşu ve bağımsızlığı için kullanmasını istiyordu. Macaristan'ı menfaatini düşünmeden sevmesi ve ülkenin huzurunu sağla-

---

[40] Korn, *Aynı eser*, s.40.
[41] Korn, *Aynı eser*, s.40.
[42] İmrefi'nin yazdıklarına göre Kossuth, toplantıda Görgei'nin şimdiye kadar hiçbir savaşı kaybetmediğinden, yenilmemiş bir orduyla düşman karşısına çıkmaya en müsait kişi olduğunu söyledi. Bem'in Temeşvar savaşında yaralanmasından sonra, bu göreve Görgei'den başka bir kumandanın tayin edilmesinin mümkün olmadığını belirtti. Onun sözleri herkes tarafından kabul edildi ve böylece Görgei, bütün yetkilerle donatılmış olarak Macar ordusunun başına geçti. (Imrefi, *Aynı eser*, s.28).
[43] Korn, *Aynı eser*, s.41.
[44] İmrefi, *Aynı eser*, s.28.
[45] John Rodwell, Louis *Kossuth and the Last Revolution in Hungary and Transilvanya*, London 1850, s.365; Headley P.C., *The Life of Louis Kossuth*, 1852, s. 209; Korn, *Aynı eser*, s.41.

mada kendisinden daha şanslı olması temennisinde bulunuyordu. Kendisinin tek başına vatanına bir katkıda bulunamayacağını, ancak bu uğurda ölmesi bir işe yarayacaksa hayatını zevkle kurban edeceğini belirtiyordu[46].

Görgei ise bildirisinde, artık eski yönetimin görevde olmadığını, Kossuth ve bakanlarının kendi istekleriyle çekildiklerini ifade ediyordu[47].

Kossuth, 12 Eylül 1849'da Vidin'den İngiltere ve Fransa'daki Macar elçilerine gönderdiği ve tarihi öneminden dolayı literatüre *"Vidin Mektubu"* olarak geçen mektubunda devlet başkanlığını neden Görgei'ye bıraktığını açıklar. Söz konusu mektuptaki ifadelere göre Görgei, yönetimi kendisine devretmesi için, yazılı olarak Kossuth'a müracaatta bulunmuştu. Kossuth, bu istek üzerine vicdanıyla muhasebe yaptığını ve sonunda Görgei'nin isteğini kabul ettiğini belirtir. Bir takım insanların çıkarı için Macaristan'ın bağımsızlığını tehlikeye düşürecek bir harekette bulunursa, bütün Macar ulusunun önünde onu hain ilan edeceği uyarısında da bulunmuştu[48].

Yukarıda da değinildiği gibi Kossuth, General Bem'e Arad'a gelmesi için haber göndermişti. Bu çağrı üzerine Bem, Arad'a gitmek üzere yola çıkarak 10 Ağustos 1849'da Lugos'a varmıştı. Buradaki işler, onun bütün gününü almış ve ancak akşam geç vakitte Arad'a doğru yola çıkabilmişti[49]. Bem ve birlikleri güvenlik açısından tali yolları kullanıyor ve gece yolculuk yapmak zorunda kalıyorlardı. Bu yüzden Bem, Radna'ya ancak 12 Ağustos'ta ulaşabilmişti. Bem'in birliğinde yer alan Pataky'nin ifadesine göre, Radnalılar, Bem'i büyük bir şaşkınlıkla karşıladılar. Çünkü onlar, Bem'in yaralanmış ve hizmet edemez durumda olduğunu biliyorlardı. Bem, Kossuth'un istifa edip görevi Görgei'ye devretmiş olduğunu burada öğrendi. Bu haber karşısında Bem, yıldırım çarpmışa döndü. Zira o, Lugos'ta

---

46 Rodwell, *Aynı eser*, s. 365-366; Headley, *Aynı eser*, s.209-210; Korn, *Aynı eser*, s.41-42.
47 Rodwell, *Aynı eser*, s.367-368-; Headley, *Aynı eser*, s.210-211; Korn, *Aynı eser*, s.42-43.
48 Korn, *Aynı eser*, s.81.
49 Pataky, *Aynı eser*, s.122.

düzenli bir ordu bırakmış ve Arad yolculuğuna büyük ümitler bağlamıştı. Hatta general Guyon'a *"Szeged'de buluşuruz"*[50] demişti. Oysa, şimdi bütün planları alt üst olmuştu. Bu şartlar altında Bem, Arad'a gitmenin bir anlamı kalmadığı kanaatine vardığından Radna'dan Lugos'a dönmeye karar verdi. Bem'in birlikleri Radna'ya geliş yolundan farklı bir yol izleyerek 13 Ağustos'ta Lugos'a ulaşmışlardı[51].

Bu arada Kossuth, Lugos üzerinden geçip, Türk sınırındaki Orsova'ya ulaşmış bulunuyordu. Bem, Lugos'tan 14 Ağustos'ta Kossuth'a bir mektup gönderdi. Mektubunda, onu Orsova'ya gitmekte acele etmesinden ve yönetimi Görgei'ye vermesinden dolayı suçluyordu. Görgei'yi tanımadığını ve halkın temsilcisi olmayan hiçbir güçten emir almayacağını söylüyordu. Bem, dünyanın her yerinden daha güvenilir olan ordunun içine gelmesi için Kossuth'u uyarıyordu. Çünkü, Kossuth'un varlığı ile ordu canlanacak ve kahramanca işler yapacaklardı. Temeşvar yenilgisinden sonra Macar yöneticileri ümitlerini kaybetmiş olsalar bile Bem, şimdiye kadar büyük başarılar kazandığı savaşı sonuna kadar sürdürmeyi düşünüyordu. Elinde kalan az sayıdaki düzenli ordu ile de Erdel'e girmeyi planlıyordu.[52]

Kossuth, Bem'in mektubunu Orsova'da aldı ve hemen ona bir cevap yazarak, kendisini istifaya iten sebepleri ona açıkladı. Mektuptan anlaşıldığı kadarıyla savaşın kaybedilmesi ve Bem'in yaralanması Kossuth'u istifaya iten en önemli faktörlerdi. Birçok General, Lugos'tan geçerken kendisine Macar ordusunun savaşmak şöyle dursun, duyacakları ilk ateşte kaçmaya başlayacaklarını söylediklerini ifade etmişti. Yani ordu şaşkın ve dağınık haldeydi. Mektuptaki ifadelerden, halkın yiyecek maddelerini vermeye zorlanmasının Kossuth'u üzdüğü anlaşılmaktadır. Bu şekilde davranılmaya devam edilirse, bir süre sonra bütün halk orduya düşman olabilirdi. Halbuki Kossuth, savaşı hedef olarak değil, halkın kurtuluş ümidi olarak görüyordu. Ayrıca Kossuth, mektubunda kendisini korkaklıkla suçlayan Bem'e de cevap vermişti. Ona göre, Orsova'ya gidiş sebebi

---

50 Pataky, *Aynı eser*, s.123.
51 Pataky, *Aynı eser*, s.123.
52 Pataky, *Aynı eser*, s.124.

korkaklık değil, Arad'da bulunmasının Macaristan için zararlı olacağına inanmasıydı. İyi bir vatansever olduğuna inandığı ve vatanına sadık kalacağına dair söz verdiği için görevi Görgei'ye devrettiğini belirtiyordu[53]. Fakat cevap, Bem'e ulaşmayıp düşmanlarının eline geçmişti. Bem, bu mektubu uzun zaman sonra Avusturya gazetelerinden okuyabilmişti[54]. Pataky'e göre, bu mektup Bem'in eline geçmiş olsa bile, general planlarını değiştirmeyecekti[55].

3- Macar Ordusunun Ruslara Teslimi

Imrefi, Macar Özgürlük Savaşı'nın başarısızlığa uğramasında en önemli faktörlerden biri olarak, ordu ile sivil yönetimin birbirleriyle anlaşamamasını ve sürekli kavga etmelerini gösterir. Hal böyle olunca da *"Kendi içinde yıkılan her ülke, teslim olmaya mahkumdur"* der. Gerçekten de Kossuth ile Görgei, 1849 ilkbaharından sonra aralarının açılmasıyla adeta aynı kına sığmayan birer kılıç gibiydi[56]. Bu yüzden de Kossuth, devlet başkanlığı yetkilerini Görgei'ye değil, Bem'e teslim etmek istiyordu. Ancak, gelişen olaylar ona bu fırsatı vermedi.

Görgei, görevi Kossuth'tan aldıktan sonra askeri birlikleri Vilagos'a götürmek için onlara 12 Ağustos'ta bir konuşma yaptı. Bu konuşmada, General Paskeviç'in Rus birliklerini Avusturya'dan ayırdığını ve Macaristan ile birleşerek eski müttefikine karşı savaşacağını söyledi. 12.000 kişilik Macar ordusunun Rus karargahına doğru yola çıktığını ve birkaç gün içinde Rus ve Macar müttefik ordularının Avusturya'nın başkenti Viyana'ya doğru yola çıkacağını belirtti. Görgei, ordunun kendisine güvenmesi halinde onları zaferden zafere koşturacağı inancındaydı. Eğer verdiği emirleri kabul etmezlerse kendisine inanan az sayıdaki birliklerle Macaristan'ı barışa ve iyiliğe götürecek yolda tek başına ilerleyeceğini ilan etti[57]. Görgei, görüşme-

---

53 Korn, *Aynı eser*, s.50.
54 Pataky, *Aynı eser*, s.124-125.
55 Pataky, *Aynı eser*, s.126.
56 Imrefi, *Aynı eser*, s.25.
57 Korn, *Aynı eser*, s.44.

ler yoluyla Rusya ve Avusturyalı müttefiklerin aralarını açabileceğini umuyordu[58].

Macar askeri birlikleri ona inanarak Arad'dan Vilagos'a doğru yola çıktılar. Ancak Görgei, 13 Ağustosta Szolos'ta Rus Generali Rudiger'e ordusuyla teslim oldu[59]. Ancak o, teslim edilen silahların çok yakında geri alınacağını ve Rusya'nın yardımıyla bu silahların Avusturya'ya yöneleceğini söyleyerek birlikleri teselli etmeğe çalıştı[60].

Görgei'nin orduyu Ruslara teslim etmesi, Macar Özgürlük Savaşı'nda önemli bir dönüm noktasıdır. Muhalifleri ve özellikle de Kossuth bu davranışından dolayı Görgei'yi birçok kere "vatan hainliği" ve vatanını satmakla suçlanmıştır. Kossuth, 12 Eylül 1849 tarihli Vidin mektubunda Görgei'nin Macaristan'a ihanet ettiğine ve onun yüzünden Macaristan'ın düştüğüne dair birçok delil öne sürer[61]. Ancak buna karşılık, Görgei'nin komutası altında savaşmış bazı subaylar da savaşın kaybedilme sebebi olarak bizzat Kossuth'u gösterirler.

Kossuth, Görgei'nin Ruslarla temasa geçmesini eleştirmesine rağmen, devlet başkanlığı görevinden ayrılmadan önce kendisi de görüşmeler yaparak Rusya ve Avusturyalı müttefiklerin arasının açılabileceği görüşündeydi[62]. Başarının neredeyse imkansız olduğu bir gerçekken, Görgei'den başarı beklemek iyimserlikten başka bir şey değildi. Herkesin suçlu olduğu böylesi bir ortamda onu ihanetle suçlarken dikkatli olunması gerekir[63]. Her şeyin kaybedildiği böylesi bir ortamda suçu sadece kumandanlara yüklemek doğru değildir. Zira, birisi savaşın kaybedilme sebebi olarak kararsız, zayıf ve şaşkın sivil yönetimi suçlarken öteki, suçu orduları birleştirmekte geç kalan hatta, Temeşvar yenilgisinden sonra bu birleşmeyi yapması gerekir-

[58] Robert Hermann, *Lajos Kossuth ve 1848-49 yıllarında Macar Özgürlük Savaşı*, Budapest 2003, s.82
[59] Hermann, *Aynı eser*, s.82.
[60] Korn, *Aynı eser*, s.45.
[61] Imrefi, *Aynı eser*, s.25.
[62] Hermann, *Aynı eser*, s. 82.
[63] Imrefi, *Aynı eser*, s.29-30.

ken yapmayan Görgei'yi suçlayabilirdi. Bir başkası da Görgei'yi bek-
lemeyip ordunun dağılmasına sebep olan ve dolayısıyla savaşı kay-
beden Dembinski ve Bem ikilisini suçlayabilirdi[64].

Fakat bütün bu iyimser görüşlere rağmen Macar ordusunun
Ruslara teslim edilmesinin bilançosu korkunç olmuş ve birçok yük-
sek rütbeli subay dar ağacını boylamıştı, binlerce subay da zincire
vurulmuştu[65].

B. İhtilalcilerin Osmanlı Devleti'ne İlticası

1- *İlk Mülteci Kafilesi ve Osmanlı Devleti'nin Aldığı Tedbirler*

Temeşvar yenilgisi ve Görgei'nin Ruslara teslim olmasından
sonra Macarlar, Polonyalılar ve İtalyanlar kitleler halinde Osmanlı
sınırına yığılmaya başladılar. Mültecilerin iltica sebepleri, Avusturya
ve Rusya'ya karşı duyulan güvensizlik, öldürülme ve hapsedilme
korkusuydu. Hepsinden önemlisi, Osmanlı Devleti'nin yardımıyla
orduyu tekrar ayağa kaldırıp, kaybedilen vatanı geri alma ümidiy-
di[66]. O sırada Bükreş'te bulunan Fuad Efendi[67], Bâbıâli'ye gönderdiği
27 Temmuz 1849 tarihli   yazıda sınıra ilk gelen mültecilerin,
Erdel'deki Rus askeri kumandanı General Lüders'in Kızılkale der-
bendinde yenilgiye uğrattığı Macarlar olduğunu ifade eder. Bu kafi-
le, 36'sı subay, gerisi çavuş, onbaşı ve er olmak üzere toplam 1.120
kişiydi. Fuad Efendi *"... 'asâkir-i hazret-i şâhânenin zîr-i cenâh-ı
fütüvvetine iltica..."*[68] eden subayların iâdeleri halinde ağır cezalara
çarptırılacaklarını belirterek, bunların sınırdan uzaklaştırılarak iç
bölgelere yerleştirilmelerini tavsiye ediyordu. Ancak erlerin, subay-
lar gibi tek tek suçlu olmadıklarından bunların hemen iâde edilmesi
gerektiğini belirtiyordu[69].

---

[64]   İmrefi, *Aynı eser*, s.4-5.
[65]   Korn, *Aynı eser*, s.46.
[66]   İmrefi, *Aynı eser*, s.7.
[67]   Tanzimat döneminin meşhur üç paşasından Fuad Paşa'dır.
[68]   BOA., DUİT., 75-1/13-2 Fuad Efendi'nin Sadâret'e gönderdiği 7 N 65/27 Temmuz
1849 tarihli tahrirat.
[69]   BOA., DUİT., 75-1/13-2.

Diğer taraftan Fuad Efendi, konuyla ilgili olarak Avusturya Konsolosu'nun görüşüne de başvurmuştu. Konsolos, bu hususta hükümetinden kendisine bir talimat gelmediğinden şimdilik bir şey söyleyemeyeceğini belirtmişti. Ayrıca, Erdel'deki Avusturya birliklerinin kumandanlığını General Duhamel yaptığından, bu hususta onun görüşlerinin belirleyici olacağını söyledi. Bunun üzerine Fuad Efendi, meseleyi bir de Duhamel ile görüştü. Fakat mültecilere yapılacak muameleye dair ona da devletinden bir talimat gelmemişti. Bu sebeple devletlerinden bir emir gelinceye kadar, mültecilerin Osmanlı askerlerinin gözetiminde kalmalarına karar verildi. Ayrıca Fuad Efendi gerek konsolosa gerekse Duhamel'e subayların sınırdan uzaklaştırılarak Rimnik şehrine götürülmelerini ve diğerleri hakkında bir karar verilinceye kadar bunların yerlerinde kalmalarının uygun olacağını teklif etti. Bu teklif, konsolos ve general tarafından da kabul edildi. Bu anlaşma gereği, subaylar Rimnik şehrine nakledildi. Ancak, sınırda görevli bulunan İsmail Paşa'nın, Kinin'deki mültecilere yiyecek temin edilmesinde sıkıntılar yaşanabileceğini belirtmesi üzerine bütün mülteciler Rimnik'e nakledildiler[70].

Fuad Efendi söz konusu tahriratında, mültecilerin neden kabul edildiğine de değinir. Ona göre, bunlar kabul edilmediği takdirde Ruslar, Macarları takip edip sıkıştıracak ve sınırdan girmek için Osmanlı askerleriyle de savaşabileceklerdi[71]. Böylesi bir gelişme ise, Macar savaşının Osmanlı topraklarına sıçraması anlamına geliyordu. Zaten Rusya, öteden beri Osmanlı Devleti'nin Macarlara karşı savaşa girmesini istiyordu. Rusya'nın bu isteğini bilen Bâbıâli, sınıra gönderilen askeri birliklerin kumandanlarına Macarlarla çatışmaya neden olacak hareketlerden kaçınılmasını tembih etmişti.

Fuad Efendi, Macaristan ile Avusturya arasındaki savaşın en şiddetli döneminde Sadâret'e gönderdiği tahriratında, Macarlar savaşı kaybedip Osmanlı Devleti'ne iltica etmek isterlerse kendilerine ne tür bir muamele yapılması gerektiğini sormuştu[72]. Bâbıâli, Macarların Osmanlı Devleti'ne ilticaları halinde onları kabul etmek için tek

---

70 BOA., DUİT., 75-1/13-2.
71 BOA., DUİT., 75-1/13-2.
72 İra. Har. Nr. 2373.

bir şart ortaya koymuştu. O da iltica etmek isteyenlerin Türk sınırını silahsız olarak geçmeleri yani, ellerindeki silahları teslim etmeleriydi. Aksi halde mülteci olarak gelmek isteyenler kabul olunmayacaktı[73].

Bir savaşçıyı birçok tehlikeli durumda sadıkça koruyan ve onu birçok tatlı ve acı hatıralarıyla kendine bağlayan ve acı günlerinde teselli eden silahından ayırmanın ne kadar üzücü olduğu inkar edilemez. Fakat, Osmanlı Devleti hem kendi iç güvenliği hem de komşuluk gereği Macarların silahlı bir şekilde Osmanlı ülkesinde yeniden organize olarak Avusturya'ya karşı bir harekete geçmeleri riskini göze alamazdı. Çünkü, böylesi bir gelişmeyle ihtilal fikirlerinin yayılması sonucu, savaş Osmanlı Devleti'nin yumuşak karnı olan Eflak ve Boğdan'a da sıçrayabilirdi. Bu gelişme ise, Osmanlı Devleti'ni iki komşusu Avusturya ve özellikle de Rusya ile ilişkilerini kritik bir safhaya sokabilirdi. Bu sebeple, İstanbul'dan bölgedeki görevli memurlara gelmesi muhtemel mültecilerin ellerindeki silahların alınması hususuna dikkat etmelerine dair sürekli emirler yazılmıştır[74].

Gerçekten de Bâbıâli, mültecilerin silahsızlandırılmalarına çok dikkat etmişti. Nitekim, Fuad Efendi'nin tahriratının değerlendirildiği 16 Ağustos 1849 tarihli Meclis-i Mahsûs toplantısında, mültecilerin silahlarını teslim etmeleri şartıyla hiçbirinin iâde edilmemeleri yolunda karar alındı[75]. Alınan bu karar, mültecilerin büyük çoğunluğuna uygulandı[76]. Fakat aşağıda da değinileceği gibi, iltica edenlerin sayısının beklenenden fazla olması üzerine, daha sonra bu uygulamadan vazgeçildi.

---

[73] İra. Har. Nr.2368.
[74] Buna bir örnek olması bakımından Silistere Valisi'ne yazılan emirde şöyle deniliyordu: "...*memleket-i şâhâneyi devlet-i metbû'aları aleyhine olan fesâd ve fitnelerine merkez edememeleri esbâbının istihsâlî olduğu vâzıhâtdan olduğundan o makûle rüesâ-yı usâtdan zîr-i irâde-i destûrilerinde kâin mahallere gelen olur ise... ahz u girift olunmaları lâzım gelmeyerek, ancak yedlerinde silahları bulunur ise nez'inin Memâlik-i İmparatorinin bir gûne fesâd ve ihlâline muktedir olamayacakları kazalara nakl ve ikâme etdirilmesi...*" (BOA. HR. MKT. 24-65).
[75] BOA., DUİT., 75-1/3-1 Sadâret'in Mâbeyn'e takdîm ettiği 27 N 65/16 Ağustos 1849 tarihli arz tezkiresi.
[76] Mültecilerin silahsızlandırılmalarına dair ayrıntılı bilgi için bkz. Hutter, *Aynı eser*, s.27-28.

Diğer taraftan mültecilerden kimsenin iâde edilmemeleri yolunda Fuad Efendi'ye bir tahrirat gönderildi. Bu tahriratta, *"...o makûleleri Avusturyalulara veyâhûd Rusyalulara teslîm etmek cânlarını tehlîke-i 'âzîmeye ilkâ eylemek demek olub buna ise merhamet-i seniyye kâil ve şân u şevket-i Devlet-i Aliyye'ye bir vechile muvâfık..."* [77] olmayacağı ifade ediliyordu.

2- Mor Perczel, Dembinski, Lazar Meszaros ve Miklos Perczel'in İlticası

General Mor Perczel neşeli, cesur, yerinde karar verebilen popüler bir savaşçıydı. Macar Özgürlük Savaşı'nda teşkilatçılık kabiliyeti dolayısıyla oldukça yararlı olmuştu. Gururlu ve inatçı kişiliği, onun yönetimle sürekli kavgalı olmasına yol açıyordu[78]. Perczel, Banat'ta kazandığı zaferden sonra 1849 baharında Szeged'e geldiğinde büyük bir halk topluluğu tarafından karşılanmıştı. Burada yaptığı konuşmada ülkenin mutluluğunun, ancak Kossuth'un yönetimden indirilip yerine kendisinin geçmesine bağlı olduğunu söylemişti. Kossuth'a bütün kalbiyle bağlı olan halk, bu açıklama karşısında şaşırmış ve Perczel için hazırladıkları eğlenceyi iptal etmişlerdi. Ayrıca bu ifadeyi tekrarlaması halinde hayatının tehlikeye gireceğini söylemişlerdi. Ancak Kossuth, kendisi hakkında yaptığı bu konuşmayı haber aldığında hiç bir tepki göstermemişti. Zira Kossuth, zaaflarına rağmen, sadık bir vatansever olan Perczel'i seviyordu[79].

Perczel, Haziran ayının ortasında Meszaros'u başkumandanlığa tayin etmesinden dolayı, Kossuth'a ağır ifadeler içeren bir mektup yazmıştı. Mektubunda bu hatadan dönülmemesi halinde ordusuyla beraber Meszaros'tan kumandayı alacağını ifade ediyordu. Bazıları bu mektubu, Perczel'in kendisinin başkumandan tayin edilmediği takdirde bu makamı zorla ele geçireceğine dair Kossuth'a bir direktif gönderdiği şeklinde yorumlamıştı[80]. Ancak, mektuptaki ifadeden açıkça anlaşılacağı üzere Perczel, başkanlığı ele geçirmek niyetinde

---

77 BAO., BEO., A.MKT. 220-28.
78 İmrefi, *Aynı eser*, s.7-8.
79 İmrefi, *Aynı eser*, s.8-9.
80 İmrefi, *Aynı eser*, s.9.

olmayıp, daha çok Meszaros'un bu göreve atanmasına muhalefet ediyordu.

Perczel, Dembinski'nin isteği üzerine Temeşvar savaşının düzenlenmesinde önemli katkılarda bulunmuştu. Fakat, savaşının başarısızlıkla neticelenmesi üzerine 10 Ağustos'ta Rekas'ta birkaç kişi ile birlikte yurtdışına gitmek üzere General György Kmety'den[81] ayrılmış ve Orsova'ya doğru yola çıkmıştı[82]. Onun yurt dışına çıkmaya karar vermesi, Temeşvar yenilgisinin en cesur komutanların bile ümitlerini kırdığını çarpıcı bir şekilde ortaya koymaktadır. Mor Perczel, Osmanlı Devleti'ne iltica etmek isteyen Macar generalleri arasında ilk sıralarda yer alıyordu. Perczel, 13 Ağustos'ta Mehadia'da iltica etmek isteyenlerle beraber Eski Orsova'ya gelmişti. Burada Tuna'nın karşı kıyısındaki Sırplar, kendilerine düşmanca bir tavır sergilemişti. Perczel ve yanındakiler, Sırpların Tuna'yı geçerek kendilerine saldıracaklarından endişe duyuyorlardı. Bu yüzden Perczel, geri dönmek isteyenlerle vedalaşıp kardeşi Miklos Perczel ile yaverleri Yüzbaşı Johan Somsich, Josef Halasz, eski subaylardan Alexsander Makai ve diğer birkaç kişi ile birlikte Osmanlı sınırına doğru harekete geçmişlerdi. Perczel ve maiyetindekiler, sınıra geldiklerinde Decsy adlı tercümanı vasıtasıyla Eflak'ta bulunan Türk askerleriyle irtibata geçti. Decsy, Perczel'in ordusunda savaşmış bir onbaşıydı. Perczel, tercüman aracılığı ile Türk askerlerine savaşın sonucu hakkında kesin bir malumat edinmeden Türk sınırına geçmeyeceğini bildirdi[83].

---

[81] Kmety 1810'da doğmuş ve 25 Nisan 1865'te Londra'da ölmüştür. Macar Özgürlük Savaşı'nda, bilhassa Budin ve Temeşvar savaşlarında kendini göstermiştir. Vilagos'taki silah tesliminden sonra Osmanlı Devleti'ne iltica etmiştir. Kmety, din değiştirerek İsmail Paşa ismini almıştır. (*Der Große Brockhause*, Leipzig 1931, s.247). İsmail Paşa, mîrlivâ rütbesiyle Osmanlı Ordusu'na girmiş, Kırım Savaşı'nda Anadolu Ordusu Erkân-ı Harbiye Riyâseti'ne tayin olunarak Kars'ı müdafaa etmiştir. (İsmail Paşa'nın Kırım Savaşı'ndaki faaliyetleri için bkz. George Kmety, *A Narrative of the Defence of Kars*, London 1856) İstanbul'a döndüğünde Ferik rütbesiyle Meclis-i Tanzimat üyeliğine seçilmiş ve 1278'de Girit Valisi olarak atanmış ve 1282'de vefat etmiştir (Şemseddin Sami, *Kâmûsu'l- Alâm*, İstanbul 1311, s.950).

[82] Imrefi, *Aynı eser*, s.10.

[83] Imrefi, *Aynı eser*, s.11.

Bu şekilde sınırda bekleyen Perczel ile maiyetindekilere başka Macarlar da katıldı. Yeni gelenlerle beraber sayıları 40'a yaklaşan bu grup arasında *"Közlöny"* adlı gazetenin editörü Adolf Gyurman ile eşi de bulunuyordu[84]. Diğer taraftan Eski Orsova'daki Macar ve Polonyalı mültecilerin sayısı da giderek artıyordu. Bunlar, sınırdaki arkadaşlarını sık sık ziyaret ediyorlardı[85]. Ancak, sınıra savaşla ilgili iyi haberler gelmiyordu. Bunun üzerine Perczel, sınırda daha fazla beklemenin yarar sağlamayacağını anladı ve 16 Ağustos 1849'da maiyetindekilerle birlikte Osmanlı Devleti'ne iltica etti[86]. Yanında kardeşi Miklos Perczel, Somsich, Decsy, Halasz ve Makai bulunuyordu. Ayrıca, yanlarında üç araba ve birçok at vardı. Fakat, Perczel'in yanındakilerin bir kısmı, sınırdan içeri girmemişlerdi. Büyük bir ihtimalle onlar Kossuth'u beklemek için böyle yapmışlardı[87].

Perczel ve maiyetindekiler sınırı geçtiklerinde Türk askerleri tarafından büyük bir coşkuyla karşılandılar[88]. Türk askerleri, onlara hayatlarının garanti altında olduğuna dair güvence verdiler. Bu güvence sayesinde Perczel ve arkadaşları silahlarını Türk askerlerine teslim ettiler. Bir süre dinlendikten sonra da Türk askerleri eşliğinde Turnu-Severin'e[89] gönderildiler[90]. Perczel ve arkadaşları, Severin'de Türk misafirperverliğine yakışır bir şekilde karşılandılar. Burada kendileri için hazırlanan çadırlara yerleştirildiler.

Dembinski ve Meszaros ise 15 Ağustos'ta Orsova'dan Osmanlı sınırına gelmişlerdi. Bu arada gazetelerde yer alan haberlere göre

---

[84] Gyurman, bu bayanla Debrece'deki geri çekilme sırasında evlenmişti (Imrefi, *Aynı eser*, s.12).
[85] Imrefi hatıratında Eski Orsova hakkında şu bilgileri verir: Eski Orsova, bölgedeki en muhteşem yerleşim yeriydi. Bahçelerle çevrili evlerde zanaat ve ticaretle uğraşan, altın işleyen, bakkallık yapan ve para karşılığında Tuna'daki ulaşımı engelleyen taşları kıran Eflaklılar oturuyordu (Imrefi, *Aynı eser*, s.12).
[86] BOA., DUİT.,75-1/5-2 Fuad Efendi'nin Sadâret'e takdim ettiği 29 N 65/18 Ağustos 1849 tarihli tahrirat; Imrefi, *Aynı eser*, s.14.
[87] Imrefi, *Aynı eser*, s.14.
[88] Imrefi, *Aynı eser*, s.14.
[89] Turnu-Severin, Macar kaynaklarında Szöreny olarak geçer. Osmanlı kaynaklarında ise Sörin ya da Severin şeklinde geçmektedir. Rumen kaynaklarında ise Turnu-Severin olarak geçmektedir. (F. Eckart, *Macaristan Tarihi*, çev. İbrahim Kafesoğlu, Ankara, 1949, s.278). Biz bundan sonra metinde geçecek bu yer ismi için sadece Severin'i kullanacağız.
[90] Imrefi, *Aynı eser*, s.14.

General Bem, Dembinski'ye bir mektup göndererek ondan savaşa devam etmesini istemişti. Ancak Dembinski 16 Ağustos'ta Bem'e yazdığı cevapta, onun bu isteğini reddetmişti[91].

Dembinski ve Meszaros'u dört araba ile bir kaç atlı asker takip ediyordu. Onlar, tebdil-i kıyafet ederek kendilerini tüccar diye tanıtıp Eflak'a gelmişlerdi. Oysa, Tür askerleri onların kim olduğunu biliyordu. Adı geçen iki mülteci şefi de Perczel gibi Severin'e getirilmişti. Onlara Severin'e kadar silahlı bir alay eşlik etmişti[92].

Hatırlanacağı üzere Kossuth'un Meszaros'u başkumandanlığa tayin etmesi dolayısıyla Perczel ile Meszaros'un arası açılmıştı. Çünkü Perczel, Meszaros'u bu görev için yetersiz buluyordu. Bu soğukluk Severin'de de devam etmişti. Dembinski ve Meszaros, Perczel'den bir gün önce Severin'e gelmişti. Adı geçen mülteci şefleri için hazırlanan çadırların arasında sadece 20 adımlık bir uzaklık vardı. Çadırların bu kadar yakın olmasına karşın mülteciler birbirleriyle görüştürülmüyor ve her iki çadır da Türk askerleri tarafından gözetleniyordu[93].

Krayova'nın mülki amiri olan Mehmed Paşa, 17 Ağustos'ta Severin'e gelen mültecileri ziyaret etti. Dersa'âdet Ordu-yı Hümâyunu erkânından olan Mehmed Paşa, Eflak ve Boğdan hadiselerinden sonra özel bir görevle bölgeye gönderilmişti[94]. Görüşmede Perczel, Türk Hükümeti'nin mültecileri Avusturya ve Rusya'ya teslim edeceğine dair aldığı duyumları ve bu konudaki endişelerini Paşa'ya iletmişti. Paşa da Osmanlı Devleti'nin böyle bir tutum içerisine girmeyeceğini bildirmiş ve hayatlarının güvence altında olduğunu söylemişti[95].

Mehmed Paşa, birkaç gün sonra mültecileri tekrar ziyaret etti. Bu ziyarette onlara, Macar Özgürlük Savaşı'nın başarısızlıkla sonuçlanmasından duyduğu üzüntüyü ve Sultan'ın mültecilere dostça bir yaklaşımı olduğunu söyledi. Ayrıca, mültecilerin gözetim altında tutulacakları ve yakın gelecekte İstanbul'a ya da istedikleri bir ülkeye

---

91   Imrefi, *Aynı eser*, s.13.
92   Imrefi, *Aynı eser*, s.13-14.
93   Imrefi, *Aynı eser*, s.15.
94   BOA., BEO., A.MKT. 222-57. 1265.10.18.
95   Imrefi, *Aynı eser*, s.16.

gidebilecekleri yönünde teminat verdi. Bu güvenceler, mültecileri sevince boğmuş ve kendilerini uygar bir ülkenin özgür havasını teneffüs ediyormuş gibi hissetmelerine sebep olmuştu. Paşa ile mülteciler arasındaki görüşme bir saatten fazla sürmüş ve yapılan görüşmede Paşa, onlara çeşitli ikramlarda bulunmuştu[96].

Dembinski, Meszaros ve Perczel'in Osmanlı Devleti'ne iltica ettikleri haberi İstanbul'a ulaştığında Meclis-i Mahsûs hemen toplanarak durumu müzakere etti. Yapılan görüşmelerde adı geçen üç generalin vakit geçirilmeden Vidin'e gönderilmesine karar verildi. Çünkü, Rusya veya Avusturya ani bir baskınla onları ele geçirebilirdi[97]. Ancak, alınan karar Severin'e ulaşmadan mülteciler, birçok araba ve attan oluşan bir kafile ile Vidin'e doğru yola çıkarıldılar[98]. Bu yolculukta Yaver-i Harb Yüzbaşılarından Ali Efendi ile yaklaşık 40 kadar Türk askeri de onlara eşlik ediyordu[99]. Adı geçen mülteci şeflerinden oluşan kafile, Vidin'e doğru yola çıkan ilk mülteci grubuydu. Kafile, ilk gün Regova'ya ulaştıktan sonra 20 Ağustos'ta Boyarlar tarafından misafir edilip iyi bir şekilde karşılandıkları Kusmir'e geldiler ve 21 Ağustos'ta da Kalafat'a ulaştılar[100].

---

[96] İmrefi, *Aynı eser*, s.17. İmrefi, hatıratında bu görüşmenin nasıl yapıldığı hakkında geniş malumat verdiği gibi, Mehmed Paşa'nın giydiği kostüm hakkında da ilginç bilgiler verir. Hatırattaki bilgilere göre Paşa, görüşme yerine yaya olarak gelmişti. Maiyetinde birçok subay ve sivil memur ile bir de hizmetçisi vardı. Hizmetçi, onun minder ve çubuğunu taşıyordu. Görüşme, Paşa'nın ve mültecilerin minderlerin üzerinde bir daire oluşturacak şekilde oturmasıyla gerçekleşmişti. Ayrıca tarafların birbirlerini anlamaları için bir de tercüman bulunuyordu. Mehmed Paşa, kafasına sarık yerine fes takmıştı. Kaftan yerine dar kesimli ceket ve şalvarla çarığın yerine de yine dar kesimli beyaz bir pantolonla cilalı çizmeler giyiyordu. İmrefi'nin tasvirine göre, göğsünde parlayan beyaz armalar, Paşa'ya zarif bir görünüm veriyordu. Sohbet sırasında Mehmed Paşa, mültecilere çubuk ikram etmişti. (İmrefi, *Aynı eser*, s.16-17).

[97] BOA., DUİT., 75-1/5-1 Sadâret'in Mâbeyn'e takdîm ettiği 4 L 65/23 Ağustos 1849 tarihli arz tezkiresi.

[98] Sadâret'ten Fuad Efendi'ye yazılan tahriratta, iltica eden generallerin bekletilmeksizin Vidin'e gönderilmesinin yanı sıra, bu meselede oldukça dikkatli davranılması ve devletin bu meseleden yüzünün akıyla çıkması için gereken her şeyin yapılması isteniyordu (BOA., BEO., A. MKT. 220-18).

[99] BOA., BEO., A.MKT. 222-47 Ömer Paşa'nın Vidin Valisi Ziya Paşa'ya gönderdiği 27 N 65/16 Ağustos 1849 tarihli tahrirat.

[100] İmrefi, *Aynı eser*, s.21-24.

Kalafat, Tuna Nehri'nin solunda yer alan bir yerleşim yeridir. Kalafat'ın tam karşısında ve Tuna'nın sağında Vidin şehri bulunmaktadır. Dembinski, Meszaros, Perczel ve maiyetlerinde bulunun 23 kişilik mülteci kafilesi, Vidin Valisi Ziya Paşa tarafından gönderilen bir yelkenliyle Kalafat'tan Vidin'e geçtiler[101].

Rumeli Ordu-yı Hümayunu Müşiri Ömer Paşa[102], Vidin Valisi Ziya Paşa'ya bir yazı göndererek adı geçen üç generalin Vidin'e gönderildiklerini haber vermişti. Ömer Paşa ayrıca, mültecilerin tayinatlarının eksiksiz verilmesi, saygıda kusur gösterilmemesi ve muhafazalarına itina gösterilmesini validen istemişti[103]. Ömer Paşa'nın istekleri, Ziya Paşa tarafından eksiksiz yerine getirilmişti. Şehre gelen mülteciler, ilk önce Ziya Paşa'nın konağına götürüldüler. Mülteciler, yanlarındaki eşyalarını konağa bıraktıktan sonra Paşa tarafından kabul edildiler. Ziya Paşa, onları çok dostça ve misafirperverce karşıladı ve onlara kahve ve çubuk ikram etti. Vidin'e gelen bu ilk mülteci kafilesi, daha sonra kendileri için hazırlanmış hanlara yerleştirildiler. Paşa, onların yiyecek ihtiyaçlarını karşılamış ve şahsen birkaç defa da ziyaret etmişti[104]

3- Lajos Kossuth'un Osmanlı Devleti'ne İlticası

a. Kossuth'un Eşiyle Vedalaşması

Kossuth, Temeşvar yenilgisinden sonra Macar Özgürlük Savaş'nın tamamen kaybedildiği sonucunu çıkardı[105] ve görevi

---

[101] Imrefi, *Aynı eser*, s.38-39.
[102] Ömer Lütfi Paşa, Almanya'da mühendislik tahsil ederken Osmanlı Devleti'ne gelip Müslüman olmuş ve askerliğe girerek Binbaşı rütbesini almıştır. Daha sonra çeşitli askeri kademelerde görev aldıktan sonra 1848 Avrupa İhtilalleri dolayısıyla Eflak ve Boğdan'a tayin edilmiştir. Haziran 1849'da Vezir rütbesiyle, Rumeli Ordu-yı Hümayunu Müşiri oldu. 1854'te Kırım Savaşı'nda Serdar-ı Ekremlik'e getirilmiştir. (Ömer Paşa'nın Kırım Savaşı'ndaki Serdar-ı Ekremlik'i için bkz. Laurence Oliphant; *The Trans Caucasion Campaign of The Türkish Army under Omer Pasha,* Edinburg 1856) Mayıs 1861'de ikinci defa Rumeli Müşiri ve Bosna'ya müfettiş olarak tayin edildi. Daha sonra devletin birçok kademesinde görev yapan Ömer Paşa, 24 Nisan 1871'de vefat etmiştir (Şemseddin Sami, *Kâmûsu'l-Âlâm*, İstanbul 1314, V, s.3218).
[103] BAO., BEO., A.MKT., 222-18.
[104] Imrefi, *Aynı eser*, s.39.
[105] Hermann, *Aynı eser*, s.82.

Görgei'ye verdikten sonra, aynı günün akşamı, yani 11 Ağustos'ta, Arad'ı gizlice terk etmeğe karar verdi. Kossuth'un Ferenc ve Lajos adında iki oğlu ve Julia adında bir kızı vardı. Temmuz başında Peşte'den Szeged'e gelirken çocuklarını yanına almamıştı. Çocuklarını bir ormanın kenarında saklamış ve onlara bakma sözü veren Mator adlı bir köylüye teslim etmişti. Kossuth ve eşi Theresia, Macaristan'ın zaferi durumunda ileride çocuklarını yanlarına alacaklardı. Mağlubiyet durumunda ise babalarının suçlarından dolayı çocuklarının cezalandırılmamaları ümidiyle onları Avusturya İmparatoru'nun insafına bırakıyorlardı[106]. Onların bu ümitlerinden ikincisi gerçekleşmişti. Zaten çocukların saklandığı yer, herkes tarafından biliniyordu. Kossuth'un çocukları 25 Ağustos'ta saklandıkları yerden alınıp Avusturya askerlerinin gözetiminde 1850 yılının başında hapisten çıkan büyük annelerine verilmişti.

Kütahya bahsinde de değinileceği üzere, Kossuth'un çocukları uzun süre Avusturya'da kalmışlardı. Daha sonra adı geçen devletin izin vermesiyle, teyzeleriyle birlikte İstanbul'a gelecek ve buradan da Bursa üzerinden anne ve babalarının bulunduğu Kütahya'ya gönderileceklerdi.

Kossuth, Arad'ı terk etmeğe karar verdiğinde çocuklarının geleceği hakkında bir tahminde bulunacak durumda değildi. Theresia, çocuklarının geleceğinin belirsiz olması yüzünden eşiyle birlikte gitmek istemiyordu. Bu yüzden Theresia, Kossuth ile vedalaşıp çocuklarının yanına gitmeğe karar vermişti. Kossuth, eşiyle *"Ben insan ve vatandaş olarak vatanını kurtarmak için elimden geleni yaptım ve vicdanım, görevimi yerine getirmediğim için beni kesinlikle suçlayamaz"*[107] sözleriyle vedalaşmıştı.

Daha sonra da değinileceği üzere, Theresia, 1850 Şubat'ında yanında çocukları olmadan Şumnu'ya eşinin yanına gelecekti.

Kossuth, eşiyle vedalaştıktan sonra, emir subayı Sandor Asboth'un refakatinde Arad'dan yola çıktı[108]. Arad'dan ayrılan

---

[106] İmrefi, *Aynı eser*, s. 31.
[107] İmrefi, *Aynı eser*, s. 31.
[108] İmrefi, *Aynı eser*, s. 33.

Kossuth, 11 Ağustos'ta Rus karargahından dönen General Erno Poeltenberg ve Yarbay Lajos Beniczky ile buluşmuştu. Bu buluşmada Görgei'nin ordu komutanı olarak Ruslardan istediğini elde edemediğini öğrendi. Zira Rus Generali Rüdiger, Rusların Macarlarla görüşmek için değil, savaşmak için geldiğini, bu yüzden Görgei ile ancak Macarların teslim tarihini konuşmaya yanaşabileceğini iletmişti. Diğer yandan Ruslar, Macarların teslim olmaları halinde hayatlarını kurtarabilecekleri izlenimini veriyorlardı. Kossuth'a bu bilgileri veren Poeltenberg'in yanında Szemere ve Batthyany de vardı. Kossuth bu kişilerle beraber Redna üzerinden Lugos'a doğru hareket etti. Redna'da Kossuth, Maliye Bakanı Ferenc Duschek ile buluştuğunda kendisine devlet hazinesinin ne olacağını soran bakana Görgei'ye müracaat etmesi emrini vermişti[109]. Redna'dan ayrılan Kossuth Lugos'a varmıştı.

Lugos, yarısını Almanların diğer yarısını da Macarlar, Romanyalılar ve Raizenlerin oluşturduğu yaklaşık 10.000 nüfusa sahip bir şehirdi. Şehir, konum itibarıyla güzel bir yerdeydi. Lugos'un arkasında yedi tepe oluşturan Transilvanya Alpleri'nin uzantıları vardı. Şehrin doğusundan Mehadia'ya ve oradan da Orsova'ya giden bir yol vardı. Ayrıca Lugos, güzel binalara ve iyi döşenmiş caddelere sahipti[110].

Kendi ifadesine göre Kossuth'un Lugos'a gidiş sebebi, mücadeleyi devam ettirmek ve Macar birliklerinin durumunun ne olduğunu görmekti[111]. Kossuth, 12 Ağustos'ta Lugos'tan Görgei'ye bir mektup gönderdi. Bu mektupta o, istifasının sebeplerini açıkladıktan sonra, Macar ulusunu kurtarmak için bütün imkanlara başvurmasını, aksi halde onu vatana ihanet etmiş biri olarak göreceğini şu cümlelerle ifade ediyordu: *"Eğer siz, millet için değil de yalnızca ordu tarafından, ordu adına ve ordu hesabına pazarlığa girişirseniz bunu ihanet sayarım"*[112]. Esasında Kossuth'un Görgei'ye böylesi ifadeleri kullanması, özgürlük savaşının kaybedilme sorumluluğunu biraz da başkasına yükle-

---

109 Hermann, *Aynı eser*, s.83
110 Hutter, *Aynı eser*, s.6-7.
111 Korn, *Aynı eser*, s.51.
112 Hermann, *Aynı eser*, s.83.

mek amacına matuftu. Nitekim mektuptaki *"Bu bildirim kendime ve vatanıma şükran borcumun ifadesidir, bunu resmi gazeteye aldırmak istiyorum"*[113] ifadesi böylesi bir düşünceye sahip olduğunun bir göstergesi olarak kabul edilebilir.

Lugos'a vardığında sokakları mülteci kaynıyordu ve Kossuth bunların bir kısmını şahsen tanıyordu. O, Lugos'ta bir araya gelen orduları ve askerleri o kadar moralsiz ve zayıf görmüştü ki, onların artık hiçbir savaşta kullanılamayacağına karar vermişti[114]. Ayrıca Kmety, birliklerin daha fazla savaşamayacaklarını, ilk saldırıda kaçacaklarını Kossuth'a iletmişti. Vidin mektubunda da belirtildiği gibi herkes kendisini kaçışa hazırlıyordu[115]. Dahası Kossuth, burada bulunurken Erdel'deki Macar birliklerinin yenildiği haberini almıştı. Böylece son ümitleri de yok olmuştu[116].

Kossuth, 14 Ağustos'ta Lugos'tan Orsova'ya gitmek üzere hareket etti[117]. Albay Zamoyski[118] Leh ve İtalyan lejyonları da Kossuth'a

---

[113] Hermann, *Aynı eser*, s.83.
[114] Imrefi, *Aynı eser*, s. 33. Kossuth, 14 Ağustos 1849 tarihinde General Bem'e gönderdiği mektupta, Lugos'ta sadece General Becsey'in ordusunu düzenli ve moralinin iyi olduğunu belirtir. Diğer orduların hepsinin dağıldığını ifade eder. Bu sebeple, Görgei'nin teslim olması halinde Lugos'taki orduların silah yetersizliği yüzünden 24 saat dahi dayanamayacaklarına kesin kanaat getirdiğini söyler (Korn, *Aynı eser*, s. 51). Keza Kossuth Vidin mektubunda Lugos'taki manzarayı aynı cümlelerle anlatır. bkz. Korn, *Aynı eser*, s.82.
[114] Imrefi, *Aynı eser*, s. 33.
[115] Korn, *Aynı eser*, s.82.
[116] Imrefi, *Aynı eser*, s. 33.
[117] Imrefi, *Aynı eser*, s. 33.
[118] Zamoyski, Macar Özgürlük Savaşı'nın başarıya ulaşacağına inanmıyor, bu yüzden de başlangıçta bu savaşa iştirak etmek istemiyordu. Ancak, Adam Czartoryski'den Macaristan'a gitme emri alması üzerine bu kararından vazgeçerek savaşa katılmak üzere Szeged'e geldi. Burada Kossuth ve Dembinski ile bir görüşme yaptı. Onlardan edindiği izlenim her şeyin bittiği ve ordunun artık savaşamayacak durumda olduğu yolundaydı. Dembinski'nin isteği üzerine onun yanında subay olarak savaşa katıldı. Savaşın kesin olarak kaybedilmesini müteakip, Kossuth ve öteki ihtilal liderleriyle birlikte Osmanlı Devleti'ne iltica etti. Vidin'de bir süre kaldıktan sonra, bir kısmı vatandaşı olan diğer mültecilerle birlikte Şumnu'ya nakledildi. Ancak, Şumnu'da bulunduğu sırada İngiliz elçisi Canning ve Fransız elçisi Aupick, Rus otoritelerinin kendisini tanıdığını ve bu sebeple de sıkı bir şekilde takip edildiğini bildirerek, Osmanlı Devleti'ni kendi isteği ile terk etmesini tavsiye ettiler. O da bu tavsiyeye uyarak, Osmanlı Devleti'nin tahsis etmiş olduğu gemi ile Malta Adası'na gitti. Zamoyski, Osmanlı Devleti'nde bulunduğu süre zarfında bü-

katıldı[119]. Lugos ile Orsova arasındaki uzaklık yaklaşık 12 Alman mili kadardı[120]. Lugos'tan ayrıldıktan sonra ilk olarak Teregova'ya gelmişti. Teregova, Mehadia'ya bağlı bir yerleşim yeriydi. Teregova'da bir süre kalan Kossuth, buradan sınır şehri olan Orsova'ya geldi[121]. Hutter'e göre, mültecilerin Mehadia'dan Orsova'ya gitmelerinin

tün vaktini Macaristan'dan iltica eden Polonyalıların işleriyle uğraşmaya ayırdı. Osmanlı Devleti ile Rusya arasında 1853'te başlayan Kırım Savaşı'nda Zamoyski tekrar Osmanlı Devleti'ne geldi. Bu savaş Polonyalıların bağımsızlık ümitlerini iyice artırmıştı. İstanbul'da bulunan Zamoyski, Sadrazam'ın onayı ile Ömer Paşa'nın emrindeki orduya katılmak üzere Şumnu'ya gitti. Bu arada, Ruslara karşı Osmanlı'nın yanında savaşa katılmak isteyen Polonyalıların sayısı giderek artıyordu. Ömer Paşa, Ruscuk'ta Polonyalılardan bir birlik oluşturarak Şumnu'ya göndermişti. O ana kadar savaşa aktif olarak katılmayan Polonyalılardan oluşan güçlerin kullanılması düşünüldü. Sadrazam, General Zamoyski'ye Sadık Paşa ile birlikte *"Sultan'ın İkinci Kazak Alayı"* adı altında bir birlik kurmayı kabul edip etmeyeceğini sordu. Özellikle Polonyalıların savaşa katılmasını isteyen Zamoyski, bu teklifi kabul etti. Böyle bir birliğin organizasyonunu da Albay Skubicki'ye bıraktı. Bu arada Osmanlı ordusunda, İngiliz subaylarının yönetiminde değişik organizasyonlar oluşturulmaya başlanmıştı. General Zamoyski, Polonyalılardan da benzer bir yapı oluşturulması için Londra'ya çağrıldı. Zamoyski, *"Sultan'ın Kazakları"* adı altında İngiliz birliklerine mensup komutanıyla içerisine Türk birliklerinin de katılacağı bir Polonyalılar tümeni oluşturulmasını teklif etti. Bu teklifin kabul görmesi üzerine *"Sultan'ın Kazakları Tümeni"* adıyla, özel bir Polonyalılar birliği oluşturmak üzere resmi olarak harekete geçti. Bu birlik, Türk ordusunun içinde yer alacak, fakat İngiliz komutanının emrinde olacaktı. Tümenin öncelikle iki piyade alayı, bir tabur keskin nişancı ve bir topçu bataryasından oluşturulması düşünülmüştü. Zamoyski, bu birliğin paralı askerlerden meydana gelmesini istiyordu. Yüzlerce yıllık düşmana yani Ruslara karşı mücadelede dost ve müttefik olarak kabul edilmelerini büyük bir memnuniyetle karşılıyordu. Londra'dan İstanbul'a geldikten sonra bunca çaba harcadığı birliğin kurulması için harekete geçti. Fakat fazla zaman geçmeden Kırım Savaşı'nı sona erdiren Paris Anlaşması imzalandı. *"Kazak Tümeni"* de 3 Ağustos 1856'da dağıtıldı. Zamoyski, birliklerin dağılmasından sonra, bir yıl süreyle eski askerlerine yardım etmekle meşgul oldu ve onlardan maddi ve manevi yardımı esirgemedi. Bu arada Reşid Paşa, Polonyalılara kabul edilebilir şartlarda kendi mülkünden çiftlikler tahsis etti. Kazak tümeninde yer alan bir kısım Polonyalılar ise, değişik yerlere dağıldılar. Bazıları yabancı alaylara yazılırken bazıları da Eflak ve Boğdan'a yerleştirildi. Ruslara karşı büyük bir kin besleyenler, Çerkezlerle birlikte düşmanlarına karşı savaşmak üzere Albay Lapinski'nin yanında yer alırken, yüz kadarı yeni kurulmuş olan Polonya Süvari alayına katıldılar. Nihayet tarımla uğraşmak isteyenler de Adampol'a (Polonezköy) yerleştirildiler. Zamoyski ise, İstanbul'da bir müddet daha kaldıktan sonra Sultan Abdülmecid'den izin alarak Mayıs 1857'de Paris'e döndü (Gasztowtt, *Aynı eser*, s. 226-238).

[119] Hermann, *Aynı eser*, s.83.
[120] Hutter, *Aynı eser*, s.19.
[121] Eszlary, *Aynı makale*, s.434; Imrefi, *Aynı eser*, s. 33.

sebebi, Avusturya askerlerince takip edilmesi değildi. Onları bu yerleşim yerinden ayıran sebep, Macar parasıyla karşılanamayan yiyecek sıkıntısıydı[122].

Kossuth, Teregova'ya vardığında General Bem'in mektubu kendisine ulaştı. Bem, bu mektupta Kossuth'u yeniden iktidarı alması için ikna etmeye çalışıyordu. Fakat Kossuth, bundan sonra Macar Özgürlük Savaşı'nda kendisinin artık bir rolü olamayacağını düşündüğünden Bem'e *"Şu anda ben sıradan bir yurttaştan başka bir şey değilim"* şeklinde cevap vermiştir[123].

Bu arada Kossuth, Sultan Abdülmecid, Sırbistan Kralı Kara Giorgevich ve Vidin Valisi Ziya Paşa'ya birer mektup göndermişti. Mektupta Kossuth, kendisi ve yanındakiler için sığınma talebinde bulunuyordu[124]. Kossuth'un Sultan'a ve Ziya Paşa'ya gönderdiği mektuplara sahip değiliz. Bu sebeple söz konusu mektuplarda Sultan'dan sığınma talebinden başka ne tür isteklerde bulunduğunu tespit edebilmiş değiliz. Ancak Kossuth, Vidin'den İngiltere Dışişleri Bakanı Lord Palmerston'a gönderdiği 20 Eylül tarihli mektupta, Sultan'a yazdığı mektuba bazı atıflarda bulunur. Söz konusu değinmeler onun ve maiyetindekilerin sığınma talepleriyle ilgilidir. Ayrıca, Sultan'ın onun sığınma isteğine verdiği cevaptan da bahsetmektedir. Mektuptan anlaşıldığı kadarıyla Kossuth, kendisinin bir süre için de olsa, Osmanlı Devleti'nde misafir edilmesini istemişti. Sultan da verdiği cevapta mültecilerin kendisinin misafiri olduklarını, saçlarının bir teline zarar gelmektense tebaasından 50.000 kişinin kurban edilmesini yeğleyeceği cevabını vermişti[125].

Ancak Kossuth, düşmanın yaklaşması üzerine Sultan'dan gelecek cevabı beklemeden 19 Ağustos'ta Osmanlı Devleti'ne iltica etti[126]. Sınır bölgesindeki Türk komutan, Kossuth'u hemen tanıdı[127].

---

[122] Hutter, *Aynı eser*, s.21.

[123] Hermann, *Aynı eser*, s.83-84.

[124] Korn, *Aynı eser*, s.55.

[125] Istvan Hajnal, *A Kossuth-emigracio Törökorszagban*, Budapest 1927, belge no:24, s.483; Korn, *Aynı eser*, s.102; Imrefi, *Aynı eser*, s. 88.

[126] Korn, *Aynı eser*, s.55; İmrefi, *Aynı eser*, s.34.

[127] Charles d'Eszlary, "L'émigration hongroise de Louis Kossuth en Turque entre 1849-1850", *Türk Tarih Kongresi*, IV, (20-26 Ekim 1961) Ankara 1967, s.436.

Kossuth'un ilticası, Fuad Efendi tarafından Macar Özgürlük Savaş'nın başarısızlıkla sonuçlandığının kesin bir göstergesi olarak kabul edildi[128].

b. Kossuth'un Macaristan Topraklarını Terk Ederken Yaptığı Konuşma

Her insana anavatanını kaybettiği andan itibaren suların şırıltısı ve rüzgarın uğultusu yabancıdır. İnsanlar, kaderin kendilerine ön gördüğü birçok olumsuzluğa katlanabilirler, hatta yaşanan talihsizliklere dost bile olabilirler, fakat vatansızlığın verdiği acılara asla dayanamazlar. Kossuth, belki de bu düşüncelerle Macaristan topraklarından ayrılmadan önce yere diz çöküp yerleri kucaklamak istercesine kollarını açtı, çocuklarının kanıyla sulanmış toprakları öptü ve bütün kaderlerin belirleyicisine sessizce bir dua gönderdi. Yaşlı gözlerle etrafındakilere bakındı ve son bir nefes çekerek, vatanına şu sözlerle veda etti:

"Tanrı seninle olsun sevgili vatanım! Tanrı seninle olsun Macarların anavatanı! Tanrı seninle olsun acılar ülkesi! Artık dağlarının tepesine bakamayacağım; annemden özgürlüğün ve adaletin sütünü emdiğim anavatanım diyemeyeceğim artık...!

Senin mutluluğun için çalışırken, senden ayrılmak zorunda kaldığım için beni affet. Şu anda senin sadık oğullarınla birlikte diz çöktüğüm bu küçük alandan başka hiçbir yerini özgür diye nitelendiremediğim için beni affet. Bakışım senin üzerine düşüyor ey zavallı vatanım! Seni acılar içinde kıvranıyor görüyorum. Geleceğe bakıyorum, senin geleceğinde acıdan başka hiçbir şey yok. Ovaların kırmızı kanlarla sulandı. Bu kırmızı kanlar, yapılan tahribatla oğullarının kutsal topraklarına göz diken düşmanlarına karşı kazandıkları sayısız zaferlerin yasını tutarcasına simsiyah olacak.

Kaç minnettar kalp dualarını her şeye kadir Tanrı'nın kapılarına gönderdi. Cehennemi bile insafa getiren ne kadar gözyaşı döküldü uğruna. Macarların vatan sevgisine ve uğrunda ölebilecek olduklarını gösterecek kaç kan gölü aktı. Buna rağmen sevgili vatanım köle oldun...!

---

128 BOA., DUİT., 75-1/7-2 Fuad Efendi'nin Sadâret'e takdim ettiği Gurre L 65/20 Ağustos 1849 tarihli tahrirat.

Sevgili oğulların köleler olarak kutsal olan herşeyi ayaklar altına alıp kutsal olmayan herşeye hizmet etmek durumunda kalacakları bir yere sürükleniyor.

Aman Tanrım! Sana yalvarıyorum. Eğer birçok tehlike altında başarı kazandırdığın halkını seviyorsan onu ezdirme.

Gör sevgili vatanım, oğlunun çaresizlik içinde sınırdan sana nasıl seslendiğini!

Eğer senin oğulların, temsilcin olduğum için, benim yüzümden senin için kan döküyorlarsa, senin alnına kanlı harflerle "tehlike" kelimesi yazıldığında ben seni koruduğum, bana "köle ol" dendiğinde bu sözü sana söylenmiş kabul ettiğim için beni affet.

Zaman hızla akıp gitti. Kader, senin tarihin üzerine sarı siyah harflerle senin ölümünü yazdı ve üzerine mühür basması için kuzeydeki belayı çağırdı. Fakat güneyin kızıllaşan sabah güneşi bu mührü bozacaktır.

Gör sevgili vatanım, uğruna bu kadar kanlar dökülen senin için çocuklarının kemiklerinden oluşan tepelerde zulüm çiçekleri açarken kimse üzülmüyor.

Bak sevgili vatanım! Meyvelerinle beslediğin nankörün tepeden tırnağa kadar seni mahvetmek için sana karşı nasıl durduğunu gör. Fakat sen asil ulusum, bütün bunlara, ümidini kaybetmediğinden katlandın ve kaderine küsmedin.

Macarlar gözlerinizi benden ayırmayın. Çünkü şu an dahi, göz yaşlarım sizin için akıyor ve üzerinde çömeldiğim bu toprak hâlâ sizin adınızı taşıyor.

Düştün, ulusların en sadığı kendi tokatının altında kaldın. Senin mezarını kazan düşmanların ve sana karşı sürülen halkların topları değil; onlar, senin vatan aşkınla geri püskürtüldüler. Seni silah bırakmaya zorlayan Karpatlar'dan sızan Moskoflar değildir. Ey sadık vatanım sen satıldın. Senin idam kararın, vatan sevgisinden şüphelendiğim biri tarafından verildi. Düşüncelerimin en sakin olduğu zamanda bile onun vatan haini olacağından şüphelenmektense Tanrı'nın varlığından şüphelenirdim. Sen, bir iki gün önce vatanı kanının son damlasına kadar koruyacağı sözü üzerine yönetimi kendisine teslim ettiğim kişi tarafından ihanete uğradın. Ona altının rengi, uğruna dökülen kanların renginden çok daha cazip geldiği için bir vatan haini oldu. Şeytanla işbirliği yaptığında altın, onun gözünde onu terk eden vatanının tanrısından daha değerliydi.

Macarlar! Benim sadık vatandaşlarım! Bu insana yerimi bırakmak zorunda kaldığım için beni muhakeme etmeyin. Halk ona güvendi, ordu onu sevdi ve o da, o zamana kadar sadakatini ispatladığı için bunu yapmak zorundaydım! Yine de bu insan, ulusun güvenini kötüye kullandı ve ordunun sevgisini küçümsedi.

Seni, uğruna sadakatle savaştığın özgürlüğü sevdiğim gibi seviyorum. Ey Avrupa'nın en sadık halkı! Özgürlüğün ilâhi seni hiç unutmayarak Tanrı seni her zaman yüceltsin. Benim temel aldığım düşünceler Willhelm Tell'in yaptıkları değil, Washington'un fikirleriydi. Ben sadece Tanrı'nın insanları hür yarattığı gibi bir ulus istiyorum gelecek bahara güzel çiçekler açacak bir zambak gibi öldün. Kış geldiği için sen ölüsün. Fakat bu kış Sibirya'nın soğuk havası altında ezilen asil kader arkadaşınınki gibi çok uzun sürmeyecek. Hayır, on beş ulus senin mezârını kazdı, fakat on altıncısından binleri seni kurtarmak için gelecek.

Şimdiye kadar olduğun gibi sadık kal, İncil'in kutsal sözlerine bağlan, kurtulman için dua et ve dağların kurtarıcılarının top sesleriyle çınladığında millî marşını söyle.

Tanrı sizinle olsun sadık vatandaşlarım! Tanrı ve bağımsızlık melekleri sizinle olsun! Kendinizle gurur duyabilirsiniz çünkü Avrupa'nın aslanı ihtilalcileri yenmek üzere ayağa kalktı. Bütün uygar dünya size kahramanlar olarak hayranlık duydu ve bu kahraman halkın meselesi özgür ülkelerin en özgürü tarafından desteklenecektir.

Bu kadar kahramanın kanıyla sulanan kutsal toprak Tanrı seninle olsun. Bu kutsal kan lekelerini halkının sana sevgiyle yardıma koşacağının bir delili olarak sakla.

Tanrı seninle olsun Macarların genç kralı unutma ki, milletim seni seçmedi. Ümit ediyorum ki, bu sözün tasdik edildiğini göreceğiniz gün gelecek. Buda harabeleri üzerinde olsa bile.

Her şeye kadir olanın kutsaması sizin üzerinize olsun benim asil milletim. İnan! Ümit et! [129]

---

[129]   Korn, *Aynı eser*, s.55-60.

Kossuth, 19 Ağustos 1849'da Osmanlı Devleti'ne iltica ettikten sonra Severin'e geldi. Sınırı geçerken tanınmamak amacıyla ne kadar gayret göstermişse de bunda başarılı olamadı. Hatta sakalını tamamen kestirmiş, bıyıklarını kısaltmış ve öndeki açıklığı kapatmak için öne doğru taradığı saçlarını kendisini kel gösterecek şekilde arkaya taramıştı. Fakat buna rağmen Kossuth, kamufle olmayı başaramadı. Tanınmamak için her yolu denemesine rağmen Severin'deki görevliler tarafından, kendi deyimiyle *"Dostluk güvencesi veren bir yığın sözlerle"*[130] karşılandı. Imrefi'ye göre bu karşılama büyük bir ihtimalle Ömer Paşa tarafından düzenlenmişti[131]. Kossuth, Vidin'e geldikten sonra da bir süre aynı şekilde dolaşmaya devam etti. Fakat İngiltere'ye gidebileceğine dair ümitleri sönünce, saçlarını eskisi gibi taramaya devam etmesine rağmen bıyığını kısa tutmaya devam etti.

Bu arada Sırbistan Prensi Kara Giorgevich, Kossuth'a bir mektup ve on pasaport göndererek kendisinin Macar Devlet başkanına yakışacak bir şekilde karşılanacağını garanti etti. Sırbistan Kralı'nın iyi niyetine rağmen Sırp halkı onunla aynı fikirde değildi. Çünkü Macar ve Sırp halkları arasındaki sorun henüz ortadan kaldırılamamıştı[132]. Hatta bu yüzden Macar mültecileri, Osmanlı Devleti'ne iltica ederken Sırbistan üzerinden geçmemişlerdi. Oysa ki, Wysocki[133] emrindeki Polonya birliği ile Albay Monti emrindeki İtalyan birliği, birincisi 800, ikincisi 300 kişilik grupla Sırbistan üzerinden Osmanlı Dev-

---

[130] Imrefi, *Aynı eser*, s.36.
[131] Imrefi, *Aynı eser*, s.36.
[132] Korn, *Aynı eser*, s.62.
[133] Joseph Wysocki, Polonya'dan 1831 yılında asteğmen rütbesiyle ayrıldı. Askeri eğitimini Metz okulunda pekiştirdi. Maddi durumunun kötü olması sebebiyle, eğitimine ülkesine yararlı insanlar yetiştirmek için kurulmuş olan Polonya Demokrasi Birliği'nin verdiği parayla devam etti. 1848'de Macarlara yardım etmek amacıyla Peşte toplanan Polonyalılar, Wysocki'yi şefleri olarak kabul ettiler. Daha sonra Macar Hükümeti, ona binbaşı rütbesi verdi. Arad'ın kuşatılmasındaki üstün başarısından dolayı yarbay, Szolnok Savaşı'nda albay ve nihayet Komarom Savaşı'ndan sonra da generalliğe yükseldi. Macar komutanları Wysocki'nin buraya mevki ve rütbe için değil, Macaristan'ın bağımsızlığına destek vermek için geldiğini anlamakta gecikmediler. Daha sonra ülkesinin gerçek dostu olan Osmanlı Devleti'ne sığınmış ve Osmanlıya karşı olan sevgi ve bağlılığını dile getirmiştir. Askeri kariyerinde aldığı bütün rütbeleri hakkıyla elde etmiştir. (Gasztowtt, *Aynı eser*, s.192-194)

leti'ne iltica etmişlerdi[134]. Hutter ise Polonyalı mültecilerin Sırbistan üzerinden Osmanlı Devleti'ne iltica etmelerini, onların Slavlarla soy birliğine sahip olmalarına bağlar[135].

Kossuth ve arkadaşları 20 Ağustos'ta Vidin'e doğru yola çıkmışlardı. Onları yolculukları sırasında korumak için yeterli sayıda asker görevlendirildi. Kossuth, yolculuk boyunca Asboth ve Szöllösy ile birlikte yolculuk ediyordu. Birkaç at ve 30 arabadan oluşan mülteci kafilesi ise onu takip ediyordu[136]. Vidin'e yolculuk yaklaşık iki gün sürdü. Birlikte yolculuk yaptığı mülteci kafilesi ile geçtiği her yerde sıcak bir şekilde karşılanan Kossuth, 22 Ağustos'ta Kalafat'a ulaştı. Kossuth burada, yanındaki mültecilerle birlikte yola devam etmeyerek onları önden gönderdi ve 23 Ağustos'ta Szöllösy, Asboth ve bir Türk subayın eşliğinde Vidin'e geçti. Aynı gün, 40 mülteci daha Vidin'e ulaştı. Kossuth, kendisine tahsis edilen eve yerleştikten sonra ilk iş olarak Vidin Valisi Ziya Paşa'yı ziyaret etti[137].

Dembinski ve Meszaros hariç, Kossuth'tan önce Vidin'e gelen mülteciler onu karşılamaya çıktılar. Imrefi'nin belirttiğine göre, Kossuth'un hasta ve çökmüş bir hali vardı. Kossuth, mültecilerin kendi adına yaptığı konuşmayı dinledikten sonra, onlarla bir süre sohbet etti. Mülteciler bu karşılama ile en kötü gününde dahi onun yanında yer alacaklarını göstermiş oldular. Ancak, Vidin'deki mültecilerin ona öfke duydukları şeklinde haberler yayılmaya başladı[138].

Kossuth, 27 Ağustos'ta Ziya Paşa'yı bir kez daha ziyaret etti. Bu ziyarette Paşa'dan İstanbul'a gitmesi için izin istedi. Ancak Paşa, İstanbul'dan bu hususta kendisine bir emir gelmediğini, bu sebeple izin veremeyeceğini söyledi[139].

Kossuth'tan sonra Macaristan'ın Dışişleri Eski Bakanı Batthyany, eşi ile birlikte 26 Ağustos'ta Vidin'e geldi. Batthyany, Özgürlük Savaşı'nın sonuna kadar Kossuth'a sadık kaldı ve kaçarken bile

---

[134] Korn, *Aynı eser*, s.63.
[135] Hutter, *Aynı eser*, s.25.
[136] Imrefi, *Aynı eser*, s.37.
[137] Imrefi, *Aynı eser*, s.46.
[138] Imrefi, *Aynı eser*, s.50.
[139] Imrefi, *Aynı eser*, s.50.

Kossuth'tan ayrılmadı. İhtilalin önde gelen isimlerinden Szemere de aynı tarihte Vidin'e geldi. Ancak, Szemere bir süre sonra, Vidin'den ayrılarak Paris'e gitti. Onunla birlikte birkaç Macar daha Osmanlı Devleti'nden ayrılarak Avrupa'ya gittiler[140].

4-Jozef Bem'in Osmanlı Devleti'ne İlticası

Jozef Bem, Macar Özgürlük Savaşı'nda büyük kahramanlıklar göstermişti. Özellikle Erdel'de Ruslara karşı kazandığı savaşlar onun kahramanlıklarıyla doludur. Bu başarılar Bem'in ününü doruğa ulaştırmıştı[141]. Büyük savaş kabiliyeti olan Bem, 1830 İhtilali'ne de katılmıştı. Bu savaşta, Polonya ordusu Ruslara yenildiğinde hayatını zor kurtarabilmişti. Katıldığı Macar Özgürlük Savaşı'nda içinde bulunduğu şehrin kurtuluşunun imkansız olduğunu anladığı anda kaçmaya karar vermişti[142]. Bem, Rusya ve Avusturya ordularına karşı yaptığı savaşlarda yenilgiye uğrasa bile dağılan birliklerini başarı ile tekrar bir araya getiriyordu. Düşmanları dahi onun savaştaki dehasına, taktiklerine ve olağan üstü cesaretine hayran kalmışlardı. Imrefi'nin yazdıklarına göre, onun ordusu sayıca düşmandan daha az olmasına karşın, sanki yüz binlerden oluşuyormuş gibi bu az sayıdaki ordusu ile büyük işer başarıyordu. Bem'in dehası, daha çok ordu oluşturmakta ve top kullanmakta ortaya çıkıyordu. Bütün Macar ordusunun bile yapamayacağı manevraları o, Macar toplarıyla tek başına yapabiliyordu. Bu üstün meziyetlerinden dolayı Macarlar onu gökten inmiş bir melek olarak görüyorlardı[143].

Ruslar ikinci defa büyük bir güçle Erdel'e yöneldiklerinde ve Avusturya ordusu ile birleşip şehri kuşattıklarında dahi Bem, savaşı kazanacağından emin bir şekilde kendisinden kat kat üstün olan düşmana karşı savaşmıştı. Fakat savaşı kazanmak için sadece cesaret yeterli değildi. Bu sırada Macar ordusu değişik cephelerde Rus ve Avusturya orduları karşısında sürekli kaybediyordu. Bu durum Bem'in ordusuna da yansıdı. General Luders, onun birliklerini

---

[140] Imrefi, *Aynı eser*, s.52.
[141] Gasztowtt, *Aynı eser*, s.187.
[142] Imrefi, *Aynı eser*, s.59.
[143] Imrefi, *Aynı eser*, s.60.

Erdel'den çıkarmayı başarmıştı. Buna rağmen Ruslarla birkaç defa daha savaş yapmış ve onlara ağır kayıplar verdirmişti. Fakat sonunda o da geri çekilmek zorunda kalmıştı. Erdel'den ayrılan Bem, Temeşvar savaşına katılmak üzere yola çıkmıştı. Oraya vardığında savaş başlamış durumdaydı. Bu savaşta da üstün başarı göstermesine rağmen yenilmekten kurtulamadı. Fakat Bem, Temeşvar'da alınan yenilgiyi kabullenemiyordu. Bu sebeple, Lugos'taki ordunun geri kalanını yeniden toplamaya başladı. Buradan Kmety'nin de yardımını alıp, Becsey'in ordusuyla birleşip tekrar şansını denemek üzere Erdel üzerine yürümenin planını yapmıştı. Fakat Becsey, artık Macarların galip gelemeyeceğine inanıyordu. Bu sebeple de Bem ile birlikte hareket etmeyerek geri çekilmişti[144].

Bem, bu planın gerçekleşmeyeceğini kendisinin yalnız ve terk edilmiş olduğunu anlayınca, yanındakilere kaçmayı ve Eflak sınırından Osmanlı Devleti'ne iltica etmeyi teklif etti. Bu teklif üzerine onun sadık yüzbaşısı Weppler ve 500 Macar süvarisi Türk sınırına doğru yola çıktı[145]. Yola çıktığında savaşta aldığı kurşunlar yüzünden yaralıydı. Yaralı olmasına rağmen başarılı bir yolculuktan sonra Türk sınırına ulaştı. Sınırda silahları alındıktan sonra, Türk korumaların eşliğinde ve Yüzbaşı İbrahim refakatinde Vidin'e gönderildiler. Bem, Vidin'de Kaymakam Yakub Bey'in konağına yerleştirildi. Maiyetinde bulunan askerlerden bir kısmı Avusturya'ya esir düşmüş, bir kısmı da dağlara ve sair mahallere dağılmış ve yanlarında bulunan topları da Turla Nehri'ne atmışlardı. Ziya Paşa'nın bildirdiğine göre Bem, Vidin'e geldiğinde bir kaç yerinden hafifçe yaralıydı[146].

Bem, Vidin'e ulaştığında maddi sıkıntı içerisindeydi. Vidin'e geldiğinde Kossuth'a alaylı bir mektup göndererek tek kuruşunun kalmadığını söyledi. Bem'in parasız olarak geldiğini öğrenen Macar subaylar, aralarında para toplayarak ona yardım etmek istediler. Ancak Zamoyski, Bem'in bu duruma düşmesini istemediğinden ona 100 duka vererek yardım etti[147].

---

[144] İmrefi, *Aynı eser*, s.60--62.
[145] İmrefi, *Aynı eser*, s.62.
[146] BOA., DUİT, 75-1/13-2 Ziya Paşa'nın Sadâret'e takdim ettiği 10 L 65/ 29 Ağustos 1849 tarihli tahrirat; İmrefi, *Aynı eser*, s.62.
[147] İmrefi, *Aynı eser*, s.63.

Bem'den önce Vidin'e gelen mülteciler, Macaristan'ın kurtulabileceği ümidini az da olsa hâlâ taşıyorlardı. Ancak, onun Vidin'e gelişi Macaristan ve Erdel'deki İhtilal Ordusu'nun dağılışının kesin habercisiydi. Bem'den sonra, Macar süvarileri Yüzbaşı Ihasz'ın gözetiminde Vidin'e geldiler[148].

Ziya Paşa'nın verdiği rakamlara göre, 26 Ağustos 1849'da Vidin'deki toplam mülteci sayısı, 1.350 kişiydi. Bunlardan 53'ü Macar, 833'ü Polonyalı ve 464'ü de İtalyandı. Macarlar Eflak, Polonyalılar ve İtalyanlar ise Sırbistan üzerinden Osmanlı Devleti'ne iltica etmişlerdi. İltica edenlerin mesleki durumları da şöyleydi: 2 Politikacı, 4 General, 2 Miralay, 365 Subay, 949 Asker, 10 Hizmetçi, 18 vasıfsız[149].

Vidin'e gelen mültecilere 27 Ağustos'ta birkaç önemli isim daha katıldı. Bunlar General Kmety[150], General Richard Guyon, General

---

148 Imrefi, *Aynı eser*, s.63-64.
149 BAO., DUİT, 75-1/11-7; Ahmed Refik, *Aynı eser*, s.44-45; Abdullah Saydam, "Osmanlıların Siyasî İlticalara Bakışı Ya da 1849 Macar-Leh Mültecileri Meselesi", *Belleten*, LXI/231, Ağustos 1997, s.350.
150 Bu isimler arasında Kmety'nin Osmanlı Devleti'ne ilticası ilginçtir. Şöyle ki, Temeşvar'da dağılan Macar ordusundan en iyi durumda kalan Kmety'nin birliği olmuştu. Macar ordusunun kalıntıları, Lugos'a geri çekilirken onun birliği Erdel'e çekilmişti. Bem ve Guyon'un birliklerinden arta kalanlar geri çekilirken 80.000 kişilik Rus ve Avusturya ordusu bunları yok etmek amacıyla iki yönden onları takip ediyordu. Bunun üzerine Kmety, birkaç bin kişiden oluşan birliği ile önce Lugos'un dışında ve daha sonra da içinde adı geçen devletlerin orduları karşısına çıktı. Kendisinden yaklaşık 20 kat daha güçlü olan düşmanı yarım gün oyalamayı başardı. Böylece Bem ve Guyon'un birlikleri kurtulmuş oldu. Görevini bu şekilde başarıyla tamamlayan general, ordusunun geri çekilmesinden sonra kendisini zor kurtarabildi. Bir yaveri ile birlikte sarp yollardan geçip Merul adlı bir Eflak köyüne geldi.. Kmety ve yaveri adı geçen köye vardıktan sonra halk tarafından kuşatıldılar. Onların atlarına el konulduğu için kaçma şansları da kalmadı. Köylüler, kendi aralarında Kmety ve arkadaşlarına nasıl bir ölüm cezası vereceklerini tartışıyorlardı. Köylülerden birisi onları Avusturya ordusuna teslim etmeyi önerdi. Fakat bu fikir, cezanın hafif olacağı gerekçesiyle kabul görmedi. Başka birisi, onların yavaş yavaş ölmesi gerektiğini bu sebeple de vücutlarının parçalanması gerektiği fikrini ortaya atmıştı. Diğer birisi de, büyük bir mezar açılıp onları canlı canlı gömmeyi teklif etti. Bazıları da onların asılması gerektiğini söylüyordu. Köylülerin büyük çoğunluğu son teklifi yani, onların asılmalarını uygun buldu. Merul köylüleri, infazı kimin yerine getireceği konusunda ihtilafa düştüler. Bu görevi kimse üzerine almak istemiyordu. Bu yüzden tutukluları bir domuz damına kapatıp sonra da bu damı yakmaya karar verdiler. Gerçekten de verilen bu karar uygulanmaya kondu. Kmety ve arkadaşları domuz damına kapatıldılar ve dam alttan ve üst-

Baron Stein ve Yüzbaşı Balog idi[151]. Mültecilerin Vidin'deki sayısı gün geçtikçe artıyordu. Öyle ki, bu sayı yaklaşık olarak 5.000'i bulmuştu[152]. Bunlar arasında asker kimlikli kişiler olduğu gibi; tüccarlar, kadınlar ve sanatkârlar da vardı[153].

Bu arada iltica edenlerin bu kadar artması üzerine son gelenler kabul edilmek istenmedi. Bunların bir kısmına ülkelerine geri dönmeleri söylendi. Buna karşılık *"kendilerini Tuna'ya atıp geri gitmeyeceklerini"*[154] belirttiler. Hatta Fuad Efendi'nin ifadesine göre *"biraz daha sıkıştırılırsa cümlesi kabûl-i İslâmiyet"*[155] edeceklerdi. Ancak sınırdan içeriye bir anda bu kadar mültecinin girmesinin mahzurları da vardı. Bunların yiyecek ve giyecek ihtiyaçları yeterince karşılanamayacağı gibi, korunmalarında da bazı sıkıntılar yaşanacaktı. Fuad Efendi, mevcut durum karşısında hem kendisinin hem de diğer görevlilerin ne yapacaklarını bilemez olduklarını Sadâret'e bildirip yardım istemişti. Hatta, Türk sınırını geçen mültecilerin sayısı yığınlar halinde olduğundan, bundan böyle geleceklerin ellerindeki silahların alınması zorunluluğunun da kaldırıldığını bildiriyordu[156].

---

ten ateşe verildi. Fakat tam bu sırada General Bem'in öncü kuvvetleri yetişerek general ve beraberindekileri bu korkunç ölümden kurtardılar (Imrefi, *Aynı eser*, s. 54-59).

[151]   Hutter, *Aynı eser*, s.36; Imrefi, *Aynı eser*, s.53.
[152]   Hutter, *Aynı eser*, s.38.
[153]   BOA., İra. Har. 3051.
[154]   BOA., DUİT., 75-1/11-3 Fuad Efendi'nin Sadâret'e takdim ettiği 7 L 65/ 26 Ağustos 1849 tarihli tahrirat.
[155]   BOA., DUİT., 75-1/11-3.
[156]   BOA., DUİT., 75-1/11-3.

İKİNCİ BÖLÜM
VİDİN KAMPI

A.Vidin Şehri

Mültecilerin Vidin'de geçirdiği günlere değinmeden önce, bu şehir hakkında kısa da olsa bilgi vermenin yararlı olacağını düşünüyoruz.

Aşağı Tuna'nın sağında yer alan Vidin'e dışarıdan bakıldığında ilk dikkat çeken şey, kireçle sıvanmış beyaz Türk evleri arasında yükselen ve şehre hoş bir görünüm katan sayısız minarelerdir[157]. Surlar ve hilâli gösteren cami ve mescitlerin verdiği güzel görüntüye rağmen, içindeki sokak ve evlerin hiçbir simetrisi olmadığından şehrin iç görünümünde bir düzen söz konusu değildir[158]. Joseph Hutter'in verdiği bilgilere göre; buharlı gemi ile Tuna'da yolculuk yaparken Vidin surlarının önünden geçen birçok gezgin, bu şehri muhteşem bulmuştur. Şehrin hemen arkasından başlayan Balkan manzarası Vidin'e şaşırtıcı güzellikler vermekte, parlayan beyaz sur-

---

[157] Joseph Hutter, *Von Orsova bis Kiutahia*, Braunschweig 1851, s.40; Charles d'Eszlary, "L'émigration hongroise de Louis Kossuth en Turque entre 1849-1850", *Türk Tarih Kongresi*, IV, (20-26 Ekim 1961) Ankara 1967, s.436. Philipp Korn hatıratında Vidin Şehrindeki bu minarelerin sayısını 25 olarak vermektedir. Yine şehirde Hıristiyan ve Yahudilerin kendilerine ait birer ibadethaneyle okulları olduğunu yazar (Philipp Korn, *Kossuth und die Ungarn in der Türkei*, Hamburg und New York 1851, s.65).

[158] Vahot Imrefi, *Die Ungarischen Flüchtlinge in der Türkei*, Leipzig 1851, s.138.

lar da şehrin uzaktan görünüşünü çok iç açıcı kılmaktadır. Aslında, şehrin dışarıdan bu şekilde görünüşü gezginler için ondan sahip olmadığı özellikleri beklemelerine sebep oluyordu[159]. Oysa, bir zamanlar önemli bir konuma sahip olan Vidin, eski özelliğini tamamen kaybetme noktasına gelmişti. Muhtemel bir kuşatma ya da yangında şehrin kurtarılması çok zordu. Surların üzerinde duran ve yıllarca kullanılmayan paslanmış toplar, sadece bayramlarda ateşleniyordu[160]. Şehrin içindeki yapılardan en dikkate değer olanı, Paşa Konağı'ydı. Vidin eski Valisi Hüseyin Paşa'nın halefi Ziya Paşa[161] bu konakta[162] oturuyordu[163]. Bu tarihlerde Vidin, 5.000'i Hıristiyan, 1.000'i Yahudi, geri kalanları da Müslüman olmak üzere toplam 25.000 nü-

---

[159] Hutter, *Aynı eser*, s.40.

[160] Hutter, *Aynı eser*, s.42.

[161] Hutter, Ziya Paşa'nın ismi üzerinde ilginç bir de tespitte bulunur. Ona göre, Ziya Paşa, fakir bir ailenin çocuğu olarak, Mısır Valisi Mehmed Ali Paşa isyanını bastırmak üzere görevlendirilen orduya katılmış, savaşta gösterdiği cesur davranışları ile kendisini kanıtlamış ve daha sonra da terfi etmiştir. Mehmed Ali Paşa'nın ismini taşıdığından Sultan tarafından adı Ziya olarak değiştirilmiş ve Paşa yapılmıştır. (Hutter, *Aynı eser*, s.43).

[162] Hutter, Ziya Paşa'nın oturduğu evi şu şekilde tasvir etmektedir: "İhtiyar Ziya'nın bu evde oturma cesaretine hayranım. Çünkü ev, küçük bir sallantıda yıkılacakmış gibi duruyordu. Muhtemel bir yangında bu ev de diğerleri gibi iki dakika içerisinde alevler içinde kalacaktı. Konağın koridor döşemesi, kırılabilir tahtadan yapıldığı için üzerinde yürümek oldukça tehlikeliydi. Koridorların tek süsünü Çin usulü kağıt fenerler oluşturuyordu. Konağın odalarının döşemesi de aynı derecede fakirdi. Ziya Paşa'nın oturduğu odayı diğerlerinden ayıran tek fark, halkın evinde hasır döşemesi varken, Paşa'nın evinde halı döşemesi olmasıydı. Ziya Paşa'nın oturma odası basit bir kışla odasına benziyordu. Tamamen beyaza boyanmış ve tek süsü rahlenin üzerinde duran Kuran-ı Kerim'le birkaç kırık tabaktı. Odada dikkati en fazla çeken şey ise, çadıra benzeyen beyaz şömineydi. Yüzlerine bakılamayacak halılar yeri, boyanmış tahtalar da tavanı örtüyordu". (Hutter, *Aynı eser*, s.42-43).

[163] Vidin Valisi Ağa Hüseyin Paşa'nın vefatı üzerine yerine Aydın eski Valisi Yakup Paşa tayin edilmişti. Ancak Yakup Paşa, rahatsızlığı sebebiyle göreve başlayamadığından, Vidin valiliği bir müddet boş kalmıştı. Bu sırada Vidin Eyâleti'nde çıkan isyan giderek etrafa yayılıyordu (Vidin isyanı için bkz. Halil İnalcık, *Tanzimat ve Bulgar Meselesi*, İstanbul 1992; İnalcık, "Tanzimatın Uygulanması ve Sosyal Tepkiler", *Belleten*, XXVIII/112, 1962, s.623-690; Hüdai Şentürk, *Osmanlı Devleti'nde Bulgar Meselesi 1850-1875*, Ankara 1992). Bölgedeki nazik durumu göz önünde bulunduran Bâbıâli, Tırhâlâ Mutasarrıfı Ziya Paşa'yı 58.000 kuruş maaşla Vidin Valisi olarak atamıştı (BOA., İra. Dah. Nr. 10743; İra. Dah. Nr.10890; BEO. A. MKT. MHM. Dosya no:12, Sıra no:40, 1265.5.18; Lütfi, *Târih-i Lütfî*, VIII, Dersaâdet 1328, s. 178; İnalcık, *Aynı eser*, s.50).

fusa sahipti[164]. Ayrıca, şehrin kenar mahallelerinde, merkezde yaşayanlara nazaran her yönüyle geri kalmış ve sayıca çok az olan Bulgarlar ve Sırplar oturuyordu. Şehrin ticarî hayatı büyük ölçüde Türklerin elindeydi. Terzilik ve yelken bezi Bulgarlar; tütün ticareti, kahve çekiciliği, silah yapımı, semercilik ve fırıncılık gibi meslekler de Türkler tarafından icra ediliyordu.

Ayrıca askeri memurlar da Türklerdendi[165]. Bütün bu ticari faaliyetlere rağmen, şehir kendi nüfusunu doyuracak ekonomik potansiyele sahip değildi. Bu şartlar altında da, ancak küçük bir mülteci grubunu barındırabilirdi[166]. Kuşkusuz, binlerce mültecinin Vidin'e akın etmesiyle işler daha da karışmış ve bu yüzden büyük problemler yaşanmıştı[167]. Bu bakımdan, başlangıçta, Vidin'de hem Türkler hem de mülteciler sıkıntı içerisindeydi[168]. Çünkü, ilk gelen mültecilerin erzakları tükenmiş, sonradan gelenlerin ellerindeki az miktardaki para da kısa sürede suyunu çekmişti. Öyle ki, Joseph Bem, henüz şehre yeni gelmiş olan Kossuth'a alaylı bir şekilde; *"tek kuruşumuzun olmadığını size bildirmekten şeref duyarım"*[169] diye yazıp, mültecilerin Vidin'de düştükleri sıkıntıyı dile getirmişti. İşte, bu şartlar altında, Vidin Vâlisi Ziya Paşa, vatanlarını terk ederek buraya gelen yaklaşık 5.000 mülteciyi Osmanlı Devleti'ne yakışır bir misafirperverlikle ağırlamak zorundaydı.

---

[164] Korn, *Aynı eser,,* s.65; Hutter, *Aynı eser,* s.45.

[165] Hutter, *Aynı eser,* s.44-45.

[166] Eszlary, *Aynı makale,* s.437.

[167] Mültecilerin Vidin kampının ilk günlerindeki durumlarını da yine Hutter'den öğreniyoruz. Ona göre, vatanlarını çok seven Macarlara, vatansızlığın acısı her şeyden ağır geliyordu. Bu sebeple güçlerini kaybetmişler ve yüzlerindeki hayatın rengi solmuştu. Artık gözleri parlamıyordu ve yaşama sevinçlerini kaybetmişlerdi. Normal zamanlarda dansın ritmine uyum sağlayan ayakları, şimdi onları taşımaktan bile acizdi (Hutter, *Aynı eser,* s.47).

[168] Mültecilerin Vidin'e gelmelerinden sonra daha önce ucuz olan sebze fiyatlarında anormal bir yükseliş olduğu dikkat çekmektedir. Örneğin, mültecilerin şehre geldikleri gün 10 para olan üzümün kilosu bir iki gün sonra 20 paraya çıkmıştı. Fiyat tarifelerindeki bu anormal artış üreticileri sevindirirken, doğal olarak halk tarafından pek hoş karşılanmıyordu. Bu anormal yükselişe rağmen bu fiyatlar, mültecilere yaşadıkları ülkeye nazaran daha ucuzdu. (Hutter, *Aynı eser,* s.38-39).

[169] Istvan Hajnal, *Kossuth-Emigracio Törökorszagban,* Budapest 1927, belge no:14, s.462, Bem'in Kossuth'a 30 Ağustos 1849 tarihli mektubu; Eszlary, *aynı makale,* s.437.

B- Mültecilerin Yaşantıları

1-Kampta Gündelik Hayat

Tuna Nehri kenarında kurulan çadırlara yerleştirilen mültecilerin kampında her akşam Macar ve İtalyan ulusal melodileri çalınıyordu. Albay Kotona, kamp komutanıydı ve kampın denetiminden sorumlu olan Türk görevlisiyle sürekli iletişim halindeydi. Kampın dışına çıkmak isteyenler ilk önce Macar, sonra da Türk kumandanından izin almak zorundaydı. Vidin'i gezmek için bu izinlerden subaylar her gün, askerler ise haftada ancak bir defa yararlanabiliyorlardı. Macar subaylardan yanlarında yüklü miktarda para getirenlerin bir kısmı, kendi imkânlarıyla şehrin içinde yaşıyorlardı[170].

Mülteciler, kampta zaman geçirmek ve konuşulacak bir konu bulabilmek için tuttukları günlük notları gözden geçiriyorlardı. Subaylar, gruplar halinde bir araya gelerek çubuklarını içiyor ve geçmiş hakkında tartışmalar yapıyorlardı[171]. Tartışmaların ağırlık noktasını, Avusturya'ya karşı yapılan Macar Özgürlük Savaşı'nın kaybedilmesi oluşturuyordu. Tartışmalar sakin bir şekilde başlasa da belirli konulara gelindiğinde ortam gerginleşiyordu. Subaylar, "Kossuthçular" ve "Perczelciler" diye ikiye ayrılmıştı. Birinci grup her zaman çoğunlukta, ikinci grup ise azınlıkta kalıyordu. Kossuth'u destekleyenler liberalliği savunurken, Perczelci subaylar kendilerini onlardan daha liberal görüyorlardı. Subayların bir kısmı Kossuth'un yönetici olduğu zamandaki olayları desteklemelerine karşılık, diğer subay grubu da, ona büyük suçlamalar yüklemiş ve enerji dolu Perczel'in yapmayacağı hataları yaptığını ileri sürüyorlardı. Taraflar birbirlerine karşı çok katı bir tutum içine girmişlerdi. Bu tartışmaların karşılıklı meydan okumalarla sonuçlandığı da oluyordu. Subaylar arasındaki bu ikilikten dolayı birçok kişi, Macarların Avusturya'ya karşı yaptıkları savaşta galip gelseler bile daha sonra kendi aralarında bir iç savaş yaşayacaklarını söylemiştir[172].

---

170 Korn, *Aynı eser*, s. 88-89.
171 Hutter, *Aynı eser*, s.54.
172 Hutter, *Aynı eser*, s54-.55.

Bir araya gelen mültecilerin bütün vakitleri doğal olarak yalnızca tartışmakla geçmiyordu. Mülteciler, birbirlerine savaş sırasındaki kışlalarından, birlik ve komutanlarından bahsediyorlardı. Yine, savaşta karşılaştıkları tehlikelerden söz ediyorlar, ölümle burun buruna gelmelerine rağmen kurtulabilmiş olmakla teselli buluyorlardı[173].

Diğer taraftan, Vidin kampında, çöküşün sebepleri hakkında mülteci şefleri arasında da sert tartışmalar yaşanıyordu. Kossuth'un devlet başkanlığı görevini Görgei'ye devretmesi, büyük bir hata olarak değerlendiriliyordu. Perczel, askerlere yaptığı konuşmalarda bağımsızlık savaşının kaybedilmesinde Kossuth'un zayıflığı ve korkaklığının büyük rolü olduğunu anlatıyordu. Mülteci liderleri arasında, Vilagos kalesi önünde Ruslara karşı silahları bırakan Görgei'ye büyük tepki vardı ve bu tepkiler hainlik suçlamalarına kadar gidiyordu.

Mülteciler arasında eğitim seviyesi yüksek olanlar, Vidin'deki sosyal hayattan hareketle Osmanlı Devleti'nin geçmişi, bugünü ve geleceği hakkında yorumlar yapıyorlardı. Osmanlıların daha önceki yüzyıllarda Macaristan ile yaptıkları savaşlar, Erdel ile Osmanlı Devleti arasındaki ilişkiler ve Vidin şehrinin bu ilişkilerdeki rolü hakkında çıkarımlarda bulunuyorlardı[174].

Mülteciler, yaklaşık iki ay kaldıkları Vidin'de şehir ve sakinlerini daha yakından tanıma fırsatı da buldular. Yeni bir kültürle tanışmak mültecilerin ilgisini çekiyor, neşelerini ayakta tutuyor ve vatanlarından ayrı kalan bu insanları oyalıyordu. Değişik bir yaşam biçimi ve kültürle karşılaşmış olmak da bilgi hazinelerini genişletiyordu[175].

Kampta, askeri gösteriler ve güreş gibi sportif faaliyetler de yapılıyordu. Kossuth, kendisini mültecilerin dert ortağı olarak sunup grubun moralini yükseltmeye çalışıyor, zaman zaman da mültecilere hitaben konuşmalar yapıyordu[176]. Onun nutukları, mülteciler tarafından kutsal sözler olarak algılanıyor ve hatasız kabul ediliyordu.

---

[173] Imrefi, *Aynı eser*, s.99.
[174] Imrefi, *Aynı eser*, s.102.
[175] Imrefi, *Aynı eser*, s.102.
[176] Korn, *Aynı eser*, s.91.

Kossuth, mültecilerin morallerini bu şekilde ayakta tutmaya gayret ediyordu[177].

Mülteciler, Vidin kampında Avrupa'daki son gelişmelerden haber alamıyorlardı. Bilhassa, özlemini duydukları vatanları hakkında bilgiye sahip olamamak, onlarda moral bozukluğuna sebep oluyordu. Her ne kadar liderleri Avrupa'da çıkan gazetelerin birkaç sayısını elde edebiliyorlarsa da, bu gazetelerden edinilen bilgiler doyurucu olmuyordu[178]. Mülteciler, vatanları hakkındaki en doyurucu haberleri Rusların elinden kaçarak Vidin'e ulaşabilme şansına sahip olabilen Macarlardan öğreniyorlardı. Rus esaretinden kurtulan kişiler, kendilerinden daha önce Macaristan'dan ayrılmış olan Vidin'deki mülteciler için ilgi odağı oluyordu. Vatanları hakkında daha fazla bilgi alabilmek için mülteciler, onları sırasıyla evlerine davet ediyorlar ve onlardan en taze haberleri alıyorlardı[179].

Alışamadıkları yaşam biçimi ve kamptaki çadırlarda gündüzün sıcaklığını takiben ortaya çıkan gecenin soğukluğu, onların hastalanmasına ve hatta birkaçının ölümüne sebebiyet vermişti[180]. Vidin'deki hayatlarından memnun olmayan mültecilerden bazıları vatanlarına geri dönme planları yapıyorlardı. Hatta, 150 mülteci bir araya gelerek kaçma girişiminde bulunmuşlar, fakat onları korumakla görevli Osmanlı birlikleri, bu girişime mani olmuşlardı. Bu başarısız teşebbüsten sonra kamptan kaçma girişimleri yok denecek seviyeye indi. Ancak, şehir merkezinde yaşayanlardan bazıları, değişik isimler altında sahte pasaportlar elde ederek şehirden ayrılmayı başarmıştı[181].

Dil farklılığı yüzünden mültecilerle kamp yetkilileri arasında bazı sıkıntılar yaşanıyordu. Bu durum, özellikle mültecilerin alış veriş için Vidin pazarına çıktıklarında kendisini iyice hissettiriyordu. Dahası Ziya Paşa hiçbir Avrupa dilini konuşamadığından mülteci

---

177 Hutter, *Aynı eser*, s.83-84.
178 Mesela, Zamoyski, Belgrat'taki Sardunya Konsolosluğu'na özel ulak göndererek, "*Südslavische Zeitung*" un bazı sayılarını elde ediyordu (Imrefi, *Aynı eser*, s.101).
179 Imrefi, *Aynı eser*, s.101.
180 Korn, *Aynı eser*, s.93; Hutter, *Aynı eser*, s.53.
181 Imrefi, *Aynı eser*, s.98.

şefleriyle iletişim kurmakta bazen güçlük çekiyordu[182]. Bununla birlikte, bazı mülteciler karşılaştıkları zorlukları daha kolay çözüme kavuşturabilmek amacıyla, dilleri ile aynı grupta yer almasının avantajından istifade ederek Türkçe öğrenmişlerdi[183].

Vidin kampındaki din değiştirme vakaları mülteciler arasında gerginliğin yanı sıra birbirlerine kin duymalarına da sebep olmuştu. Zira, din değiştirmeyenler, değiştirenlere soğuk davranıyorlardı. Hatta, bazen dinlerinden döndükleri için onları küçümsüyor ve onlarla birlikte olmamaya özen gösteriyorlardı. Böylece, başlangıçtaki sıcak ilişkiler; Macar, Polonyalı ve İtalyan mülteciler arasında yaşanan din değiştirme hadiselerinden sonra iyice soğudu ve bu insanlar, her geçen gün birbirlerinden biraz daha uzaklaşır hale geldiler. Hatta, bu yüzden Kossuth ve Bem'in arası da açılmıştı. Türkler Bem'i överken, Hıristiyanlar da Kossuth'un yanında yer almışlardı[184].

2- Mültecilerin Karşılaştıkları Güçlükler

Vidin'deki mültecilerin bir süreden beri perişan oldukları, bir kısmının meskensiz kaldığı, bazılarının üzüntülerinden canlarına kastetme niyetinde oldukları ve Müslüman olanların diğer mültecilere iyi davranmadıkları yolunda İstanbul'a haberler geliyordu[185]. Yi-

---

[182] Korn, *Aynı eser*, s.65.
[183] Korn, *Aynı eser*, s.90; Hutter, *Aynı eser*, s.57.
[184] Imrefi, *Aynı eser*, s.192.
[185] BOA., DUİT., 75-1/33-2. Vidin Valisi Ziya Paşa'ya 27 ZA 65/14 Ekim 1849 tarihli iradeyle onaylanıp gönderilen tahrîrât. Vidin'de gerek kış mevsiminin erken gelmesi, gerekse kampın başlangıçta iyi organize edilememesinden dolayı, sayıları kesin olarak tespit edilemeyen mülteci hayatını kaybetmişlerdir. Olayların canlı tanığı Hutter, hatıratının bir yerinde Vidin surlarının içinde ve dışında 600 mülteci mezarı bulunduğunu yazarken (Hutter, *Aynı eser*, s.48) başka bir yerinde de bu sayının 500 olduğunu ifade eder (Hutter, *Aynı eser*, s.83). Hutter, bu ölümlerden Türk yetkililerin yanı sıra, mülteci şeflerinin de sorumlu olduğunu yazar. Ona göre, bu duruma sebep olan beyler, kardeşlerinin çektiklerine aldırmadan geriye çekildiler. Eğer bu adamlar bir zamanki silah arkadaşlarının dertleriyle birazcık ilgilenmiş olsalardı, bazı zorluklar kolay atlatılmış olurdu. Sadece kendi dünyası ve dilini bilen Macar köylü çocuğu, vatansız ya da mülteci olarak kendisine nasıl yol bulabilirdi (Hutter, *Aynı eser*, s.49). Vidin'de hayatlarını kaybeden mültecilerin sayısı hakkında Osmanlı belgelerinde bir kayda rastlayamadık. Olayların başka bir tanığı olan Korn ise, hatıratında ölüm olaylarına değinmemektedir. Dolayısıyla, Hutter'in verdiği rakamı ihtiyatla karşılamak gerekir.

ne, Macar mültecilerinden ülkelerine geri dönmek için Vidin'deki Avusturya Konsolosluğu'na müracaatta bulunanlara engel olunduğu söylentileri, Bâbıâli'yi harekete geçirdi. Kuşkusuz, bu tür haberlerin abartılı bir şekilde yayılmasında asıl rolü, Vidin'deki Avusturya Konsolosu ile Avusturya Hükümeti'nin buraya özel görevle gönderdiği ajanlar oynuyordu[186].

Bu söylentiler, Bâbıâli'yi rahatsız etmişti. Nitekim konuyu değerlendiren Sadâret, mülteciler meselesi yüzünden Osmanlı Devleti'nin Rusya ve Avusturya ile siyasi münasebetlerinin kesildiğine dikkat çekmiş ve bunca sıkıntıdan sonra mültecilerin ölümü arzu edecek kadar ümitsizliğe düşmelerinin kabul edilemez olduğunu yazılı olarak Ziya Paşa'ya bildirmişti. Müslüman olan mülteciler ile diğer mülteciler arasındaki geçimsizliğin ortadan kaldırılması ve hiçbirinin din değiştirmeğe zorlanamayacağının ilan edilmesi de validen istenmişti[187]. Yine, mültecilerin özellikle de şeflerinin bir tarafa firar etmemeleri için kendilerine iyi muamele yapılması ve şimdiye kadar meydana gelen nahoş durumun ortadan kaldırılması hususunda Paşa'nın dikkati çekilmişti[188]. Ayrıca Sadâret, Vidin'deki bütün görevlilerin uyarılmasını da Serasker Paşa'dan istemişti[189].

---

[186] BOA., DUİT., 75-1/41-1, Sadâret'in Mâbeyn'e takdîm ettiği 12 Z 65/ 29 Ekim 1849 tarihli arz tezkiresi. Hatta Macarlı bir kız ile bir çocuğa yüz kişi tarafından yapılan kötü muamele neticesinde kızın öldüğü, çocuğun ise pek fena durumda bulunduğu haberinin alındığı Ziya Paşa'ya bildirilmişti. Paşa, Vidin'de yaptırdığı araştırma sonunda "...*mezbûre kız ve çocuk hakkında vukû'u mervî olan keyfiyete dâir bu tarafda bir gûne hâl vâki' olmamış ve bunlar müsâfirin-i Saltanat-ı Seniyye'den olmalarıyla büyük ve küçüğünün vikâye-i 'ırz u nâmûsu farîza-ı zimmet olarak bu bâbda gerek savb-ı çakerânemden 'âcizâne ve min-gayr-i haddin leyl ü nehâr fevka'l-gâye sarf-ı mesâî bîşümâr olunmakda ve ümerâ-yı mûmâileyhim bendeleri cânibinden dahî her bir mevâdd hakkında ikdâm ve muhâfazada bir gûne tecvîz-i kusûr olmadığı rütbe-i bedâhatda olduğuna mezbûre kız ve çocuk hakkında cümlenin bir gûne istimâ'âtı olmayub şuyû'unun elbette bir sebep-i münteşî olabilmesi derkâr idüğinden keyfiyet ümerâ-yı mûmâileyhim kullarıyla müzâkere ve hafî ve celî tahkîk ve tedkîk olunmuş ise de buna dâir bir gûne eser ihsâs...*" olunmadığını Sadâret'e bildirmişti (BOA., DUİT., 75-1/41-5).

[187] BOA., DUİT., 75-1/33-2.

[188] BOA., DUİT., 75-1/33-2.

[189] BOA., BEO., A.MKT. 229-70, 1265.11.24. Sadâretin Serasker Paşa'ya gönderdiği 24 ZA 65/11 Ekim 1849 tarihli tezkire. Serasker Paşa'ya gönderilen tezkirede "...*Vidin'de olan mülteciler hakkında mu'âmelât-ı gayr-i lâyıka vukû'a gelmekde olduğu istimâ' olunmuş ve bu hâlin devâmı envâ'-ı mehâzîri mûcib ve bir an önce önü alınması*

Osmanlı Devleti, Rusya ve Avusturya Devletleriyle siyasi ilişkilerin kesilmesini de göze alarak mültecileri iâde etmemişti. Bu tavır, bütün Avrupa devletlerince olumlu karşılanmış ve övülmüştü. Ziya Paşa, Avrupa'da Osmanlı Hükümeti'ne karşı oluşan bu olumlu gelişmelerden haberdardı. Bu nedenle, bunca fedakarlıklar sonucu kazanılan olumlu izlenimlerin kaybedilmesini istemiyordu. Paşa, bütün imkânların seferber edilerek mültecilere her yönüyle iyi muamelede bulunulduğunu Sadâret'e bildirdi[190].

Ziya Paşa'nın verdiği bu bilgiler, Bâbıâli'de memnuniyetle karşılandı. Nitekim Sadâret "...*mülteciyân hakkında mervî olan mu'âmelât-ı dostânenin aslı olması ise pek memnûn olacak mevâddan olduğuna ve bu havâdis evvel emirde Avusturya Sefâretinden çıkmış idiğüne mebnî ol bâbda münteşir olan şeylerin esâsı olmadığının sûret-i münâsibe ile gerek Avusturya Elçisi'ne ve gerek sâir Sefâretlere*" bildirilmesine karar verdi[191].

3- Mülteci Olmayanların Kamptan Ayrılmaları

Vidin'e birdenbire bu kadar fazla miktarda mültecinin gelmesi başlangıçta kimlerin gerçek mülteci olduğu tespitini zorlaştırıyordu. Hatta, mülteci sıfatıyla Vidin kampında ajanlar bile dolaşıyordu. Bu karışık ortamda, başka devletlerin vatandaşları mülteci zannıyla şehirde alıkonuluyordu. Nitekim, İngiltere'nin Bükreş Konsolosluğu, Fuad Efendi'ye müracaatta bulunarak Vidin'de mülteci olarak kabul edilen üç İngiliz'in kendilerine iâde edilmesini istemişti. Fuad Efendi de Konsolos'a İngiltere vatandaşı olduğu iddia edilen bu şahısların geri verilmesi halinde, Avusturya ve Rusya Devletlerince iâdesi istenen mültecileri vermemek için, Bâbıâli'nin ortaya koyduğu direnişin hukuki yönden zayıflayacağını söylemişti. Bununla birlikte Fuad

---

ehemm olmasıyla orada bulunan ümerâ-yı askeriyyeye bu mâddeden dolayı tenbîhât-ı mukteziyye yazılması..." istenmiştir (BOA., BEO., A.MKT. 229-70, 1265.11.24).

[190] "İş bu mültecîlerin hîn-ı vürûdlarından berü münâsib ve istirâhatlarına muvâfık mahalle iskân ettirilerek sâye-i şevket-vâye-i cenâb-ı şâhânede ta'yînât-ı mahsûsaları ümerâ-yı mûmâileyhim ma'rifetiyle bilâ-noksan tesviye ve îfâ ettirilmekte ve ez-her cihet haklarında mu'âmele-i dil-nüvâzâne icrâ olunmakda olub bu sûretlerden cümlesi müteşekkir ve memnûn olmaları memûl-ı kavî olduğu..." (BOA., DUİT., 75-1/41-5).

[191] BOA., DUİT., 75-1/41-1 Sadâret'in Mâbeyn'e takdim ettiği 12 Z65/29 Ekim 1849 tarihli arz tezkiresi.

Efendi, meseleyi Bâbıâli'ye yazıp gelecek emre göre hareket edeceğini de Konsolos'a bildirmişti[192]. Bâbıâli, Fuad Efendi'nin İngiliz Konsolosu'na verdiği cevabı yerinde bulmuş ve meseleyi bir de İngiltere'nin İstanbul Elçisi Canning ile müzakere etmeyi kararlaştırmıştı[193].

Diğer taraftan Canning, 19 Eylül 1849'da Bâbıâli'ye müracaat ederek, İngiliz vatandaşlarının Vidin'de haksız yere tutuldaklarından söz etmiş ve Ziya Paşa'ya emir gönderilerek vatandaşlarının serbest bırakılmalarını talep etmişti[194]. Daha önce Fuad Efendi'nin bunların teslim edilmeleri halinde Avusturya ve Rusya'ya karşı yapılan mücadelede hukuken zaafa düşüleceği görüşünü benimseyen Bâbıâli, Canning'in başvurusu üzerine kararını yeniden gözden geçirme gereğini duydu.

Bâbıâli, bu üç kişinin Leh veya Macar olup da sonradan İngiltere vatandaşlığına geçmiş olabileceğini araştırdı ve böyle bir durumun söz konusu olmadığını tespit etti. Neticede, Rusya Polonyalı, Avusturya ise Macar mültecilerinin iâdesini istediğinden, bu meselede adı geçen devletlerin bir iddiasının olamayacağı ve söz konusu kişilerin İngiltere'nin Bükreş Konsolosluğu'na teslim edilmesinde bir sakınca bulunmadığı sonucuna varıldı[195]. Alınan karar Vidin Valisi Ziya Paşa'ya da iletildi[196]. Paşa'nın yaptığı araştırmada da bunların Leh veya Macar vatandaşı değil, eskiden beri İngiltere vatandaşı oldukları anlaşıldı[197]. Böylece İngiliz vatandaşı olan bu üç kişi, yol tezkireleri hazırlanarak Vidin'den İstanbul'a gönderildi[198].

---

[192] BOA., DUİT., 75-1/41-7 Fuad Efendi'nin Sadâret'e takdim ettiği 27 Ş 65/15 Eylül 1849 tarihli tahrîrâtı; Refik, *Aynı eser*, s.71.

[193] BOA., DUİT., 75-1/41-7 Sadâret'in Mâbeyn'e takdim ettiği 2 ZA 65/19 Eylül 1849 tarihli arz tezkiresi; Refik, *Aynı eser*, s.71.

[194] BOA., DUİT., 75-1/24-3; Refik, *Aynı eser*, s.71.

[195] BOA., DUİT., 75-1/24-3 Sadâret'ten Mâbeyn'e takdîm edilen 7 ZA 65/24 Eylül 1849 tarihli tezkire; Refik, *Aynı eser*, s.72.

[196] BOA., BEO., A.MKT. 226-92, 1265.11.10 Ziya Paşa'ya gönderilen 10 ZA 65/27 Eylül 1849 tarihli şukka.

[197] BOA., BEO., A.MKT. 228-30, 1265.11.19 Ziya Paşa'nın Sadârete takdim ettiği 19 ZA 65/6 Ekim 1849 tarihli tezkiresi.

[198] BOA., BEO., A.MKT. 228-30, 1265.11.19.

4-Kossuth'un Vidin'deki Hayatı ve Diplomatik Faaliyetleri

a.Hayatı

Kossuth, Vidin'de büyük bir enerji ile anavatanı ve mülteciler i-çin uğraş veriyordu. Mültecilerin Vidin kampında yaşamlarını iyi sürdürebilmeleri için başta Ziya Paşa olmak üzere, Türk yöneticiler ile sürekli iletişim halindeydi. Bâbıâli'ye gönderdiği mektuplarla da, mültecilerin Avusturya'ya iâde edilmesini engellemeye çalışıyordu. Aynı zamanda, batıdaki güçlü mercileri de zorluyor ve özellikle İngiltere ve Fransa kamuoyunu Macaristan lehine çevirmenin yollarını arıyordu. Böylece Kossuth, Vidin'deki hayatının önemli bir kısmını diplomatik girişimlere ayırıyordu. Kendisine tahsis edilen evde yoğun bir çalışma temposu içerisindeydi ve yaveri Asboth ile tercümanı Szöllösy sürekli yanında bulunuyorlardı. Kossuth, adı geçenlerle aynı mekanda kalıyordu[199]. Asboth, Kossuth tarafından sevilen bir kişi idi. O, eğitimi, sağlam karakteri ve gerçek sadakat ve dostluğu ile Kossuth'un güvenini kazanmıştı. Kossuth, Szöllösy'yi ise Türklerle iletişim kurmak için yanında tutuyordu[200]. Ancak Szöllösy, uzun süre Vidin'de kalmadığından Kossuth da Cseh isimli bir Erdelli'yi yeni tercüman olarak atamıştı[201].

Kossuth, Vidin'de birçok mülteci tarafından ziyaret ediliyordu. Fakat o, bu ziyaretlerin çok azına karşılık veriyordu. Onun ziyarette bulunduğu kişilerin başında Vidin Valisi Ziya Paşa geliyordu. Paşa'dan sonra en çok görüştüğü kişi Batthyany idi. Kossuth bütün gününü Vidin'deki evinde geçirmiyor, zaman zaman şehirde gezinti-

---

[199] Imrefi, *Aynı eser*, s.94.
[200] Szöllösy, Macar Özgürlük Savaşı sırasında Dışişleri Bakanlığı'nda sekreter olarak görev yapıyordu. Macaristan savaşı kaybedip mülteciler Türk sınırına yaklaştıklarında o, ilk gelenler arasındaydı. Szöllösy, Kossuth'un belirli bir para ile yurt dışına çıkacağına inanıyordu. Kossuth sınıra gelir gelmez, onun elinde olduğunu zannettiği paraları kendisiyle paylaşmaya ikna etmeye karar vermişti. Szöllösy, bu düşüncesini yol arkadaşlarına bile söylemişti. Fakat Kossuth ile Orsova'da karşılaştığında onun yalnız olmadığını görünce hazineyi paylaşma planlarını bir tarafa bıraktı ve tercüman olarak tekrar hizmete döndü. Kossuth, büyük bir ihtimalle, Szöllösy'nin niyetinden haberdar değildi. Bu yüzden onu tercüman olarak atamıştı (Imrefi, *Aynı eser*, s.95).
[201] Imrefi, *Aynı eser*, s.95.

lere de çıkıyordu. Onun hayatı mültecilerden hiç kopuk olmamıştı. Zaten, kaldığı evde mesaisinin büyük çoğunluğunu onların geleceği için harcıyordu. Bu arada Kossuth, mültecileri bir kaç defa ziyaret etmiş ve her seferinde onlar tarafından iyi karşılanmıştı[202] Onun korumasını "Halil" adında birisi yapıyordu. Kossuth, Şumnu'da kaldığı evde de Halil tarafından korunacaktı. Halil, aynı zamanda Kossuth'un en sadık arkadaşlarından birisiydi. Hutter'e göre, Halil, örneğine başka bir yerde rastlanmayacak şekilde Kossuth'a büyük bir bağlılık içerisinde olmuştu[203].

Bu arada, Vidin kampında Kossuth'u üzen hadiseler de yaşanıyordu. Aslında, Vidin'de bu tür hadiselerin yaşanacağını kimse tahmin edemezdi. Kossuth'la alakalı birçok iddia ortaya atılmıştı ve bu iddialar korkunçtu. Öyle ki, mülteciler, bu iddialara inanacak olsalar Kossuth'un işi gerçekten zorlaşacaktı. Söylentilere göre Kossuth, Vidin'e gelirken yolda Erdel köylerinin birinde, Teodor Dembinski'nin eşiyle aynı odayı paylaşmak zorunda kalmıştı. Bu vesile ile Bayan Dembinski, değer verdiği Kossuth ile daha yakından tanışma fırsatı bulmuştu. Bu tanışmadan sonra da ona daha saygılı ve sevecen davranmaya başlamıştı. Hatta, Vidin'de bir komşu olarak eşi ile birlikte Kossuth'u sürekli ziyaret ettiğinden ve hasta iken kendisine bakıp yemek gönderdiğinden dolayı kısa bir süre sonra, bu tanışıklıktan derin bir arkadaşlık ortaya çıkmıştı[204]. Kossuth'a düşman olan gazetelerin muhabirlerinden bazıları, Kossuth'u dünya kamuoyunda gülünç duruma düşürmek amacıyla bu arkadaşlığı bir aşk olarak sundular. İş o kadar ciddi bir boyuta ulaşmıştı ki, Kossuth taraftarı gazeteciler de bunun bir dedikodu olduğunu yazmak zorunda kaldılar. Hatta, 10 Kasım 1849 tarihli *"Ost Deutschen Post"* gazetesinin İstanbul muhabirine göre, bu dedikoduların amacı Kossuth ile eşinin arasını açmak, Bayan Kossuth'u ortaya çıkarmak ve teslim olmasını sağlamaktı. Muhabir, Kossuth'u zor duruma sokan dedikodulara karşı bir savunma yazısı yazma gereği de hissetti. Gazetelerdeki bu polemikler uzun süre devam etti. Ancak, bu iddia

---

202 İmrefi, *Aynı eser*, s.96.
203 Hutter, *Aynı eser*, s.84-85.
204 İmrefi, *Aynı eser*, s.96.

ve söylentiler 1850 yılının başlarında Bayan Kossuth'un Şumnu'ya eşinin yanına gelmesiyle sona erdi[205].

b. Diplomatik Faaliyetleri

Macar Özgürlük Savaşı'nın lideri Kossuth, Vidin'de özgürlüğü için mücadele verdiği ülkesine vatandaş olabilme hakkına dahi sahip değildi. Şimdi, Osmanlı ülkesinde kendisi ve vatanının özgürlüğü için mücadele etmek zorundaydı. Arkada bıraktığı vatanı ve kendisinden koparılan ailesi hakkında bilgiye sahip olmaması ona zor geliyordu. Fakat, bütün bu olumsuz şartlar karşısında dahi çaresizliğe düşmüyor ve her gün *"Tanrım halkımın yok olmasına izin verme"*[206] diye dua ediyordu. Kossuth, özgürlük savaşında kader birliği ettiği arkadaşlarının sadece üzüntülerini paylaşmakla yetinmiyor, aynı zamanda onların hayatlarını kolaylaştırmak için, sınırlı etkinliği dahilinde mümkün olan her şeyi yapmaya çalışıyordu. Gerçekten de, Kossuth'un 22 Ağustos'ta Vidin'den Mustafa Reşid Paşa'ya ve İstanbul'daki İngiliz ve Fransız elçilerine gönderdiği mektuplar, onun vatandaşlarını unutmadığının kanıtlarıdır. Bu mektuplarda Kossuth, mültecilerin Avrupa ülkelerine gönderilmeleri için Reşid Paşa ve elçileri ikna etmenin yollarını arıyordu. Bu isteğinin hemen gerçekleşemeyeceğini bildiği için de mültecilerin yaşamlarını kolaylaştıracak çözümler öneriyordu.

Bu diplomatik girişimlerinin üzerinden çok geçmeden, 12 Eylül 1849'da Londra ve Paris'teki Macar Elçileri Ferenc Pulszky ve Teleky Laslo'ya tarihi önemi olan mektuplar göndermişti[207]. Bu mektuplarda elçilerden, Macaristan için Avrupa'da kamuoyu oluşturmalarını istiyordu. Nihayet, 20 Eylül 1849'da İngiltere Dışişleri Bakanı Lord Palmerston'a da dikkate değer bir mektup yazmıştı.

Kossuth, Reşid Paşa'ya yazdığı mektupta Macar halkının Avusturya'ya karşı yaptığı mücadelede başlangıçta başarılı olduğunu, ancak Rusya'nın bu devlete verdiği askeri yardım sebebiyle yenildik-

---

[205] Imrefi, *Aynı eser*, s.96-97.
[206] Imrefi, *Aynı eser*, s.82.
[207] Korn, *Aynı eser*, s.99; İmrefi, *Aynı eser*, s.84; Hajnal, *Aynı eser*, belge no:24, s.481-486.

lerini ifade ediyordu. Bu olaydan sonra, aralarında kendisinin de bulunduğu insanların şansız bir şekilde ülkelerinden ayrılmak zorunda kaldıklarından bahsediyordu[208].

Kossuth, Osmanlı Devleti'ne ilticasını Reşid Paşa'ya şu cümlelerle anlatıyordu: *"Padişah Hazretlerinin asâleti ve zât-ı âlînizin yüce duyguları ve bilgeliğiyle yönetilen hükümetinizin cömert politikası sayesinde, mutsuzluğun acılarını hafifleten bir güvenin telkin edildiği Türkiye'ye sığınmış bulunmaktayım"*[209]. Kossuth, mektubunda Osmanlı Devleti'nin mültecilere gösterdiği nazik ve kibar davranışından dolayı, Mustafa Reşid Paşa'ya ve onun şahsında tüm hükümet üyelerine minnettarlığını sunmuş, bu sıcak karşılamadan dolayı, Paşa'yı öven ifadeleri esirgememişti[210]. Kossuth'un mektuptaki ifadelerinden Türklerin mültecilere gösterdiği misafirperverliğin, onun üzerinde memnuniyet verici bir etki bıraktığı anlaşılmaktadır. Nitekim, mektuptaki teşekkür bahsi önemli bir yer tutmaktadır.

Övgü dolu bu ifadelerden sonra Kossuth, Ziya Paşa'nın tavsiyesine uyarak, Bâbıâli'nin mültecilerin geleceğiyle ilgili kararını verinceye kadar Vidin'de beklemeyi uygun gördüklerini ifade ediyordu. Daha sonra Kossuth, Reşid Paşa'dan iki konuda kendilerine yardımcı olmasını istiyordu. Birincisi, Vidin'deki bekleyişin uzun sürmemesi, ikincisi ise İstanbul üzerinden Avrupa'ya gidebilmeleri için, Paşa'nın Sultan Abdülmecid nezdinde girişimlerde bulunmasıydı. Kossuth, Vidin'de uzun süre beklemelerinin mülteciler arasında sıkıntıya sebep olacağını, bu nedenle de Reşid Paşa'dan Sultan nezdinde yapacağı girişimini kısa sürede neticelendirmesini istiyordu.[211]

Öyle anlaşılıyor ki, Kossuth'un düşüncesi İstanbul'a gelmek ve burada kısa bir süre kaldıktan sonra Avrupa'ya gidip Macaristan lehinde bir kamuoyu oluşturmaktı. Gerçekten de Kossuth'un Vidin ve Şumnu'dan muhtelif vesilelerle gönderdiği mektuplarda, Macar Özgürlük Savaşı'nın yeniden başlatılması için, kamuoyu desteği

---

[208]   Hajnal, *Aynı eser*, belge no:10, s.454 Kossuth'un Mustafa Reşid Paşa'ya gönderdiği 22 Ağustos 1849 tarihli mektup.

[209]   Hajnal, *Aynı eser*, belge no:10, s.455.

[210]   Hajnal, *Aynı eser*, belge no:10, s.454-455.

[211]   Hajnal, *Aynı eser*, belge no:10, s.454.

üzerinde özellikle durduğu dikkat çekmektedir. Ancak o, mülteciler meselesindeki diplomatik gelişmelere paralel olarak Avrupa'ya gidip Macarlar lehinde kamuoyu oluşturma konusundaki ısrarından vazgeçmiştir. Çünkü, daha sonra geniş olarak üzerinde durulacağı gibi zaten doğal olarak Rusya ve Avusturya'ya karşı, İngiltere ve Fransa ve Osmanlı Devleti'nde Macaristan lehine bir sempati oluşmuştu. Bu sebeple Kossuth, strateji değiştirmiş ve Avrupa'ya gitmek yerine, Osmanlı Devleti'nin Rusya'ya savaş açmasını istemişti[212].

Kossuth, 22 Ağustos 1849'da Vidin'den İstanbul'daki İngiltere Elçisi Canning ve Fransa Elçisi Aupick'e de birer mektup göndermişti. Bu mektuplarda Kossuth, Macaristan için verilen kutsal mücadeleye Fransa Cumhuriyeti ve Büyük Britanya Hükümetleri'nden yeterince destek gelmediğinden yakınıyordu. Kossuth, İngiltere ve Fransa'nın Macarlara destek vermemelerine Görgei'in ihaneti de eklenince, Macar ordusunun daha fazla direnme gücünün kalmadığını ifade ediyordu. Ona göre, on asırlık bir geçmişe sahip olan Macar ulusu, yaşayan milletler arasında yok olmayı hak etmemişti. Tarihte eşi ve benzeri görülmemiş bu olayın, tek kurbanının Macar milletiyle sınırlı kalması ve başka milletlerin aynı akıbete uğramaması temennisinde bulunuyordu. Ayrıca Kossuth, Macar Özgürlük Savaşı'nda inançlı bir Hıristiyan olarak vatanının maruz kaldığı bu talihsizlikleri sükunetle karşılayıp, üzerine düşen yükümlülükleri yerine getirdiğini ve ülkesini terk etmenin tarif edilmez üzüntüsünü çektiğini elçilere ifade ediyordu. Kossuth, sınırı geçerken Türk yetkililerin kendisine ve bütün mülteci taifesine fedakarlık ve cömertlikte kusur etmediklerini, aynı şekilde Vidin Valisi Ziya Paşa'dan da iyi muameleden başka bir şey görmediklerini belirtiyordu[213].

Diğer taraftan, Ziya Paşa ile yaptığı görüşmeye de değinen Kossuth, *"Şimdi ne olacak? Yolculuğumuzun bundan sonraki aşamaları için ne düşünülüyor?"* sorularına; Paşa'nın, İstanbul'dan gelecek emirlerin beklenmesi gerektiği cevabını verdiğini de yazıyordu. Vidin'de

---

212 Şark Meselesi açısından mülteciler sorunun önemi için bkz. Kossuth'un General Boekh'e yazdığı mektup, Hajnal, *Aynı eser*, belge no:85, s.614-626.
213 Hajnal, *Aynı eser*, belge no:11, s.455-456, Kossuth'un 22 Ağustos 1849 tarihinde Canning ve Aupick'e gönderdiği mektup.

uzun süre beklemenin üzüntülerini artıracağını söyleyen Kossuth, elçilerden Bâbıâli nezdinde girişimde bulunarak Vidin'deki bekleyiş süresinin kısa tutulup, bir an önce İstanbul'a gelmelerine ve buradan da Avrupa'ya gitmelerine yardımcı olmalarını istiyordu. Ona göre, bu izin ne kadar kısa sürede verilirse Bâbıâli, ileride ortaya çıkabilecek zorlukların üstesinden daha kolay gelebilecekti[214]. Yukarıda da değinildiği gibi Kossuth, İstanbul yolu ile Avrupa'ya gidip orada kamuoyu oluşturarak, özellikle Rusya'nın saldırgan ve tehditkâr hareketlerini ortadan kaldırmayı amaçlıyordu. Ayrıca Kossuth, İngiliz ve Fransız elçilerinden Avusturya ve Rusya'nın baskılarına direnen Osmanlı Devleti'ne yardımcı olmalarını da istemişti. Eğer bu girişimlerden bir netice elde edilemezse, İngiltere ve Fransa'dan mültecileri himayelerine almaları talebinde bulunuyordu.[215]

Kossuth'un İngiltere ve Fransa kamuoyunun dikkatini Macarlar üzerine çekmek amacıyla Londra ve Paris'teki Macar temsilcileri Pulszky ve Teleky'ye gönderdiği 12 Eylül 1849 tarihli mektuplar büyük önem taşır. Kossuth tarafından Almanca, İngilizce ve Macarca olarak kaleme alınan bu mektuplar, diplomatik literatürde *"Vidin Mektubu"* olarak bilinir.

Avrupa'nın iki önemli ülkesinin başkentlerindeki Macar temsilcilerine gönderilen mektuplar içerik olarak aynıydı. Kossuth, mektuplarda Macaristan ile Rusya ve Avusturya arasındaki savaşlara değinir ve devlet başkanlığı görevini Görgei'ye neden verdiğini açıklar. Bir çok yazışmasında olduğu gibi Kossuth, bu mektuplarda da Görgei'nin Ruslara teslim olmasını ihanet olarak nitelendirir. Daha sonra, Osmanlı Devleti'ne neden iltica ettiği hakkında elçilere bilgi

---

[214]   Hajnal, *Aynı eser*, belge no:11, s.456.

[215]   Kossuth'un, Osmanlı ülkesinde bir mülteci sıfatıyla bir yandan Bâbıâli'den kendilerine yardım yapılmasını istemesi, diğer yanda da İngiltere ve Fransa Elçilerine onların himayelerine girmek istediğini söylemesi Polonyalılar tarafından tenkit edilmiştir. Diğer taraftan Kossuth, zaman zaman Osmanlı Devleti'ni İngiltere ve Fransa Elçilerine şikayet ediyordu. Nitekim Vidin'den Şumnu'ya hareketinden bir gün önce 2 Kasım 1849'da İngiliz Elçisi Canning'e gönderdiği mektubunda, mültecilerin sıkıntılarını azaltmak için Türk topraklarında bir kolonileşmeyi düşündüğünü, bu amaçla da gerekli girişimleri yaptığını, ancak şimdiye kadar gördüğü yakınlığa rağmen, beklediği neticeyi alamadığını yazmış ve bir anlamda Bâbıâli'yi elçiye şikayet etmişti (Hajnal, *Aynı eser*, belge no:46, s.526).

verir. Mektupta yazılanlara göre Kossuth, Macaristan'ın özgürlük savaşını kaybettiğini anlamış, diplomasi yoluyla ülkesine hizmet etmek amacıyla Osmanlı ülkesine iltica etmişti. Macar Özgürlük Savaşı, Görgei'nin ihaneti ve Osmanlı ülkesine iltica sebepleri hakkında geniş izahatta bulunduktan sonra, elçilerden bütün şartları zorlayarak, Macaristan için harekete geçmelerini ister. Bu amaçla da İngiliz'lerin, Macar'lara duyduğu sempatiyi kullanarak mitingler düzenlemelerini ve parlamentoda etkili konuşmalar yapmalarını belirtir. Mektubunda mültecilerin Vidin'den Osmanlı Devleti'nin iç bölgelerine gönderileceklerine değinen Kossuth, bunun kendileri için kabul edilemez olduğunu söyler. Bu uygulamayı önlemek için kendisinin ve mültecilerin İngiltere'ye gönderilmesi hususunda İngiliz Hükümeti'ne baskı yapmalarını ifade eder. Mültecilerden bir kısmının elbise ve ayakkabıdan yoksun olduğunu, kış mevsiminin yaklaşmasıyla durumlarının daha da kötüleşeceğini söyler[216].

Kossuth'un Vidin'den gönderdiği mektupların en önemlisi, 20 Eylül 1849'da İngiltere Dışişleri Bakanı Lord Palmerston'a yazdığıdır. Bu mektubu İngiltere'ye götüren kişi, gerçek adı Frederick Charles Henningsen olan "Thomson" takma adında bir İngiliz'dir[217]. Henningsen, Vidin'e gelmiş ve burada Kossuth ile sık sık görüşme imkânı bulmuştu. Kossuth, Henningsen'e çok değer veriyor ve onunla Macaristan'ın mevcut durumu ve geleceği hakkında görüşmeler yapıyordu. Yukarıda da değinildiği gibi, Kossuth'un önem verdiği konuların başında, Macaristan'ın haksızlığa uğradığının Avrupa'ya anlatılması ve bu konuda etkili bir kamuoyu oluşturulması geliyordu. Bunun için de çok miktarda paraya ve basın organlarının desteğine ihtiyaç vardı. Bu bakımdan, İngiltere'de yayın yapan *"Examiner"* gazetesinin ortağı olan Henningsen, kuşkusuz onun için biçilmiş bir kaftandı. Henningsen'in gazeteci kimliğini bilen Kossuth, onunla daha yakından ilgileniyor ve her fırsatta Macaristan hakkında sohbetler yapıyordu.

---

[216] Imrefi, *Aynı eser*, s.84-85; Kossuth'un Pulszky ve Teleky'ye gönderdiği mektup, Korn'un hatıratında tam olarak yer almaktadır (Bkz. Korn, *Aynı eser*, s.67-87).
[217] Imrefi, *Aynı eser*, s.84; Korn, *Aynı eser*, s.99.

Bu sohbetlerin birinde Kossuth, Macaristan hakkında konuşurken, Henningsen kendisine şöyle bir öneride bulunmuştu: "*Fakat niye bütün bunları Lord Palmerston'a yazmıyorsunuz? Niye her şeyi ona anlatmıyorsunuz?*" Kossuth'un buna karşılık olarak, "*Bunu tabi ki yapardım. Fakat mektubu ona nasıl ulaştırabilirim ki*" diye sorması üzerine Henningsen, "*Siz mektubu yazın, ben mektubu da cevabını da götürüp getiririm*" diye karşılık vermişti[218]. Henningsen'den aldığı bu cevap üzerine Kossuth, İngiliz Dışişleri Bakanı'na hemen bir mektup yazmıştı. Henningsen Vidin'den yola çıkarak, Macaristan ve Viyana üzerinden Londra'ya gitti ve mektubu Palmerston'a ulaştırdı[219].

Kossuth, Palmerston'a yazdığı mektubun girişinde Macar milletinin özelliklerinden bahsediyordu. Onun kanaatine göre, dünyada hiçbir halk Macar halkı kadar hükümdarlarına sadık olmamıştır. Bu sadakat ve hizmetlerinden dolayı kendilerine "*yüce gönüllü halk*" unvanı verilmişti. Kossuth, Macaristan'ın iki büyük imparatorluğun gücü ile değil, yapılan hatalar ve ihanetler sonucu düştüğünü ifade ediyordu. Yine o, Rusya'dan yardım alarak Macarlara karşı zafer kazanan Avusturya'nın gerçekte kaybeden taraf olduğunu belirtiyordu. Zira Avusturya, Rusya'nın yardımını almakla birinci derecede bir güç olmaktan çıkmış, kendine olan güvenini kaybetmiş ve bu ülkenin oyuncağı haline gelmişti. Kossuth'a göre, bu savaşta kazanan tek bir taraf vardı, o da Rusya idi[220].

Kossuth, mektubunun ilerleyen bölümünde Sultan'ın kendilerine gösterdiği misafirperverliğe değindikten sonra, Osmanlı Devleti'ne iltica etmeden önce Sultan'a bir mektup yazdığını ve ondan izinsiz Türk topraklarına girmek istemediğini kendisine ilettiğini ifade eder. Kossuth'un ifadelerine göre Sultan, mültecilerin kendisinin misafiri olduklarını, hatta onların saçının bir teline zarar gelmektense halkından 50.000 kişinin kurban edilmesini yeğleyeceğine dair güvence vermişti. Kossuth, bu güvence üzerine Osmanlı Devleti'ne

218   Imrefi, *Aynı eser*, s.85.
219   Imrefi, *Aynı eser*, s.91-92.
220   Korn, *Aynı eser*, s.99-101; Imrefi, *Aynı eser*, s.85-86; Hajnal, *Aynı eser*, belge no:24, s.484-483.

sığındıklarını ve Vidin'de geçirdikleri dört hafta süresince de gerçek bir Türk misafirperverliği gördüklerini yazmaktadır[221].

Kossuth, Osmanlı Devleti'nin kendilerine gösterdiği misafirperverliğe değindikten sonra, Bâbıâli'yi Palmerston'a şikayet eder. Şikayet ettiği konu ise, mültecilerin İslamiyet'e geçişiyle ilgiliydi. Kossuth'un yazdıklarına göre Sultan, Vidin'e bir ulak göndererek kendisiyle birlikte Meszaros, Perczel ve Batthyany'ye inançlarını değiştirip Müslüman olmalarını teklif etmişti. Din değiştirmedikleri takdirde, teslim edilecekleri söylenmişti. Mektuptan anlaşıldığı kadarıyla Sultan tarafından yapılan bu teklif, mülteciler arasında etkili olmuş ve birçok mülteci, din değiştirme ile teslim olma ikilemi arasında kalmıştı[222].

Mektupta kendisini Macaristan'ın devlet başkanı ve 15 milyon vatandaşın güvendiği bir insan olarak takdim eden Kossuth, yabancı bir ülkede dahi olsa halkının güvenini suiistimal etmeyeceğini belirtir. Kossuth, saygıdeğer bir halkın başkanı olduğunu, çocuklarına vatanını değilse bile lekelenmemiş ismini bırakmak istediğini ifade eder. Bu nedenle de, böyle bir teklifin kabul edilemez olduğunu Reşid Paşa, Canning ve Aupick'e yazdığı mektuplarda da belirttiğini ifade eder. Kossuth, adı geçen kişilere yazdığı mektupların bir kopyasını da Palmerston'a göndermişti[223].

Kossuth, Bâbıâli'nin böylesi bir tutum içerisine girmesini Reşid Paşa'yı görevinden uzaklaştırmak için yapılmış bir komplo olarak değerlendiriyordu. Ona göre Reşid Paşa muhalifleri, bu teklifle mültecileri teslim etmeye zorlayarak, onu halkın gözünden düşürüp görevinden uzaklaştırmayı amaçlamaktadırlar. Kossuth'un iddiasına göre Osmanlı devlet ricâli, daha önce mültecilerin iâdesine karşı olduğu halde, 9-10 Eylül'de yapılan meclis toplantısında üyelerin çoğu fikir değiştirmişti. Hatta onun kanaatine göre, mültecilere yapılan din değiştirme teklifi meclisin onayından geçen bir karardı[224].

---

221 Korn, *Aynı eser*, s.103; Imrefi, *Aynı eser*, s.87-88; Hajnal, *Aynı eser*, belge no:24, s.483.
222 Korn, *Aynı eser*, s.103; Imrefi, *Aynı eser*, s.88; Hajnal, *Aynı eser*, belge no:24, s.484.
223 Korn, *Aynı eser*, s.104; Imrefi, *Aynı eser*, s.88-89; Hajnal, *Aynı eser*, belge no:24, s.484-485.
224 Korn, *Aynı eser*, s.104-105; Imrefi, *Aynı eser*, s.89-90; Hajnal, *Aynı eser*, belge no:24, s.485.

Kossuth'un meclisin toplantı tarihiyle ilgili olarak verdiği bilgilerdeki eksiklik yanında[225], mecliste görüşülen konular hakkında yazdıkları olayların akışı ile örtüşmemektedir. Nitekim, daha sonra etraflı olarak üzerinde durulacağı gibi, bu toplantılarında Rusya ve Avusturya tarafından Bâbıâli'ye verilen notalar değerlendirilmiş ve mültecilerin iâde edilmemesi istikametinde görüşler ortaya konulmuştur[226].

Kossuth mektubunun devamında, mülteciler din değiştirecek olursalar Osmanlı Devleti'nin Hıristiyanların tepkisini çekeceği ve ileride çıkması muhtemel bir Osmanlı-Rus savaşında hiçbir devletin desteğini alamayacağını ifade eder. Mültecilerin din değiştirmeye zorlanması halinde, hiç kimsenin beklemediği Yunanistan'ın kendilerine kucak açacağını iddia eder. Kossuth, mültecilerin bütün dünya tarafından terk edildiğini, Osmanlı Devleti'nin de kendilerine misafirperverliğe yakışmayan davranışlarda bulunduğunu ve bu nedenle de Palmerston ve İngiliz halkının desteğine ihtiyaçları olduğunu söyler[227].

Mektubun yazılmasından sonra gelişen olaylar, Kossuth'un iddialarını haklı çıkarmamıştır. Zira Kossuth, Müslüman olmaları için mültecilere baskı yapılmadığını gördüğü gibi, onların Avusturya ve Rusya'ya iâde olunmayacaklarını da anlamıştı[228]. Bir süre sonra söz konusu mektup, İngiliz gazetelerinde neşredildi ve bütün Avrupa kamuoyu tarafından okunmuştu. Kossuth, Osmanlı Devleti'nin kendilerine gösterdiği misafirperverliğe rağmen, Palmerston'a böyle bir mektup yazdığı için pişmanlık duymuştu[229].

---

225 Meclis-i Mahsûs, Kossuth'un mektubunda ifade ettiği gibi 9 ve 10 Eylül tarihlerinde değil, 8 ve 11 Eylül tarihlerinde toplanmıştır. bkz. BOA., DUİT., 75-1/18-1; BEO., A.MKT., 17-17; Mehmed Galib, "Leh ve Macar Mültecileri", Yeni Tasvir-i Efkar, Nr.40, 27 C 1327/9 Temmuz 1909; Ahmed Refik, Aynı eser, s.55.
226 Bu tarihlerde yapılan meclis toplantılarının içeriği için bkz. BOA., DUİT., 75-1/18-1; BEO., A.MKT., 17-17; Mehmed Galib, "Leh ve Macar Mültecileri", Yeni Tasvir-i Efkar, Nr.40, 27 C 1327/9 Temmuz 1909; Ahmed Refik, Aynı eser, s.55-63.
227 Korn, Aynı eser, s.105-106; Imrefi, Aynı eser, s.90; Hajnal, Aynı eser, belge no:24, s. 485-488.
228 Ahmed Refik, Aynı eser, s.155.
229 Ahmed Refik, Aynı eser, s.155.

Yaptığı hatayı anlayan Kossuth, Reşid Paşa'ya bir özür mektubu gönderdi. Kossuth, Palmerston'a gönderdiği mektubu İslamiyet'i kabul ile iâde edilmek arasında bir seçeneğin kalmadığı kanaatine sahip olduğu bir anda yazdığını belirtiyordu. Böyle bir harekete tevessül ettiği için Paşa'dan özür diliyor ve kendisinin haberi olmadan mektubun gazetelerde yayınlandığını ifade ediyordu[230]. Kossuth'un Reşid Paşa'ya gönderdiği mektup şöyleydi:

"Vukû'ât-ı politikiyye havâdisâtıyla Saltanat-ı Seniyye'nin karâr-ı 'âlîsinin haberi savb-ı bendegâneme pek geç ve yanlış olarak vâsıl olması dahî mahz-ı düçâr olduğum iş bu ahvâl-i felâket iştimâlin iktizâsından olub çünkü Lord Palmerston cenâblarına göndermiş olduğum mektûb bir aralık kabûl-ı İslâmiyetle kurtulmak veyâhûd reddolunmak şıklarından birini tercîh ve ihtiyâr eylemekden gayri bir çâremiz kalmadığını zann eylemiş olduğum esnâda tahrîr kılınmışdı. Halbuki Saltanat-ı Seniyye'nin ve gerek zât-ı hazret-i vekâlet-penâhîlerinin şân u nâmûsunun vikâyesi içün zikr olunan mektûbum Lord Palmerston cenâblarının yedine henüz vâsıl olmazdan evvel zât-ı hümâyûn-ı cenâb-ı cihân-bânî ve gerek vükelâ-yı fihâm hazerâtı bizim 'adem-i istirdâdımızın karâr-ı 'âlîsini bi'l-ihtiyâr ve bilâ-kayd u şart kemâl-i merhamet ve şecâ'atle ittihâz buyurmuş olduklarını i'lân ve beyân etmeği vecîbeden addeylerim. Hatta iş bu karâr-ı 'âlî bir kaç gün evvelce istihbâr kılınaydı mektûb-ı mezkûr Lord-ı mûmâileyhe irsâl olunmaz idi. Kaldıki iş bu i'lânımı yine sâlifü'z-zikr mektûbu nasılsa hilâf-ı rızâ-yı 'âcizânem olarak tab' ve neşr etmiş olan gazetelere derc etdirerek neşr ve işâ'a eyleyeceğimi hâkpâ-yı ülyâ-yı hazret-i vekâlet-penâhîlerine ifâde ile berâber zâten derkâr olan hürmet-i fâikamın ibrâzına mübâderet kılınmışdır"[231].

C- Din Değiştiren Mülteciler

Osmanlı Devleti ile Rusya arasında imzalanan 1774 Küçük Kaynarca Anlaşması'nın II. maddesinin ilk cümlesi *"İki devletin re'âyâsından bazıları aher bir töhmet ve 'adem-i itâat veyahud hıyânet edüb devleteynin birine ihtifâ veyahud iltîcâ kasdında olur ise Devlet-i Aliyyemde*

---

[230] BOA., DUİT., 75-2/6-2 26 Kasım 1849'da Mustafa Reşid Paşa'ya gönderdiği mektup; Ahmed Refik, *Aynı eser*, s.156).

[231] BOA., DUİT., 75-2/6-2.

dîn-i İslâmı kabûl ve Rusya Devletinde tanassur edenlerden ma'âda aslâ bir bahane ile kabûl ve himâye..."[232] olunmayacağı şeklindeydi. Yani, iki İmparatorluk sınırları dahilinde büyük çaplı suçlar işlemiş ya da isyan ve ihanetten suçlu bulunmuş kişiler, şayet iki devletten birinde sığınacak bir yer arayacak olurlarsa, bunlar hiçbir gerekçe ile kabul edilmeyeceklerdi. Ancak, Rusya'da Hıristiyanlık'ı, Osmanlı Devleti'nde İslamiyet'i kabul edenler istisna tutulacaktı, yani kabulleri mümkün olacaktı.

Sözü edilen bu madde araştırma konusu bakımından oldukça mühimdir. Çünkü, Osmanlı ülkesine sığınan Polonyalı mülteciler, eğer İslamiyet'i kabul ederlerse anlaşma gereği iâde olunmayacaklardı. İki ülke arasında imzalanan anlaşmanın bu hükmü hakkında, mültecilerin Osmanlı ülkesine iltica etmeden önce bilgi sahibi olduklarına dair elimizde bir belge mevcut değildir. Fakat, elimizdeki belgelerden mültecileri iâde edilmekten kurtaracak bu anlaşma hakkında önceden malumatlarının olmadığı izlenimini edinmekteyiz. Nitekim hem belgelerde hem de mültecilerin hatıratlarında böyle bir anlaşmanın mevcudiyetinin Vidin'de duyulmasının mülteciler üzerinde şaşkınlık yarattığı anlaşılmaktadır. Mültecilerin din değiştirmeleri halinde iâde olunmayacaklarına dair haberler İstanbul'dan geliyordu.

Nitekim, İstanbul'daki Macar Elçisi Andrassy, Kossuth'a gönderdiği mektupta mültecilerin iâdelerini önlemenin tek yolunun İslam dinine geçmek olduğunu bildiriyordu[233]. Arkasından Polonyalı diplomat Czaykowski ve Andrassy'nin mektupları 18 Eylül'de Vidin'e ulaştı[234]. Mektuplar, bütün mültecilerin hayret dolu bakışları arasında kampta okundu[235]. Mektuplarda Kaynarca Anlaşması'na dayanarak mültecilerin din değiştirmeleri tavsiye ediliyordu. Ayrıca, bir süre sonra tekrar kendi dinlerine dönüp istediği bir ülkeye gidebilmek, kalmak isteyenlere ise Türk ordusunda istihdam edilebilecekleri ihtimalinden bahsediliyordu. En dikkate değer nokta ise,

---

232 BOA., DUİT., 75-1/9-2; *Muâhedât Mecmûası*, I, İstanbul 1296, s.255.
233 Korn, *Aynı eser*, s.96; Imrefi, *Aynı eser*, s.187; Hutter, *Aynı eser*, 60.
234 Imrefi, *Aynı eser*, s.187.
235 Korn, *Aynı eser*, s.96.

Imrefi'nin ifadesine göre, din değiştirmenin sadece bir formalite olacağının ifade edilmesiydi[236]. Mektupların okunmasından sonra mülteci kampında önlemler artırıldığı gibi, o andan itibaren dışarıya çıkma yasağı da getirildi[237].

Her ne kadar Osmanlı belgelerinde yer almasa da Hajnal, Sadrazam'ın bu amaçla Vidin'e bir binbaşıyı gönderdiğini yazar. Ona göre binbaşı, Vidin'e ulaştığı gün mülteci liderlerini ziyaret ederek, onlara iâde edilmemeleri için din değiştirmelerini teklif eder[238]. Mülteciler, hatıralarında bu amaçla Vidin'e bir görevlinin geldiğine dair bir bilgi vermezler. Ancak, mültecilerin iâde edilmemelerinin ancak İslamiyet'e geçişle mümkün olabileceğine dair yazılı bir mesajın Vidin'e ulaştığını belirtirler[239].

Osmanlı belgelerinde mültecilerin İslamiyet'e geçmeleri için, özel görevle birisinin görevlendirildiğine dair bir belgeye tesadüf edilememiştir. Nitekim, 8 ve 11 Eylül'de toplanan Meclis-i Mahsûs'ta böyle bir konu hiç gündeme getirilmediği gibi, bütün baskılara rağmen mültecilerin iâde edilmeyeceği yolunda görüş birliğine varılmıştı. Her ne kadar Osmanlı belgelerinde bu amaçla birinin Vidin'e gönderildiği yer almasa da, başka belgelerden böyle bir görevlendirmenin olduğunu anlamaktayız. Nitekim Czaykowski, Reşid Paşa'ya gönderdiği bir mektupta, Bâbıâli'nin Polonyalı mültecilerin Müslümanlığı kabul etmeleri için böyle bir yola teşebbüs etmesini politik bir hata olarak değerlendirir. Czaykowski, Polonyalılara din değiştirmeleri için yapılan teklifin Osmanlı Devleti'nin çıkarlarına aykırı olduğunu ifade eder. Ona göre Polonyalılar, böylesi bir bildiri sonunda korkudan din değiştirirlerse milli karakterlerini lekeleyeceklerdir. Czaykowski, Polonyalıların, kendi arzularıyla Müslüman olmaları halinde, böyle bir davranışın şerefli olduğu kadar politik bir anlam taşıyacağı görüşünde idi[240]. Diğer taraftan Kossuth, Vidin'den

---

[236] Imrefi, *Aynı eser*, s.187.

[237] Korn, *Aynı eser*, s.96.

[238] Hajnal, *Aynı eser*, s.134.

[239] Imrefi, *Aynı eser*, s.187; Hutter, *Aynı eser*, s.60.

[240] Nigar Anafarta, *Osmanlı İmparatorluğu ile Lehistan (Polonya) Arasındaki Münasebetlerle İlgili Tarihi Belgeler*, (Ty), s.120.

Palmerston'a gönderdiği mektupta, İstanbul'dan Vidin'e bir ulak gönderildiğini kendisi, Meszaros, Perczel ve Batthyany'ye din değiştirmeleri için teklifte bulunulduğunu yazar. Gerek Czaykowski'nin gerekse Kossuth'un mektuplarındaki ifadeler, bu amaçla Vidin'e özel görevle birisinin gönderildiğini doğrulamaktadır.

Öten yandan din değiştirmeyenlerin iâde edileceğini düşünen mülteciler, bu yeni haberi duyduklarında üzüldüler. Andrassy ve Czaykowski'nin mektupları ve Vidin'e gelen görevlinin bildirisi, büyük bir karmaşaya neden oldu. Hatta, mülteci şefleri arasında büyük bir gerginlik yaşandı. Dembinski, Guyon, Batthyany ve Zamoyski din değiştirmeye kesinlikle karşıydılar[241]. İlk günlerde Kossuth'un din değiştirme karşısındaki tutumu hakkında kimse bir şey bilmiyordu. Hatta Kossuth'un gizlice din değiştirdiği haberi bile yayıldı. Ancak, günler geçtikçe onun şiddetle din değiştirmeye karşı olduğu mülteciler arasında konuşulmaya başlandı[242]. Imrefi'ye göre Kossuth, Türk siyasetine saygısından dolayı açıkça bir şey söylemiyordu. Fakat, arkadaş çevresine din değiştirmenin sadece kendi dini düşünceleriyle çatışmakla kalmayıp, aynı zamanda halkına karşı bir sadakatsizlik olduğunu söylüyordu. Lord Palmerston'a yazdığı mektupta da çocuklarına büyük bir servet değil, lekelenmemiş ismini bırakacağını ve geçmişini inkar edip halkının ona olan güvenini suiistimal etmektense ölmeyi yeğleyeceğini belirtmişti[243].

General Bem, Temeşvar savaşında yaralandığı için sürekli yatağında yatıyordu. Bu sebeple, başlangıçta gelişmelerden habersizdi. Fakat, gelişmeleri öğrendikten sonra, Türk görevliyle tercümanı aracılığı ile konuşmuş ve çok şaşırmıştı. Türk görevlisinin, Rusya'ya karşı açılacak bir savaşta din değiştiren mültecilerin Türk ordusu ile birlikte bu devlete karşı savaşacağını söylemesi üzerine Bem, *"bu tamamıyla farklı bir şey ve düşünmeye değer"*[244] dedi. General Zamoyski, Bem'in din değiştirmeye taraftar olduğunu anlayınca, ona Türklerin güvenilir olmadığını söyleyerek, onu bu düşüncesinden vazgeçirme-

---

[241] Imrefi, *Aynı eser*, s.187.
[242] Hajnal, *Aynı eser*, s.141.
[243] Imrefi, *Aynı eser*, s.188.
[244] Hajnal, *Aynı eser*, s.137.

ye çalıştı. Fakat bu girişiminde başarılı olamadı ve Bem, din değiştirerek Müslümanlığı seçti. Bem'in din değiştirmesi sadece kendi çevresinde değil, aynı zamanda Avrupa kamuoyunda da geniş yankı uyandırdı. Viyana gazetesi *"Press"*de, Bem'in askeri kabiliyeti ve din değiştirdikten sonra Türk ordusunu reforme edeceği bilindiğinden, mültecilerin iâdesi üzerinde Rusya'nın eskisinden daha ciddi duracağına dair bir yazı yayınlandı. *"Journal des Debats"* ise, Bem'in din değiştirmesine şüphe ile yaklaşıyor ve General'in sadece Rusya ile Osmanlı Devleti arasında bir savaş çıkması halinde din değiştireceğini iddia ediyordu[245].

Diğer taraftan, Bem'in Müslüman olmasından sonra din değiştirmeyi kabul edenlerin sayısı giderek artıyordu. Din değiştiren önemli isimler arasında Kmety ve Stein de vardı. Macarlardan yaklaşık 250 kişi Müslüman oldu. Bunlar arasında 2 General, 10 Komutan, 52 Onbaşı ve Yüzbaşı ile 40 Astsubay vardı. Kadınlardan hiç kimse din değiştirmedi. İtalyan ve Polonyalılar arasında din değiştirenlerin sayısı ise yaklaşık 200 kadardı. Özellikle Rusya'dan korkan Polonyalılar, din değiştirmeye daha meyilliydiler. Sivillerden sadece bir kaç kişi din değiştirmişti. Bunlardan en önemlisi John Balogh'tu[246]. Din değiştirenlerin ilk düşüncesi, Osmanlı Devleti'nin Rusya'ya karşı açacağı muhtemel bir savaşta ortak hareket etmekti[247].

Vidin'de bir anda bu kadar mültecinin din değiştirmesi, Ziya Paşa'yı zor durumda bıraktı. Paşa, Sadâret'e gönderdiği tahriratında *"şeref-i İslam ile müşerref olmak üzere"* kendisine yapılan müracaatlara, elinde talimat olmadığından olumlu bir cevap veremediğini belirtiyordu[248]. Oysa, bu hususta Paşa'nın Sadâret'ten bir talimat almasına

---

[245] Imrefi, *Aynı eser*, s.189-190.

[246] Imrefi, *Aynı eser*, s.189 Din değiştirenlerin sayısı hakkında kaynaklar muhtelif rakamlar vermektedir. Biz, Imrefi'nin verdiği sayıyı esas aldık. Hutter'in verdiği rakamlar için bkz. Hutter, *Aynı eser*, s.63. Keza aynı konu için bkz. Korn, *Aynı eser*, s.97.

[247] Korn, *Aynı eser*, s.96. Mültecilerin İslamiyet'i kabulü Avrupa basınına çeşitli şekillerde yansıyordu. *"Agrame Zeitung"* 28 Ekim tarihli sayısında, Kossuth'un 21 mülteci ile Vidin'den İstanbul'a gittiğini, bunların hepsinin İslam'a girip Türk Hükümeti'nde görev aldığına dair bir haber yayınlandı (Imrefi, *Aynı eser*, s.188)

[248] BOA., BEO., A.MKT. 227-27, 1265.11.12.

gerek yoktu. Çünkü, Şer'î hükümlere göre, başka dinlerden kendi isteği ile İslam dinine girmek isteyen olur ise bunlara bekletilmeksizin din telkini yapılması gerekiyordu. Öyle anlaşılıyor ki, Ziya Paşa, çok sayıda mültecinin din değiştirmesi karşısında tereddüde düşmüş, meselenin öneminden dolayı ne yapacağını bilemez olmuştu. Dahası, din değiştirmek isteyenler arasında Bem, Kmety ve Stein gibi önemli şahsiyetlerin de bulunması onun çekimser davranmasına sebep oluyordu. Paşa'nın bu yazısı üzerine Sadâret, kendisine bir talimat gönderdi. Bu talimatta, kendi isteği ile Müslüman olmak isteyenlere bekletilmeksizin din telkini yapılması isteniyordu[249].

Din değiştirenler için Vidin'de özel bir merasim düzenlenmedi. İslam dinine kabul merasimi, camide müftü önüne diz çöküp kelime-i şehâdet getirilmesiyle gerçekleşiyordu[250].

Ayrıca din değiştirenler, müftünün önünde hiçbir zorlama olmadan böyle bir karar aldığını da söylüyordu[251]. Bu kısa törenden sonra Müslüman olanlara yeni isim ve unvanlar verildi. Bem, Murad Paşa ismini alırken; Kmety, İsmail Paşa; Stein, Ferhat Paşa; Zarchesty ise Osman Bey isim ve rütbelerini aldılar[252]. Sünnet ve saç kesimi gibi diğer törenler sonraya bırakıldı[253]. Müslüman olan mülteciler, eski arkadaşlarından ayrıldılar ve onlara yeni bir yerleşim yeri tahsis edildi[254].

Ziya Paşa, din değiştirme işlemi tamamlandıktan sonra Sadâret'e gönderdiği tahriratında, bunlara Osmanlı ordusunda olduğu

---

249 "... milel-i sâireden bulunanlardan kendi isteği ile 'arz-i İslâmiyyet edenlere bilâ-tevakkuf telkîn-i dîn-i mübîn olunması şerî'atınız iktizâsından olduğundan ba'd-ezîn dahi bunlardan büyük küçük her kim gelüb hüsn-i rızâsıyla 'arz-ı İslâmiyet ederler ise bilâ-tereddüt ve tevakkuf telkîn-i îmân olunması..." BOA., BEO., A.MKT. 233-100, 1265.10.23 Sadâretçe Vidin Valisi Ziya Paşa'ya gönderilen 23 L 65/11 Eylül 1849 tarihli özel şukka.

250 Korn, *Aynı eser*, s.97; Hutter, *Aynı eser*, s.64; İmrefi, *Aynı eser*, s.191.

251 İmrefi, *Aynı eser*, s.191.

252 İlber Ortaylı, *İmparatorluğun En Uzun Yüzyılı*, İstanbul 1983, s.219; Hutter, *Aynı eser*, s.64.

253 Korn, *Aynı eser*, s.97; Hutter, *Aynı eser*, s.64.

254 Hutter, *Aynı eser*, s.65. Din değiştiren mülteciler, diğer arkadaşları tarafından korkaklıkla suçlanmışlardır. Hatta onlara zavallı kişiler nazarıyla bakılıyordu. Onlar da kendilerini *"Bizi bu zor adımı atmaya sürükleyen iâde edilmek korkusu değildir"* diyerek kendilerini savunmuşlardı. (Hutter, *Aynı eser*, s.66).

gibi rütbelerine göre maaş verilmesini istedi[255]. Paşa'nın bu isteğinin üzerine din değiştiren bütün mültecilere maaş bağlandı. Murad Paşa'ya 7.500 kuruş, Ferhad ve İsmail Paşalara da 5.000'er kuruş maaş verilmesi uygun bulundu[256]. Bu arada din değiştiren mülteciler, hiçbir baskı ve zorlama olmadan kendi hür iradeleriyle Müslüman olduklarına dair birer mektup yazarak Ziya Paşa'ya verdiler. Paşa da söz konusu mektupları Sadâret'e gönderdi[257].

D-Vidin'den Anavatanına Geri Dönen Mülteciler

1- Hauslab'ın Vidin'e Gönderilmesi ve Faaliyetleri

Avusturya Başbakanı Felix Schwarzenberg, Macarların yenilgiye uğratılmasından sonra, kendisine hükümet programı hakkında sorulan bir soruya gülümseyerek, *"birkaç kişiyi idam ederiz"*[258] diye cevap vermişti. Gerçekten de bu beyanatın üzerinden çok geçmeden, 16 Ekim 1849'da Avusturya Genelkurmay Başkanı Haynau, savaş suçlusu sayılan 13 Macar komutanından bir kısmını kurşuna dizdirmiş, bir kısmını da idam ettirmişti.[259] İdam ve kurşuna dizmeler Arad ve Peşte de devam etmiş ve birkaç hafta içerisinde 49 kişi idam edilmiş ve 65 kişi de kurşuna dizilmişti[260]. Bu kararların infazıyla mültecilerin bir kısmını anavatanlarına döndürme girişimi aşağı yukarı aynı zamana rastlar. Vidin'e kadar ulaşan bu tür haberler, doğal olarak mültecilerin morallerinin bozulmasına neden olmuştu.

---

[255] BOA., BEO., A.MKT. 229-94, 1265.11.27 Ziya Paşa'nın Sadâret'e gönderdiği 27 ZA 65/14 Ekim 1849 tarihli tahriratı.

[256] BOA., BEO., A.MKT. 234-34.

[257] BOA., BEO., A.MKT. 232-26 Ziya Paşa'nın Sadâret'e gönderdiği 12 Z 65/29 Ekim 1849 tarihli tahriratı.

[258] Eszlary, *Aynı makale*, s.438.

[259] Eszlary, *Aynı makale*, s.438; İdamların yapılmaması için Rus Çar'ı, Avusturya Hükümeti nezdinde tavassutta bulunmuşsa da bir netice elde edememişti. Fakat Avusturya, Görgei affetmişti. Diğer taraftan, çok kısa zamanda Avusturya hapishaneleri Macar askerleriyle dolup taşmıştı (F. Eckhart, *Macaristan Tarihi*, çev. İbrahim Kafesoğlu Ankara 1949, s.213).

[260] Eszlary, aynı makale, s.438. Haynau bu idamları şu şekilde savunuyordu: "Ben nizam adamıyım ve müsterih vicdanla yüzlerce insanı kurşuna dizdiriyorum. Çünkü kati kanaatime göre, her türlü müstakbel ihtilalin önünü almak için tek çare budur" (Eckhart, *Aynı eser*, s.213).

Avusturya Hükümeti bu psikolojik ortamı fırsat bilerek, Vidin'deki mültecilerin bir kısmının anavatanlarına dönmelerini sağlamak için harekete geçmişti. Bu arada, Avusturya Konsolosu ve onun iki danışmanı Gabor Jasmagy ve Kovacs mültecilerin hareketleri, Türklerle olan ilişkileri ve yaşam şekillerini sürekli izliyor ve bu konuda devletlerine raporlar sunuyorlardı[261].

Avusturya Hükümeti, bu raporlar doğrultusunda Vidin'den geri dönme arzusunda olan mültecileri getirtmek için harekete geçmişti. Diğer taraftan, Vidin'deki Avusturya ajanlarının propagandası neticesinde Macar mültecilerinden bir kısmı, anavatanlarına geri dönmek için Vidin'deki Avusturya Konsolosu Szerbe Dobrofzlo-vics'e resmi başvuruda bulunmuşlardı. Konsolos, mültecilerin bu isteğini Avusturya Hükümeti'ne yazmış, İmparator da subaylar dışındaki mültecilerin anavatanlarına dönmeleri için kısmi bir af çıkarmıştı. Avusturya Hükümeti, çıkarılan aftan kısa zamanda en iyi sonucu almak için de, General Hauslab'ı kısmi bir af yetkisiyle Vidin'e gönderme kararı almıştı[262]. Hauslab, Tuna yoluyla 13 Ekim'de Vidin'e varmış[263] ve Avusturya Konsolos Vekili'nin konağında misafir olmuştu[264]. General Hauslab Vidin'e geldiğinde mülteciler, onun geliş amacını henüz bilmiyorlardı. Bu sebeple de ona karşı hiçbir gösteri yapılmamıştı[265].   Hauslab, Vidin'e geldikten sonra ilk olarak şehrin en yetkili amiri konumundaki Ziya Paşa ile bir görüşme yapmıştı. Paşa ile yaptığı ilk görüşmede Hauslab, Osmanlı Devleti'nin Avus-

261   İmrefi, *Aynı eser*, s.198-199.
262   BOA., DUİT., 75-1/41-2, Vidin Vâlisi Ziya Paşa ve Defterdâr Azmî Efendi'nin Sadâret'e takdim ettikleri 5 Z 65/ 22 Ekim 1849 tarihli tahrîrât; BOA., A.MKT.,231-27, 1265.4.12; Korn, *Aynı eser*, s.95; Hutter, *Aynı eser*, s.67; İmrefi, *Aynı eser*, s.199; Hajnal, *Aynı eser*, s.154.
263   Hutter, *Aynı eser*, s.66; Korn, *Aynı eser*, s.111.   İmrefi, Hauslab'ın Vidin'e geliş tarihini 12 Ekim olarak vermektedir (İmrefi, *Aynı eser*, s.199).
264   BOA., DUİT., 75-1/41-2.
265   İmrefi, *Aynı eser*, s.199. Hauslab'ın Vidin'e geliş haberi ilk duyulduğunda mültecilerin büyük bir çoğunluğu şaşkınlık geçirmişti. *"Kim gelmişti? Ne oluyordu?"* diye her yerde sorular soruluyordu. Olayın mahiyetinden haberdar olmayan mülteciler, başlangıçta Türklerin Tuna boyundaki gemicilik eserlerini görmek için Avusturyalı bir generalin Vidin'e geldiğini düşünmüşlerdir. (Hutter, *Aynı eser*, s.66).

turya Elçisi Kostaki Mussurus Bey[266]'in bir mektubunu kendisine iletmişti. Bu mektupta Mussurus, Hauslab'ın hangi amaçla Vidin'e gönderildiğini Paşa'ya tafsilatlı olarak anlatmış ve yapacağı görevde ona kolaylık gösterilmesini istemişti[267]. Ayrıca Hauslab, görüşmede Vidin'e geliş amacını Ziya Paşa'ya daha açıkça anlatma fırsatı bulmuştu[268]. Avusturya memuru, başçavuştan nefere kadar mültecilerin Avusturya Devleti tarafından affedildiğini, bunlardan kendi istekleriyle konsolos vekiline müracaat edenleri ülkelerine götürmekle görevlendirildiğini Paşa'ya iletmişti[269]. Paşa, Hauslab'ın isteklerine kesin cevap vermeyerek çeşitli mazeretler ileri sürmüştü[270]. Bir gün sonra yapılan ikinci görüşmede ise Hauslab, Ziya Paşa'dan Avusturya vatandaşı olan mültecilerin geri dönmelerine izin verilmesini istemişti. Buna mukabil Paşa, kendisine yazılı bir güvence verilmesi halinde mültecilerin geri dönmelerine izin verebileceğini söylemişti[271].

Bu arada mülteciler, aralarından seçtikleri birkaç subayı Avusturya Hükümeti'nin çıkardığı affın kapsamını görüşmek üzere Hauslab'a göndermişlerdi[272]. General, subayları iyi karşılamış ve onlara mültecilerin sıkıntılarını azaltmak için Vidin'e geldiğini ve eğer kendi inisiyatifinde olsa bütün mültecilere genel bir af çıkaraca-

---

[266] Kostaki Mussurus Paşa, Fenerli eski ailelerden Mussurus ailesine mensuptur. İstefanaki Vogoridis Bey'e damat olmakla II. Mahmud devrinde Atina elçisi olmuştu. Orada iken Yunanlılar tarafından yaralanmış ve bunun üzerine Yunanistan abluka altına alınmıştır. Rızası alınarak Zilkade 1264'te (Ekim 1848) Viyana Ortaelçisi oldu. Zilkade 1267'de (Eylül 1851) Londra Ortaelçisi oldu. Muharrem 1272'de (Eylül-Ekim 1855) Londra Büyükelçisi oldu. (Kostaki Mussurus Paşa'nın Londra elçiliği hakkında geniş malumat için bkz. Sinan Kuneralp, "Bir Osmanlı Diplomatı Kostaki Musurus Paşa", *Belleten*, XXXIV, (Temmuz 1970), s.421-437) Safer 1303'te elçilikten azledilip emekliye ayrıldı. İstanbul'da iken 1309'da (1892) vefat etti. Mussurus Paşa, 20 seneyi aşkın devlet hizmetinde bulunmuştur. (Mehmed Süreyya, *Sicill-i Osmanî*, IV, İstanbul 1311, s.876-977).

[267] BOA., HR.MKT. 28-5.

[268] Imrefi, *Aynı eser*, s.199.

[269] Bu görüşmede, Avusturya Devleti'nin Vidin Konsolos Vekili, Defterdâr Azmî Efendi, Mîralây İsmail ve Kaymakam Yakup Bey de hazır bulunmuştu (BOA., DUİT., 75-1/41-2).

[270] BOA., DUİT., 75-1/41-2.

[271] Imrefi, *Aynı eser*, s.199.

[272] Hutter, *Aynı eser*, s.67.

ğını ifade etmişti. Fakat, Avusturya'ya karşı savaşanlar için, İmparatorun kısmi affını getirdiğini ve bundan faydalanmak isteyen herkesi geri götürmekle görevlendirildiğini söylemişti. Hauslab, mültecilere af kapsamına girmeyen subayların anavatanlarına dönmeleri halinde savaş mahkemelerinde yargılanacaklarını da iletmişti. Subaylar, yargılamanın geri döndükten hemen sonra yapılıp yapılmaması konusunda Hauslab'tan kendilerine bir güvence verilmesini istemişlerdi. Mültecilerin bu isteğine mukabil, Hauslab şahsi yükümlülüğünde olmayan hiçbir konu hakkında garanti veremeyeceğini söylemişti. General'in bu açık ve kesin cevapları mültecilerin ona güven duymasını sağlamıştı. Üstelik Hauslab isminin Avusturya-Macaristan savaşında geçmemiş olması mültecilerin ona olan güvenini daha da pekiştiriyordu[273].

General Hauslab, mültecilerin kendisine gösterdiği teveccühün farkındaydı. Korn'a göre, onun yerine başka bir Avusturyalı bu görevle Vidin'e gelmiş olsaydı, mülteciler arasına girmeğe dahi cesaret edemezdi. Mültecilerin gösterdiği saygı ve ölçülü davranışlara rağmen Hauslab, Vidin'de tedbirsiz dolaşmıyordu[274]. Hauslab, Wiener Neustadt'taki askeri akademide eğitim görmüştü. Şimdi, aynı akademide profesördü. Daha da önemlisi, mülteciler arasında Hauslab'ın öğrencileri de vardı. Avusturya ordusunda görev yapan birçok asker, bilgisini Hauslab'a borçluydu[275].

Öte yandan Hauslab, Avusturya Hükümeti'nin çıkardığı aftan bütün mültecileri haberdar etmek için, 16 Ekim 1849'da konsolosluğun kapısına şu yazıyı asmıştı: *"Avusturya Hükümeti vatandaşlarının çoğunun burada mutsuz olduğunu ve vatanlarına geri dönmek istediklerini öğrendikten sonra, bir baba sorumluluğuyla gerçek pişmanlıkla dolu ve genelde kasıtlı olmaktan çok beyni yıkanarak hareket eden vatandaşlarına vatanlarına dönme fırsatı sunmaya karar verdi ve bu amaçla da beni görevlendirdi. Avusturya vatandaşı olanların daha önceki rütbelerine bakılmadan Avusturya ordusuna kaydolmak şartıyla, ceza almayacakları garantisi veriliyor. İsyan ordusuna katıldıktan sonra subaylığa yükselen astsubaylar,*

273 Hutter, *Aynı eser*, s.67-68.
274 Korn, *Aynı eser*, s.111.
275 Hutter, *Aynı eser*, s.68.

onbaşılar ve erler bu affa dahildir. Fakat, önceden Avusturya ordusunda hizmet eden isyancı subaylar ile hiç hizmet etmemiş olanlar, geri dönüşlerinden sonra savaş mahkemesine çıkıp, yapılacak soruşturmaya razı olmak ve verilecek kararı kabul etmek zorundadırlar. Orsova'dan yola çıkmış olan buharlı gemilerin buraya gelmesinden hemen sonra hareket edilecektir. Avusturya ordusuna kaydedildikten sonra kesinlikle ceza verilmeyeceği ve mültecilerden hiçbirinin orduda sürekli hizmet etme zorunluluğunda olmadığı bilinmelidir"[276].

Hauslab'ın bu açıklaması üzerine mülteci liderleri, geri dönmeğe eğilimi olan mültecileri bazı taahhütler ve hatta zorlamalarla niyetlerinden vazgeçirmeğe çalıştılar. Nitekim Bem, Polonyalı mültecilere bir açıklama yaparak geri dönmemelerini istedi hatta, onlara Müslüman olmaları teklifinde bulundu. Yine, General Guyon ile Graf Ladislaus mültecilere verilen sözlere kesinlikle inanmamalarını söylediler[277].

Diğer taraftan, affın sadece savaşa katılan erleri ve Macar İhtilali'ne katıldıktan sonra kendilerine rütbe verilenleri kapsaması mültecilerin tepkisine neden oldu[278]. Bazı mülteciler, konsolosluğun kapısına kadar gidip bu yazıyı okuduktan sonra yırttılar ve konsolosluk binasının önünde miting yaptılar[279]. Vidin kampında büyük bir karmaşa hakimdi. Bu gerginlik, kısa zamanda büyük karışıklıklara yol açmıştı. Öyle ki, bazı mültecilere Ziya Paşa ve Türk askerleri müdahale etmek zorunda kalmıştı.

Vidin'deki bu gergin ortamı iki hadise daha da tırmandırdı. Bunlardan ilki, Hauslab'ın önerisinin mülteciler arasında kabul görmesi ve yüzlerce mültecinin geri dönmek için müracaatta bulunması üzerine meydana gelmişti. Hauslab'ın çok sayıda mültecinin geri dönmek için yaptığı başvuruları bir başarı olarak görüp kendisi de içinde bulunduğu halde, Tuna üzerinde bulunan gemilerden ateş açarak bu başarısını kutlamak istemesi, mültecilerin tepkisini çekmişti. Mültecilerden geride

---

[276] İmrefi, *Aynı eser*, s.200-201.
[277] İmrefi, *Aynı eser*, s.201.
[278] BOA., DUİT., 75-1/41-8, Vidin Vâlisi Ziya Paşa ve Defterdar Azmî'nin Sadârete takdim ettikleri 3 Z 65/20 Ekim 1849 tarihli arîza.
[279] İmrefi, *Aynı eser*, s.201.

kalanlar, bu tabloyu görünce Hauslab'a hoş olmayan sözler sarf etmişlerdi. Eğer Türk askerinin müdahalesi olmasaydı General, bu kızgın mülteci topluluğunun kurbanı olabilirdi[280].

Gerginliği artıran ikinci olay ise, Tuna Nehri'nde yolculuk yapan bir buhar gemisinin yolcularına Avusturya Konsolosu ile Hauslab'ın Vidin'e inme yasağı getirmiş olmalarıydı. Bu gemide bulunan bir Macar seyyah, Müslüman olup Ferhad Paşa ismini alan General Stein'a bir mektup göndererek Macaristan hakkında önemli bilgilere sahip olduğunu ve bu sebeple kendisini gemiden kurtarmasını rica etmişti. Ferhad Paşa, elinden geleni yapmışsa da bir netice elde edememişti. Çünkü görevliler, gemiden kimsenin inmesine müsaade etmemişlerdi. Hatta, geminin Vidin önünden hemen uzaklaşması için emir verilmişti. Bu olayı haber alan mülteciler, olay mahallinde toplanmışlar, fakat geminin hareket etmesini engelleyememişlerdi. Geminin hareket etmesi üzerine Macar seyyah, *"Macarlar, sakın geri dönmeyin, hepinizi öldürecekler!"*[281] diye bağırmıştı. Bu sahne geri dönüşe karşı olan mültecileri iyice tahrik etmişti. Çünkü onlar, giden Macar seyyahla birlikte büyük bir destek kaybettiklerini düşünüyorlardı. İmrefi'ye göre, bu hadise sonucunda mülteciler o kadar öfkelenmişlerdi ki, ellerinde olsaydı Avusturya Generalini belki de öldüreceklerdi[282].

Bütün bu olaylardan sonra General Hauslab, hayatının tehlikede olduğunu görmüş ve Tuna'nın ortasında demir atan buhar gemisine taşınmak zorunda kalmıştı[283]. Ayrıca Hauslab ve Avusturya Konsolosu, Ziya Paşa'ya müracaat ederek mülteci subaylar tarafından kendilerine karşı düzenlenebilecek muhtemel bir saldırıyı önlemek için tedbir almasını istediler. Bu istek üzerine Ziya Paşa, Vidin'de bulunan Dersaâdet Ordû-yı Hümâyûnu Piyâde Taburu Binbaşısı Osman Ağa'yı onların korunmasına tayin etmişti[284].

[280]   Imrefi, *Aynı eser*, s.202.
[281]   Imrefi, *Aynı eser*, s.203.
[282]   Imrefi, *Aynı eser*, s.204.
[283]   Imrefi, *Aynı eser*, s.204; Korn, *Aynı eser*, s.112.
[284]   Ziya Paşa, af kapsamına girmeyen mülteci subayların Hauslab'a tasvip edilmeyecek eylemler yapılabileceğini tahmin etmiş ve bu tür eylemleri önlemek için, ika-

Mültecileri Hauslab'a karşı General Richard Guyon organize e-
diyordu. Guyon'un başını çektiği bu küçük isyanın daha da büyüye-
ceğinden korkan Ziya Paşa, ondan Vidin'den ayrılıp İstanbul'a ve
oradan da istediği yere seyahat etmesini rica etmişti. Guyon, başlan-
gıçta Paşa'nın bu isteğine karşı çıkmış, fakat Ziya Paşa'nın ısrarlı
ricâları üzerine Vidin'den ayrılarak İstanbul'a gitmişti[285]. Guyon'un
İstanbul'da Macarlar için yaptığı çalışmalara ileriki sayfalarda deği-
nilecektir.

Bu arada Bâbıâli, Ziya Paşa ve Rumeli Ordu-yı Hümayunu Mü-
şiri Ömer Paşa'ya mültecilerden kendi arzularıyla geri dönmek iste-
yenlere engel çıkarılmamasının[286] yanı sıra Hauslab'a iyi muamele
edilmesi ve yapacağı görevde kolaylık gösterilmesini bildirdi[287]. Zira
Hauslab, dünyaca tanınmış bir general olmasının yanı sıra, Viya-
na'ya askeri eğitim için gönderilen Osmanlı subaylarının
yetiştirilmesinde önemli katkıları olan bir şahsiyetti[288].

---

met ettiği evin etrafında bir karakol kurulmasını önermişti. Fakat bu öneri başlan-
gıçta kabul edilmemişti (BOA., DUİT., 75-1/41-8).

[285] Imrefi, *Aynı eser*, s.202. Guyon'un İstanbul'a gelişi ile ilgili değişik rivayetler var-
dır. Bunlardan ilki, Guyon'un Avusturya'ya iâde edilme korkusuyla İstanbul'daki
görevinden istifa ederek Paris'e giden Andrassy'nin görevini devralmak üzere,
bizzat Kossuth tarafından İstanbul'a gönderilmesidir (Korn, *Aynı eser*, s.133). An-
cak, bu görüş doğru değildir. Çünkü, Macar Elçisi Andrassy, 1849 Kasım'ında İs-
tanbul'dan ayrılmıştır. Halbuki Guyon, mülteciler Vidin'den Şumnu'ya nakledil-
meden 18 Kasım 1849'da İstanbul'a gelmiştir. Bu tarihte Andrassy, İstanbul'da
bulunuyordu. (Hajnal, *Aynı eser*, belge no:50 s.541). Dolayısıyla, General Guyon'un
Kossuth tarafından Andrassy'nin yerine İstanbul'a gönderildiği bilgisi doğru de-
ğildir. İkinci görüşe göre ise Guyon, Hauslab'ın Vidin'e gelmesine büyük bir tep-
ki göstermişti. O, mültecileri Hauslab'a karşı isyana teşvik ediyor ve bu konuda
onları organize ediyordu. Ziya Paşa, Hauslab'ın can güvenliğinin tehlikeye girme-
si üzerine Guyon'dan İstanbul'a gitmesi için ricada bulunmuştu. Guyon başlangıç-
ta, bu ricayı kabul etmemesine rağmen, daha sonra ikna olmuştu (Imrefi, *Aynı eser*,
s.202).

[286] *"...mültecîlerden böyle kendü hüsn-i rızâ ve istekleriyle 'avdet edecek olanlara Saltanat-ı
Seniyye'nin evvel ve ahir bir diyeceği olmayarak..."* (BOA., BEO., A.MKT., 231-27,
1265.4.12).

[287] BOA., BEO., A.MKT., 231-27, 1265.4.12.

[288] *"...alınan habere göre Avusturya Devleti tarafından gönderilen memûr Ceneral Hauslab
olub mûmâileyh ötedenberi Devlet-i Aliyye'nin hayırhâhî olarak müddet-i medîde Viya-
na'da tahsîle memûr olan zâbıtân-ı askeriyye-i Saltanat-ı Seniyye'ye nezâret ederek pek çok
hüsn-i hidmet ve gayreti meşhûd olmuş olduğuna ve zâten mu'teber ve mütehayyiz bulun-*

Diğer taraftan Ömer Paşa, Vidin vâlisinden anavatanlarına dönme arzusunda olan mültecilerin savaş mahkemelerinde yargılanmayacaklarına dair Hauslab'tan kesin bir güvence almasını istemiş[289] ayrıca, mültecilerin cebren götürülmemesi hususunda Ziya Paşa'nın dikkatini çekmişti[290]. Bunun üzerine Ziya Paşa, Hauslab'a bir yazı göndererek anavatanlarına dönmek isteyenlere Avusturya Hükümeti tarafından hiçbir yaptırım ve ceza uygulanmayacağına dair kesin bir güvence verilmesini istemiş, aksi takdirde, hiç kimsenin Vidin'den ayrılmasına müsaade etmeyeceğini bildirmişti[291]. Ancak Hauslab, bu isteği kabul etmeğe yanaşmayınca Paşa, kendisine İstanbul'dan bir emir gelinceye kadar beklemesi gerektiğini söylemişti. Buna mukabil Avusturya Generali, 21 Ekim'de mültecilerden vatanlarına geri dönmek isteyenleri engellemekle Paşa'nın büyük bir sorumluluk aldığını belirtti[292].

Öte yandan Kossuth, Ziya Paşa'nın ortaya koyduğu bu tavrı öğrendiğinde büyük bir memnuniyet duydu ve birkaç arkadaşıyla Paşa'nın huzuruna çıkarak ona teşekkür etti[293]. Kossuth ve diğer mülteci liderleri, Ziya Paşa ile sık sık görüşerek ona mültecilerin geri dönmelerini önlemesini ve bunu yaparken de gizlilik içinde hareket etmesini tavsiye ettiler[294].

---

duğuna mebnî hakkında rütbesine lâyık hürmet ve riâyetin icrâsına memûr olduğu" (BOA., BEO., A.MKT., 231-27, 1265.4.12).

289   Ömer Paşa'nın Ziya Paşa'ya gönderdiği 27 ZA 65/14 Ekim 1849 tarihli tahrîrâtı. "... bunlardan vilâyetlerine gitmek isteyenlerin harekât-ı sâbıkalarından dolayı devlet-i metbû'aları cânibinden mu'âheze olunmayacaklarına dâir evvel emirde bir va'd-ı kâvî istihsâlî..." (BOA., DUİT., 75-1/41-7).

290   "... kendülikleriyle gitmek isteyen neferâtın mülâzime kadar olarak devlet-i müşâruileyhâ cânibinden mazhar-ı muâheze olmayub 'afvları hakkında cenerâl-ı mûmâileyh kavî söz vereceği halde nihâyet mülâzime kadar 'avdet murâd eden neferâtın cenerâl-ı mûmâileyhe teslîmen i'âdeleri lâzım gelüb ancak cenerâl-ı mûmâileyh tarafından merkûmlar hakkında öyle va'd-i kavî istihsâl olunamayacağı sûretde merkûmûnun i'âdeleri muğâyir-i irâde-i seniyye olacağı..." (BOA., DUİT., 75-1/41-7).

291   BOA., DUİT., 75-1/41; İmrefi, Aynı eser, s.205.

292   İmrefi, Aynı eser, s.205.

293   İmrefi, Aynı eser, s.205.

294   Bu görüşmelerin birinde Kossuth, geri dönmek isteyen mültecileri engellediği yolunda Avrupa basınında çıkan haberleri Ziya Paşa'ya göstermişti. Gazetelerde ismini gören Ziya Paşa çok şaşırmıştı. Paşa, buna rağmen 21 Ekim'de Avustur-

Ziya Paşa'nın tavrından rahatsız olan Hauslab, durumu bir mektupla Başbakan Schwarzenberg'e iletmişti. Bu şikayet üzerine Schwarzenberg, Osmanlı Devleti'nin Avusturya Elçisi Kostaki Bey ile bir görüşme yapmıştı. Görüşmede Schwarzenberg, Ziya Paşa'nın Hauslab'a gösterdiği misafirperverliğin Avusturya Kabinesi tarafından takdir edildiğini, ancak af kapsamına girmeyen mültecilerin geri dönmelerine engel olmasının anlaşılamaz bir tutum olduğunu söylemişti. Ayrıca, mültecileri Avusturya Devleti'ne karşı cesaretlendiren Paşa'nın bu tavrını tasvip etmenin mümkün olmayacağını ifade etti. Oysa Schwarzenberg'e göre, valinin görevi Avusturya memurunun vazifesini zorlaştırmak değil, bilakis kolaylaştırmak olmalıydı. Ayrıca Schwarzenberg, konu hakkında Hauslab'ın kendilerine gönderdiği şikayet mektubunu Viyana'nın resmi gazetesinde neşrettireceğini de Kostaki Bey'e iletmişti[295].

Konu hakkında bilgisi olmadığından, söz konusu gelişmelerle ilgili bir yorum yapamayacağını söyleyen Kostaki Bey, anavatanlarına dönecek bütün mültecilerin Vidin'den hoşnut ayrılacaklarını ve Hauslab'ın görevinin zorlaştırıldığı yönündeki iddiaların kabul edilemez olduğunu ifade etti[296]. Kostaki Bey, şikayet mektubunun gazetelerde neşredilmesinin iki devlet arasındaki ilişkileri olumsuz yönde etkileyeceğini söyleyerek mektubun neşrine engel olunmasını istedi[297]. Ancak, onun bu isteğine rağmen Schwarzenberg, kararından vazgeçmedi. Kostaki Bey'e göre, Schwarzenberg'in bu derece ısrarlı olmasının sebebi, mülteciler meselesinde kamuoyunda kaybolan itibarını yeniden kazanma arzusundan kaynaklanıyordu. Nitekim Kostaki Bey, Hâriciye Nezâreti'ne sunduğu 6 Kasım 1849 tarihli takrîrinde şu tespitte bulunuyordu: "... *anladığıma göre prens-i mûmâileyhin takrîr-i mezkûru tamâmen bastırmakdan murâd-ı hakîkisi Viyana Kabinetosu'nun şu Macar mülteciler meselesinde masrûf olan ikdâmının kemâlini güyâ Saltanat-ı Seniyye'nin küçük memûrlarının niyât-ı bed-*

---

ya'ya, af kapsamına girmeyen mültecilerin iâde edilmeyeceğine dair bir mesaj gönderdi (Hajnal, *Aynı eser*, s.164).

[295] BOA., DUİT., 75-1/55-2 Viyana Elçisi Kostaki Bey'in Hâriciye Nezâreti'ne takdim ettiği 6 Teşrin-i Sânî 1849 tarihli tahrîrât.

[296] BOA., DUİT., 75-1/55-2.

[297] BOA., DUİT., 75-1/55-2.

hâhâneleriyle isbât ve bu vechile ikdâm ve gayret olunmamış olsaydı bir şeye muvaffak olunamayacağını Avusturya halkına zannettirerek tebdîl-i efkâr-ı âmmeyi istihsâl etmek demek garazından ibâret bulunmuştur..."[298].

2-Mültecilerin Vidin'den Ayrılışı

Ziya Paşa ve Defterdar Azmi Efendi ile Hauslab ve Avusturya Konsolos Vekili, konuyu görüşmek üzere son bir toplantı daha yaptılar. Toplantıda Hauslab, mültecilerin başçavuştan nefere kadar savaş mahkemelerinde yargılanmayacaklarını kesin bir şekilde garanti etti[299]. General'in Paşa'ya verdiği garanti, doğal olarak olumlu sonuçlar verdi ve birçok mülteci kendisini geri dönecekler listesine yazdır-

---

[298] BOA., DUİT., 75-1/55-2 Bu mesele bir süre daha Avusturya'nın gündeminden düşmemiştir. Nitekim Kostaki Bey, konuyla ilgili Avusturya Başbakanı ile uzun bir görüşme yapmış ve 20 Aralık 1849'da Bâbıâli'ye sunduğu tahrîrâtında ayrıntılı olarak bu görüşmeyi anlatmıştır. Onun tahrıratını özetleyecek olursak Kostaki Bey Schwarzenberg'e şunları söylemiştir: Herhangi bir anlaşma veya devletler arası hukuk, General Hauslab'ın Vidin'e gönderilmesine izin vermez. Osmanlı Devleti, Avusturya'nın Vidin'e bir memur göndermesine sadece iki devlet arasındaki iyi i-lişkilerin bozulmaması için bir engel çıkarmamıştır. Bâbıâli'nin bu iyi niyet gösterisi iki devlet arasındaki dostluğun bir göstergesi olması gerekirken Avusturya, asılsız iddialarla dolu olan bu mektubu gazetelerde neşrederek, Avrupa kamuoyunu Osmanlı Devleti aleyhine çevirmeyi amaçladığı anlaşılmaktadır. Sisam'da çıkan isyanı bastırmak için 1834'te Osmanlı donanması buraya gönderildiğinde birkaç Sisamlı, Yunan Hükümeti'nin vaatlerine aldanarak bu devlete sığınma isteğinde bulunmuşlardı. Ancak, bu sığınmacılar Ağrıboz'a vardıklarında pişman o-lup vatanlarına geri dönmek istediklerini beyan etmişlerdi. Fakat Yunanistan, sı-ğınmacılara yardımcı olmak maksadıyla Osmanlı Devleti tarafından gönderilecek bir memuru kabul etmediği gibi, onların geri dönmelerine engel olmuştu. Bu dav-ranışı, o zaman başta Rusya ve Avusturya Devletleri olmak üzere düvel-i selâse tasvip etmemişti. Bu olayı emsal göstererek, Osmanlı Devleti de Hauslab'ı kabul etmeyip geriye dönecekleri beyan eden mültecileri Avusturya'ya göndermeyebi-lirdi. Bu bakımdan Hauslab'ın Vidin'e gönderilmesinin hiçbir hukuki dayanağı yoktur. (BOA. HR. MKT. 29-43, Kostaki Bey'in Hâriciye Nezâreti'ne takdim ettiği 4 S 1266/20 Aralık 1849 tarihli tahrîrât). Kaldı ki, Osmanlı Devleti af kapsamına gi-ren mültecilerin geri dönmesini memnuniyet verici bir gelişme olarak karşılamış-tır. Nitekim 12 Z 65/29 Ekim 1849'da Sadâretten Mâbeyn başkitâbetine sunulan arz tezkiresinde *"...Mülteciyânın adedi kesret üzere olduğundan hengâm-ı şitâda yerleş-tirilmeleri müşkil olacağı derkâr iken üç binden ziyâdesinin bu sûretle ma'fûv oldukları halde i'âdeleri hâsıl olmuş olması hem idârece ve hem de bazı bed-hâhların Devlet-i Aliyye bunları şalıvermiyor gibi neşr eyledikleri erâcîfi tekzîb edeceği cihetle maslahatça pek isâbet olduğu..."* belirtiliyordu (BOA., DUİT., 75-1/ 41-1).

[299] BOA., DUİT., 75-1/41-2, Ziya Paşa ve Azmî Efendi'nin müştereken Sadârete takdim ettikleri 5 Z 65/22 Ekim 1849 tarihli tahrîrât.

dı[300]. Mültecilerin daha sonra fikir değiştirebilecekleri korkusuyla, zaman kaybetmeden Orsova'dan Vidin'e üç buhar gemisi gönderildi[301]. Mülteciler, kendilerini taşıyacak gemilere birkaç saat içerisinde yerleştirildiler. Bu yerleştirme esnasında geride kalan mülteciler, gidenlere müzikli bir gösteri sunmuşlardı[302].

Gemiler, 21 Ekim 1849'da Vidin önlerine gelmiş ve aynı gün vatanlarına geri dönmek isteyenlerin gemilere bindirilme işlemi sona ermişti[303]. Gemiler, limandan ayrılırken beylik sancağının açılması, 21 pare top atılması ve yolcuların Vidin kalesini selamlamaları, ülkelerine dönen mültecilerle Vidin'de kalanlar arasında duygusal sahnelerin yaşanmasına sebep olmuştu[304]. Geri dönenler 2.732 Macar, 124 Polonyalı, 201 İtalyan ve aileleriyle birlikte 99 Avusturya vatandaşı olmak üzere toplam 3.156 kişiydi[305]. Vidin'de ise 800 Polonyalı, 200 İtalyan ve yaklaşık 400 Macar kalmıştı[306]. Vidin'den ayrılan mülteciler 23 Ekim'de karaya ayak basmışlardı. Bu arada geri dönenler arasında 200 kadar da hasta vardı. Gemideki gıda yetersizliğinden dolayı, hasta mültecilerin çoğu açlıktan ölme tehlikesiyle karşılaştılar.

---

[300] Eszlary, *Aynı makale*, s. 439.
[301] BOA., DUİT., 75-1/41-2; Hutter, *Aynı eser*, s.68; Imrefi, *Aynı eser*, s.206; Eszlary, *Aynı makale*, s.439. Bu gemilerden ikisinin ismi *"Magyar"* ve *"Ludwig"* idi. (Imrefi, *Aynı eser*, 205).
[302] Imrefi, *Aynı eser*, s.206.
[303] BOA., DUİt., 75-1/41-2; Hutter, *Aynı eser*, s.68; Imrefi, *Aynı eser*, s.206.
[304] Hutter, *Aynı eser*, s.69.
[305] BOA., DUİT., 75-1/41-6, Mîralây İsmail Bey'in Sadâret'e takdim ettiği 5 Z 65/22 Ekim 1849 tarihli tahrîrâtı; Istvan Deak, *Die Rechtmässige Revolution*, Budapest 1989, s.284; Harold Temperley, *England and The Near East The Crimea*, London1936, s.268; Stanley Lane Poole, *Lord Stratford Canning'in Türkiye Anıları*, (çev. Can Yücel) Ankara 1988, s.107; Nejat Göyünç, "1849 Macar Mültecileri ve Bunların Kütahya ve Halep'e Yerleştirilmeleri İle İlgili Talimatlar", *İstanbul Üniversitesi Fen-Edebiyat Fakültesi, Türk-Macar Kültür Münasebetleri Işığı Altında II. Rakoczi Ferenc ve Macar Mültecileri Sempozyumu*, (İstanbul, 1976) s. 175; Hutter, *Aynı eser*, s.68; Geri dönenlerin sayısını Imrefi, 3.050 olarak vermektedir. Ayrıca o, hatıratında geri dönen subayların içinde bir Müslüman'ın olduğunu da yazar (Imrefi, *Aynı eser*, s.206). Hutter ise, gemi mürettebatıyla birlikte geri dönenlerin sayısını 3.500 olarak vermektedir (Hutter, *Aynı eser*, s.69). Korn ise, 21 Ekim'de Vidin'den Orsova'ya hareket eden gemilerde 90 İtalyan, 40 Polonyalı ve geri kalanları Macar olmak üzere toplam 3.500 mültecinin bulunduğunu yazar (Korn, *Aynı eser*, s.112).
[306] Deak, *Aynı eser*, s.284.

Fakat General Hauslab, yoğun çabalarla bunların bir çoğunu kurtarmayı başarmış, sadece 10-12 kişi hayatını kaybetmişti[307].

Mültecilerin geri dönmelerinde Vidin kampındaki belirsiz durum, anavatana duyulan özlem, savaşın yeniden başlayacağına dair verilen umutların yıkılması, alışkın olunmayan iklim koşullarının yanı sıra General Hauslab'ın açık gönüllülükle vermiş olduğu sözler başlıca etken olmuştur.[308]

3-Geri Dönüşü Engellemek İçin Kossuth'un Girişimleri

Mültecilerden bir kısmının geri dönmesi, geride kalan kadın erkek birçok mülteci üzerinde moral bozucu bir etki yapmıştı. Bu gelişme, Vidin kampında, *"mademki bu kadar arkadaşımız geri döndü, bu da Türk Hükümeti'nin er ya da geç hepimizi sınır dışı edeceği anlamına gelir"*[309] yaygarasının kopmasına neden olmuştu. Mülteciler, Kossuth'a başvurarak bundan sonraki durumlarının ne olacağı hakkında Bâbıâli'den bilgi almak için girişimlerde bulunmasını rica etmişlerdi. Kossuth da, onların bu isteklerini İstanbul'a iletmişti. Diğer taraftan Kossuth, kamptaki moral bozukluğu ve kaosu ortadan kaldırmak amacıyla mültecilere Sultan'ın kendilerini her hususta koruyacağı ve maddi destek vereceğini söylemişti. Yine o, mültecilerin moral gücünü yüksek tutmak için Osmanlı Devleti'nin ancak yıkılması durumunda kendilerini koruyamayacağını ifade ederek onlara güven telkin etmişti[310].

Kossuth'un çabalarına rağmen, kamptaki gerginlik ortadan kaldırılamıyordu. Hatta, Kossuth'un kendisini mültecilerin dert ortağı olarak sunup morallerini yükseltmeye çalışması ve onlar gibi fakir olduğu için kendisini mutlu hissettiğini[311] söylemesi bile mülteciler üzerinde beklenilen etkiyi göstermiyordu.

---

[307] Geri dönen mültecilerden askerler ve siviller herhangi bir cezaya çarptırılmadılar. Savaşacak durumda olan erler, Avusturya ordusunda görev aldılar. Subaylar ise savaş mahkemelerine çıkarıldılar ve kısmen hapse atılıp kısmen serbest bırakıldılar (İmrefi, *Aynı eser*, .206).

[308] İmrefi, *Aynı eser*, s.202.

[309] Eszlary, *Aynı makale*, s.439.

[310] Hajnal, *Aynı eser*, belge no:43, s.520; İmrefi, *Aynı eser*, s.204.

[311] Korn, *Aynı eser*, s.91.

Durumun daha da kötüye gittiğini gören Kossuth, mültecilerin endişelerini giderebilmek amacıyla 18 Ekim 1849'da bir bildiri yayınladı[312]. Kossuth'un böyle bir bildiri yayınlamasında, Türk Hükümeti'nin mültecilerine karşı misafirperver davranmayacağı, onları himaye etmeyerek iâde olmaya zorlayacağı ve kendilerine yapılan yardımlara son vereceği şeklinde Avusturya ajanlarınca ortaya atılan iftiraların da etkisi olmuştur. Kossuth, bu girişimiyle söylentilerin gerçek dışı olduğunu mültecilere anlatmak istiyordu. O, bu iftiraların Vidin'e gönderilen Avusturya ajanlarınca mültecileri geri döndürmek amacıyla ortaya atıldığı görüşündeydi[313]. Eğer bu uygulama başarılı olursa, bir çok mülteci liderlerinden ayrılacak, vatanlarını müdafaa ettikleri için Macar subayları askerî mahkemelere sevk edilecek ve erler ise Avusturya ordusuna adapte edilecekti[314].

Kossuth, bildirisinde Avusturya ajanlarının faaliyetlerine karşı vatandaşlarını uyarmayı ve onları bu konuda yönlendirmeyi şerefli bir görev kabul eder. Padişah'ın, Osmanlı ülkesinde kalmak isteyen hiçbir mülteciyi düşmana teslim etmeyeceğini aksine kendilerini koruyacağına karar verdiğini ilan ederek mültecilerden dönmek isteyenleri engellemeye çalışmıştır. Kossuth, Sultan'ın şan ve şerefine yakışır bir şekilde tayinat bedelinden başka, mültecileri maaşa bağlayacağını da onlara iletmişti. Yine Kossuth, Bâbıâli'nin subayların din değiştirdikten sonra eski rütbelerini muhafaza edecekleri garantisini verdiğini söylemişti.[315] Mültecilerin Avusturya'ya geri dönmesi için, Osmanlı Devleti tarafından baskı yapılmadığının herkes tarafından

---

[312] Hajnal, *Aynı eser*, belge no:34, s.505; Imrefi, *Aynı eser*, s.204.

[313] Hajnal, *Aynı eser*, belge no:34, s.505.

[314] Imrefi, *Aynı eser*, s.204. Kossuth tebliğinde, eğer birileri bu şartlara tahammül gösterip esaret altına girmek isterse buna bir diyeceği olmadığını ve kimseyi de zorla ikna etmek istemediğini, aklı başında herkesin bu tehlikeyi görmesi gerektiğini belirtir (Hajnal, *Aynı eser*, belge no: 34, s.505). Mülteci şeflerinin hemen hepsi, bu konuda Kossuth ile aynı görüşü paylaşıyorlardı. Nitekim, Batthyany ve Perczel, Bâbıâli'ye 22 Kasım 1849'da gönderdikleri mektuplarında Rus ve Avusturya ajanlarının faaliyetleri sonucu kandırılan ve kendi menfaatleri için çalışan insanların yanında çalışmaktansa, Avusturya'ya teslim olmayı yeğleyen vatandaşlarına üzüldüklerini dile getirmişlerdi. Üstelik, bu insanlardan bir kısmı verilen vaatlere rağmen tutuklanmış ve bir kısmı da Avusturya ordusunda hizmet etmek zorunda bırakılmıştı (Hajnal, *Aynı eser*, belge no: 51, s.542).

[315] Hajnal, *Aynı eser*, belge no:34, s.506.

bilinmesini istemişti. Kossuth, tebliğini şu cümleyle bitiriyordu:"*Vatanımızın can düşmanlarına dönmektense, sürgüne*[316] *dayanmak daha şereflidir*[317]."

Mültecilerin Vidin'den ayrılmaları Kossuth üzerinde derin bir etki bırakmıştı. Çünkü o, mültecilerin bölünmesini istemiyordu. Kader birliği yaptığı arkadaşlarının Avusturya'ya dönmesi onun mücadele gücünü azaltıyordu. Kossuth, mültecilerin vatanlarına geri dönmelerini uzun süre unutamamış ve bu hadiseyi muhtelif vesilelerle dile getirmiştir. Mesela, mültecilerin Vidin'den ayrılmalarından iki ay sonra Czaykowski'ye gönderdiği mektupta, bu ajanların mültecilere umutsuzluk ve şüphe aşıladıklarını ve bunun neticesinde de yaklaşık 3.000 mültecinin kandırılıp götürüldüğünü yazmıştır[318].

Kossuth'un bu çabaları Avusturya Konsolosu tarafından takip ediliyordu. Avusturya basını ise, mültecilerin geri dönmesini engellemek için yaptığı girişimlerden dolayı onu pervasızca eleştiriyordu. Gazetelerin iddialarına göre Kossuth, şiddetle mültecilerin vatanlarına dönmelerine karşı çıkıyordu. Bu yüzden de basın onu, "*uslanmak bilmeyen*" biri olarak kamuoyuna takdim ediyordu[319].

Diğer taraftan Kossuth, Vidin'deki mültecilerin dağılmasını önlemek için başka girişimlerde de bulunmuştu. Bu girişimlerden birisi de, İslamiyet'i kabul etmesi dolayısıyla, Ziya Paşa nezdinde daha etkili olacağını düşündüğü Murad Paşa'ya 18 Ekim 1849'da bir mektup yazmasıydı[320]. Kossuth, mektubunda Avusturya ajanlarının mülteci birliğini dağıtmak için, Türk Hükümeti'nin mültecilere baskı yapacağı şeklinde sürekli propaganda yaptıkları ve bunun da kaygı verici bir gelişme olduğunu ifade etmişti. Bu asılsız iddiaların etkisini ortadan kaldırmak ve aynı zamanda mültecilerin bu söylentileri

---

[316] Kossuth, bazı yazışmalarında Osmanlı Devleti'ndeki hayatını sürgün olarak tanımlamıştır. Bâbıâli ise bu tanımlamayı asla kabul etmemiştir.

[317] Hajnal, *Aynı eser*, belge no:34, s.506.

[318] Hajnal, *Aynı eser*, belge no: 71, s.582. Avusturya Devleti'nin Vidin'e gönderdiği ajanların faaliyetleri sonucu Vidin'i terk eden mülteciler hakkında Kossuth'un değinmeleri için bkz. Hajnal, *Aynı eser*, belge no:58, 71,77.

[319] İmrefi, *Aynı eser*, s.204.

[320] Hajnal, *Aynı eser*, belge no:35, s.508, Kossuth'un Bem'e gönderdiği 18 Ekim 1849 tarihli mektup.

dikkate almamaları için, mültecilere bir bildiri yayınlamayı uygun gördüğünü Murad Paşa'ya iletmişti[321]. Kossuth, Avusturya ajanlarının mülteciler arasındaki huzur bozucu davranışlarını etkisiz kılmak için, Ziya Paşa'nın şu hususları kendilerine garanti etmesinde Murad Paşa'nın yardımcı olmasını istemişti:

Mülteci subayların, İslamiyet'i kabul etmek zorunda bırakılmadan bugünkü rütbeleriyle Türk ordusuna kabul edilip edilmeyecekleri; bazı subayların emrindeki birliklerin Türk ordusunda hizmete alınıp alınmayacakları; eğer bunlar gerçekleştirilemezse iaşe ve ücretle bunların geleceklerinin garanti altına alınıp alınmayacağı ve nihayet bu birliklerde profesyonel olanların mesleklerini icra etmelerine izin verilip verilmeyeceği. Kossuth, yukarıdaki isteklerine olumlu bir cevap verilirse, Avusturya'nın Vidin'de tertip ettiği entrikaların başarısız olacağı kanaatindeydi. Kossuth, Murad Paşa'dan bu hususları Ziya Paşa ile değerlendirip kendisine bir öneri getirmesini rica etmişti[322].

Kossuth'un isteklerinin Murad Paşa tarafından yerine getirildiğine dair elimizde bir belge olmasa da, iki mülteci lideri arasındaki yazışmaların içeriğinden Kossuth'un bu girişiminde başarısız olduğu anlaşılmaktadır. Nitekim, Kossuth'un Murad Paşa'ya gönderdiği 19 Ekim 1849 tarihli mektuptaki ifadeler, Macar liderinin Murad Paşa'dan olumlu cevap alamadığı düşüncesini doğrulamaktadır. Söz konusu mektupta Kossuth'un yer yer alaylı ifadeler kullandığı dikkat çekmektedir. Onun böyle bir üslup kullanmasının nedeni ise, Murad Paşa'nın kendisine gönderdiği 18 Ekim tarihli ağır ifadelerle yazılmış mektuptur[323].

Daha birkaç ay öncesine kadar Macaristan'ın bağımsızlığı için kader birliği yapmış olan bu iki önemli şahsiyet arasında Vidin kampında tartışmalar yaşanıyordu. Önceki kader birlikteliğinden farklı olarak Bem, şimdi Müslüman olmuş ve Murad Paşa ismini almıştı. Esasen, Kossuth da mektubunda Türklerin hizmetine girdikten sonra, Murad Paşa'nın yeni makamını Macarların liderine saldırmak için

---

[321] Hajnal, *Aynı eser*, belge no:35, s.507.

[322] Hajnal, *Aynı eser*, belge no:35, s.507-508.

[323] Hajnal, *Aynı eser*, belge no:37, s.510-313. Kossuth'un Bem'e gönderdiği 19 Ekim 1849 tarihli mektup.

kullanmasından yakınıyordu. Diğer taraftan, Vidin kampının ilk günlerinde birliklerinin maaş meselesi yüzünden Kossuth ile Murad Paşa arasında zaten bir tartışma yaşanmıştı. Sonraki tartışmaların odak noktasını ise, kaybedilen Macar Özgürlük Savaşı oluşturuyordu. Kossuth, mektubunda Murad Paşa'nın artık Macar mültecisi olmadığını, bu sebeple dilediği şekilde hareket edebileceğini, mültecilerin gururuyla oynayabileceğini, çünkü onun güçlü kendilerinin de tutuklu olduğunu ileri sürmüştü[324]. Gelişmelerin seyri böyle olunca da, Kossuth'un Bem'e başvurusundan bir netice alma ihtimali olmadığı açıktır.

E- Güvenliğin Sağlanması

Mültecilerin ve özellikle de liderlerinin firar etmemeleri Bâbıâli'nin üzerinde önemle durduğu konuların başında gelmekteydi. Zira, Kossuth'u ele geçirmek için hükümetlerinden emir alan Avusturya ajanlarının yanı sıra, Rusya ve Sırbistan'ın görevlendirdiği bir takım insanlar da Vidin'de kol geziyordu. Dahası, Osmanlı Devleti'ne sığındıkları sırada silahları ellerinden alınan mültecilerin Rusya ve Avusturya ajanlarının yapabileceği komplolara silahla karşı koyma şansları da yoktu. Dolayısıyla, görevleri mülteci liderlerinden birini veya birkaçını kaçırmak olan bu ajanlara karşı dikkatli olunması gerekiyordu. Mültecilerin firarları durumunda özellikle Rusya ve Avusturya devletleri karşısında zor durumda kalacağını bilen Bâbıâli, onların güvenliğini sağlayan askeri ve sivil yöneticilere sert emirler göndermişti. Nitekim, bunlardan birinin firarı durumunda kesinlikle mazeret kabul edilmeyeceği ve bu tür bir hadiseye sebep olanların ağır şekilde cezalandırılacakları sorumlulara çeşitli vesilelerle bildirilmişti.

Bâbıâli'nin bu konu üzerinde hassasiyetle durduğunu bilen Ziya Paşa, mültecilerin Vidin'e yerleştirilmelerinden sonra sıkı önlemler almıştı[325]. Zira, Vidin'in Rusya sınırına yakınlığı sebebiyle Ziya Pa-

---

[324] Hajnal, *Aynı eser*, belge no:37, s.510.
[325] BOA., A. AMD., 10-72, 1265.10.29; DUİT., 75-1/22-1, Sadrazamın Mâbeyn'e takdim ettiği 29 Ş 65/17 Eylül 1849.

şa'nın mültecilerin muhtemel firar girişimlerine karşı dikkatli olması gerekiyordu. Bu sebeple Paşa, mülteci liderlerinin Osmanlı Devleti'ni sıkıntıya sokacak firarlarını önlemek için işi baştan sıkı tutmuştu. İlk iş olarak Macar mültecilerinin lideri Kossuth'u Çelebi Bey'in konağına, General Bem'i Kaymakam Yakub Bey, General Meszaros ve Perczel'i de Hurşid Efendi'nin hanına yerleştirmişti[326]. Ayrıca Kossuth, Bem, Dembinski ve diğer mülteci liderleri Vidin'e geldikten sonra Ziya Paşa, şehrin bütün giriş ve çıkışlarını askerle kapattırdığı gibi liderlerin ikamet ettiği evlerin önüne de *"büyük adamlar korumasız olmaz"*[327] diyerek bekçiler yerleştirmişti. Lider sıfatı taşımayan mülteciler ise, Vidin surlarının dışında Tuna Nehri kenarında kurulan çadırlara yerleştirilmişti[328]. Bu önlemlere ilaveten, gerek mülteci liderlerinin yerleştirildiği konakları, gerekse çadırlara yerleştirilenleri korumak amacıyla karakollar kurulmuştu[329]. Ziya Paşa, karakol ikâmesinden dolayı mültecilerin üzüntü duymamaları için, Vidin'de yaşayan Rusya, Avusturya ve Sırbistanlılardan kendilerine gelebilecek muhtemel bir saldırıyı önlemek amacıyla, böyle bir önleme ihtiyaç duyduğunu onlara ifade etmişti. Mülteciler, alınan bu önlemlerden memnun olmuşlar ve Ziya Paşa'ya kendilerini korumada gösterdiği hassasiyetten dolayı teşekkür etmişlerdi[330].

Diğer taraftan, mültecilerin muhafazası için, Ömer Paşa başlangıçta bir tabur asker görevlendirmişti[331]. Ancak, görevlendirilen askerler mültecilerin emniyetlerini sağlamak için yeterli değildi. Daha sonra Fuad Efendi, iki tabur askere nezaret etmek üzere Mîralây İsmail Ağa'nın Vidin'e göndermişti[332]. Alınan bu tedbirler İstanbul'dan memnuniyetle karşılanmıştı.

---

[326] BOA. DUİT., 75-1/16-2, Vidin Vâlisi Ziya Paşa'nın Sadârete takdîm ettiği 15 Ş 65/3 Eylül 1849 tarihli tahrîrâtı.

[327] Hutter, *Aynı eser*, s.34.

[328] BOA. DUİT., 75-1/16-2; Hutter, *Aynı eser*, s.35.

[329] BOA. DUİT., 75-1/16-2; Hutter, *Aynı eser*, s.34.

[330] BOA. DUİT., 75-1/16-2.

[331] BOA., DUİT., 75-1/22-2, Vidin Vâlisi Ziya Paşa'nın Sadârete takdim ettiği 22 Ş 65/10 Eylül 1849 tarihli şukka.

[332] BOA., DUİT., 75-1/23, Fuad Efendi'nin Sadâret'e takdim ettiği 27 Ş 65/15 Eylül 1849 tarihli tahrîrât.

Osmanlı Devleti'nin mültecilerin korunmasına bu kadar önem vermesi sebepsiz değildi. Bir kere bunlar, kendi sınırları içerisinde oldukları için korunmalarından birinci derecede sorumluydu. İkincisi, Vidin'in Rusya sınırına yakın olması sebebiyle ani bir baskınla bu devlet, mültecileri ele geçirebilirdi. Beklenmedik böyle bir gelişme ise, Osmanlı Devleti'ni Avrupa kamuoyunda zor durumda bırakacaktı. Üçüncüsü ve belki de en önemlisi ise, Avusturya Hükümeti, aylar önce başta Kossuth olmak üzere Macar mülteci liderlerinin tutuklanmalarına dair genel emirler yayınlamıştı. Avusturya Başbakanı Schwarzenberg, Vidin'deki mültecilere göz dağı olsun diye, Kossuth ve diğer mülteci şeflerini ele geçirmek için sürekli yeni emirler çıkarıyordu. Ayrıca Avusturya, yurt içinde ve yurt dışında bulunan ajanlarına talimatlar göndererek, onlardan mülteci liderlerinin yakalamalarını istiyordu.

Nitekim Avusturya Hükümeti, Dışişleri Bakanlığı'na 1 Eylül 1849'da bir talimat gönderip Fıskal Kovats'ı ajan olarak vazifelendirmişti[333]. İhtilal liderlerinin saklandıkları yerlerde aranıp bulunmaları ve tutuklanmaları yolunda Avusturya'nın emirler yayınlaması, mültecilerin korunması için Osmanlı Devleti'nin aldığı tedbirlerin ne kadar yerinde olduğunu göstermektedir. Gerçekten de Avusturya Hükümeti, hiçbir fedakarlıktan kaçınmayarak mülteci liderlerinin yakalanması üzerinde ciddiyetle durmuştu. Öyle ki, bu görevi başarıyla neticelendirmesi için Kovats'a istediği kadar para verileceği de yayınlanan tebliğde yer almaktaydı. Diğer taraftan Avusturya Hükümeti, İçişleri Bakanlığı'na Semlin'deki General Mayerhoffer, Bükreş'teki Timoni, Yaş'taki H. Dworszak ve İstanbul'daki Kont Stürmer'e ihtilal liderlerinin yakalanmaları için tüm imkânları seferber etmeleri emrini göndermişti[334]. Çok geçmeden Kossuth'un yakalanma emri Galatz, Ruscuk ve Vidin Konsolosluklarına da iletilmişti[335]. Böylece, Avusturya Devleti onları yakalamak için dört koldan harekete geçmiş oluyordu. Ancak Avusturya, bu girişimlerinde başa-

---

[333] Hajnal, *Aynı eser*, belge no: 135, s.718-719, Ajan Fiskal Kovats'ın görevlendirilmesine dair Dışişleri Bakanlığı'na 1 Eylül 1849 tarihli talimat.

[334] Hajnal, *Aynı eser*, belge no: 135, s.719.

[335] Hajnal, *Aynı eser*, belge no: 135, s.720.

rılı olamayınca daha da sert tedbirler alma yoluna gitmişti. İleride değinileceği gibi Şumnu'da Kossuth'a suikast teşebbüsünde bile bulunulacaktı.

F- Mültecilere Yapılan Yardımlar

Vidin'deki nüfusun yaklaşık beşte biri kadar olan mültecilerin kamptaki ilk günleri sıkıntılı geçiyordu. Aslında Osmanlı Devleti, bu kadar mültecinin bir anda sınırdan içeri gireceğini beklemiyordu. Başlangıçta yeterli önlemler alınamadığından mülteciler, kampın ilk günlerinde yiyecek ve giyecek sıkıntısı çekiyorlardı. Bu sıkıntıların yanı sıra, beraberlerinde getirdikleri hayvanlara ot ve saman bulmakta da ciddi güçlükler yaşıyorlardı.

Vatan topraklarından uzak kalmanın üzüntüsüne ilaveten, yaşamları için gerekli olan ihtiyaçların giderilmesinde karşılaştıkları güçlükler mülteciler arasındaki ortamın gerginleşmesine ve şiddetli tartışmaların çıkmasına neden oluyordu[336]. Bem, bu sıralarda Kossuth'a yolladığı mektupta, hiç parasının kalmadığını ve birliklerinin maaşlarını subaylardan birisinin parasıyla ödediğini dile getirmişti. Hatta, daha da ileri giderek, *"Macar milletinin kaderini emanet ettiği kişi, onu sonuna kadar savunanları ihmal edemez"*[337] demiş ve Kossuth'a ağır ifadeler kullanmıştı.

Bu şarlar altında mültecilerin geleceğe yönelik kaygıları gün geçtikçe artıyordu. İşte böyle bir ortamda, Ömer Paşa'dan Vidin valisine Türk ordusunu beslediği şekilde bütün mültecilerin ihtiyaçlarını karşılaması emri gelmişti[338]. Ziya Paşa da bu emre uyarak mülteci kampına günlük ekmek, pirinç, et, yağ ve benzeri gıda maddelerinin ve yakacak odunun dağıtımını arttırmıştı[339].

---

[336] Hutter, *Aynı eser*, s.52; Eszlary, *Aynı makale*, s.437.

[337] Bem, mektubunda bu insanların kaçak olmadıklarını ve vatanlarını kalleşçe terk etmediklerini, kendisiyle birlikte sonuna kadar savaştıklarını ve gelecekte bir gün bu askerlerin Macar ordusunun çekirdeğini oluşturabileceğini dile getirerek, çekilen sıkıntılardan dolayı Kossuth'u suçlamıştı (Hajnal, *Aynı eser*, belge no:14, s.462).

[338] Hutter, *Aynı eser*, s.53.

[339] BOA., BEO., A.MKT., 234-34, 1265.12.25.

1- Aynî Yardımlar

Yaklaşık iki buçuk ay Vidin'de kalan mültecilerden din değiştirenlere devletçe toplam aylık 6214.18 kuruş değerinde yiyecek yardımı yapılmıştır. 1849 Eylül'ünde Müslüman mültecilere yapılan aynî yardım şöyleydi

	Ferik	Mîrlivâ Paşa	Mîrlivâ	Kaymakam	Binbaşı	Yüzbaşı	Toplam
Ekmek	576	288	144	108	72	18	1206
Et	844.32	422.16	211.8	158.16	105.14	26.10	1768.4
Pirinç	299.36	199.38	99.39	74.39	49.39	12.20	737.2
Sâde	247.4	123.22	61.31	46.27	30.36	7.32	517.8
Nohut	15.2	7.21	3.30	2.36	1.30	0.19	30.6
Tuz	9.8	4.24	2.12	1.29	1.6	0.10	19.4
Soğan	7.32	3.36	1.38	1.18	1	0.9	16.3
Zeytin	18	9	4.20	3.15	2.10	0.22	37.6
Mum	24	12	6	4.5	3	0.32	49.37
Sabun	18.24	9.12	4.26	3.19	2.13	0.22	38.9
Odun	131.28	65.24	32.37	24.27	16.19	4.4	275.7
Arpa	480	288	96	62.38	48	-	974.38
Saman	320	132	38	33	19	-	542
Toplam	2992.1	1566.7	707.2	525.2	353.1	71.5	6214.18 340

Yukarıdaki tabloda verilen değerler, kuruşu ifade etmektedir. Örneğin, ferik rütbesindeki mültecilere bir ayda 1440 adet ekmek verilmiştir. Belgede ekmeğin tanesi 16 para olarak gösterilmektedir. Dolayısıyla, adı geçen mülteci grubuna ekmek parası olarak verilen miktar 576 kuruştu[341]. Mültecilerin Vidin'de üç ay kaldıkları düşünüldüğünde din değiştiren mültecilere sadece nakdî yardım olarak verilen toplam miktarın yaklaşık 18.643 kuruş olduğu ortaya çıkmaktadır.

340　BOA., BEO., A.MKT., 229-94, 1265.11.27.
341　BOA., BEO., A.MKT., 229-94, 1265.11.27.

Yukarıda miktarı belirtilen miktara ilaveten 160 çift çorap, 160 çift çarık, 160 adet pantolon, 160 adet gömlek, 160 adet lapçin ve 160 adet don dağıtıldı. Ayrıca, 145 kişiye de fes verildi[342].

Hıristiyan mültecilere yapılan yiyecek harcamalarını gösteren bir belgeye sahip değiliz. Ancak onlara da dağıtılan giyecekleri tespit edebiliyoruz. Buna göre 1849 Eylül'ünde yapılan giyecek yardımları ve adetleri şöyleydi[343]:

Eşyanın Cinsi	Macarlara	Polonyalılara	İtalyanlara	Toplam
Yağmurluk	200	500	240	940
Gömlek	220	700	240	1.160
Don (adet)	220	700	240	1.160
Çorap (Çift)	220	600	240	1.060
Pantolon (adet)	-	500	240	740[344]
Lapçin	-	600	240	840[345]
Çarık (çift)	-	400	-	400
Na'l-ı Cedid (çift)	-	-	53	53
Kaşağı (adet)	-	-	53	53
Gebre*	-	-	53	53
Toplam	880	3.000	1.599	

2- Nakdî Yardımlar

Mültecilerin yiyecek ve giyecekten ziyade nakit paraya ihtiyaçları vardı[346]. Mülteci liderlerinin bir kısmı Ziya Paşa'ya müracaatta bulunarak, bu sıkıntılarını dile getirmişlerdi. Onların bu istek ve sıkıntılarını değerlendiren Paşa, kendilerine Vidin emvalinden rütbe,

---

* At tımarında kullanılan kese (Şemseddin Sami, *Kâmûs-ı Türkî*, İstanbul 1317, s.1142).
342 BOA., DUİT., 75-1/47-4; Saydam, *Aynı makale*, s.354.
343 BOA., DUİT., 75-1/47-3.
344 Mültecilere verilen 740 pantolondan 520 adedi asâkir-i şâhâne tarafından verilmiştir (BOA., DUİT., 75-1/47-3).
345 Keza, 840 çift lapçinin 220 çifti asâkir-i şâhâne tarafından verilmiştir (BOA., DUİT., 75-1/47-3).
346 BOA., BEO., A.MKT., 234-34, 1265.12.25.

meslek ve ihtiyaçlarına göre de para dağıtmıştı[347]. Ziya Paşa, hangi mülteci taifesine ne kadar para ödediğini makbuzlarıyla birlikte Bâbıâli'ye göndermişti[348]. Buna göre 150.000 kuruş mültecilere şu şekilde dağıtılmıştı:

Macarlara	Miktarı (Kuruş)
Kossuth	10.000
Dembinski	7.500
Meszaros	7.500
Perczel	6.000
Batthyany	5.000
Mîralâydan nefere kadar	25.000
	Toplam: 61.000
Polonyalılara	
General Wysocki	5.000
İsmi belirtilmeyen general rütbesindeki bir mülteciye	5.000
Kont Zamoyski	5.000
Mîralâydan nefere kadar	31.500
	Toplam: 46.500
İtalyanlara	
Mîralâydan nefere kadar	12.500
	Toplam: 12.500
Müslüman Olanlara	
Murad Paşa (Bem)	7.500
Ferhad Paşa (Stein)	5.000
İsmail Paşa (Kmety)	5.000
Mîralâydan nefere kadar	12.500
	Toplam: 30.000
	Genel Toplam: 150.000

Diğer taraftan, 1-20 Ekim tarihleri arasında İslamiyet'i kabul eden mültecilere 20 günlük tayinat ve sair ihtiyaçları için 22.406 kuruş harcanmıştır. Yapılan bu harcama, Vidin emvalinden karşılanmıştı[349]. Ayrıca, mültecilerin Vidin'de kaldıkları süre içerisinde hazinece ya-

---

[347] BOA., BEO., A.MKT., 234-34, 1265.12.25; DUİT., 75-1/47 Ziya Paşa'nın Sadâret'e takdim ettiği 16 Z 65/2 Kasım 1849 tarihli tahrîrât.
[348] BOA., BEO., A.MKT., 234-34, 1265.12.25.
[349] BOA., Cevdet Dahiliye, Nr.10974.

Bayram Nazır 109

pılan yardımlardan başka, sadece Vidin Eyâleti emvalinden 615.302 kuruş 23 para harcanmıştır[350].

G- Mültecilerin Şumnu'ya Nakledilmesi

1- Nakil Sebepleri

Mültecilerin Vidin'e gelişlerinin ilk günlerine rastlayan 30 Ağustos 1849 tarihli Meclis-i Mahsûs toplantısında Rusya ve Avusturya Devletleri'nin iâde isteklerinin yanı sıra, mültecilerinin nereye yerleştirilecekleri de görüşülmüştü. Bu görüşmede, Osmanlı devlet adamlarının önerdikleri ilk yerler Edirne ve Filibe idi. Ancak, her iki şehrin de nüfusunun kalabalık olması dolayısıyla mültecilerin muhafazasının zor olacağı düşüncesiyle bu görüş kabul görmedi. İkinci akla gelen yerler ise, Çanakkale Boğazı kalelerinden biri veya Rodos Kalesi idi. Ancak, adı geçen kaleler, ayak altı ve ecnebilerin sıkça uğradıkları mahaller olduklarından bu görüşte de kabul edilmedi. Meclis'te mülteciler için en uygun yerin Girit Adası olacağına karar verildi. Alınan karara gerekçe olarak da, hem adanın sapa bir yer olması hem dirayetli bir vali tarafından yönetiliyor olması gösterildi[351].

Mültecilerin Girit Adası'na yerleştirilmesine karar verildikten sonra, bu kararın uygulanması bir süre askıya alındı. Çünkü Bâbıâli, mültecilerin nereye yerleştirileceği hususunda Rusya ve Avusturya'nın da fikrini almak arzusundaydı. Bu sırada, adı geçen devletlerin gündeminde mültecilerin nereye yerleştirileceğinden ziyade, onların iâdesi meselesi vardı. Bu yüzden mültecilerin iskân meselesi, önem bakımından birinci sırayı kaybetmişti.

Meclis-i Mahsûs'ta alınan kararın uygulaması bir süre askıya alınmasına rağmen, bu mesele halledilmesi gereken önemli bir prob-

---

[350] BOA., ML.MSF. Nr.8890, 1265.11.26.
[351] BOA., DUİT., 75-1/91 Sadâret'in Mâbeyn'e takdim ettiği 13 Ş 65/1 Eylül 1849 tarihli arz tezkiresi. Mültecilerin Girit Adası'na nakil olunacaklarına dair haber Vidin'e ulaştığında Vidin kampında büyük bir sevinç yaşanmıştı. Yumuşak iklimiyle Girit'in kendileri için iyi bir ikametgah yeri olacağını düşünüyorlardı. Fakat söylenti şeklinde Vidin'e ulaşan bu haberler, henüz doğrulanmamıştı (İmrefi, *Aynı eser*, s.102).

lem olarak Osmanlı Devleti'nin karşısında duruyordu. Çünkü, Vidin'in Rusya sınırına yakın ve Tuna Nehri'nin kenarında bulunması sebebiyle Ruslar, ani bir baskınla mültecileri kaçırabilirdiler. Ayrıca, mültecilerin nehir yoluyla firar etmeleri de ihtimal dahilindeydi. Bu konuyu görüşmek üzere, Meclis-i Mahsûs 25 Eylül 1849'da tekrar toplandı[352].

Toplantıda mültecilerin başka mahalle gönderilmeleri veya Vidin'deki mevcut güvenlik tedbirlerinin artırılması seçeneklerinden birisine karar verilecekti. Yapılan görüşmeler sonucu, diplomatik yazışmalar ve görüşmeler devam ederken, Vidin'deki mülteci şeflerinin Rusya sınırından uzak ve daha güvenilir bir yere gönderilmelerinin doğuracağı sakıncalar dile getirildi. Zira, böyle bir uygulama Rusya'nın itirazına sebep olabilirdi. Bunun üzerine, Petersburg'a gönderilen Fuad Efendi'den bir haber gelinceye kadar mülteci liderlerinin şimdilik Vidin'de kalmalarına karar verildi.[353] Ayrıca mülteci reisleri, Vidin'de emniyet içerisinde olduklarından, bunların Rusya ve Avusturya tarafından ani bir baskınla kaçırılmalarının kolay olmayacağı dile getirildi. Buna rağmen, anılan devletlerin böyle bir girişimde bulunmaları halinde, Ömer ve Ziya Paşalara askeri güç kullanmak dahil, her türlü tedbiri almaya yetkili olduklarının bildirilmesine karar verildi[354].

Reis konumunda olmayan mültecilere gelince, Eflak'ta bulunanlarla birlikte bunların sayısı hayli kabarıktı. Üstelik, bunların ihtiyaçları tam olarak karşılanamıyordu. Ayrıca, kış mevsiminin yaklaşmasından dolayı ihtiyaçlarının giderilmesinde sıkıntılar yaşanabilirdi. Bu nedenle, mülâzım rütbesine kadar olanların yanlarına bir miktar asker verilerek, Şumnu'ya götürülüp orada askeri kışlaya yerleştirilmeleri uygun görüldü[355].

Diğer taraftan, Vidin'de 400 kadar İtalyan ve hangi devletin vatandaşı olduğu tespit edilemeyen mülteciler de vardı. Hiçbir devletin

---

[352] BOA., DUİT., 75-1/24-1 Sadrazamın Mâbeyn'e takdim ettiği 9 ZA 65/26 Eylül 1849 tarihli arz tezkiresi.
[353] BOA., DUİT., 75-1/24-1; Refik, *Aynı eser*, s.72.
[354] BOA., DUİT., 75-1/24-1.
[355] BOA., DUİT., 75-1/24-1; Refik, *Aynı eser*, s.72.

bu mültecilerin iâdesini istemeye hakkı yoktu. Bu nedenle, gerekli mercilerle görüşmeler yapıldıktan sonra, bu kişilerin Selanik'e gönderilip oradan gemilere bindirilerek ülkelerine gönderilmesine karar verildi[356].

Alınan bu kararlara rağmen, mesele 7 Ekim 1849'da Sadrazamın konağında toplanan devlet ricâliyle yeniden ele alındı. Daha önce alınan kararların aksine, Vidin'in Rusya sınırına yakın olması sebebiyle mültecilerin güvenliklerinin tam olarak sağlanamayacağı görüşüne varılarak, onların sınırdan uzak bir yere yerleştirilmelerine karar verildi[357]. Diğer taraftan İngiltere ve Fransa Elçileri'nin isteği de mültecilerin Vidin'den başka bir yere yerleştirilmeleri doğrultusundaydı[358]. Hatta, Bâbıâli bu konuda Rusya ve Avusturya Elçileri'nin görüşlerini de sormuş, fakat onlar konu hakkında bir görüş bildirmemişlerdi[359]. Bâbıâli, elçilerin suskunluğunu alınan kararın zımnen kabul edilmesi şeklinde yorumladı[360]. Ayrıca daha önce nakline karar verilen mülteci şefleri henüz Vidin'den ayrılmamıştı. Dolayısıyla alınan bu yeni karar bütün mültecileri kapsıyordu.

Toplantıda mültecilerin hangi mahalle yerleştirileceği de tartışıldı. Mültecilerin Anadolu'ya gönderilmeleri gündeme gelmişse de, meselenin diplomatik safhası neticelenmeden böyle bir karar alınmasının doğru olmayacağı görüşü benimsendi. Toplantıda gündeme gelen Edirne ve Varna her ne kadar Rusya sınırına uzak idiyseler de, birincisinin etrafının açık, ikincisinin deniz kenarında olması mülteci-

---

[356] Ayrıca, Meclis-i Mahsûs'ta gerek Eflak gerekse Vidin'de bulunan ve din değiştiren mültecilerin uygun yerlere yerleştirilmeleri kararlaştırıldı. Müslüman olmayan mültecilerin ise Avusturya Devleti tarafından affedilmesi için Bükreş'te bulunan Avusturya konsolos ve memurlarıyla görüşmeler yapılarak ülkelerine gönderilmelerinin daha uygun olacağı kabul edildi (BOA., DUİT., 75-1/24-1).

[357] Sadrazamın Mâbeyn'e takdim ettiği 20 ZA 65/7 Ekim 1849 tarihli arz tezkiresi. "... *bunlar Vidin şehrinde durdukça kurbiyet cihetiyle Rusyaluların almak üzere 'ale'l-gafle bir hücûma ibtidârları veyâhûd mültecîlerden bazılarının bir takrîb Tuna tarîkiyle firâr edebilmeleri mülâhazaları hâtır-hirâş olduğundan... mücerred kendülerini daha ziyâde bir taht-ı zâbıtada bulundurmak ve meselenin hâl-ı hâzırını bir gûne tağyîr etmemek üzere merkûmların biraz daha berülere çekilmesi münâsib olacağı...*" (BOA., DUİT., 75-1/30-1; Refik, Aynı eser, s.73).

[358] BOA., DUİT., 75-1/30-1.

[359] BOA., DUİT., 75-1/30-1; Refik, *Aynı eser,* s.74.

[360] BOA., DUİT., 75-1/30-1.

lerin korunmasını zorlaştırabilirdi. Neticede, mülteciler için en uygun yerin Şumnu olduğuna karar verildi[361]. Çünkü bu şehir, gerek İstanbul'a yakınlığı, gerekse ikliminin uygunluğu bakımından daha elverişliydi. Üstelik, savunma açısından da Vidin'e göre daha iyi bir konuma sahipti[362].

Diğer taraftan, daha önce Selanik üzerinden deniz yoluyla ülkelerine gönderilmelerine karar verilen 400 kadar İtalyan mültecinin Gelibolu'ya indirilip buradan tüccar gemilerine bindirilerek vatanlarına gönderilmeleri uygun görüldü[363]. Ayrıca, başta Murad Paşa olmak üzere Müslüman olan mültecilerin, diğer mültecilerle birlikte yola çıkarılmayıp ayrı ayrı gönderilmesi kararı alındı[364]. Söz konusu kararları uygulamaya koymak üzere Seraskerlikçe Vidin'e bir memur tayin edilecekti. Alınan bu kararlar, Sadâretçe Padişahın tasdikine sunuldu. Şumnu şehrinden daha uygun bir mevki bulunamayacağından, mültecilerin Vidin'den Şumnu'ya naklini Sultan da onayladı[365].

Mültecilerin Şumnu'ya nakil kararı, başta Kossuth olmak üzere bütün mültecileri memnun etmişti. Zira, mültecilerin Şumnu'dan İstanbul'a ulaşmaları Vidin'e göre daha kolay olacaktı. Ayrıca Kossuth, Avusturya ve Rusya'ya karşı açılacak bir savaşta Macarların buradan hareket etmelerinin daha kolay olacağı inancındaydı[366].

---

[361] BOA., DUİT., 75-1/30-1; Refik, *Aynı eser*, s.74.

[362] Eszlary, *Aynı makale*, s.442.

[363] BOA., DUİT., 75-1/30-1; Refik, *Aynı eser*, s.74.

[364] BOA., DUİT., 75-1/30-1.

[365] "... Zikrolunan mültecîlerin Vidin'den teb'îdleri hayurlu şey olub ber-minvâl-i muharrer teehhürü mûcib mâdde kalmadığına ve iş'âr-ı 'âlî-i âsafâneleri üzere Şumnu Kal'asından münâsib mevki' bulunamayacağına mebnî merkûmların yanlarına 'askeriyeden bir râbıtalu zât ma'iyetiyle mikdâr-ı vafî süvârî asker terfîk olunarak oraya celb ile kışla-i hümâyûn-ı mezkûrun bir münâsib yerine ikâme olunması ve mezkûr İtalyaluların dahî Gelibolu'ya indirilerek tüccâr gemilerine irkâb ile memleketlerine gönderilmeleri ve Ceneral Bem ile sâir Müslüman olanlar birlikde yola çıkarulmayub ayrı ayrı götürülmesi ve hemân taraf-ı ser'askeriyeden oraya bir zâbit memûr olunarak oturtulacakları odaların mefrûşâtı ol vechile tanzîm etdirilmesi..." BOA., DUİT., 75-1/30-1 Sadrazamın Mâbeyn'e takdim ettiği 20 ZA 65/7 Ekim 1849 tarihli arz tezkiresi üzerine 21 ZA 65/8 Ekim 1849'da sâdır olan irâde.

[366] Hajnal, *Aynı eser*, belge no:43, s.521.

Yukarıda da değinildiği gibi, Sultan Abdülmecid'in onayından geçen kararlardan biri de, mültecileri Şumnu'ya sevk etmek üzere Vidin'e dirayetli bir kişinin gönderilmesiydi. Sadâret, *"Erkân-ı Harbiyye zâbıtânından lisân-aşinâ ve dirâyetli bir memûr gönderilmesi"* işini Serasker Paşa'ya havale etmişti[367]. Seraskerlik, Vidin'e Fâik Bey'i göndermeyi kararlaştırdı[368]. Zira, *"... Erkân-ı Harbiyye'den Kaymakam Fâik Bey bendeleri lisân-aşinâ ve dirâyetli ve Avrupa usûl ve ahvâline vukûflu zâbıtândan"* idi[369]. Fâik Bey, 16 Ekim 1849 Salı günü İstanbul'dan hareket ederek deniz yoluyla Varna'ya, oradan da karayoluyla Vidin'e gidecekti[370]. Kendisine görevinin neler olduğuna dair Sadâretçe bir de talimat verildi[371].

Talimatta, Fâik Bey'den şu hususları yerine getirmesi istenmekteydi: Mültecilere tasvip edilmeyecek davranışlar sergilendiği duyumları alındığından Fâik Bey, konuyu araştıracak ve gerekli önlemleri zaman kaybetmeden alacaktır. Fâik Bey, Vidin'den nakline karar verilen mültecileri Şumnu'ya getirecek ve burada ikâmet edilecek konakları tanzim edecektir. Ayrıca Fâik Bey, mültecileri Şumnu'ya yerleştikten sonra burada kalacak ve mültecilere her türlü kolaylığın gösterilmesine özellikle dikkat edecektir. Mültecilerden birinin firar etmesi Osmanlı Devleti'ni politik bakımdan güç duruma düşüreceğinden, bu konuya titizlik gösterecek, böyle bir hadisenin zuhûrunda mazeret kabul edilmeyecek ve bu olaydan bizzat Fâik Bey sorumlu tutulacaktır. Mültecilerin Vidin'den Şumnu'ya nakledilmeleri kararı, Ömer Paşa'ya da bildirildiğinden Fâik Bey, yapılacak işler hakkında onunla da iletişim kuracaktır. Mültecilerin Vidin'den Şumnu'ya yolculukları sırasında her türlü ihtiyaçları karşılanacaktır. Rütbeleri ne olursa olsun mültecilerin moralini bozacak hareketlerden kaçınıla-

---

[367] BOA., BEO., Sadâret Amedî Kalmei (A.AMD)., 11-44, 1265.11.28.

[368] BOA., DUİT., 75-1/34-2, Seraskerliğin Sadârete takdîm ettiği 27 ZA 65/14 Ekim 1849 tarihli tezkiresi; Korn, *Aynı eser*, s.154.

[369] BOA., DUİT., 75-1/34-2. Fâik Bey, Avusturya'da Wiener Neustadt'taki askeri akademide eğitim görmüş ve Almanca konuşup yazabilen aydın bir Türk subayı idi (Hutter, *Aynı eser*, s.130; Korn, *Aynı eser*, s.154).

[370] BOA., DUİT., 75-1/34-2.

[371] BOA., DUİT., 75-1/34-3; BEO., Sadâret Evrâkı Divân-ı Hümâyûn Kalemi (A.DVN); Refik, *Aynı eser*, s.75.

caktır. Bu insanlar zaten vatanlarından uzak kalmanın üzüntüsünü yaşadıklarından, kendilerine moral ve teselli verici sözler söylenecektir. İrâde-i seniyye hükmünce, Şumnu'daki askeri kışlada ikâmet edecek mültecilerin layıkıyla korunmaları ve kalacakları odaların gerektiği şekilde hazırlanması Şumnu'daki görevlilere bildirilmişti. Fâik Bey, Şumnu'ya vardığında yapılan hazırlıklarda bir eksiklik görürse süratle bu eksikliği giderecektir. Diğer taraftan, din değiştiren mültecilerle diğerleri arasında bir tartışma yaşanmaması için, her iki gurubun ikâmet edecekleri dairelerin ayrı olmasına da dikkat edilecektir. Fâik Bey, mültecilerle beraber olduğu sürece bütün yaptıklarını Serasker Paşa'ya düzenli olarak rapor edecektir[372].

2- Mültecilerin Vidin'den Ayrılması

Fâik Bey, Vidin'e 28 Ekim 1849'da ulaştı[373] ve ilk iş olarak Ziya Paşa ile mültecilerin Şumnu'ya nakli meselesini görüştü. Görüşmede Müslüman olan mültecilerin bir arada; Macar, Polonyalı ve İtalyanların ise ayrı ayrı yola çıkarılması kararlaştırıldı[374]. Ziya Paşa, Şumnu'daki görevlilere verilmek üzere bir de mektup yazdı. Paşa, mektubunda mültecilerin Padişah'ın misafiri kabul edilmelerini, kendilerine karşı saygılı ve dostça davranılmasını istedi[375]. Ayrıca Paşa, Vidin'den Şumnu'ya kadar mültecilerin konaklayacakları yerlerin memurlarına, mültecilere her türlü kolaylığın gösterilmesi ve bütün ihtiyaçlarının eksiksiz karşılanması gerektiğini bildirdi. Mültecilerin yolculuklarında onlara refakat edecek görevlilere nelere dikkat etmeleri gerektiğini açıklayan bir de talimatnâme verdi[376].

Talimatnâmede mültecilerden birinin firar etmesinin dahi asla mazereti olmayacağı belirtiliyor, böyle bir olayın vukûunda ihmali olanları nasıl bir akıbetin beklediği hatırlatıldıktan sonra görevlilerin dikkat edeceği hususlar şöyle belirtiliyordu: Mülteciler arasında bu-

372 BOA., DUİT., 75-1/34-3; BEO., A.DVN.
373 BOA., DUİT., 75-1/44-2., Vidin Vâlisi Ziya Paşa'nın Sadâret'e takdim ettiği 12 Z 65/29 Ekim 1849 tarihli tahrirat.
374 BOA., DUİT., 75-1/47-7.
375 Hajnal, *Aynı eser*, s.180.
376 BOA., DUİT., 75-1/47-7.

lunan dört general, üç miralay, beş kaymakam ve on altı binbaşının muhafazası son derece önemlidir. Bu nedenle, yol güzergahında bulunan ormanlık ve dağlık yerlere mecbur kalınmadıkça uğranılmayacak ve düz yerlerden gidilecektir. Mülteciler günde dört-beş saatten fazla yürütülmeyeceklerdir. Bir sonraki gün gidilecek yer ve kalınacak konak generallerle müzakere edilecek ve konaklar ona göre seçilecektir. Mültecilere yol boyunca bir buçuk iki saatte bir mola verilecektir. Mola yerlerinde mültecilerin av bahanesiyle firar etmeleri muhtemel olduğundan, bu hususa dikkat edilecektir. Güzergah üzerindeki köylerde gizli karakollar çıkarılacak, bu karakolların uyumamaları ve her saat nöbet değişimi yapmaları temin edilecektir. Yolculuk sırasında mola yeri terk edildiğinde, geride kimsenin kalmaması için görevli bir zabit kontrol yapacaktır. Yolculuk boyunca uğrak yerlerindeki her bölgenin sorumluları uyarılarak mültecilerin asayişleri sağlanacak ve firar hadisesine meydan verilmeyecektir. Talimatın sonunda, mültecilerin muhafazasına azami derecede dikkat edilmesi gerektiği, aksi halde hiç kimsenin kurtulamayacağı özellikle belirtiliyordu[377].

Bu arada Miralay Süleyman Refik Bey, mültecilerin kalacakları yerleri hazırlamak, yiyecek ve giyeceklerini sağlamak ve Şumnu'ya gelecek olanları yerleştirmek için önceden Vidin'den hareket etmişti[378].

Diğer taraftan Kossuth, Şumnu'ya hareketinden önce, Ziya Paşa ve Süleyman Refik Bey ile bir görüşme yaptı. Bu görüşmede Vidin'den Şumnu'ya nakledilecek mültecilerin nelere dikkat etmeleri gerektiği konuşuldu. Nitekim Kossuth, bu görüşmenin hemen ardından mültecilerden bir dizi isteklerde bulundu. O, mültecilerden şu hususlara uymalarını istiyordu:

1- Mültecilerin Şumnu'ya yolculukları 3 Kasım 1849 Cumartesi günü başlayacak ve Vidin'den saat kaçta ayrılacakları hakkında kendilerine bilgi verilecektir.

---

[377] BOA., DUİT., 75-1/47-11.
[378] BOA., DUİT., 75-1/47-7 Ziya Paşa'nın Sadâret'e takdim ettiği 16 Z 65/2 Kasım 1849 tarihli tahrîrâtı.

2-Yolculuk sırasında Türk makamları Vidin'de olduğu gibi herkes için yiyecek temin edecektir.

3- Yolculuk boyunca hiç kimse gruptan ayrılmayacak ve bütün mülteciler, kendileriyle birlikte gelen muhafız kumandan tarafından tespit edilecek konaklara yerleştirilecektir.

4- Mültecilerden giysi sıkıntısı çekenlere Vidin'den hareket etmeden önce ayakkabı, çorap, pantolon, gömlek ve yelek verilecektir.

5- Subaylar ikişerli olarak tek bir araba ile yolculuk edeceklerdir. Diğerleri ise erlerle beraber gideceklerdir. Eğer bir mülteci kendi parasıyla araba kiralamak isterse, yeterli sayıda araba tedarik edilebilmesi için isteğini önceden bildirecektir.

6- Daha iyi tedavi olmaları için hastalar, askeri hastanelere naklolunacaktır. Hastalar, iyileştiklerinde Şumnu'ya giden grubu takip edeceklerdir. Şu anda hastanede bulunan iki mülteci doktor ve altı hasta bakıcı onlarla birlikte yola çıkacaktır.

7- Mültecilerin acil ihtiyaçlarının karşılanması için Batthyany, 5.000 kuruş vermişti. Bu paraya Kossuth da 3.000 kuruş eklemiş ve böylece mültecilere yardım amacıyla dağıtılacak paranın miktarı 8.000 kuruşa ulaşmıştı. Söz konusu para öncelikli olarak giysi sıkıntısı çeken mültecilere dağıtılacaktı. Arta kalan miktar ise, Şumnu'ya hareket etmeden önce tüm mültecilere eşit olarak dağıtılacaktı.

8- Mülteciler, yolculuk sırasında Türk makamlarıyla uyum içerisinde olacak ve tespit edilen kurallara tam bir bağlılık göstereceklerdir. Bu, hem mültecilerin çıkarlarına hem de misafirperver Türk Hükümeti'ne karşı bir yükümlülüktür.

9- Mülkî ve askerî unvana sahip olanlar arasında gerekli sınıflandırmalar yapılacaktır. Bu sınıflandırma yapıldıktan sonra iki grup arasında ast-üst ilişkilerine kesin olarak dikkat edilecektir.

10- Şumnu'ya hareket edilecek güne kadar, verilecek muhtemel yeni emirlerden haberdar olmak için, her gün sabah saat 9'da bir araya toplanılacaktır. Gecikmeye meydan vermemek ve yapılacak yardımlardan mahrum kalmamak için herkes bu talimata uymak zorundadır.

11- Şimdiye kadar yapılan iaşe yardımları, bundan sonra da devam edecektir. Geçen ay iaşe bedeli alamamış olanlar, Vidin'den ayrılmadan haklarını alacaklardır. Bununla ilgili tüm işlemler yerine getirilmiştir.

12- Osmanlı Devleti'ne iltica ettikleri sırada mültecilerden alınan atlar ve koşum takımları Vidin'e gelmiş olup, ancak bunların sahiplerine teslim edilmeleriyle ilgili bir emir verilmemiştir. Ömer Paşa'dan bu konuda her an bir emir gelebilir. Dolayısıyla o zamana kadar ilgili mal sahiplerinin sabırla beklemeleri gerekmektedir[379].

a-Polonyalıların Vidin'den Ayrılması

Mültecilerin Balkan bölgesinden Şumnu'ya yapacakları yolculuk yaklaşık 20 gün kadar sürecekti. Yolculuk sırasında hayati ihtiyaçların çoğunun karşılanamadığı sarp yollardan geçilecek olması nedeniyle her yerde bir koşuşturma ve yol hazırlığı yapılıyordu[380]. Hazırlıklar tamamlandıktan sonra mülteciler, dört ayrı grup halinde Vidin'den ayrıldılar. 30 Ekim 1849 sabahı Şumnu'ya doğru yola çıkacak ilk mülteci kafilesi olan Polonyalılar, Pazaryeri'nde toplandılar[381]. Ziya Paşa ve Kossuth, at üzerinde Pazaryeri'ne gelerek bu grubun Vidin'den ayrılışını izlediler[382]. Şehrin bütün sakinleri özellikle de Türk kadınları şehirden çıkan bu birliğin söylediği şarkıları dinlemek için meraklı bakışlarla yollara dizildiler. Grubun önünde Türk askeri ve başlarında Miralay Mehmed, Kaymakam İsmail Bey ile iki Kolağası bulunuyordu[383]. Bunların arkasında da iki sıra halinde yaya gidenler, onların arkasında arabalar ve en arkada da atlı

---

379 Hajnal, *Aynı eser*, belge no:44, s.522-524.
380 Hutter, *Aynı eser*, s.86.
381 BOA., DUİT., 75-1/47-1; Hutter, *Aynı eser*, s.86; Korn, *Aynı eser*, s.143; Imrefi, *Aynı eser*, s.214.
382 Hajnal, *Aynı eser*, s.181; Hutter, *Aynı eser*, s.86. Polonyalı mültecileri taşımak için 60-70 kadar öküz arabası tahsis edilmişti. Bu arabalar, sayıları yaklaşık 800 kadar olan mültecileri taşımak için yeterli değildi. Bu sebeple arabalara genellikle hasta ve yaralı mülteciler bindirilmişti. Sağlıklı olan mültecilerin bir kısmı yaya yürümek zorundaydı. (Hutter, *Aynı eser*, s.86).
383 BOA., DUİT., 75-1/47-2.

Türk askerileri vardı[384]. Vidin'den Şumnu'ya sevk edilen Polonyalı mülteciler; General Dembinski, General Meszaros*, General Wysocki, General Yomharin, Miralay Zamoyski, Miralay Przyimski, Miralay Fatonye, 4 Kaymakam, 15 Binbaşı, 87 Yüzbaşı, 139 Mülâzım, 23 Serçavuş, 165 Çavuş, 347 nefer olmak üzere toplam 790 kişiydi[385].

b-İtalyanların Vidin'den Ayrılması

Polonyalı mültecilerin Vidin'den ayrılışını İtalyanlarınki takip etti. Bunlar Şumnu'ya değil, Çanakkale Boğazı'ndaki Gelibolu'ya gidiyorlardı[386]. Buradan da tüccar gemilerine bindirilerek ülkelerine gönderileceklerdi[387]. Monti önderliğindeki İtalyan mültecilerin Macarlarla olan kader birlikteliği Vidin'de böylece son buluyordu. Bu sebeple, İtalyanlarla Macarların vedalaşması duygusal oldu. Kossuth, onlara hitaben ateşli bir konuşma yaparak Macar ulusu adına kendilerine duydukları sempati için İtalyanca teşekkür etti ve onlardan İtalya'daki kardeşlerine dost selamı götürmelerini istedi[388].

Uzun zamandır bekledikleri özgürlüğe kavuşmaları temennisinde bulunarak onları gelecekte müttefik olarak yapacakları savaşta buluşmak üzere uğurladı[389]. İtalyalı mülteciler, Dersaâdet Ordusu İkinci Alayı Kolağalarından İzzet Ağa ve Ziya Paşa'nın görevlendirdiği Mehmed Ağa'nın refakatiyle Vidin'i terk ettiler[390]. Vidin'den 31 Ekim 1849'da ayrılan İtalyanlar; 1 Miralay, 2 Binbaşı, 1 Alay katibi, 1 Kolağası, 4 Yüzbaşı, 15 Mülâzım, 3 Doktor, 6 Çavuş, 32 Onbaşı, 151 nefer ve 5 başıbozuk hizmetçi olmak üzere toplam 221 kişiden oluşuyordu[391].

---

[384] Ziya Paşa'ya göre pek tekin olmayan Balkan bölgesini geçerken Polonyalıları korumak için bu kadar birlik gerekliydi (Hutter, *Aynı eser*, s.86).
* General Meszaros Macar olmasına rağmen, Polonyalılarla birlikte Şumnu'ya yolculuk yapmıştır.
[385] BOA., DUİT., 75-1/47-2.
[386] BOA., DUİT., 75-1/47-2; Korn, *Aynı eser*, s.143; Hutter, *Aynı eser*, s.87.
[387] BOA., DUİT., 75-1/47-2; Korn, *Aynı eser*, s.143; Hutter, *Aynı eser*, s.87.
[388] Hutter, *Aynı eser*, s.87; Korn, *Aynı eser*, s.144
[389] Korn, *Aynı eser*, s.144.
[390] BOA., DUİT., 75-1/47-2.
[391] BOA., DUİT., 75-1/47-2.

c-Din Değiştiren Mültecilerin Vidin'den Ayrılması

İtalyan mültecilerden sonra din değiştiren mülteciler, Vidin'den ayrıldılar. Fakat Murad Paşa, yaralı ve hasta olduğundan maiyetinde bulunan yaverleri ve hizmetçileriyle ayrı olarak yola çıkmak istediğini Ziya Paşa'ya iletmişti. Paşa, bu isteği kabul etmiş ve 31 Ekim 1849'da Murad Paşa ve beraberindekiler Şumnu'ya doğru hareket etmişlerdi[392]. Bu mülteci grubunu yolculukları sırasında korumak için, başlarında Fâik Bey'in bulunduğu 50 süvari askeri görevlendirilmişti[393]. Fâik Bey'in refakatiyle Şumnu'ya doğru yola çıkan ilk Müslüman mülteci kafilesi şunlardan oluşuyordu; Murad Paşa, Miralay Osman Bey, Kaymakam İskender Bey, Kaymakam Yusuf Bey, Kaymakam Hüseyin Bey, 2 Binbaşı, 2 Mülâzım, 6 Çavuş ve nefer olmak üzere toplam 15 kişi[394].

Murad Paşa'nın Vidin'den ayrılmasından sonra, Müslüman mültecilerden oluşan ikinci grup 1 Kasım 1849'da yola çıktılar[395]. Bunlara Binbaşı İsmail Efendi refakat ediyordu. Vidin'den Şumnu'ya giden bu 241 kişilik ikinci grubun oluşumu şöyleydi: Mirliva Ferhad Paşa, Mirliva İsmail Paşa, 1 Kaymakam, 6 Binbaşı, 28 Yüzbaşı, 30 Mülâzım 16 Serçavuş, 25 Çavuş, 5 Onbaşı ve 128 nefer[396]. Müslüman mültecilerin Vidin'den ayrılışına şahit olan Hutter, hatıratında bu grubun Vidin'i sessiz bir şekilde terk ettiklerini ve Hıristiyan arkadaşlarının hiçbirinin onlara veda elini sallamadığını yazar[397].

d-Macarların Vidin'den Ayrılması

Polonyalı, İtalyan ve Müslüman mültecilerin Vidin'den ayrılmasından sonra sıra Macarlara gelmişti. Macarların Vidin'i nasıl terk ettiklerine geçmeden önce, Kossuth'un Vidin'deki son günlerine değinmek istiyoruz.

---

[392] BOA., DUİT., 75-1/47-2.
[393] Hutter, *Aynı eser*, s.87 .
[394] BOA., DUİT., 75-1/47-8.
[395] Hutter, *Aynı eser*, s.87; Korn; *Aynı eser*, s.144.
[396] BOA., DUİT., 75-1/47-2.
[397] Hutter, *Aynı eser*, s.88.

Kossuth, Vidin'deki son günlerinde bir taraftan mültecilerin morallerini yüksek tutmaya çalışırken, diğer taraftan da Hâriciye Nâzırı Âlî Paşa ve Canning'e mektuplar göndererek bazı isteklerde bulundu.

Kossuth, Âlî Paşa'ya gönderdiği 28 Ekim 1849 tarihli mektupta kendilerine gösterdiği misafirperverlikten dolayı, Sultan Abdülmecid ve hükümetine teşekkür etti. Teşekkür bahsinden sonra Kossuth, siyasi durum belirsizliğini koruduğu sürece, mültecilerin geleceğe ümitsiz ve karamsar bakmaları devam edeceğinden ileriki aylarda mültecilerden din değiştirenler olabileceği görüşünü Âlî Paşa'ya yazdı. Böylesi bir gelişmenin yaşanmaması için de, bu belirsiz siyasi sürecin ortadan kaldırılmasını istedi[398].

Kossuth, Âlî Paşa'ya yazdığı mektuptan bir gün sonra da 29 Ekim'de mültecilere hitaben moral amaçlı bir konuşma yaptı. O, konuşmasında Sultan Abdülmecid'in kendilerini her hususta koruyacağına dair söz verdiğini söyledi. Büyük ve bağımsız Macaristan için gerekli olan savaşın artık kaçınılmaz ve an meselesi olduğunu belirterek çıkması muhtemel savaşta Osmanlı Devleti, İngiltere ve Fransa'nın işbirliği yaparak Macaristan'ın hürriyet ve bağımsızlığını müdafaa edecekleri müjdesini verdi. Mültecilerin görevlerinin zor, fakat bir o kadar da şerefli olduğunu ve davalarında asla yalnız bırakılmayacaklarını ifade etti. Rollerini sonuna kadar oynamadıklarını, Macar mültecilerinin gelecekte Avrupa'nın siyasi yapılanmasında önemli etkilerinin olacağını da iddia etti[399].

Kossuth, konuşmayı yaptığı günün akşamı evinde[400] subaylarla bir de toplantı yaptı[401]. Bu toplantıda Kossuth, bu güne kadar kötü

---

398 Hajnal, *Aynı eser*, belge no:42, s.519.

399 Kossuth'un Vidin'de mültecilere hitaben yaptığı konuşmanın tam metni için bkz. Hajnal, *Aynı eser*, belge no:43, s.522. Imrefi, hatıratında Kossuth'un Vidin'de mültecilere böyle bir konuşma yapmadığını yazar. Ona göre, bu konuşmayı Kossuth'u küçük düşürmek ve arkadaşlarını telaşlandırmak amacıyla onu çok iyi taklit eden birisi yapmıştı. Bu konuşmayı ilk olarak Viyana gazeteleri yayınladı. Daha sonra, konuşma metni Avusturya'ya bağlı ülkelerde ve özellikle de Macaristan'da dağıtıldı. Kossuth muhalifi olan Macar basını bu konuşma metniyle ilgili şunları yazmıştı: "*Küstah isyancıların vatanlarının başına açtıkları belalardan sonra sürgünde bile akılları başlarına gelmemiş*" (Imrefi, *Aynı eser*, s.213-214).

400 Vidin'deki son günlerinde Kossuth'a şehrin en güzel evi verilmişti. Ziya Paşa, bu eve birçok hizmetçi yerleştirdi. Bu hizmetçilerden Kossuth'a en yakın olanı Arap

durumları sebebiyle toplanamadıklarını, fakat ilk kez rahat bir toplanma imkânı elde ettiklerini ifade etti[402]. Subayları neşeli bir yüzle karşılayan Kossuth, güzel bir haber vereceği için kendini mutlu hissettiğini söyledi[403]. Bu haber, İstanbul'dan iki kişinin[404] Vidin'e doğru yola çıkması ve Padişah'ın bu kişiler vasıtasıyla kendilerine 25.000 kuruş göndermiş olmasıydı. Bu para, mültecilerin Şumnu'ya gidebilmeleri için yol harçlığı olacaktı[405]. Ayrıca Kossuth, subaylara savaş haberleriyle dolu gazete kupürlerini göstererek Rusya'ya karşı bir savaşın olacağını[406] ve yakın bir zamanda Macaristan'a esir değil, özgür bir şekilde döneceklerini ifade etti. Ona göre, Macaristan ve halkı, kendilerinden kurtuluş bekliyordu. Bu sebeple, esas gayeleri bu büyük görevi yerine getirmekti.Yine o, Fransa ve İngiltere'nin kendilerine yardım ellerini uzatacağını subaylara söyledi[407]. Onlara son olarak, mültecilerin birlik ve beraberlik içerisinde bulunmaları gerektiğini çünkü, Macaristan'ın tekrar bağımsızlığa kavuşacağına dair ümidinin olduğunu belirtti[408].

Halil idi. Halil, Kossuth'un hizmetçisi olmaktan büyük bir mutluluk duyuyordu (Hutter, *Aynı eser*, s.84). Kossuth ile beraber Şumnu'ya gelen Halil, Kossuth'a karşı çok saygılı davranıyordu. Ayrıca, Kossuth'un misafirlerini o ağırlıyordu. Kossuth, gece yarısına kadar çalışsa o da beklerdi. Kaldığı yerden dışarı çıktığında kimse Kossuth'un başına üşüşmesin diye insanları ondan uzak tutardı. Kossuth, atla bir yere gidecekse, Halil silahlı olarak önden gidip etrafı kontrol ederdi. Kossuth'a karşı olabilecek muhtemel saldırıyı önlemek için Halil, üzerinde her zaman iki tabanca, iki kama, bir kılıç ve bir de hançer taşırdı (Korn, *Aynı eser*, s.162).

[401] Korn, *Aynı eser*, s.140; Hutter, *Aynı eser*, s.85.

[402] Korn, *Aynı eser*, s.141.

[403] Hutter, *Aynı eser*, s.85.

[404] Kossuth'un mülteci subaylara İstanbul'dan Vidin'e geleceğini söylediği bu iki kişi Süleyman Refik Bey ile Fâik Bey'dir.

[405] Korn, *Aynı eser*, s.141; Hutter, *Aynı eser*, s.85. İstanbul'dan mültecilere yol harçlığı olarak gönderilen 25.000 kuruş, Kurmaylara 154, yüzbaşılara 128, üsteğmenlere ve astsubaylara 108, başçavuş ve eratlara 30'ar kuruş olarak taksim edildi. (Korn, *Aynı eser*, s.143).

[406] Hutter, *Aynı eser*, s.85.

[407] Korn, *Aynı eser*, s.141.

[408] Korn'un hatıratında yazdıklarına göre, Kossuth konuşmasını bitirdikten sonra subaylar sevinçle dağıldılar. Öyle ki, herkes sevinç içinde başlayacak olan savaşın davul sesini duymaya hazırlanıyordu. Ona göre, bu düşünceyle evlerine giden mülteci subaylar, Macarların özgürlüğü için yapılacak savaşın rüyalarını görmeye başladılar (Korn, *Aynı eser*, s.143). Macar Özgürlük Savaşı'na yüzbaşı rütbesiyle katılan Hutter ise, Kossuth'un mülteci subaylarla yaptığı görüşmeden sonra bazı

Kossuth, Vidin'den son mektubunu 3 Kasım 1849 günü İstanbul'daki İngiliz Elçisi Canning'e gönderdi. Mektupta, yurt dışındaki halkının durumunu derinden düşündüğünü ve onların kurtuluşunun ancak Türk topraklarında bir koloni kurulmasıyla mümkün olabileceği kanaatini taşıdığını ifade etti.

Bu amaçla bazı girişimlerde bulunduğunu, fakat bir netice alamadığını elçiye yazdı. Kossuth, Macar mültecilerinin çalışkan kişilikleri, üst düzeydeki uygarlıkları ve milli karakterlerini koruyarak, doğunun az gelişmiş ülkesinde kurtarıcı bir etki yapabileceğini belirtti. Bir savaş durumunda kendilerine yapılan iyiliklere karşı nankörlük etmeyerek, Osmanlı Devleti'nden yardımlarını esirgemeyeceklerini de elçiye bildirdi[409].

Kossuth'un bu son diplomatik girişimlerinden sonra Macar mültecileri, 3 Kasım 1849'da Şumnu'ya gitmek üzere Vidin'den ayrıldılar[410]. Ziya Paşa, bütün subaylar için at tahsis etti. Paşa, rahat yolculuk yapabilmesi için Kossuth'a iki adet fayton verdi[411]. Ayrıca bu kafile içerisinde Türkçe bilen 10 tercüman da bulunuyordu[412]. Kossuth, toplanma yerine at üzerinde geldi. Perczel, maiyetiyle birlikte general üniformasını giymiş olarak, Batthyany ise Macar kıyafeti içinde eşi ile birlikte geldi[413]. Hutter'in ifadesine göre Ziya Paşa, Macar grubuna şehrin dışına kadar eşlik etti ve yaşlı gözlerle onlarla

---

subaylarda doğal olarak Macar Özgürlük Savaşı'nın yeniden başlayacağına dair inanç ve ümitlerin arttığını yazar. Ona göre, bu görüşme bazı mültecilerin kendilerini tekrar savaş subayı gibi hissetmelerine ve *"ileri marş"* seslerini duyar gibi olmalarına sebep olmuştur. Fakat Hutter, Avusturya'ya karşı başlatılacak yeni bir harbi hayal olarak değerlendirir. Hatta, Kossuth ve diğer mülteci liderlerinin bu inanç ve ümitlerini gülünç bulur ve onların bu düşüncelerini *"güzel bir hayal çok şeye değer"* sözüyle açıklar. Hutter, onları böyle bir inanca neyin getirdiğini çözemediğini, belki bunun mültecileri avutmak için kullanılan bir teselli olduğunu düşünür (Hutter, *Aynı eser*, s.48 ve 85).

409 Hajnal, *Aynı eser*, belge no:46, s.526. Kossuth'un İngiliz Elçisi Canning'e 2 Kasım 1849 tarihli mektubu.

410 Hutter, *Aynı eser*, s.88; Korn, *Aynı eser*, s.140; Imrefi, *Aynı eser*, s.214.

411 Ziya Paşa'nın Sadârete gönderdiği tahriratta, Kossuth'a iki fayton verildiği kayıtlıyken (BOA., DUİT., 75-1/47-6), Korn'un hatıratında bir fayton verildiği yazılıdır (Korn, *Aynı eser*, s.140).

412 Korn, *Aynı eser*, s.144.

413 Hutter, *Aynı eser*, s.89.

vedalaştı[414]. Yanlarına iki bölük süvari askeri katılarak Mîralây İsmail Bey'in maiyetinde[415] Şumnu'ya gönderilen Macarlar; Kossuth, Batthyany, General Meszaros, 3 Miralay, 7 Kaymakam, 19 Binbaşı, 1 Kolağası, 53 Yüzbaşı, 90 Mülâzım, 56 Serçavuş, 50 Onbaşı, 90 nefer, 26 hizmetçi, 25 aile olmak üzere toplam 423 kişiydi[416].

Böylece, 256'sı Müslüman, 790'ı Polonyalı, 221'i İtalyan ve 423'ü ise Macar olmak üzere toplam 1690 mülteci Vidin'den hareket etmiş oluyordu[417].

3-Mültecilerin Balkanlar'dan Şumnu'ya Yolculuğu

Mültecilerin Vidin'den Şumnu'ya yolculukları yoğun kar yağışı ve soğuk nedeniyle yaklaşık üç hafta sürdü[418]. Kossuth, bir yılın yorucu olaylarının ardından huzurlu ve ümit verici hayallerle Balkan bölgesinde yolculuk yapıyor ve ilk kez gerçek bir istirahatın keyfini yaşıyordu. Ne var ki, bu süre içerisinde mültecilerin tüm dünya ile bağlantıları kesildi. Bu sebeple de, büyük devletlerin kendi kaderleriyle ilgili yürüttüğü diplomasi faaliyetlerinden haberdar olamadılar. Gerçekten mültecilerin Vidin'den Şumnu'ya yolculuk yaptıkları tarihlerde başta İstanbul olmak üzere öteki Avrupa başkentlerinde mültecilerle ilgili yoğun bir diplomasi faaliyeti yürütülüyordu. Nitekim, bu sırada Petersburg'tan gelen haberler, Rusya'nın mülteciler meselesinde geri adım attığı ve Polonyalı mültecilerin iâde talebinden vazgeçme eğiliminde olduğu yönündeydi. Oysa Kossuth, Fuad Efendi'nin Petersburg'ta mülteciler meselesinin Rusya'yı ilgilendiren yönünü halledemeyeceğini ve Rusya ile Osmanlı Devleti arasında bir savaşın çıkacağını düşünüyordu. İleriki bölümde de ayrıntılı olarak

---

[414] Hutter, *Aynı eser*, s.89; Mülteciler Ziya Paşa'ya yapmış olabileceği hatalardan dolayı haklarını helal ettiler ve gür bir sesle "*çok yaşa*" diyerek veda ettiler (Hutter, *Aynı eser*, s.88).

[415] BOA., DUİT., 75-1/47-2.

[416] BOA., DUİT., 75-1/47-8.

[417] BOA., DUİT., 75-1/47 nolu belgenin 2. leffinde Vidin'den Şumnu'ya gönderilen mültecilerin toplam sayısı 1690 olarak gösterilir. Fakat aynı belgenin 8. leffinde bu sayının 1712 olduğu görülmektedir. 22 kişilik bu fark Kossuth ile birlikte yola çıkan kafilede görülmektedir.

[418] Eszlary, *Aynı makale*, s.442.

üzerinde durulacağı gibi mülteciler Şumnu'ya vardıklarında kendileriyle ilgili önemli kararların alındığını öğreneceklerdir. Bu kararlardan en önemlisi, Mülteci liderlerinin Anadolu'ya gönderilecek olanıydı. Mülteciler, Anadolu'ya gönderileceklerini duyduklarında, bu karara yoğun bir şekilde itiraz etmişlerdir.

Şumnu yolculuğu sırasında Kossuth'un İstanbul'daki Macar elçisi Andrassy'ye gönderdiği bir mektubun dışında, hiçbir yazışmasına tesadüf edilemedi[419]. Kossuth, bu mektupta İstanbul'daki siyasi gelişmeler hakkında Andrassy'den bilgi istiyordu. Ayrıca, yapacakları icraatların toplumsal olması için İtalyan ve Polonyalı mültecilerin önderleriyle anlaşmaya vardıklarını yazıyordu[420].

Mülteciler, Şumnu'ya giderken arazinin dağlık ve mevsimin kış olması sebebiyle yavaş ve zorlukla ilerliyordu[421]. Mülteci kafilesi, Vidin'den ayrıldıktan sonra ilk olarak Lompalanga şehrine vardı. Lompalanga'dan 5 Kasım'da ayrılan[422] mültecilerin Plevne'ye kadar yolculukları sırasında uğradıkları yerleşim yerleri hakkında yeterli bilgi mevcut değildir. Çünkü, bu yerler genellikle ya küçük köyler ya da bir mezra niteliğindeydi[423].

---

[419] Kossuth, Andrassy'ye gönderdiği 12 Kasım 1849 tarihli bu mektupta ağırlıklı olarak Stein'in din değiştirmesi üzerinde duruyordu. Ayrıca, elçiden İstanbul'daki siyasi atmosfer ve kendileriyle ilgili gelişmeler hakkında bilgi istiyordu. Vatansız kalmanın yanı sıra eşi ve çocuklarından hiçbir haber alamadığını, bütün bu meşakkatlere rağmen ölene kadar Macaristan'ın özgürlüğe kavuşması için çalışacağını ifade ediyordu (Hajnal, *Aynı eser,* belge no: 49, s.540).

[420] Hajnal, *Aynı eser,* belge no:49, s.540.

[421] Hutter ve Korn hatıralarında mültecilerin Balkan bölgesinden Şumnu'ya yaptıkları bu yorucu yolculuğu tüm ayrıntılarıyla anlatmışlardır. Öyle ki, onların yolculukları sırasında uğradıkları birçok yerleşim birimini Balkanlar'a ait haritalarda bulmak imkânsızdır. Mültecilerin Vidin'den Şumnu'ya gelirken Balkanlar'da yaptıkları yolculuk hakkında daha geniş malumat için bkz. Hutter, *Aynı eser,* s.90-114; Korn; *Aynı eser,* s.140-151.

[422] Hutter, *Aynı eser,* s.97.

[423] Hutter, hatıratında Türklerle Bulgarların yaşadıkları yerleri karşılaştırır. Ona göre, Türklerin bulundukları bölgeler çoğunlukla ormanlar, kiraz, fındık ve ceviz ağaçlarıyla kaplıyken, Bulgarlar çıplak ve verimsiz arazilerde oturuyorlardı. Ayrıca, her Türk yerleşim yerinde çeşmelerin olduğundan bahseden Hutter, bu çeşmelerin her birinde zincirle çeşmeye bağlı olan maşrapaların bulunduğunu yazar. Çeşme, Kuran'dan alınan ve suyun değerini anlatan ayetlerle süslenmiştir. Türklerin temiz su için canlarını verdiğini yazan Hutter, gezginlere güzel su ikram etmenin Türkler için önemli olduğunu belirtir (Hutter, *Aynı eser,* s.104).

Türk askeri, mültecilere yolculukları sırasında saygı ve hürmette kusur göstermiyordu. Bir Macar, Türk evine misafir olduğunda kendini evindeymiş gibi hissediyor ve en az altı çeşit yemekle sofrası donatılıyordu[424]. Türk makamlarının mültecilerin her yerde saygı ile karşılanması için, İstanbul'dan sert emirler aldıkları bir gerçektir. Zira Osmanlı Hükümeti, mültecilerin şikayetçi oldukları subayları cezalandırmakta en ufak bir tereddüt göstermiyordu[425].

Diğer taraftan, mülteci liderlerinin daha rahat yolculuk yapabilmeleri için büyük mülteci grubundan ayrılması şikayetlere sebep olmuştu. Bazı Türk subaylarının kendilerine iyi davranmadıkları şikayeti de buna eklenince, iki mülteci subay açıkça Kossuth ile tartışmaya başlamışlardı. Hatta, Kossuth'u yönetici olarak tanımadıklarını söyleme cesaretini bile göstermişlerdi. Kossuth, bu tür isyanları Şumnu'ya kadar yaşamak zorunda kaldı[426].

Mülteciler, 11 Kasım 1849'da Plevne'ye vardılar[427]. Plevne, bu sırada, çoğunluğu Türklerden oluşan 8.000 nüfusa sahip bir şehirdi[428]. Burada iki gün kalan mülteciler, korumalarını yapan kumandandan Rakoczy Ferenc'in arkadaşlarıyla birlikte yaklaşık 130 yıl önce Plevne'de kalmış olduğunu öğrenince duygusal anlar yaşadılar[429]. Mülteci kafilesi, 13 Kasım'da Plevne'den ayrılarak[430], çoğunluğu Türklerden oluşan, 12.000 nüfuslu Losdsa'ya[431] doğru hareket ettiler.

---

[424] Korn, *Aynı eser*, s.146.

[425] Hajnal, *Aynı eser*, s.257.

[426] Hajnal, *Aynı eser*, s.256.

[427] Hutter, *Aynı eser*, s.105; Korn'un yazdıklarına göre, mülteci kafilesi çoğu kez karlı ve yeşil arazilerden ve bazen de kızgın güneş altında yol alıyordu. Her şey ilk yaratılmış gibiydi. Mülteciler, balta girmemiş ormanlar, yabancı bir doğada sanat ya da insanlık izi olmayan yerlerden geçiyordu. (Korn, *Aynı eser*, s.147).

[428] Korn, *Aynı eser*, s.148.

[429] Hutter, *Aynı eser*, s.105; Korn, *Aynı eser*, s.148.

[430] Korn, Plevne'den Şumnu'ya kadar olan yolculuklarını özetle şöyle anlatır: Yolumuz 13 Kasım'da tepesi karla örtülü ve göklere kadar yükselen dağlara düştü. Korkunç bir soğukta bu yüksek dağlara tırmandık. Atlarımız ve öküzlerimiz bu dik yamaçtan çoğu kez kayıp düşüyorlardı. Bu yüzden onlara yol kazmak zorunda kalıyorduk. Yollar o kadar dardı ki, yanlış bir adımla uçurumdan aşağı yuvarlanıyorduk. (Korn, *Aynı eser*, s.148-149).

[431] Hutter hatıratında Losdsa'nın inanılmaz tabi bir güzelliğe sahip olduğunu ve eğer şairlik yeteneği olsa bu şehrin güzelliğini, ancak mısralarla anlatabileceğini yazar. Osma Nehri'nin bu yerleşim yerine sayısız güzellik kattığını belirten Hutter, nehir

Osma Nehri kenarında bulunan Losdsa'nın ressamları özendirecek tabi bir manzaraya sahip olması, bütün mültecileri derinden etkiledi[432]. Bir günlük dinlenmeden sonra 14 Kasım'da Losdsa'dan ayrılan mülteci kafilesi, etrafı üzüm bağları, erik ve ıhlamur ağaçlarıyla çevrili olan Tırnova'ya[433] 16 Kasım'da ulaştı[434]. Mülteciler, 18 Kasım'da Osman Pazarı, 21 Kasım'da da Eski Cuma'ya vardı[435].

Tamamıyla Türklerden oluşan Eski Cuma sakinleri, evlerinden çıkarak mültecileri karşıladılar[436]. Şehrin paşası, büyük bir hürmetle Kossuth'u kabul etti. Paşa, Kossuth'a büyük bir saygı göstererek olabilecek her türlü eksiklikten dolayı özür diledi.

Mültecilere dostane duygularını dile getirmekte zorlanan Paşa, Sultan'ın misafirlerinin her türlü ihtiyaçlarının özenle karşılanacağını söyledi. Bununla da yetinmeyerek, Osmanlı Devleti'nin Rusya'ya savaş açacağını bile ifade etti[437]. Paşa, mültecilerin gelişini bütün şehre duyurttu. Şehir halkından Moskof'a kafa tutacak kadar cesur

---

üzerine kurulan köprünün alt kısmında çok sayıda ayakkabıcı, terzi, eğerci, arabacı gibi zanaatkarların dükkan açtığını ifade eder (Hutter, *Aynı eser*, s.109-110).

[432] Hutter, *Aynı eser*, s.106.

[433] Tırnova'nın bu tarihte nüfusu 10.000 kadardı. Dar sokaklara sahip olan şehir, bir dağın eteğinde kurulmuştu. Şehirde hem Türkler hem de Bulgarlar yaşıyordu. (Hutter, *Aynı eser*, s. 111).

[434] Mültecilerin Losdsa'dan Tırnova'ya yaptıkları yolculuk Hutter'in eserinde ayrıntılı olarak anlatılır. Onun anlattıklarını özetlersek; Losdsa'dan 14 Kasım'da başlayan yolculuk karlı bölgelere doğru giden ve yaklaştıkça ressamları bile özendirecek manzaraya sahip patikalardan geçmişti. Hutter, geçtikleri dağların isimlerini teker teker öğrenmek istemiş, ancak onlara kılavuzluk eden kişinin coğrafya bilgisi yetersiz olduğundan dağların isimlerini öğrenememişti. Altı saatlik bir yürüyüşten sonra konaklamak için bir köy seçilmişti. Mülteciler 15 Kasım'da en tehlikeli yolculuğu yapmışlardı. Gece boyunca buzlanan yollarda öküzlerin çektiği arabalar zor durumda kalmıştı. Bu arabalar devrildiği zaman tekrar yola koyulabilmeleri için bütün kervan durup onları beklemek zorunda kalıyordu. Bu yolculuk sırasında geçilen sayısız nehirlerin isimleri ne yerliler ne de coğrafyacılar tarafından bilinemediğinden onları tarif etmek imkânsızdı. 16 saat yolculuğa rağmen daha yolun yarısına gelinmemişti. Mülteciler uykusuz ve yorgun olarak bir Bulgar köyüne gelmişler ve ertesi gün uzun ve yorucu bir yolculuktan sonra Tırnova'ya ulaşmışlardı. (Hutter, *Aynı eser*, s.110-11).

[435] Hutter, *Aynı eser*, s.112-113.

[436] Hutter, *Aynı eser*, s.113.

[437] Hajnal, *Aynı eser*, s.257.

olan bu yiğitlerin iyi karşılanmaları ve hoşnut edilmelerini istedi[438].
Kossuth da Paşa'nın bu yaptıklarına karşılık olarak, Osmanlı Devle-
ti'nde az vakit geçirdiklerini, fakat Eski Cuma'da kaldıkları iki üç
saatin hepsinden daha güzel olduğunu söyledi. Paşa'nın kendilerini
kabul etmesindeki soyluluk, misafirperverlik ve yurtseverlik ruhunu
Sultan'a ileteceğini de sözlerine ekledi. Paşa da Kossuth'a teşekkürle-
rini sundu[439].

Eski Cuma'yı 22 Kasım'da terk eden mülteciler, aynı gün
Şumnu'ya ulaştı[440]. Mülteciler Şumnu'ya vardıkları gün Bâbıâli'ye
gönderdikleri mektupta, yolculukları boyunca her türlü ihtiyaçlarını
karşılayan Osmanlı Devleti'ne teşekkürler ettiler[441].

H-Nakil Olayının Malî Yönü

Mültecilerin Vidin'den Şumnu'ya yaptıkları yolculuk boyunca
gerek kendileri, gerekse hayvanları için yapılan harcamaların miktarı
bilinmektedir. Buna göre, mültecilere yapılan harcamalar şöyleydi[442]:

Yardımın Yapıldığı Yer	Tarihi	Kimlere verildiği	Tayinat Bedeli (Kuruş)	Çeşitli Masraflar (Kuruş)
Vidin'den Şumnu'ya	1-22 Kasım 1849	Kossuth ve 146 Mülteci		20.267
Vidin'den Şumnu'ya	1-22 Kasım 1849	Mülteci beygirleri için		20.439
Eski Cuma'dan Şumnu'ya	19-20 Kasım 1849	Ferhad ve İsmail Paşa refâkatinde olan mülteciler için kiralanan hayvanlara		1.230
Vidin'den	1-20 Kasım 1849	Macar mülteciler-	20.780	1.625

---

[438] Hutter, *Aynı eser*, s.113. Zira Türkler, Rus aleyhtarı olan kişilere hizmet etmekten
ve sunmuş oldukları hizmetlere karşı ücret almamaktan zevk alırlardı (Korn, *Ay-
nı eser*, s.146).

[439] Hutter, *Aynı eser*, s.113.

[440] Korn, *Aynı eser*, s.149; Hutter, *Aynı eser*, s.115; Eszlary, *aynı makale*, s.442. Mülteciler
Şumnu'ya vardıklarında, onları karşılamak için hiçbir tören ya da ona benzer bir
şey yapılmamıştı (Hutter, *Aynı eser*, s.126).

[441] Hajnal, *Aynı eser*, belge no:51, s.542.

[442] BOA., ML.MSF., Nr. 8890, 1265.11.26.

Şumnu'ya		den Müslüman olan zâbıtân ve neferâta		
Vidin'den Şumnu'ya	1-20 Kasım 1849	Murad Paşa Ferhad Paşa ve İsmail Paşa maiyetinde bulunan 253 nefer Müslüman mülteciye		12..209
Vidin-Şumnu	1Ekim-20 Kasım 1849	Mülteci hayvanları için		66.116
Vidin'den Şumnu'ya	31 Ekim-22 Kasım 1849	Araba ve kiralık hayvanlar için		2.931
Vidin'den Şumnu'ya	30 Ekim-21 Kasım 1849	785 Leh mülteciye		22.934
Eski Cuma'da	Bir gece zarfında	Araba ve kiralık hayvanlar için		1.741

ÜÇÜNCÜ BÖLÜM
ŞUMNU KAMPI

A.Şumnu Şehri

Başta Kossuth olmak üzere birçok mülteci liderinin yaklaşık üç ay kaldıkları Şumnu hakkında bilgi vermek faydalı olacaktır. Mültecilerin Şumnu'ya geldikleri sırada şehrin nasıl bir durumda olduğunu onların hatıratlarından öğreniyoruz.

Şumnu, Balkanların eteklerinde kuzeyinde üzüm bahçeleri, güneyinde ise verimli topraklarla çevrili bir yerdedir[443]. Bu tarihlerde Şumnu'nun nüfusu, 12.000'i Bulgar, 5.000'i Ermeni, 500'ü Yahudi ve geri kalanı Türk olmak üzere toplam 50.000 civarındaydı. Türk olmayan unsurlar, şehrin varoşlarında oturmaktaydılar[444]. Değişik dinlere mensup olan bu insanların kendilerine ait ibadethaneleri vardı[445]. Bizans sitilinde inşa edilen Ulu Cami ve 23 minaresi ile diğer camiler şehre sevimli bir görüntü veriyordu[446]. Şumnu pazarı çok canlıydı ve kumaş, deri ve bakır alış verişi yaygındı. Aynı zamanda dokumacılık ve ipek işlemeciliği de gelişmişti. Şumnu bakırcılarının

---

Philipp Korn, *Kossuth und die Ungarn in der Türkei*, Hamburg und New York 1851, s.151.
Korn, *Aynı eser*, s.151; Joseph Hutter, *Von Orsova bis Kiutahia*, Braunschweig 1851, s.118.
Korn, *Aynı eser*, s.151; Hutter, *Aynı eser*, s.115.
Korn, *Aynı eser*, s.151.

işledikleri bakırlar, doğuda meşhurdur[447]. Şumnu'ya Avrupaî tarzda resmi binalar inşa edilmişti[448]. Şehre güzel bir görünüm veren bu yapılar, Prusyalı mühendisler tarafından inşa edilmişti[449]. Şumnu, her zaman için İstanbul'a açılan kuzey kapısının anahtarı olmuştur. Fakat şehir, bu tarihlerde eski savunma gücünden uzaklaşmıştı[450].

B. Mültecilerin Şumnu'ya Yerleştirilmesi

Mülteciler, Vidin'de olduğu gibi Şumnu'da da büyük bir içtenlikle karşılandılar[451]. Ancak bazı mülteciler, kendileri için hazırlanan kışlalarda kalmak istemediler. Kalacakları kışlaları beğenmeyen mülteciler, kendilerine ayrı oturma yeri tahsis edilmesi için Faik Bey'e başvurdular. Şumnu'ya eşleriyle beraber gelen mülteciler de vardı. Bunların diğer mültecilerle aynı kışlada kalmaları uygun değildi[452]. Bu yüzden eşleri yanlarında olanlar da şikayetlerini Faik Bey'e ileterek, meselelerinin çözümlenmesini istemişlerdi. Hatırlanacağı üzere Faik Bey'e verilen talimatta, ondan Şumnu'ya nakledilecek mültecilerin kalacakları yerleri en iyi şekilde tanzim etmesi istenmişti. Böylesi bir istekle karşılaşan Faik Bey, mültecilerin Şumnu kampı hakkındaki itirazlarıyla, eşleriyle birlikte gelenlerin durumunu Seraskerliğe iletmiş ve bu hususta nasıl bir tedbir alınması gerektiğini sormuştu[453]. Sadâret, gelen şikayetleri hemen değerlendirdi. Ancak, kısa sürede Şumnu'ya gelen bu kadar insana ayrı ayrı konak tahsis etmek oldukça zordu. Bu yüzden Sadâret, mültecilerin şimdilik ikametleri için hazırlanan kışlada kalmalarının uygun olacağına karar verdi. Bu

---

447 Korn, *Aynı eser*, s.151; Hutter, *Aynı eser*, s.120.
448 Korn, *Aynı eser*, s.151.
449 Hutter, *Aynı eser*, s.119.
450 Şumnu, Osmanlı Devleti'nin Rusya ve Avusturya'ya karşı yaptığı savaşlarda bir üs görevi görmüştü ve Ruslar bu şehrin önünde üç kere durdurulmuştu. Türklerin, 1774'te Romanzoff'un ordularını ve 1810'da Rusları püskürttükleri yer burasıydı. Yine 1828'de Karadeniz kıyısında Rusların tehdidi altında olan Varna'nın yardımına Hüseyin Paşa buradan koşmuştu (Hutter, *Aynı eser*, s.116; Korn, *Aynı eser*, s.152).
451 Vahot Imrefi, *Die Ungarischen Flüchtlinge in der Türkei*, Leipzig 1851, s.217.
452 BOA., DUİT., 75-1/52-2 Serasker Paşa'nın Sadâret'e takdîm ettiği 27 Z 65/13 Kasım 1849 tarihli tezkire.
453 BOA., DUİT., 75-1/52-2.

yerleştirme geçici olacak ve mülteciler en kısa zamanda, daha güzel konaklara yerleştirileceklerdi[454].

Eşleriyle birlikte gelenlerin diğer mültecilerle aynı yerde kalmaları uygun olmayacağı gerekçesiyle, şehir içinde kiralanacak konaklara yerleştirilmeleri sağlanacaktı. Ancak şehir merkezinde eşleriyle birlikte kalacak olanların firar etme ihtimali olduğundan, Faik Bey'den bu hususa özellikle dikkat etmesi istenmişti[455]. Alınan bu kararlar hemen uygulanmaya başlandı. Faik Bey, evli mülteciler için şehir merkezinde evler kiraladığı gibi, askerlere de kışlada soğuk kış mevsimini rahat geçirebilecekleri bir ortam hazırlamıştı. Bir müddet sonra, subayların da şehirde ev tutmalarına izin verildi. Böylece kışlada sadece askerler kalmaya devam etti[456]. Ancak, alınan bu tedbirlere rağmen, mültecilerin kamp hakkındaki şikayetleri hiç eksik olmamıştı[457].

Murad Paşa (Bem) diğer din değiştirenlerle birlikte sipahi kışlasına, Macarlar ve Polonyalı mülteciler ise piyade kışlasına yerleştirildiler. Zamoyski ve General Perczel de piyade kışlasında ikamet ediyordu[458].

Şumnu'da en rahat ve en güzel ev, Kossuth'a tahsis edilmişti. Maviye boyanmış bu ev, kabul, çalışma ve yatak odaları ile bir mutfaktan oluşuyordu. Aynı zamanda bu eve bir de hizmetçi tayin edilmişti. Evde Kossuth'la beraber yaveri ve tercümanı da bulunuyordu. İmrefi, Kossuth'un kaldığı evi lüks olarak nitelendirir ve onun bu evde rahat ve sade bir hayat sürdürdüğünü belirtir. Bu arada

---

[454] BOA., DUİT., 75-1/52-1 Sadâret'in Mâbeyn'e takdîm ettiği 6 M 66/22 Kasım 1849 tarihli arz tezkiresi.
[455] BOA., DUİT., 75-1/52-1. Faik Bey, Kütahya, Halep ve Malta'ya gönderilen mülteci taifesinin Şumnu'dan ayrılmasından sonra da burada kalmıştır. Zira, adı geçen yerlere giden mültecilerden sonra birçok mülteci Şumnu'da kalmıştı. Faik Bey, Şumnu'daki mülteci varlığının tamamen dağılmasına kadar burada kalmıştır. Hutter, onun mültecilere yaptığı muamelelerden övgüyle söz eder (Hutter, *Aynı eser*, s.130).
[456] Hutter, *Aynı eser*, s.130.
[457] Korn ve Hutter hatıralarında Şumnu kampı ile ilgili şikayetlere geniş yer verirken, İmrefi, bu konuda malumat vermez. Mültecilerin Şumnu'daki kamp yerlerine ilişkin şikayetleri için bkz. Hutter, *Aynı eser*, s.126-135; Korn, *Aynı eser*, s.169-174.
[458] İmrefi, *Aynı eser*, s.218.

Şumnu'daki Avusturyalı ajanlar da Kossuth'u öldürmek amacıyla, bu eve gizli bir giriş bulabilmek için sürekli çalışıyorlardı[459].

C. Perczel'in Kossuth'a Muhalefeti

Perczel kardeşler, daha Vidin'de iken sessiz de olsa Kossuth'a karşı muhalefet etmeğe başlamışlar ve Şumnu'da bu muhalefetlerini açıkça ortaya koymuşlardı. Bunlar, mülteciler arasında muhalif bir grup oluşturmaya çalışıyorlardı. Fakat, bu girişimlerinde pek başarılı olamadılar[460]. Ancak Şumnu'da meydana gelen bir olay, onların ümitlerini artırdı. Faik Bey, mülteciler arasında daha iyi bir koordinasyon sağlamak amacıyla Macarların yönetimini Perczel kardeşlerden Mor Perczel'e vermişti. Kamp yönetimi ve sorumluluğunun her yönüyle kendine verildiğini zanneden Perczel de, Kossuth'a karşı içinde sakladığı kini ortaya koyarak düşmanca hareketlere başladı[461]. İlk iş olarak Kossuth'a sert bir mektup yazıp, mültecilerin kumandasının kendisinde olduğunu ve bu sebeple Kossuth'un artık onların problemleriyle ilgilenmemesi gerektiğini belirtti. Perczel'in bu tavrından sonra Macaristan'ın düşüşünü, Şumnu'da yaşanan sıkıntıları ve akla gelebilecek her türlü olumsuzluğun sorumluluğunu Kossuth'a yükleyen bir grup oluştu[462]. Fakat Perczel'in bu davranışı mülteciler arasında en düşük rütbelisinden en yüksek rütbelisine kadar kınandı. Kossuth'a muhalif olarak ortaya çıkan grubun dışında hiç kimse Perczel'in emrine uymadı. Mülteciler, aralarında Kossuth var oldukça başka bir kumandan istemediklerini ve Perczel'i tanımayacaklarını açıkladılar[463].

459   Kossuth'un Şumnu'da kaldığı ev hakkında daha geniş bilgi için bkz. Korn, *Aynı eser*, s.152-153; Imrefi, *Aynı eser*, s.218-219.
460   Hutter, *Aynı eser*, s.254.
461   Korn, *Aynı eser*, s.153.
462   Imrefi, *Aynı eser*, s.220; Korn, *Aynı eser*, s.154.
463   Korn'a göre mülteciler, Kossuth'a bir sonuca varmayacak suçlamalarda bulunmak istemiyorlardı. Zira mülteciler, toplumun ona neden değer verdiğini, onun Macar Devleti'nin ve ordusunun kurucusu olduğunu, ihtiyaç anında yüz binlerce insanın zevkle savaşa gittiğini, konuşmalarının Avusturya İmparatoru'nu nasıl titrettiğini, Rus Çarı'nı da az düşündürmediğini çok iyi biliyorlardı. Bütün bunlara ek olarak o, milyonlarca altın ve gümüşe sahip olacakken anavatanı kurtulur ümidiyle görevini Görgei'ye bırakmış ve fakir bir şekilde Osmanlı Devleti'ne gelmişti. Bu sebep-

Diğer taraftan Perczel ve taraftarlarının bu isteği, Türkler arasında da rağbet görmedi. Faik Bey, mültecilerin kumandasını Kossuth'tan almayı hiç düşünmediğini açıkladı. Böylece, Faik Bey'in Perczel'i sadece kışla kumandanı yaptığı ortaya çıktı ve mesele aydınlığa kavuştu[464]. Ancak Perczel kardeşler, uzun süre Kossuth ile dargın kalmışlardı. Bu dargınlık Kütahya'ya kadar sürmüştü. Fakat orada desteksiz kaldıkları için tekrar Kossuth ile aralarını düzeltmeğe çalıştılar[465].

D. Mültecilerin Kütahya'ya Gönderilme Kararı ve Bu Karara Gösterilen Tepkiler

Mülteciler ve özellikle de önderleri, Şumnu'ya büyük ümitlerle gelmişlerdi. Onlar, Osmanlı Devleti ile Rusya arasında mülteciler meselesi yüzünden bir savaşın çıkacağını düşünüyor ve bu savaşın, Macaristan'ın özgürlüğünü elde etmesi için bir fırsat olacağı kanaatini taşıyorlardı. Ayrıca, Kossuth ve arkadaşları, Avusturya'nın gelecekte hiçbir devletle işbirliği yapamayacağı fikrindeydiler. Onlar, müttefiklerini kaybettikten sonra Avusturya'nın parçalanacağını ve Macarların yeniden bağımsızlıklarına kavuşacaklarını düşünüyor, dünyanın da Avusturya'ya bu gözle baktığına inanıyorlardı. Bu sebeple Kossuth, Macar Özgürlük Savaşı'nın yeniden başlayacağı hususunda mültecilerin umutlarını hep canlı tutmağa çalışıyordu. Diğer taraftan, mültecilerin büyük çoğunluğu, mülteciler meselesinden dolayı Avrupa diplomasisindeki hareketliliğin ve Avrupa'da lehlerine oluşan coşku ve desteğin biteceğine inanmıyordu. Kısaca, Şumnu'ya gelmeden önce pek çok husus mülteciler açısından olumluydu. Ancak Osmanlı Devleti, Rusya, Avusturya, İngiltere ve Fransa arasındaki diploması trafiği, onların istediği gibi gelişmemekteydi.

---

le mültecilerin Kossuth'u bırakıp, Perczel'in etrafında toplanmaları ve onun emirleri doğrultusunda hareket etmeleri oldukça zordu (Korn, *Aynı eser*, s.154-155). Diğer taraftan Perczel'in fikirleri genellikle radikal bulunuyordu. Hutter, Kossuth ile Görgei arasındaki ilişkiler hakkındaki görüşlerinde Perczel'i her yönden haklı bulur. Hutter'e göre, eğer Perczel'e sorulsaydı birçok konuda Kossuth'tan daha doğru karar verebilirdi (Hutter, *Aynı eser*, s.245).

[464] Korn, *Aynı eser*, s.155.
[465] Hutter, *Aynı eser*, s.245.

Bu meselede en fazla gürültü koparan Rusya'nın Polonyalı mültecileri iâde talebinden vazgeçip onların sınırdışı edilmeleriyle yetineceği, Fuad Efendi tarafından Bâbıâli'ye iletilmişti. Rusya'nın mülteciler meselesindeki politikasını değiştirdiği haberlerinin duyulması, mülteci önderleri üzerinde büyük bir hayal kırıklığı yaratmıştı. Çok daha önemli başka bir gelişme ise mültecilerin Şumnu'ya vardıkları gün, Kossuth ve arkadaşlarının Anadolu'ya gönderilip orada koruma altına alınacakları haberini duymuş olmalarıydı[466].

Gerçekten de İstanbul'daki Avusturya Elçisi Stürmer, Bâbıâli'ye sunduğu ve Avusturya'nın yeni taleplerini içeren 5 Kasım 1849 tarihli notasında, Osmanlı topraklarında bulunan Macar mültecilerinin iâdesi talebinden iki devlet arasındaki dostluk ve iyi komşuluk bağlarının devamı için vazgeçtiğini iletmişti[467]. Buna karşılık Hariciye Nazırı Âlî Paşa da, Macar mültecilerinin Kütahya'ya gönderilip Avusturya aleyhine hiçbir faaliyette bulunamayacak şekilde muhafaza edileceklerini Stürmer'e garanti etmişti[468]. İstanbul'daki bu gelişmeler, Macar Elçisi Gyula Andrassy tarafından 19 Kasım 1849'da Kossuth'a iletildi[469].

Kuşkusuz bu haber, mülteciler arasında şaşkınlığa sebep olmuştu. Bu habere inanmak, onlar için kolay değildi. Gerçekten de Şumnu kampında yaşanan ilk günlerle ilgili belgeler, Anadolu'ya yerleştirilmeleri haberinin mülteciler üzerinde ne kadar sarsıcı tesir uyandırdığını çarpıcı bir şekilde ortaya koymaktadır. Örneğin, Kossuth, *"saygıdeğer hükümet yöneticimizi Asya'ya göndermek istiyorlar"* diye yazan katibine, *"bizi oraya ancak prangalarla götürebilirler"*[470] diye cevap vermişti. Kossuth'un Şumnu'dan yaptığı yazışmaların hemen tamamı elimizdedir. Söz konusu yazışmalara bakılarak denilebilir ki

---

466 Istvan Hajnal, *Kossuth-Emigracio Törökorszagban*, Budapest 1927, belge no:50, s.541 Gyula Andrassy'nin Kossuth'a gönderdiği 19 Kasım 1849 tarihli mektup.

467 BOA., DUİT., 75-1/46; Hajnal, *Aynı eser*, belge no:155, s.722; Refik, *Aynı eser*, s.123-124.

468 BOA., DUİT., 75-1/46; BEO. A. DVN.DVE 14-89; Hajnal, *Aynı eser*, belge no:158, s.776; Refik, *Aynı eser*, s.131-132.

469 Hajnal, *Aynı eser*, belge no:50, s.541. Andrassy'nin mektubu yazdığı tarihte Kossuth henüz Şumnu'ya gelmemişti.

470 Hajnal, *Aynı eser*, s,258.

Kossuth, mültecilerin Anadolu'ya gönderilmeleri kararını değiştirmek için olağanüstü çaba göstermişti. Hatta, onun farklı konularda yazdığı mektuplarda bile bu konu üzerinde sık sık durduğu görülmektedir. Elimizde, sadece Kossuth'un değil, birçok mülteci liderinin Kütahya'ya gitmeğe karşı olduğunu gösteren belgeler mevcuttur. Mültecilerin çoğu, Anadolu'ya yerleştirilme kararını, Macaristan'ın Avusturya karşısında aldığı yenilgiden daha büyük bir felaket olarak değerlendirmişlerdir.

Polonyalı mültecilere gelince; onların durumu Macarlara göre farklıydı. Onlar, Osmanlı ülkesinin herhangi bir yerinde koloni halinde yaşamak istiyorlardı. Gözetim altında tutulacakları yerle ilgili de hiçbir itirazları yoktu.

Mültecilerin Anadolu'ya gönderilecekleri haberinin duyulması üzerine Batthyany ve Perczel, bir araya gelip durum değerlendirmesi yaptılar. Perczel de, büyük ümitlerle Vidin'den Şumnu'ya gelmişti. Mültecilerin Kütahya'ya gönderilecekleri haberi onun üzerinde de olumsuz etki yapmıştı. Neticede hep birlikte Osmanlı Hükümeti'ne bir mektup yazmaya karar verdiler ve bütün mülteciler adına Perczel ve Batthyany, 22 Kasım 1849'da Sultan'a sunulmak üzere bir mektup yazdılar[471].

Mektubun ilk bölümünde, Türk-Macar ortak geçmişinden ve Macarların Türk halkına duyduğu sempati ve yardım beklentisinden söz edilmekteydi. Daha sonra, Vidin'den Şumnu'ya kadar yolculukları boyunca ihtiyaçlarını karşılama cömertliği gösteren Sultan Abdülmecid'e minnet ve şükran duyguları iletiliyordu. Ayrıca, Osmanlı Devleti'nin Avusturya ve Rusya'nın isteklerini reddetmesinin yanı sıra, kendileri için yaptığı fedakarlıktan dolayı Türklere duyulan sempatinin arttığı üzerinde duruluyordu. Onlara göre, mültecilerin Osmanlı Devleti'ne sempatiyle bakmalarının başka sebepleri de vardı. Bunlardan ilki, Türk ve Macarların soy birliğine sahip olması, diğeri de Türklerin başlangıçtan beri Macaristan'ın haklı davasının yanında yer almasıydı. Yine, onların ümitlerini bağladığı Osmanlı

---

471 Hajnal, *Aynı eser*, belge no:51, s.542-546. Perczel ve Batthyany'nin Sultan Abdülmecid'e gönderdikleri 22 Kasım 1849 tarihli mektup.

Padişahı, mültecilerin iâdesini isteyen iki güce meydan okuyarak, Macaristan'a karşı beslediği iyi niyet duygularını açık bir şekilde göstermişti[472]. Mektubun en ilginç bölümü ise, mültecilerin Osmanlı Devleti'ni Avusturya'ya karşı savaşa çağırmalarını dile getiren şu satırlardı:

"Her an Türk toplarının sesini duymayı bekliyoruz. Eski zamanlarda olduğu gibi Viyana surları önünde Macar yurtseverlerinin bayraklarıyla Osmanlı bayraklarının bir arada dalgalandığı zamanı özlüyoruz. Erdel tepelerinde dağlar, hilalin dalgalanmasını görme ümidi içerisinde"[473].

Mektupta, Bâbıâli'nin Avusturya'ya savaş açması halinde, yeni zaferler kazanacağı ifade ediliyor ve Macarların Osmanlıya yardım etmek için kanlarını son damlasına kadar dökmeğe hazır oldukları belirtiliyordu[474].

Mektubun ikinci bölümünde, Anadolu'da bir vilayette yerleştirilmeleri haberinin mülteciler üzerinde yol açtığı olumsuz etkilerden söz ediliyordu. Onlara göre ne Görgei'nin ihaneti ne de Komarom'un düşmesi, bu haber kadar kendilerini olumsuz etkilememişti. Çünkü, mültecilerin Anadolu'ya yerleştirilmeleri haberi, Rusya ve Avusturya'nın işgalinden kurtulmak isteyen Macaristan'ın ümidini tamamen ortadan kaldıracaktı. Mektupta Bâbıâli'nin Avusturya ile böyle bir anlaşma yapması halinde, mülteciler meselesinde Avrupa'nın güçlü devletleri nezdinde elde ettiği tüm prestij ve sempatisini kaybedeceği iddia edilmekteydi. Perczel ve Batthyany'ye göre, böyle bir gelişme Rusya'nın kutlayacağı en büyük zafer olacaktı. Mültecilerin Anadolu'ya gönderilmesi durumunda Sultan Abdülmecid'in, Rusya ve Avusturya adına Macarların gardiyanlığını yapacağı ve kendisine minnettarlık ve umutla bağlananların hayallerini boşa çıkaracağı ifade ediliyordu. Ayrıca, Osmanlı Devleti'nin mülteciler için bu zamana kadar yaptığı fedakarlıklar ve özellikle Rusya ve Avusturya'ya karşı verdiği diplomasi savaşının bir anlamı kalmayacağı belirtiliyordu[475].

---

472 Hajnal, *Aynı eser*, belge no:51.542-543.
473 Hajnal, *Aynı eser*, belge no:51, s.543.
474 Hajnal, *Aynı eser*, belge no:51, s.543.
475 Hajnal, *Aynı eser*, belge no:51, s.544-545.

Perczel ve Batthyany, mektubun sonunda Padişahın böyle bir şey yapacağına ihtimal vermediklerini belirtiyorlardı. Bununla birlikte böyle bir uygulama yapıldığı takdirde, Sultan'a olan güvenlerinin yıkılacağı ve bu kararın kendileri için ölüm fermanı anlamına geleceğini vurguluyorlardı. Anadolu'ya yerleştirilmektense, Osmanlı ülkesini terk etmelerinin kendileri için daha hayırlı olacağından söz ediyorlardı. Onlara göre, mültecilerin Şumnu'dan Anadolu'ya gönderilmeleri, Avusturya'nın kendilerini göndereceği hapishanelerden farksız, hatta daha kötü ve acımasız olacaktı. Sonuç olarak hiçbir mültecinin gönüllü olarak Anadolu'ya gitmeyeceği ve bu sevkıyatın ancak zorla yapılabileceği ifade ediliyordu[476].

Mültecilerin muhalefetine rağmen İstanbul'dan Şumnu'ya daha ciddi haberler ulaşıyordu. Gelen haberler, Macar mülteci liderlerinin Kütahya'ya gönderilmesinin kesinlik kazandığı ve bu meseledeki son pürüzlerin ortadan kaldırıldığı yolundaydı. Hatta Avusturya Elçisi Stürmer, Kütahya'ya gönderilecek Macar mültecilerinin isim listesini dahi Bâbıâli'ye sunmuştu[477]. Kossuth, mülteci liderleri için iskan yeri olarak Kütahya'nın belirlenmesine kati surette karşı çıktı. Çünkü Kossuth, mültecilerin bölünmelerini istemiyordu. Onun Şumnu'daki yazışmalarının büyük çoğunluğu, Macar ve Polonyalı mültecilerin bir grup halinde Avusturya sınırına yakın bir Balkan şehrinde yerleştirilme isteğiyle ilgiliydi. Özellikle, İstanbul'daki Macar Elçisi Andrassy ve Czaykowski'ye[478] sürekli mektuplar göndererek, onlar-

---

476 Hajnal, *Aynı eser*, belge no:51, s.545-546.
477 Stürmer'in Kütahya'ya gönderilecek mültecilerin isimlerini içeren defter için bkz. BOA. DUİT., 75-1/46; Hajnal, *Aynı eser*, belge no: 155, s.773; Refik *Aynı eser*, s.125. Korn, *Aynı eser*, s.183; Imrefi, *Aynı eser*, s.232-233.
478 Czaykowski, 1808'de Berditschew'de doğmuştur. 1831'de Ukrayna'daki isyana katılmış ve daha sonra Paris'e gitmişti. Adam Czartoryski tarafından İstanbul'da daimi bir diplomatik ajans kurulmuş ve başına Czaykowski getirilmişti. Czaykowski Aralık 1850'de Müslüman olmuş ve Mehmed Sadık ismini almıştır. Kırım Savaşı'nda iki Türk Kazak birliğini kumanda etmişti. Ancak Sadık Paşa, karısının ölümünden sonra tutum değiştirdi ve Türk ordusundan istifa etti. Daha sonra 1872'de Kiew'e yerleşmiştir. Ruslara karşı tavizsiz tutumuyla tanınan Paşa, orada tavır değiştirip kendini Ruslara sevdirmeye çalıştı. 1886'da intihar etmişti (*Der Große Brockhaus*, Leipzig 1929, s.313; Paul Ziolowski, *Adampol*, İstanbul 1922, s.37-38; Nigar Anafarta, *Osmanlı İmparatorluğu ile Lehistan (Polonya) arasındaki münasebetlerle ilgili tarihi belgeler*, s.120.

dan kamp yeri olarak tayin edilen Kütahya'nın değiştirilmesi için Bâbıâli nezdinde girişimde bulunmalarını istemişti.

Andrassy ve Czaykowski'nin Kossuth'a gönderdiği mektuplar, mülteciler meselesindeki diplomatik gelişmelerin seyri hakkında ona ayrıntılı bilgiler vermekteydi. Her iki diplomat da mektuplarında mültecilerin Asya'ya sevkinin kesinlik kazandığı konusunda hem fikirdi[479]. Bu mektuplarda ön plana çıkan diğer önemli bir nokta da, Osmanlı Devleti'nin mültecilere karşı iyi niyet beslediğinin vurgulanmasıydı.

Kossuth, Şumnu'dan ilk mektubunu 24 Kasım 1849'da Andrassy'e gönderdi[480]. Mektupta, Avusturya'ya iâde edilmelerinin Anadolu'ya gönderilmekten daha iyi olacağını yazıyor ve Kütahya'ya gönderilme kararının Avusturya için bitmeyen Macaristan'ın işgalini tamamlamak anlamına geleceğini iddia ediyordu. Ona göre, mülteciler meselesinde Avusturya'nın politikasını Stürmer değil, Rusya belirliyordu. Ona göre, Avusturya, Osmanlı Devleti için ne dost, ne de düşman olabilecek bir ülkeydi. Yine ona göre Bâbıâli, mültecileri Kütahya'da gözetim altında tutarsa, kendini Avusturya'nın bir hapishanesi hükmüne sokacaktı[481]. Kossuth, mülteciler meselesinde istikrarlı bir politika izleyen Bâbıâli'nin böyle bir karar almasını şaşkınlıkla karşılar ve mültecilerin Anadolu'ya gönderilme kararından dolayı, Macaristan'da Osmanlı Devleti'ne karşı oluşan sempatinin nefrete dönüşeceğini savunur. Bunun sonucu olarak da, Bâbıâli'nin müttefik yerine düşman kazanacağı fikrini ileri sürer[482].

---

[479] Hajnal, *Aynı eser*, s.262.

[480] Bu mektup aynı zamanda Andrassy'nin 19 Kasım 1849'da Kossuth'a gönderdiği mektuba bir cevaptır.

[481] Kossuth, Osmanlı Devleti'nin mültecileri Kütahya'ya göndermekle mülteciler meselesinde Rusya karşısında kazandığı güçlü durumu kaybedeceğini iddia ediyordu. Ona göre Türkiye, en geç bahara kadar Rusya'ya savaş açmazsa, Avrupa'daki çöküşü hızlanacaktı. Kossuth, Bâbıâli'nin savaşa karar vermesi halinde İngiliz ve Fransız filolarının Osmanlı Devleti'ne yardım edeceğine inanıyordu. Ayrıca, Rusya ve Avusturya'ya karşı açılacak bir savaşta yüreği vatan için çarpan Macarların vereceği desteğin de hesaba katılmasını istiyordu (Hajnal, *Aynı eser*, belge no:52, s.547).

[482] Hajnal, *Aynı eser*, belge no:52, s.547.

Bu arada Kossuth'a mültecilerin Anadolu'ya gönderilmeyecek-
lerine dair, İstanbul'dan bazen ümit verici haberler de geliyordu[483].
Bu haberlere göre, mülteciler Kütahya yerine Filibe'de gözetim altın-
da tutulacaklardı. Ancak, buraya gönderilecek mültecilerin sayısı 30-
35 kişi olacaktı[484]. Mültecilerin Anadolu'ya gönderilecekleri bilgisin-
den birkaç gün sonra alınan bu haberin, Kossuth üzerinde olumlu
bir etki yaptığı muhakkaktır. Kossuth, İstanbul'dan gelen bu sevindi-
rici haberi bütün mültecilere duyurmuştu. Çünkü, büyük ümitlerle
Şumnu'ya gelen mültecilere yeni bir coşku ve ruh vermek artık kolay
olmuyordu.

Mültecilerin Kütahya yerine Filibe'ye yerleştirileceği haberi mül-
teci kampında olumlu bir hava yarattıysa da, Kossuth'un bazı konu-
larda itirazları vardı. O, bütün mültecilerin Filibe'ye gönderilmesini
istiyordu. Zira ona göre, 30-35 kişilik bir grubun gönderilip, diğer
mültecilerin kaderlerine terk edilmesinin kendileri için hiçbir avanta-
jı yoktu[485]. Kossuth, Avusturya'nın 30-35 kişilik bir mülteci grubunu
sürekli olarak ülke dışında tutmak istediğini düşünüyordu. Bu şekil-
de bölünen mültecilerin, milliyetçilik hareketlerinde bulunamayarak
pasifize edilecekleri konusunda ciddi endişeleri vardı[486]. Bu endişe
sebebiyledir ki Kossuth, 3 Aralık 1849'da Czaykowski'ye gönderdiği
mektupta, mültecilerin bölünmeden bir arada tutulmalarının önemli
olduğunu Bâbıâli'ye anlatmasını rica etmişti. Eğer bu isteklerine o-
lumlu cevap verilmezse, Macar mültecilerinin Avrupa ile kolayca
iletişim kurabilecekleri bir yere gönderilmesini istiyordu[487].

Kossuth, mültecilerin toplu tutulmaları konusunda özellikle ıs-
rar ediyordu. Çünkü mülteciler, dağılırlarsa bir daha asla
toparlanamazlardı. Zaten, mültecilerin önemli bir kısmı Vidin'den
geri dönmüş ve bir kısmı da çeşitli Avrupa ülkelerine gitmişti.

---

483 Hajnal, *Aynı eser*, belge no:55, s.552 Kossuth'un Czaykowski'ye gönderdiği 3 Ara-
lık 1849 tarihli mektup.

484 Mülteci şeflerinden 30-35 kişinin Kütahya yerine Filibe'ye gönderileceklerine dair
Andrassy'nin Kossuth'a gönderdiği mektup elimizde yoktur. Ancak, bu bilgileri
Kossuth'un Czaykowski'ye gönderdiği mektuptan öğreniyoruz.

485 Hajnal, *Aynı eser*, belge no:55, s.552-553.

486 Hajnal, *Aynı eser*, belge no:55, s.553.

487 Hajnal, *Aynı eser*, belge no:55, s.553.

Şumnu'daki mültecilerin de dağılması halinde Macaristan için bütün ümitler bitmiş olacaktı. Mültecilerin parçalanmasının Avusturya'nın bir oyunu olduğunu düşünen Kossuth, bu oyunu engellemek için büyük çaba gösteriyordu. Bu amaçla İstanbul'da bulunan Guyon'a da bir mektup gönderdi. Kossuth, 7 Aralık 1849 tarihli mektubunda mültecilerin birlikte olmalarının kendisi için ne kadar önemli olduğunu anlatır. Bu birlikteliğin bozulmaması için, Bâbıâli nezdinde etkin girişimlerde bulunması hususunda İngiliz Elçisi Canning'e baskı yapmasını ister. Ayrıca, Guyon'dan yayın organlarını kullanarak Macarlar lehine etkili bir kamuoyu oluşturulması için ricada bulunur[488].

Kossuth, mültecilerin Anadolu'ya gönderilme kararını değiştirmeye çalışırken, beklenmedik bir şekilde Macar Elçisi Andrassy, 1849 Kasım'ının sonlarında İstanbul'dan ayrıldı. Aslında Kossuth, Macar Elçisi Andrassy'den istediği verimi alamamıştı. Andrassy, Macar meselesini gerekli mercilere iyi bir şekilde anlatamamıştı. Oysa, Kossuth'a göre bu mesele ses getirmeliydi. Macar milletinin gücü ve bağımsızlık isteği bütün dünyaya gösterilmeli ve Macaristan, kendisine yakışır bir şekilde dünya siyaseti içerisinde yer almalıydı[489]. Bu bakımdan Andrassy'e önemli görevler düşüyordu. Kossuth'a göre Andrassy, Stürmer'in Bâbıâli'ye sunduğu listede adının olduğunu öğrenip, kendini tehlikede gördüğünden İstanbul'dan ayrılmıştı[490]. Andrassy'nin İstanbul'dan ayrılmasından sonra Kossuth, mültecilerle ilgili haberleri bir müddet sadece Czaykowski'den almıştı.

Andrassy'nin ayrılmasıyla Macar meselesini İstanbul'da Czaykowski yönlendirmeye başladı. Czaykowski ile Kossuth arasındaki yazışmalarda her ne kadar dostluk unsuru ön plana çıkıyorsa da, neticede Czaykowski bir Polonyalı idi. Czaykowski'nin Polonya

---

[488] Ayrıca Kossuth, Guyon'dan İngilizce ve Fransızca sözlük istemişti. Bunun yanında taktik ve strateji kitaplarına ihtiyacı olduğunu yazmıştı. Kendisinin hasta olduğunu, çocukları ve eşinin durumu hakkında bir haber alamadığını da Guyon'a iletmişti. (Hajnal, *Aynı eser*, belge no:58, s.556-557 Kossuth'un Henningsen'e gönderdiği 23 Aralık 1849 tarihli mektup).

[489] Hajnal, *Aynı eser*, s.264.

[490] Hajnal, *Aynı eser*, belge no:60, s.559 Kossuth'un Henningsen'e gönderdiği 7 Aralık 1849 tarihli mektup.

mültecileri için yapacağı girişimler de düşünüldüğünde, Macar mültecilerinin isteklerinin İstanbul'da gerekli mercilere anlatılmasında Polonyalılarınkine nazaran ikinci planda kalacağı açıktı. Bu sebepledir ki Kossuth, bir taraftan Czaykowski ile diplomatik yazışmalara devam ederken, diğer taraftan da Boekh[491] isimli bir binbaşıyı İstanbul'a göndermişti. Bir çok dil bilen Boekh, Macar Özgürlük Savaşı sırasında Bem'in sekreteriydi. Din değiştirme konusunda Bem'e karşı çıkmış ve Kossuth ile aynı görüşleri paylaşmıştı. Boekh, kısa sürede Kossuth'un güvenini kazanmış ve onun en güvendiği dostu olmuştu. O, Macar elçisi değildi, ama İstanbul'dan Kossuth'a bilgi aktarması onun önemli görevleri arasındaydı. Kossuth'un Boekh'i İstanbul'a göndermekteki amacı, düşüncelerini Bâbıâli, İngiliz ve Fransız temsilcilerine güvenilir bir kaynaktan aktarmaktı[492]. Ayrıca bu görevlendirmede, Czaykowski ile olan yazışmalarında birbirlerini yanlış anlamadan doğan sıkıntıların da etkili olduğu anlaşılmaktadır[493]. Bununla birlikte Kossuth, mülteciler meselesinde diplomatik gelişmelerin seyri hakkında hem Boekh hem de Czaykowski'den azami ölçüde faydalanmıştır.

Diğer taraftan, mülteciler, Rumeli'de belirlenecek bir yere toplu olarak yerleştirilmeleri için ortak hareket etme kararı aldılar. Bu amaçla, bütün mültecilerin imzasını taşıyacak bir dilekçeyi Sultan Abdülmecid'e göndermeğe karar verdiler. Dilekçenin yazılması için yapılan toplantıya hastalığından dolayı Kossuth iştirak edemedi. Onun toplantıya katılmaması mülteciler tarafından yoğun bir şekilde eleştirildi. Toplantıda Batthyany, mültecilerin toplu bir arada kalmaları gerektiğini dile getiren bir konuşma yaptı. Toplu kamp yapılması hususunda Sultan'a yazılacak dilekçeye mültecilerin bir kısmı karşı çıktı. Bu sebeple dilekçenin imzalanmasında bazı sıkıntılar yaşandı.

---

[491] Bu sırada Prusya vatandaşı olan Boekh, bu devletin elçiliği aracılığıyla İstanbul'a gitmek için bir pasaport almıştı. (Hajnal, *Aynı eser*, belge no:88, s,629 Kossuth'un Henningsen'e gönderdiği 5 Ocak 1850 tarihli mektup).

[492] Hajnal, *Aynı eser*, s.281.

[493] Nitekim Kossuth, Boekh'e gönderdiği ilk mektupta Czaykowski'nin kendisini yanlış anlamasından yakınıyordu. (Hajnal, *Aynı eser*, belge no:70, s.576 Kossuth'un Boekh'e gönderdiği 18 Aralık 1849 tarihli mektup).

Mültecilerin bir kısmı, Osmanlı Devleti'nde kalmak istemiyordu[494]. Zira, mültecilerin çoğu Vidin'de birkaç gün dinlendikten sonra, İstanbul ya da herhangi bir liman şehrine doğru yola çıkacaklarını ve oradan da İngiltere, Amerika veya başka bir devlete gideceklerini düşünüyorlardı. Başlangıçta çok az mülteci Osmanlı Devleti'nde kalmayı düşünüyordu. Üstelik Kossuth, Bem ve diğer mülteci liderleri buradan yardım alarak geri döneceklerine ve Macar Özgürlük Savaşı'nı yeniden başlatacaklarına inanarak Osmanlı ülkesine iltica etmişlerdi. Oysa, şimdi durum tamamen değişmişti. Bem, Müslüman olmuş, Kossuth da Bâbıâli ile Osmanlı sınırları içerisinde mülteciler için en uygun kamp yerinin pazarlığını yapmaya başlamıştı. Bu sebeple, mültecilerin bir kısmı Kossuth'un neden Türkiye'de kalmak istediğini soruyordu. Kaderlerini, imzalarıyla önderlerinin kaderleriyle birleştirmek istemiyorlardı. Yapılan bütün tartışmalara rağmen, yine de mültecilerin çoğunluğunun iştirakiyle dilekçe imzalandı[495]. Dilekçede imzası olanlar, liderlerinden ayrılmalarını tehlikeli buluyor ve kararın düzeltilmesi için Abdülmecid'den ricada bulunuyorlardı. Bu dilekçe, 4 Aralık 1849'da Sultan'a sunulmak üzere Czaykowski'ye gönderildi[496].

Söz konusu dilekçede şu hususlar yer almaktaydı:

1- Mültecilerin her halükarda bir arada kalmak istedikleri,

2- Mülteci liderlerine yurt dışında seyahat izni verilmesi,

3- Mültecilerin Avrupa ile irtibatlarının engellenmeyeceği bir yerin belirlenmesi,

4- Mültecilerin Bâbıâli'yi sıkıntıya soktuğuna kanaat getirilirse, bu durumda istedikleri yere gitmelerine izin verilmesi[497].

Kossuth, dilekçede belirtilen hususların kabul edilmesi için İngiliz ve Fransız elçilerinin Bâbıâli'ye baskı yapmaları gerektiğine inanıyordu. Bunun için de, Guyon ve Czaykowski'den yardım istedi[498].

---

[494] Hajnal, *Aynı eser*, s.271.
[495] Hajnal, *Aynı eser*, s.274.
[496] Hajnal, *Aynı eser*, belge no:60, s.560.
[497] Hajnal, *Aynı eser*, belge no:70, s.577.
[498] Hajnal, *Aynı eser*, belge no:58, s.556.

Fakat, bu tarihlerde Guyon İstanbul'dan Bursa'ya gittiğinden, konuyu elçilere anlatma görevi Czaykowski'ye kalmıştı[499]. Fakat Czaykowski, söz konusu isteklerin Bâbıâli'ye iletilmesinde Kossuth'un geç kaldığı görüşündeydi. Zira onun kanaatine göre, mültecilerin Anadolu'ya yerleştirilmeleri kesinlik kazanmış ve Osmanlı Devleti'yle Avusturya arasında devam eden görüşmelerde de alınan kararların nasıl uygulanacağı tartışılıyordu[500]. Czaykowski'nin Kossuth'a gönderdiği 11 Aralık 1849 tarihli mektuptan anlaşıldığı kadarıyla tartışması yapılan konular şunlardı:

Avusturya, mültecilerin süresiz gözetim altında bulundurulmasını istemesine karşılık Bâbıâli, Macaristan tekrar barışa kavuşuncaya kadar mültecilerin gözaltında bulundurulmaları taraftarıydı. Avusturya, mültecilerin kendi memurlarının gözetimi altında bulunmaları halinde onların bakımı için para verebileceğini öneriyor, Bâbıâli ise bunu kabul etmiyordu.

Avusturya, mültecilerin gözetim altında tutulacakları yerin Mardin olmasını istiyordu. Buna karşılık Bâbıâli, Kütahya veya daha uygun bir yere yerleştirilmelerini uygun görüyordu. Mektupta dikkat çeken nokta ise, Czaykowski'nin Kossuth'a yaptığı tavsiye idi. Ona göre Kossuth, başvurularını İngiliz veya Fransız elçileri yerine, Bâbıâli'ye yapmalıydı. Çünkü, İngiltere ve Fransa gelişmekte olan olayları destekliyor, ancak olayın oluşması için ilk adımı atmıyorlardı[501].

Czaykowski, Kossuth'un 3 ve 7 Aralık tarihli mektupları ile Sultan Abdülmecid'e takdim edilmek üzere gönderilen çok imzalı dikçeyi aldıktan sonra iki girişimde bulundu. Czaykowski ilk olarak, Kossuth'un isteklerini Bâbıâli'ye iletti. Ancak, Czaykowski'ye alınan kararlardan dönmenin sakıncaları anlatıldı ve Kossuth'un mültecilerin Kütahya'ya gönderilme kararını *"sürgün"* olarak değerlendirmesine şiddetli tepki gösterildi. Hiç bir zaman sürgün ve tutuklamanın olmayacağını garanti eden Osmanlı Hükümeti, Kossuth'un istekleri-

---

499 Hajnal, *Aynı eser*, belge no:62, s.564.
500 Hajnal, *Aynı eser*, belge no:61, s.561.
501 Hajnal, *Aynı eser*, belge no:61, s.562-563.

ni müzakere edip, kısa sürede cevaplandıracağını Czaykowski'ye bildirdi[502].

Czaykowski'nin ikinci girişimi ise, Kossuth'un mektuplarının birer tercümesini Canning ve Aupick'e vermesiydi. Fakat Fransız elçisi, Kossuth'un isteklerinin gerçekleşmesi konusunda fazla iyimser değildi. Aupick'e göre, Kossuth'un istekleri özel bir durum arz etmekteydi. Savaş olmadan mülteci meselesinin çözülmesinden dolayı, Bâbıâli'nin memnun olduğunu ve kararlaştırılmış bir konunun tekrar ele alınmasındaki sakıncaları Czaykowski'ye söyledi. Aupick, Kossuth'un istekleri doğrultusunda Avusturya ile yeniden bir anlaşmaya teşebbüs etmenin savaşa neden olabileceği ve İngiltere'nin bu hususta bir adım dahi atmayacağı görüşündeydi. Buna rağmen, eğer İngiltere Macarların lehine hareket ederse onlara kendisinin de destek vereceğini belirtmişti[503].

Bu arada Hâriciye Nezâreti, Kossuth'un isteklerini görüştü ve alınan kararları Czaykowski'ye iletti. Czaykowski'nin 15 Aralık 1849'da Kossuth'a gönderdiği mektupta belirttiğine göre Hariciye Nezâreti, Kossuth'un isteklerini özet olarak şöyle cevaplamıştı[504]:

Osmanlı Devleti, bir taraftan mültecilerin hayatlarını kurtarmaya çalışırken, diğer taraftan da Rusya ve Avusturya ile olan anlaşmalara uymak zorundadır. Bâbıâli, bu iki devletin isteklerini reddederken, mültecilerin gözetim altında bulundurulmalarını kabul etmek zorunda kalmıştır. Macarlar, imkânsızı istemekle hata etmektedirler. Bâbıâli, mültecilerin sürekli gözetim altında bulunmalarını kabul etmeyerek, bu süreyi Macaristan'ın barış ve huzura kavuşması şartına bağlamıştır. Aynı zamanda mültecileri serbest bırakma zaman ve yetkisini elinde tutmuştur. Viyana Elçisi Mussurus Paşa, Avusturya'nın mültecilerin gözetim altında tutuldukları yerde bir komiser bulundurma talebini reddetmiştir. Ayrıca, Avusturya Hükümeti kesin bir liste vermemiştir. Ancak, verilecek listede mülteci liderlerinin isimleri olacağı ve hepsinin aynı yere gönderileceği muhtemeldir.

---

[502] Hajnal, *Aynı eser*, belge no:61, s.563.
[503] Hajnal, *Aynı eser*, belge no:61, s.563.
[504] Hajnal, *Aynı eser*, belge no:62, s.564.

Listede yer almayanlara gelince, onlara liderlerini izleyerek ülkeden ayrılma veya istedikleri gibi hareket edebilme izni verilecektir[505].

Czaykowski, Bâbıâli'nin verdiği bu teminattan sonra mültecilerin gönderdikleri dilekçeyi Sultan'a iletmenin bir anlamı olmadığı ve mültecilerin Filibe'ye yerleştirilecekleri haberlerinin gerçeği yansıtmadığını Kossuth'a yazdı. Ayrıca, Osmanlı Devleti'nin mülteciler meselesindeki samimiyet ve iyi niyetine inanmasını tavsiye etti. İsteklerinin gerçekleşmesinin, mültecilerin Osmanlı Devleti'nde ortaya koyacakları davranışlara ve Batı'nın kendilerine vereceği desteğe bağlı olduğunu belirtti. Ayrıca, Kossuth'a Türkiye'de kalarak İngiltere, Fransa ve Amerika'daki vatandaşlarıyla iletişim kurmasını önerdi. [506].

Her ne kadar Kossuth, Bâbıâli'den arzu ettiği cevabı alamasa da, Hâriciye Nezâreti'nin kendisini muhatap alıp cevap vermesinden fazlasıyla memnundu. Nitekim 23 Aralık 1849'da Czaykowski'ye gönderdiği mektupta bu memnuniyetini şu şekilde ifade etmekteydi: *"Lütfen başvurumuza cevap verme lütfunde bulunan Padişah Hazretlerinin hükümetine cevaplarını zevkle ve minnettarlıkla aldığımızı bildirin. Şimdiye kadar Bâbıâli'nin bizim hakkımızdaki görüşleri hususunda bu kadar net bir açıklama almamıştık. Bâbıâli nezdinde yapmış olduğumuz müracaat hususunda pişmanlık duymuyoruz. Bu cevabı kabul ediyor ve bir garanti belgesi olarak görüyoruz. Bâbıâli'nin vermiş olduğu bu cevap, onun bize verdiği değer ve onunla olan ilişkilerimizde kılavuz görevi görecektir"[507].*

Ayrıca Kossuth, Macar mültecilerinin Avusturya vatandaşı olarak kabul edilmemelerini, zira kendilerinin Avusturya vatandaşı olmadıkları ve asla olmayacaklarının bilinmesini istiyordu. Ona göre Macarlar, haklı mücadelelerinde destek görmeyen yenilmiş insanlardır[508].

Kossuth, mektubunda mültecilerin şikayet dilekçesini Sultan'a ya da Sultan'ın bakanlarına verilmesini ısrarla istiyordu. Zira ona

---

[505] Hajnal, *Aynı eser*, belge no:62, s.564.
[506] Hajnal, *Aynı eser*, belge no:62, s.565.
[507] Hajnal, *Aynı eser*, belge no:71, s.579-580.
[508] Hajnal, *Aynı eser*, belge no:71, s.582.

göre bu dilekçe, mültecilerin Bâbıâli nezdinde anlatmak istediklerini
etkili bir şekilde ifade etmekteydi[509]. Diğer taraftan Kossuth, Asya'ya
gönderilme kararının kendilerini şok ettiğini ve şimdiye kadar Sultan
Hazretlerinin misafiri iken, bu anlaşma ile mahkum olduklarını ileri
sürüyordu. Ona göre, mültecilerin yerleştirilecekleri yer, hem kendi-
lerini hem de Osmanlı Devleti'ni tatmin edecek bir yer olmalıydı[510].
Ayrıca Kossuth, İngiltere veya Fransa'ya gitme isteğini
yineliyordu[511]. Yine o, Avusturya'nın mültecilerin gözetim altında
tutulacakları yere bir gözlemci gönderme talebini kabul etmediğin-
den dolayı Bâbıâli'ye teşekkür ediyordu. Ona göre bu tavır, Bâbıâ-
li'nin lehineydi. Çünkü, mültecilerin yerleştirileceği yere gözlemci
sıfatıyla bir komiserin gönderilmesi, Osmanlı Devleti'nin bağımsız
bir devlet olduğu imajını zedeleyecekti. Bu yüzden de Bâbıâli'nin bu
teklifi kabul etmesi düşünülemezdi. Zira, Osmanlı Devleti'nin misa-
firlerini Avusturyalı bir gözlemcinin takip etmesi duyulmadık bir şey
olurdu[512].

Kossuth, Bâbıâli'nin mültecilerin Osmanlı ülkesinde kalma me-
selesini kendileriyle görüştükten sonra karara bağlamasının daha
akılcı olacağı görüşündeydi. Zira, Osmanlı Devleti açısından böylesi
bir tercih, kendisine düşman olan güçlerle anlaşmaktan daha kolay
olacaktı[513]. Kossuth, mültecilerin gözetim altında kalacakları yere
Bâbıâli'nin karar verecek olmasını olumlu bir gelişme olarak görü-

---

509   Hajnal, *Aynı eser*, belge no:71, s.579.
510   Hajnal, *Aynı eser*, belge no:71, s.580.
511   İngiltere'ye gidip diğer vatandaşlarıyla iletişim kurmak amacıyla kendisi, Kont
       Batthyany ve General Perczel'e izin verilmesini talep ediyordu. Kossuth, özellikle
       İngiltere, Fransa ve Amerika'ya dağılmış dostlarıyla temasa geçmek istiyordu
       (Hajnal, *Aynı eser*, belge no:71, s.579).
512   Hajnal, *Aynı eser*, belge no:71, s.582. Kossuth, Halim Paşa'ya gönderdiği 29 Aralık
       1849 tarihli mektupta ise, mültecilerin bulunduğu yerde Avusturyalı bir komiserin
       bulunması önerisinin Bâbıâlice reddedilmesini şöyle değerlendirir: Osmanlı Hü-
       kümeti'nin mültecilerin bulunduğu yerde bir Avusturyalı gözlemcinin bulunma-
       sını reddetmesi mültecilerin lehine görünmekle beraber, Bâbıâli için gereklidir.
       Çünkü, Avusturya Hükümeti'nin bu önerisi kabul edilmiş olsaydı Osmanlı Devle-
       ti, kendi elleriyle bağımsız bir devlet statüsünden çıkacak, Avusturya'nın yöneti-
       minde bir bölge durumuna düşmüş olacaktı. Hajnal, *Aynı eser*, belge no:82, s.604
       Kossuth'un Halim Paşa'ya gönderdiği 29 Aralık 1849 tarihli mektup.
513   Hajnal, *Aynı eser*, belge no:71, s.583.

yordu. Ancak gözetim altında tutulacakları yerin mültecilerin isteklerine uygun olması, aksi takdirde gönülsüz olarak bir yere yerleştirilmelerinin hayatlarını sürgüne çevireceğinin bilinmesini istiyordu[514]. Ayrıca, Asya topraklarına gönderilmelerinin sürgün edilmekten farksız bir uygulama olacağını, özellikle Mardin veya Kütahya'ya ancak zor kullanılarak gönderilebileceklerini ifade ediyordu. Kossuth, mültecilerin İstanbul'a gitmelerine izin verilmez ise, deniz kenarında bir yerin, örneğin Selanik, Gelibolu veya Varna'nın seçilmesini istiyordu. Ancak, başkente yakın olması sebebiyle asıl tercihlerinin Edirne olduğunu belirtiyordu[515].

Kossuth, Osmanlı Devleti'nin Stürmer'in verdiği listede ismi olmayan mültecilerden isteyenler önderlerini takip edebilir veya istedikleri gibi hareket edebilirler yolundaki kararını olumlu, fakat yetersiz bir gelişme olarak değerlendiriyordu. O, bu karara ek olarak aşağıdaki hususların da Bâbıâli tarafından kendilerine garanti edilmesini istiyordu:

1- Liderlerini takip etmek isteyen mültecilere Sultan Hazretlerinin maddi desteğinin devam etmesi,

2- Osmanlı Devleti'ne yerleşmek isteyenlere kolaylık gösterilerek, başkent yakınlarında bir yere yerleştirilmeleri veya uygun işlerde istihdam edilmeleri[516].

Diğer yandan Kossuth, yukarıdaki mektuba verilecek cevabı beklemeden 30 Aralık 1849'da Czaykowski'ye başka bir mektup daha yazdı. Mektupta, üç şeyin yapılmasının kendileri için ölüm fermanı anlamına geleceği ifade ediliyordu. Bunlardan ilki, mültecilerin Türkiye'den çıkarılması, ikincisi mültecilerin parçalanarak İmparatorluğun çeşitli yerlerine dağıtılması ve nihayet üçüncüsü mültecilerin tamamı veya büyük bir bölümünün sürgün veya mahkum muamelesi görmesiydi[517].

---

[514] Hajnal, *Aynı eser*, belge no:71, s.582.
[515] Hajnal, *Aynı eser*, belge no:71, s.583.
[516] Kossuth, Czaykowski'ye eğer Bâbıâli yukarıda öne sürdüğü isteklerden hiçbirini kabul etmez ise, en azından kendisiyle Batthyany ve Perczel'in, mültecilerin hayatlarını idame ettirmek için çalışmalarda bulunmak üzere İngiltere'ye gitmelerinin zorunlu hale geleceğini yazmıştı. (Hajnal, *Aynı eser*, belge no:71, s.583).
[517] Hajnal, *Aynı eser*, belge no:84, s.609 Kossuth'un Czaykowski'ye gönderdiği 30 Aralık 1849 tarihli mektup.

Kossuth mektubunda, Avrupa medeniyetinden ve gelişmelerinden ayrılma korkusunu, Kütahya veya Mardin'e yerleştirilmelerine karşı çıkma sebepleri arasında gösterir. Ona göre böylesi bir karar, kendileri için en değerli olan vatan, aile ve dostlarından ebediyen mahrum kalmak demekti. Kossuth, Bâbıâli'nin mültecilerin gözetim altında tutulmaları kararını değiştirmemesi halinde, bu kararın sürgün ve mahkumiyet anlamına geleceğini ifade eder. Avusturya'nın da Osmanlı Devleti'ne bunu empoze etmeğe çalıştığını iddia eder. Oysa ona göre, kendi istekleri Avusturya'nın empoze etmeğe çalıştığı şartlardan daha insancıl ve makuldü. Bu istekler, mültecilerin yerleştirileceği yerin dış dünya ve Avrupa ile iletişimin kolay sağlanabileceği Selanik, İzmir veya Gelibolu gibi deniz kenarındaki yerler olmasıydı. Ancak, mültecilerin Osmanlı ülkesinin iç bölgelerinden birine yerleştirilmesi zorunlu ise burası Kütahya veya Mardin değil, başkente yakın bir yer olmalıydı. Kossuth'a göre, kendi isteklerine en uygun yer Edirne idi[518].

Ancak, İstanbul'daki olaylar Kossuth'un istediği gibi gelişmiyordu. Nitekim Czaykowski, 11 Ocak 1850 tarihinde Kossuth'a General Guyon ve Boekh'in Osmanlı Hükümeti üyeleriyle görüşmeler yaptığını, ancak temelde hiçbir şeyin değişmeyeceğini yazmıştı[519]. Çünkü, mülteciler meselesinde Rusya ve Avusturya ile varılan uzlaşma, İngiltere ve Fransa'nın desteği ile yapıldığından Bâbıâli, bu kararlara uymak zorundaydı. Zira, aksi bir harekette Osmanlı Devleti karşısında sadece düşmanlarını değil, barış isteyen müttefiklerini de bulabilirdi. Czaykowski'ye göre, bu şartlar altında mültecilerin arzularına olumlu cevap vermez ise Bâbıâli'yi suçlamaya kimsenin hakkı yoktu. Czaykowski, mülteciler için Kütahya şehrinin bilinçli olarak seçildiği görüşünde idi. Çünkü, Kütahya yumuşak bir iklime ve zengin toprağa sahipti. Aynı zamanda bu şehrin nüfusu, Kossuth'un istediği yerlere göre daha kalabalıktı. Dolayısıyla, Rusya ve Avusturya'nın mülteciler üzerinde etkin olmalarını önlemek için Kütahya, en uygun yerdi. Ayrıca Czaykowski, mültecilerin Şumnu'ya gönderile-

---

518   Hajnal, *Aynı eser*, belge no:84, s.610.
519   Hajnal, *Aynı eser*, belge no:95, s.642.

cek Osmanlı Komiseri Ahmed Vefik Efendi ile iyi ilişkiler kurmalarını, ve önderlerinden ayrılmak istemeyenlerin bir dilekçe ile ona müracaatta bulunmalarını de tavsiye ediyordu[520].

Kossuth, bütün girişimlerine rağmen kamp yeri hakkında alınan kararı değiştirmeyi başaramadı. Buna rağmen Kossuth, Czaykowski ve Boekh'e sürekli mektuplar göndererek, mültecilerin Anadolu'da yerleştirilmeleri kararının değiştirilmesi için girişimde bulunmalarını istedi. Kossuth'un ısrarlı talepleriyle karşılaşan Bâbıâli, kesin bir tavır koyarak alınan karardan geri dönülmeyeceği açıklamasını yaptı. Nitekim Hariciye Nâzırı Âlî Paşa, 13 Ocak itibariyle Osmanlı Devleti açısından bu meselenin kapandığını ve Avusturya ile varılan anlaşma gereğince mültecilerin Kütahya'ya gönderilmelerinin kesinlik kazandığını belirtti. Paşa, Osmanlı Devleti'nin hükümetlerine isyan eden halkların sınır dışı edilmesi prensibini benimsemesine rağmen, insanlık ve insan severlik adına kendisine sığınan mültecilerin hayatlarını kurtarabilmek ümidiyle, onları Rusya ve Avusturya'nın bütün baskılarına rağmen, bu ülkelere iâde etmediğini ifade etti. Paşa'ya göre, Osmanlı Devleti ya Rusya ve Avusturya ile savaşacak ya da bu devletlerle bir taraftan dostluk ilişkilerini devam ettirirken, diğer taraftan da ülkesine sığınan insanları koruyacaktı. Âlî Paşa, bu şartlar altında devletin elinden geldiği kadar mültecilere yardımcı olmaya çalıştığı halde, Şumnu'daki mülteci liderlerinin Kütahya'ya değil de Selanik ya da başka bir tarafa gitmek istemelerine bir anlam verememiş olduğunu da ifade etti. Paşa'ya göre, eğer Bâbıâli'ye kalsaydı mültecileri İstanbul'a yerleştirmek isterdi. Ancak Osmanlı Devleti, iyi ilişkilerini devam ettirmek zorunda olduğu Avusturya aleyhine İstanbul'da bir birlik oluşturma ortamı hazırlayamazdı. Âlî Paşa, mülteciler için Rumeli'nin tamamının Kütahya'dan daha sıkıcı olduğunu, Kütahya'ya gönderilecek mültecilerin İstanbul'daki dostlarından kolaylıkla mektuplar alabilecekleri ve istedikleri kitap ve sair şeyleri buradan ısmarlayabilecekleri kanaatindeydi. Üstelik başkent, Kütahya'ya iki gün uzaklıktaydı. Şumnu ise başkente daha uzak ve olumsuzluklara Kütahya'dan daha açık bir şehirdi. Bundan başka Kütahya'da mülte-

---

520 Hajnal, *Aynı eser*, belge no:95, s.643.

cileri gözetleyecek ve rahatsız edecek ajanlar olmayacaktı. Şumnu'daki mülteci şeflerin İngiltere'ye giderek, Macaristan'da kalan arkadaşlarıyla ortak hareket etmek istemeleri, kendi politik çıkarları için uygun olabilirdi. Ancak böyle bir duruma Bâbıâli müsaade ettiği takdirde, Avusturya ile sonu savaşla bitecek bir anlaşmazlığa düşeceğinden Osmanlı Devleti böyle bir tutum içerisine giremezdi[521].

Sonuç olarak Bâbıâli, Avusturya ve Rusya ile zor şartlarda yaptığı bu anlaşmanın, Şumnu'daki mültecilerin muhalefeti yüzünden bozulmasını istemiyordu. Aynı zamanda bütün samimiyetiyle mümkün olan en kısa sürede bu insanları serbest bırakmak istiyordu. Mültecileri Kütahya'da tutmak, aslında Bâbıâli'nin gerçek arzusuyla da uyuşmuyordu[522].

Âlî Paşa'nın bu kesin ifadelerine rağmen, mülteciler Kütahya'ya gitmeye muhalefetlerini devam ettirdiler. Onların bu muhalefeti Kütahya'ya gönderilecekleri güne kadar devam etti. Fakat bir netice elde edemediler.

Bu arada Macar mültecilerinden bir grup Sultan'a sunulmak üzere ortak bir dilekçe hazırlayıp İstanbul'a göndermişlerdir. Fakat bu girişim de sonuçsuz kalmıştır[523].

---

[521] Hajnal, *Aynı eser*, belge no:98, s.649.

[522] Hajnal, *Aynı eser*, belge no:98, s.649-650.

[523] Bir grup mülteci tarafından 12-14 Ocak 1850'de hazırlanıp İstanbul'a gönderilen dilekçe şöyle idi:
"*Efendim*

Aşağıda imzası bulunan Macar mültecilerinin, majestelerinin topraklarında cömertçe karşılanmalarından dolayı minnettarlıklarını göstermekten başka bir arzuları yoktur.

Majestelerinin kalpten gelen bu minnettarlık duygularının samimiyetine inanmalarını rica ediyoruz ve şartları ne olursa olsun bunun değişmeyeceğine inansınlar. Zira majestelerine hizmette bulunduğumuz müddetçe ancak vatanımıza hizmet edeceğimiz bilincindeyiz.

Majestelerinin devletlerinde, kendimize sığınacak yer aramamıza neden olan güç, bir taraftan kurtuluşumuzun sizin topraklarınızda olduğu inancı ki, biz bu kurtuluşu bulduk. Öte yandan Macar halkının tüm kesimlerinde hakim olan Osmanlı İmparatorluğu'nun çıkarlarıyla Macarların çıkarlarının aynı olduğu inancıdır. Bu inanç Osmanlı topraklarına ayak bastığımız andan itibaren daha da arttı ve günden güne Osmanlının düşmanlarının, vatanımıza saldıranlardan başkası olmadığına inanmaya başladık.

Bu inanç ve duygulara sahip olan bizler, şimdiye kadar bu inanç ve duygularımızın yanlış olabileceğini gösteren hiçbir şeyle karşılaşmadık. Bu yüzden majestelerinin devletlerine Tanrı'nın yardımıyla yardımcı olmak bize yakışan bir harekettir.

E. Kossuth'a Göre Şark Meselesi Açısından Mülteciler Meselesinin Önemi

Kossuth, 1849 yılının son günlerini kendi deyimiyle, fırtınalı bir hayat okulundan aldığı tecrübeyle geleceğe ait kapsamlı bir politik analiz yazısı hazırlamakla geçirdi. Söz konusu politik irdelemesini bir mektup halinde, 30 Aralık 1849'da General Boekh'e gönderdi. Bu

Geleceğin şartlarını ve olası olayları derinlemesine düşündüğümüz zaman, kararlılığımız ve bazı faydalı özelliklerimiz olmadan ne majestelerinin ne de öz vatanımızın menfaatleri için çalışacak sonucuna varıyoruz.

İşte bu kararlılığı koruyabilmemiz için şu iki şeye ihtiyacımız olduğuna inanıyoruz.

1- Majestelerinin yüce koruması altında ve doğal önderlerimizin yönetiminde birlik içerisinde olmalıyız.

2- Önderlerimize, majesteleriyle dostane ilişkiler içerisinde bulunan Batı Avrupa Devletlerine gitmelerine izin verilerek maddi ve manevi destek olmanız sağlansın ve bizler, bu ülkelerden zorla ayrılmış olmayalım ve faaliyetsiz kalmayalım.

Bu iki şart geleceğimiz için hayati önem taşımaktadır ve kendimize ve majestelerine faydalı olabilmemizin garantisidir. Fakat resmi kaynaklardan olmasa da sağlam kaynaklardan öğrendiğimize göre aralarında en seçkin önderlerimizin de bulunduğu 32 kişi, Avusturya'nın istekleri sonucu mülteci gruplardan ayrı olarak uzak bir şehirde tutulacaklarını öğrenmenin üzüntüsü içerisindeyiz.

Ne yazık ki, aramızdan bazılarının elinden tüm faaliyetleri ve nüfuzu alınırsa ve diğerleri düşmanlarının eline çaresiz kurbanlar olarak düşerlerse bu bizlerin ölüm fermanı olacaktır. Osmanlı Devleti, bizim de celladımız olan düşmanlarına karşı yardım göremediği gibi en iyi dostlarını kaybedecektir. Bizim birliğimizin gelecekte majestelerine sağlayacağı faydalardan dolayı bu birliğin yıkılmaması gerekiyor. Majestelerinden ricamız, her ne kadar aksi yönde baskı ve telkinler olsa da bizlerin birliğinin korunmasını sağlaması ve aşağıda bu birlik için sunduğumuz ortak bildiriyi dikkate almasıdır.

Efendim! Sizin en sadık hayranlarınızdan olabilecek bizlerin mütevazı arzularına kulak vermenizi diliyoruz. Majesteleri! Her şeyden önce bizlerin bir birlik içerisinde kalmamız için, önderlerimizin size ve vatanımıza karşı olan görevlerini ifa etmek üzere seyahat izni verilmesi ve gönderileceğimiz yerin vatanımızla ve Avrupa ile iletişimimizi zorlayacak veya imkânsız bir hale getirecek bir yer olmaması için emirler vermesini rica ediyoruz. Şayet majesteleri, bu söylediklerimizin imkânsız olduğunu karara bağlamış olduğunu söylüyorsanız ve bizlerden bazılarının gözetim altında tutulma kararının kesin olduğunu söylüyorsanız en azından mültecilerin geri kalanına hükümetinizin verdiği yardımlar kesilmesin ve onları izlememize izin veriniz.

Majesteleri! Şayet politik olaylar çok kötü durum alır ve majesteleri bizim zayıf fakat sadık hizmetlerimizin kendisine fayda sağlamadığına hatta bizim varlığımızın devletlerine zarar verdiği kararına varırsa lütfen bizlere, hayatımızı idame ettirebileceğimiz başka yerler aramak için devletinizden çıkma izni veriniz. Böylece her birimiz, kendi başımızın çaresine bakacak ve sığınacak bir yer bulacaktır.

Efendim! Hiçbir durumda, bizlere göstermiş olduğunuz yüce gönüllülüğünüzden, misafirperverliğinizden ve iyiliklerinizden dolayı majestelerinin zaferleri ve tacı için Tanrıya dua etmekten vazgeçmeyeceğiz (Hajnal, *Aynı eser*, belge 99, s.650-653).

mektup, Osmanlı Devleti'nin mülteciler meselesini diplomatik olarak nasıl kullanması gerektiğine ilişkin değerlendirmeleri içermektedir. Kossuth, mektupta Osmanlı Devleti'nin mevcut konjonktürden yararlanmadığı takdirde, dünyadaki konumunu yitireceği, Türk gücünün sonsuza dek Asya'ya itileceği ve Avrupa'daki hakimiyetini sona erdiren saatin kesin olarak çalacağını belirtiyordu. Ona göre, ince hesapların yapıldığı devletler arası ilişkilerde başarıya ancak ciddi diplomatik girişimlerle ulaşılabilirdi. Çünkü, diplomaside kullanılan bir söz, bazen askeri kuvvetlerin yaptıklarından daha etkiliydi. Belli sebeplerin belli sonuçları doğurmasının tabi ve değişmez olduğunu tarihi mantığın kendisine öğrettiğini ifade eden Kossuth, bunun gaipten bir haber verme olmadığını belirtiyordu[524].

Mektupta, mültecilerin Kütahya'ya gönderilme kararına muhalefetini devam ettiren Kossuth, bu kararı gerçek bir sürgün olarak değerlendiriyordu. Böylesi bir kararın kendisinin zindana atılması veya manen ölmesi ile eş anlamlı olduğunu ifade ediyordu. Ona göre, Macar halkı mutlaka bir gün galip gelecekti. Ancak, buna en büyük engel mültecilerin Kütahya'ya gönderilmesiydi[525].

Kossuth, ısrarla Osmanlı Devleti'nin vakit kaybetmeden Rusya'ya savaş açmasını istemekteydi. Çünkü, Osmanlı Devleti ile Rusya arasında bir buçuk asırdır yaşanan ihtilaflar da hatırlandığında savaş kaçınılmaz bir gerçektir[526]. Kossuth, mülteciler meselesinde Rusya'nın Osmanlı Devleti ile savaşı göze alamadığından tavrını değiştirdiğine dikkat çeker. Oysa ona göre, Rusya savaş istiyor ve savaşmak zorundadır. Ancak, savaşın çıkması ne kadar gecikirse bu gecikme, Rusya'nın galibiyetini Osmanlı'nın da mağlubiyetini hazırlayacaktır[527].

Kossuth'a göre, tarihte pek görülmeyen bir hadise oldu ve Osmanlı Devleti'ne karşı yumuşamayan Rusya yumuşadı. Rusya'nın bu

---

[524] Hajnal, *Aynı eser*, belge no:85, s.615 Kossuth'un Boekh'e gönderdiği 30 Aralık 1849 tarihli mektup.
[525] Hajnal, *Aynı eser*, belge no:85, s.615.
[526] Kossuth, dünya üzerinde hiçbir insanın Osmanlı Devleti ile Rusya arasında birikmiş meselelerin barış yolu ile bertaraf edileceğine inanmadığı düşüncesindedir. (Hajnal, *Aynı eser*, belge no:85, s.615).
[527] Hajnal, *Aynı eser*, belge no:85, s.616.

meselede geri adım atmasının Osmanlı Devleti'ne karşı ileride savaş açmayacağı anlamına gelmediğini belirten Kossuth, Çar'ın tam olarak savaşa hazır olmadığı için, şimdilik beklemekte olduğunu ileri sürmekteydi. Çünkü Çar, gelişen olayları doğru tahlil ederek, şu anda Türkiye ile yapacağı savaşta mağlup olacağını tahmin ediyor. Kossuth, uluslararası konjonktürün hiçbir zaman Osmanlı Devleti için bu kadar müsait olmayacağını, bu sebeple Bâbıâli'nin çıkacak savaşta kesin olarak galip geleceğini iddia etmekteydi. Savaşın sonucunu önceden tahmin etmek için kehanete gerek olmadığını belirten Kossuth'a göre, mevcut şartlar Osmanlı Devleti'nin galibiyetini gündeme getirmekteydi. Osmanlı Devleti'nin Rusya'ya açılacak bir savaşta neden galip geleceğini de özet olarak şöyle açıklıyordu[528]:

Osmanlı Devleti, mülteciler meselesinde Avrupa'nın açık sempatisini kazandı. Başka hiçbir şart altında bu sempatiyi kazanamazdı. Kamuoyunun bu sempatisi eşi ve benzeri bulunmayan bir güç ve destektir. Tüm Avrupa hükümdarlarının birleşmiş gücü, Napolyon'u düşürememişti. Ancak o, kamuoyunun desteği ve sempatisini kaybettikten sonra başarısızlığa mahkum olmuştu. Kamuoyu desteğini elde etmek hiç de kolay değildir. Macarlar, bu sempatiyi çektikleri büyük acı ve döktükleri kanla kazanmışlardır. Şayet Osmanlı Devleti ile Rusya arasında bir savaş çıkarsa, Avrupa'nın sempati ve gücü Bâbıâli'nin yanında yer alacaktır. İki ülke arasında sonradan çıkabilecek bir savaşta Avrupa'nın Osmanlı'ya maddi destek vermesi söz konusu olabilirdi. Ancak bu desteği Avrupa, Osmanlı Devleti'nin zaferi için değil, onun yenilmesi Rusya'yı daha da güçlendireceği için olacaktır [529].

Rusya, Osmanlı Devleti'ne karşı açacağı bir savaşta kendi çöküşünü görmektedir diyen Kossuth, bu savaşın çıkmasının an meselesi olduğu görüşündeydi. Bunun için, Rusya ya da Osmanlı Devleti'nin bir işareti yeterliydi. Ona göre, bu uygun şartlar çok uzun sürmeyecekti. Çünkü tarih, İngiltere ve Fransa'yı aynı safta görmeğe alışık

[528] Hajnal, *Aynı eser*, belge no:85, s.617.
[529] Hajnal, *Aynı eser*, belge no:85, 618.

154 *Osmanlı'ya Sığınanlar*

değildi[530]. Ayrıca Rusya, Osmanlı Devleti'nin Avrupa devletleri nezdinde dışlanması için boş durmayacaktı. İngiltere ve Fransa'nın desteğini Bâbıâli'den çekmeleri veya bu güçlerin birbirlerinden ayrılması için elinden geleni yapacaktı. Bu nedenle Kossuth, Osmanlı Devleti'nin bir an önce Rusya'ya savaş açması ve savaşı rakibinin mağlup olacağı bir anda istemesinin isabetli olacağı görüşündeydi. Çünkü ona göre, ressamlar buldukları ilhamları hemen bir fırçayla resme dökerler. Eğer bu düşünce kaybolursa, bir daha geri gelmesi mümkün olmaz[531].

Kossuth'a göre, Rusya'nın savaş istememesinin başka sebepleri de vardı. Rusya'nın Osmanlı Devleti'ne açacağı savaşta Avusturya, bir askerini dahi cepheye sürecek durumda değildir. Rusya, Avusturya'dan yardım gelmeyeceğini çok iyi bilmektedir. Fakat, yakın bir zamanda Avusturya'nın kendisini toparlayacağına inanmadığından, onun ileride kendini destekleyecek bir güç haline geleceği günü beklemektedir[532].

Kossuth, Rusya'ya karşı açılacak savaşta Osmanlı Devleti için bir riske de işaret eder. Bu risk de, Slav halkının Rusya'nın yanında yer almasıydı. Fakat Kossuth, Panslavist hareketler henüz bir isyana sebep verecek kadar gelişmediğinden Rusya'nın, bu kitleyi kolayca harekete geçirebilecek durumda olmadığı görüşündedir[533].

---

[530] Kossuth, Osmanlı tarihine bir bakış bu konuda yeterli dersi vermektedir der. Zira, Yunan ayaklanmasında, 1828-29 Osmanlı-Rus savaşında, Mehmed Ali Paşa isyanında, Marunilerle Dürziler arasındaki ihtilafta, Eflak ve Boğdan meselesinde İngiltere ve Fransa'nın birlikte Bâbıâli'nin yanında yer almamıştır. Fakat, şu andaki durumun tamamen farklı olduğunu,:Rusya'nın, Fransa ve İngiltere'nin Osmanlı Devleti'ni destekleyeceğini gördüğünden boyun eğmek zorunda kaldığını ve olayları askıya aldığını ifade eder (Hajnal, *Aynı eser*, belge no:85, s.620).
[531] Hajnal, *Aynı eser*, belge no:85, s.621.
[532] Hajnal, *Aynı eser*, belge no:85, s.621.
[533] Hajnal, *Aynı eser*, belge no:85, s.621-622 Ayrıca, Kossuth, Osmanlı Devleti ile Rusya'nın askeri gücünü de karşılaştırır. Ona göre, Rusya'nın tüm silahlı gücü 700.000'dir. Ancak, bunların hepsi etkili güç değildir. Kadın, çocuk, yaşlı ve hastaları çıktıktan sonra bu sayı 300.000'e düşer. Buna karşılık Kossuth'a göre 250.000 kişilik bir Osmanlı ordusu vardır. Acemilerin silah altına alınması ve terhis edilenlerin çağrılmasıyla bu sayı daha da artabilir. Ayrıca Macar ve Polonyalı mültecilerin desteğiyle daha da kuvvetlenecek olan Osmanlı birliklerinin, açılacak savaşta Rusya'yı yenmesi kolay olacaktı (Hajnal, *Aynı eser*, belge no:85, s.622-623).

Kossuth, Avusturya için ilginç bir de tespitte bulunur. Ona göre, Avusturya ne dost olacak kadar faydalı ne de düşman olacak kadar zararlı bir ülkedir. Bu tespitten sonra, Osmanlı Devleti ile Rusya arasındaki savaşın kaçınılmaz olduğunu, bu savaşın olup olmayacağının değil, ne zaman olacağının önemli olduğunu ifade eder. Sık sık Avrupa kamuoyu desteğine vurgu yapan Kossuth, bunun yarım milyon orduya denk olduğunu ileri sürer. Bu faktörler göz önüne alındığında, galibiyetin matematiksel açıdan kesin olduğunu belirtir. Yine ona göre, Osmanlı Devleti'nin beklentilerini iki faktör boşa çıkarabilir ve Rusya'nın gücünü artırabilirdi. Birincisi, Slav halkının Rusya'ya karşı artan sempatisi, ikincisi ise, güçsüz olan Avusturya'nın ileride güçlenerek Rusya'ya yardım etmesiydi[534].

Kossuth, Osmanlı Devleti'nin Rusya'ya savaş ilan etmesini sadece kesin başarıdan değil, aynı zamanda savaşın sonuçları bakımından da istemekteydi. Çünkü Bâbıâli, savaşı kazanırsa Macaristan ve Polonya'nın yeniden yapılanması daha kolay olacaktı. Ona göre, bu iki devletin yeniden yapılanması Osmanlı Devleti'nin Avrupa'daki güvenliği açısından da önemliydi[535].

Kossuth'un mülteciler meselesiyle ilgili olarak yaptığı değerlendirmeler, kendisi ve devleti açısından doğru olabilirdi. Fakat, Macar ve Polonyalı mülteciler sebebiyle Osmanlı Devleti ile Rusya arasında bir savaşın çıkması, sadece Kossuth'un isteğine bağlı bir gelişme değildi. Mülteciler meselesi yüzünden bir savaşı, Osmanlı Devleti ve Rusya'dan başka İngiltere ve Fransa'nın da istemesi gerekiyordu.

İngiltere, Fransa ve Rusya'nın savaşa bakış açılarını ve İstanbul'daki havayı yansıtması bakımından Czaykowski'nin yayınladığı tebliğ önemlidir. Czaykowski'ye göre, Rusya mülteciler meselesini bahane ederek Osmanlı Devleti'ne savaş açmak istemiyordu. İngiltere ve Fransa, Macaristan ve Polonya'nın haklarını sadece sözlü olarak savunmaktaydılar. Batılı güçlerin tek amacı Rusya'yı küçük düşürmektir. İngiltere ve Fransa, Polonya'nın bağımsız bir devlet olmasını istememektedirler. Çünkü adı geçen devletler, Slavların bunu örnek

---

[534] Hajnal, *Aynı eser*, belge no:85, s.624-625.
[535] Hajnal, *Aynı eser*, belge no:85, s.625.

alarak bağımsızlık için ayaklanacağına inanıyorlardı. Şayet, İngiltere savaş isteseydi sebep olarak mülteciler meselesini değil, Eflak ve Boğdan meselesini ortaya atardı. Czaykowski, İngiliz ve Fransız donanmalarının Osmanlı sularında bulunması kaydıyla, mülteciler için savaşı sadece Bâbıâli'nin isteyeceği düşüncesindeydi[536].

Kossuth'un politik irdelemesinde, Osmanlı Devleti'nden alınacak yardımla Avusturya'ya karşı açılacak savaşta başarılı olunacağına dair inancını kaybettiği dikkat çekmektedir. Oysa, başta Kossuth olmak üzere bir çok mülteci lideri, Bâbıâli'den yardım alarak tekrar düşmanlarına savaş açma ümidiyle Osmanlı ülkesine iltica etmişlerdi. Zaman geçtikçe diplomatik gelişmelerin seyrine paralel olarak Kossuth'un bu düşüncesinden vazgeçtiği görülmektedir. Nitekim Kossuth, Osmanlı Devleti'nden Rusya'ya savaş açmasını istemekteydi.

Kossuth'un Osmanlı Devleti'nden alacağı yardımla Macar Özgürlük Savaşı'nı yeniden başlatma inancını neden kaybettiği sorusuna bir kaç açıdan cevap verilebilir. Birincisi, Osmanlı Devleti'nden böyle bir desteyi alamayacağını anlamasıydı. Nitekim, İstanbul'dan Kossuth'a gelen haberlerde, onun bu planını kuvveden fiile çıkarabilecek küçük bir ümit kıvılcımı dahi yoktu. İkincisi, İngiltere ve Fransa'nın Osmanlı Devleti'nin sonuçları önceden kestirilmeyen böyle bir girişimde bulunmasına ne derecede olumlu baktıklarıydı. Nihayet üçüncü olarak da mültecilerin büyük bir kısmının dağılmış olmasıydı. Çeşitli Avrupa ülkelerinde bulunan Macarları yeniden organize edebilecek mali destek ve daha da önemlisi bir lider sıkıntısı vardı.

F.Mültecilerin Yılbaşı Kutlamaları

Mülteciler, 1850 yılına Şumnu'da girdiler. 1849 yılı Macarlar için kara bulutlarla başladı ve korkunç bir depremle bitti[537]. Macarlar, bu yılın sadece baharında Avusturya'ya karşı başarı sağlayabilmişlerdi. Bunun dışında bütün yıl, onlar için acı dolu geçmişti. Büyük ümitlerle başlayıp çaresizliklerle biten bir yılın ardından yılbaşı, mülteciler

---

[536] Hajnal, *Aynı eser*, s. belge no:67, s.573-574.
[537] Imrefi, *Aynı eser*, s.225.

için bir nebze de olsa üzüntülerini unutabilecekleri bir gündü. Mülteciler, 1 Ocak 1850 gecesi Ermeni kilisesinde Kossuth'un da katılımıyla bir araya gelmişlerdi. Gecede Protestan Vaiz Acs, mültecilere Macarca bir konuşma yaptı. Bu konuşmadan etkilenen ve savaştan yaralı olarak çıkan bazı mülteciler gözyaşlarını tutamadılar[538]. Acs'in konuşmasından sonra, *"Tanrı Macarları Kutsasın"* (Isten ald meg a Magyart) marşı okundu[539]. Kutlamalar sırasında bazı kişiler, yaptıkları konuşmalarda Avusturya ve Rusya'yı hedef aldılar. Yılbaşı kutlamalarında yapılan bu konuşmaları haber alan Stürmer, mültecileri Âlî ve Reşid Paşalara şikayet etti[540]. Noel kutlamaları bittikten sonra mülteciler, yeni yılını kutlamak için Kossuth'un evine gittiler. Kossuth, mültecilerin yaptığı bu jesti kabul etti ve gelecek baharda silahlı olarak Macaristan'ı kurtarmak için yeniden harekete geçeceklerini söyledi[541].

G. Avusturya Konsolosu Rössler'in Şumnu'ya Gelişi

Mültecilerin yılbaşı kutlamalarının üzerinden çok geçmeden Şumnu kampında huzur bozucu gelişmeler yaşandı. Bu gelişmelerin en önemlisi Avusturya'nın Ruscuk Konsolosu Rössler'in Şumnu'ya gelişi idi. Avusturya Elçisi Stürmer, 28 Kasım 1849'da Bâbıâli'ye sunduğu notada, Şumnu'da bulunan mültecilerden kendi istekleriyle Avusturya'ya dönmek isteyenlere yardımcı olmak amacıyla Ruscuk Konsolosu Rössler'i buraya göndermek istediklerini iletmişti[542]. Stürmer, Bâbıâli'den daha önce Vidin'e gönderilen General Hauslab'a gösterilen kolaylığın Rössler için de sağlanmasını istemişti. Ayrıca, Rössler'in görevini icra etmesinde yardımcı olmaları için, Şumnu'daki Osmanlı görevlilerine emir yazılmasını da rica etmişti[543].

---

538 İmrefi, *Aynı eser*, s.225; Korn, *Aynı eser*, s.164.
539 İmrefi, *Aynı eser*, s.225; Korn, *Aynı eser*, s.165.
540 Hajnal, *Aynı eser*, belge no:167, 794.
541 İmrefi, *Aynı eser*, s.225; Korn, *Aynı eser*, s.166.
542 BOA., Hr. Mkt. 28-100 Avusturya Elçisi Stürmer'in 12 M 66/28 Kasım 1849 tarihinde Bâbıâli'ye takdîm ettiği takrîr.
543 BOA., Hr. Mkt. 28-100.

Avusturya Hükümeti'nin ani bir kararla Rusçuk Konsolosunu Şumnu'ya göndermek istemesi, zamanlama açısından dikkat çekicidir. Çünkü, bu sırada başta Kossuth olmak üzere mültecilerin tamamı, Anadolu'ya yerleştirilmeleri kararına şiddetle muhalefet ediyorlardı. Mültecilerin muhalefetini bilen Avusturya Hükümeti'nin girişimi, Vidin'de olduğu gibi mültecileri Kossuth'tan kopararak onu desteksiz bırakmak amacına yönelik olduğu düşüncesini akla getirmektedir.

Bâbıâli, Stürmer'in bu başvurusu üzerine Şumnu'da bulunan Faik Bey ve Silistre Valisine Rössler'e nasıl davranılacağı hususunda emirler gönderdi[544]. Gönderilen emirlerde, Fâik Bey ve Vali'den Rössler'e her türlü kolaylığın gösterilmesi istenmekteydi. İstekler arasında mültecilerden arzularıyla geri dönmek isteyenlere hiçbir zorluk çıkarılmaması da vardı[545].

Rössler, 1849 Aralık'ının son günlerinde Şumnu'ya gelmişti[546]. Mülteciler, onun Şumnu'ya gelişini Avusturya Hükümeti'nin kendilerine verdiği kötü bir yılbaşı hediyesi olarak görüyorlardı. Rössler, mülteciler arasına ikilik sokmak ve mülteci şeflerinin faaliyetlerini gözetlemekle görevli olarak Şumnu'ya gelmişti[547]. Bu bakımdan onun

---

[544] "*Şumnu'da bulunan mültecilerden bazıları memleketlerine avdet emelinde olmaları muhtemel olduğu cihetle bu merâmda bulunanlar olduğu halde teshîl-i 'avdetleri içün Ruscuk'da mukîm Avusturya Devleti Konsolosu Mösyö Rössler'in bu kere Şumnu'ya memûr kılındığı beyânıyla teshîl-i umûr-ı memûresi husûsunun taraf-ı vâlâlarına tavsiyesi devlet-i müşârunileyhâ sefâreti tarafından bu kere bi't-takrîr inhâ ve istid'â olunmuş olub ma'lûm-ı devletleri buyurulduğu üzere Devlet-i Aliyye'nin karârı iş bu mültecilerden mücâzât-ı kânûniyyeye düçâr olmak korkusuyla memleketlerine 'avdet etmek istemeyenlere bunun içün bir vechile icbâr etmemek mâddesinden ibâret olduğundan bunlardan mücerred ve mutlak kendüleriyle zâtlarına gitmek isteyenlere Devlet-i Aliyye'nin bir diyeceği olmayarak hatta bunların Vidin'de iken içlerinden bazıları hâhiş-i zâtiyyeleriyle gitmiş olduklarından kusûrlarının dahî kangî sınıfdan olur ise olsun berü taraftan bir gûne teklîf ve cebr vukû'ubulmayub ber-vech-i muharrer mutlak ve mücerred istekleriyle memleketlerine 'avdet etmek murâdında olanlar olduğu ve kendüleri gelüb 'avdete tâlib olduklarını i'lân eyledikleri hâlde gitmelerine mümâna'ât olunmaması ve konsolos-ı mûmâileyh hakkında dahî hürmet ve mu'âvenet-i lâzımanın îfâsı husûsuna himmet buyurulması...*"
BOA., HR. MKT. 28-100. Faik Bey'e ve Silistre Valisi'ne gönderilen şukka (tarihsiz).

[545] BOA., HR. MKT. 28-100.

[546] İmrefi, *Aynı eser*, s.225; Korn, *Aynı eser*, s.166.

[547] Korn, *Aynı eser*, 166.

Şumnu'ya gelişi mülteciler arasında endişeyle karşılanmıştı. Gerçekten de çok geçmeden Rössler'in Şumnu'daki varlığı mültecileri rahatsız etmeğe başlamıştı. Rössler, mültecileri Kossuth'tan uzaklaştırmak için elinden geleni yapıyor ve mülteci birliğini dağıtmaya çalışıyordu. Bunu başarabilmek için de her türlü yola başvuruyordu[548].

Rössler, "Pollak" adlı bir Macar subayını para ve makam vaadi karşılığında kandırmış ve ondan bir ajan olarak faydalanmıştı. Bu subay, mülteciler arasında huzursuzluk çıkarmak için her türlü entrikayı çeviriyordu. Pollak, açıkça Kossuth'a karşı olduğunu söylemiş ve mültecileri şeflerine karşı kışkırtmak istemişti. Fakat bu subay, girişimlerinde başaralı olamamış ve Kossuth'un korumaları tarafından yakalanıp, Türk yetkililerine teslim edilmiş ve gereken cezaya çarptırılmıştı[549].

Bu Macar subayı, yaptıklarına karşılık hapis cezasına çarptırılmasına rağmen, bir yolunu bulup hapisten kaçmış ve kendisi için güvenli olan Avusturya Konsolosu'nun evine sığınmıştı. Bardy[550] adında başka bir Macar mülteci, birkaç astsubay ve arkadaşının yardımıyla Pollak'ı saklandığı yerden çıkarmayı başarmıştı. Bunun üzerine Şumnu'da bir anda ortalık karışmış ve Bardy'nin adamlarıyla Rössler'in korumaları arasında kavga çıkmıştı. Kossuth, hemen devreye girerek olayı yatıştırmıştı. Kossuth dahil bütün mülteciler,

---

548 Hajnal, *Aynı eser*, s.273.
549 Imrefi, *Aynı eser*, s.226; Korn, *Aynı eser*, s.166.
550 Bardy, daha sonra işlemiş olduğu suçtan dolayı hapse atılmıştı. Macarları Avusturya Konsolosu'nun konağını basmağa teşvik eden Bardy, bir süre sonra frengi hastalığına yakalanmıştı. Kaymakam Faik Bey'in izniyle tedavi görmek üzere hastaneye gönderilmişti. Hastanede bir müddet tedavi gördükten sonra hastane müdürü, hekime Bardy artık sıhhat buldu çıkaralım demesine rağmen, hekim ona izin vermemişti. Bardy'yi hastanede beklemek üzere bir de nöbetçi tayin edilmişti. Ancak Bardy, helaya gitmek bahanesiyle yattığı koğuştan ayrılmış ve bir daha geri dönmemişti. Kendisini gözetlemekle görevli nöbetçi bir müddet sonra Bardy'nin gelmediğini görünce bütün helaları aramış, fakat onun izine bile rastlayamamıştı. Halbuki Bardy, heladan çıktıktan sonra boş koğuşun bir kapısından girip diğer kapısından çıkmış ve kıyafetlerini değiştirdiğinden hastane kapısında bekleyen nöbetçiler kendisini tanıyamamışlardı. Bardy'nin hastaneden firar etmesi haber alınır alınmaz bütün köy ve kazalara zaptiyeler gönderilerek aranmış, fakat bulunamamıştı. Hatta kendisini şahsen tanıyan birkaç kişi tebdil-i kıyafet edip onu aramaya koyulmuşlarsa da bir netice elde edememişlerdi (BOA., DUİT., 75-2/45, Mahmud Paşa'nın Sadâret'e takdim ettiği 2 R 66/14 Mayıs 1850 tarihli tahrîrâtı).

Bardy'nin bu hareketini hoş karşılamamışlardı. Çünkü, mülteciler misafir bulundukları bir devlette kendileri yüzünden bir karışıklık çıksın istemiyorlardı. Bu yüzden de, olayda sorumlu olan kişiler belirlenerek mültecilerin kurduğu bir mahkemede yargılanmıştı. Mahkeme, kavgayı başlatan üç kişiyi bir yıl boyunca ağır işte çalışmaya, diğerlerini de 1 ila 12 ay arasında değişen hapis cezalarına çarptırmıştı. Bardy'nin cezalandırılması da Türk makamlarına bırakıldı[551].

Bu arada Rössler, asilerin cezalandırılmasından tatmin olmamıştı. Yukarıda anlatılan olaydan sonra bütün mültecilerin cezalandırılmasını istedi. Hatta Halim Paşa'ya mültecilerin yaşamlarının zorlaştırılması hususunda baskı yapmaya bile kalkıştı[552]. Kossuth, Rössler'in Şumnu'daki varlığından oldukça rahatsızdı. Halim Paşa'ya mektup göndererek, birkaç kişinin işlediği bir suçtan dolayı bütün mültecilerin cezalandırılmasının yanlış olacağını bildirmişti[553].

Bütün bu gelişmeler, Rössler'in Şumnu'ya iyi bir niyetle gelmediğini göstermekteydi. O, Avusturya'nın resmi memuru olmak sıfatıyla Halim Paşa'dan başka isteklerde de bulundu. Bu istekler:

1- Kossuth'un kendisine verilmesi veya öldürülmesi,

2- Şumnu'daki mültecilerin konaklarda değil, mahpus sıfatıyla kışlada oturtulması,

3- Mültecileri korumak için yanlarına asker tayin edilmemesi. Eğer asker tayin edilirse bu askerlere verilen talimatın kendisine de bildirilmesi,

4- Mültecilere yiyecek, giyecek ve ilaç verilmeyerek durumlarının kötüleşmesinin sağlanması,

---

[551] Imrefi, *Aynı eser*, s. 226; Korn, *Aynı eser*, s.167; Hutter, *Aynı eser*, s.141

[552] Korn, *Aynı eser*, s.168.

[553] Korn, *Aynı eser*, s.168. Rössler, Halim Paşa'dan bütün mültecilerin bir kışlada toplanmasını istemişti. Kossuth ise Halim Paşa'ya göndermiş olduğu mektupta bu konuyu kapatmasını rica etmişti. Kossuth'a göre bu esef verici olay Avusturya *konsolos* yardımcısının entrikaları sonucunda meydana gelmişti. Subayların bir kışlada toplanmasının yer darlığı yüzünden mümkün olmayacağını Paşa'ya iletmişti (Hajnal, *Aynı eser*, belge no:107, s.677. Kossuth'un Halim Paşa'ya gönderdiği 18 Ocak 1850 tarihli mektup).

5- Faik Bey'e Osmanlı Devleti tarafından mülteciler hakkında gönderilen talimatın içeriğinin ayniyle kendisine de bildirilmesi,

6- Faik Bey'e İstanbul'dan gönderilen yazıların kendisine gösterilmesi,

7- İsimleri tespit edilecek mülteciler ile reislerinin vurdurulması ve buna Osmanlı yöneticileri tarafından göz yumulması,

8- İstanbul'dan mültecileri öldürtmek için getirmiş olduğu tüfekli, piştovlu ve kılıçlı 10 nefer Hırvat katilin Şumnu'da açıktan açığa *"bizler mültecileri öldürmeye geldik"* sözlerine bir şey denilmeyip görevlerini yerine getirmelerine engel olunmaması[554].

Bu arada Avusturya Elçisi Stürmer, Rössler'in komplolarından Osmanlı Devleti'nin hiç haberi yokmuş gibi Âlî ve Reşid Paşalar ile görüşüp, Şumnu'daki gelişmelerden şikayetçi olmuştu. Stürmer, Şumnu'dan aldığı mektuplara dayanarak, Macar ve Polonyalı mülteciler arasında kargaşanın günden güne arttığını ileri sürmekteydi. Yine onun iddiasına göre, Bem ve diğer birkaç mülteci, Avusturya Devleti'nin kendilerini Şumnu'dan çıkarmak amacıyla yapacağı her türlü girişime silahla müdahale edeceklerdi. Bu yüzden Stürmer, Bâbıâlî'den mültecileri hemen Şumnu'dan çıkarmasını, gidecekleri yere kadar izlemesini ve Kütahya ve Halep'e gönderilecek mültecileri Varna'dan gemiye bindirirken herhangi bir ayaklanmaya meydan vermemek için gerekli önlemlerin alınmasını istemişti[555].

Stürmer, görüşmede Reşid ve Âlî Paşa'ya Rössler'e yapılan muameleyle ilgili şikayetlerini de ifade etti. Ona göre, Rössler'in Şumnu'daki durumu günden güne zorlaşmaktaydı. Zira Türk makamları, onun Şumnu'dan ayrılmak isteyen mültecileri izlemekten başka görevi olmadığını söyleyerek vazifesini ifa etmesine engel olmaktaydılar. Yıl başı gecesi mülteciler, Rössler'in evinin önünde taşkınlık yapmışlardı. Bu yüzden Rössler, kendilerine bir güvenlik görevlisi verilmesi için Faik Bey'e ricada bulunmuş, ancak bu isteği kabul edilmemişti. Stürmer'e göre Kossuth, her ne pahasına olursa olsun Rössler'i Şumnu'dan uzaklaştırmak için çalışmaktadır. Bu a-

554 BOA., HR. MKT. 29-60.
555 Hajnal, *Aynı eser*, belge no: 167, s.702-794.

maçla da, Halim Paşa'ya değerli bir yüzük vermiştir. Faik Bey'in Rössler'in güvenlik görevlisi isteğine red cevabı vermesi bu söylentileri doğrular nitelikteydi. Avusturya elçisine göre işler öyle bir noktaya gelmişti ki, konsolos yardımcısının bile güvenliği tehlikeye girmişti. Şayet bu durumda ona bir suikast düzenlenirse, bunun sorumluluğu tamamen Bâbıâli'nin üzerine kalacaktı. Noel ve yılbaşı günü Şumnu'da bulunan Ermeni kilisesinde Kossuth'un da katıldığı bir ayin yapılmıştı[556]. Papazlar ve bazı özel kişiler yaptıkları konuşmalarda Avusturya ve Rusya'ya hoş olmayan ifadeler kullanmışlardı. Rössler, bu durumu Faik Bey'e şikayet etmişse de bir netice alamamıştı. Bu sırada Şumnu'daki mültecilere Türklerin sempatisi o kadar ileri bir noktaya varmıştı ki, Türk müzik ekibi Macar havaları ve özellikle de Rakoczy Ferenc marşını çalmaktaydı. Kossuth, Halim Paşa'nın dikkatini dağıtmak ve gözüne girebilmek için hiçbir şeyden kaçınmıyordu. Şumnu'daki mülteciler, Avrupa başkentlerindeki diğer mültecilerle iletişim halindedirler. Stürmer, son olarak Kossuth'un, Halim Paşa'yı, İstanbul'da bir kabine değişikliğinin yakın olduğuna ve bundan sonra Rusya ve Avusturya ile savaş yapılacağına inandırmağa çalıştığını sözlerine ilave etmişti[557].

H. Halim Paşa'nın İstanbul'a Çağrılması

Mültecilerin hatıratlarında yazdıklarına inanmak gerekirse Halim Paşa, Avusturya Konsolosu Rössler'in isteği üzerine mültecileri tek bir kışlada toplamıştı[558]. Yine bu hatıratlarda, Halim Paşa'nın mültecilere acımasız ve düşmanca tavırlar takındığı uzun uzadıya anlatılmaktadır. Ancak hemen belirtmek gerekir ki, Osmanlı belgelerinde bu konuyla ilgili bir belgenin dışında malumat yoktur. Söz konusu belge, Halim Paşa'nın geçici olarak 20 gün kadar İstanbul'a çağrılmasıyla ilgilidir[559]. Bu belge, Halim Paşa ile mülteciler arasında bir geçimsizlik yaşandığına dair ip uçları vermektedir.

---

[556] Korn, *Aynı eser*, s.165.
[557] Hajnal, *Aynı eser*, belge no: 167, s.702-794.
[558] Hutter, *Aynı eser*, s.139; Korn, *Aynı eser*, s.170.
[559] BOA., İ. Dah. nr.12118 Sadâretin Mâbeyn'e takdîm ettiği 29 RA 66/12 Şubat 1850 tarihli arz tezkiresi.

Aslında Halim Paşa'nın mültecilerin gözünden düşmesi, Rössler'in Şumnu'ya gelişinden sonra ortaya çıkan olaylarla yakından ilgilidir. Bardy isimli bir mültecinin Avusturya Konsolosluğu'nda saklanan Pollak'a karşı organize ettiği eylemden sonra, Rössler isyancı mültecilere verilen hapis cezasını yeterli bulmayarak, bütün mültecilerin bir kışlaya toplanmasını istemişti. Bu isteğin yerine getirilmesi, kışın ortasında mültecilerin büyük bir çoğunluğunun evsiz kalmaları demekti. Daha da kötüsü, Şumnu'daki ihtiyar görgü şahitlerine göre şehir, yıllar sonra en soğuk kış günlerini yaşıyordu[560].

Halim Paşa, 21-22 Ocak 1850'de bütün mültecilerin Şumnu kışlasında toplanmaları için emir vermişti[561]. Mülteciler, Halim Paşa'nın bu davranışını şikayet etmek için Kossuth'un huzuruna çıkmış, o da şikayetçi subayları Faik Bey'e göndermişti[562]. Faik Bey, subaylara evlerinden atılmaları ve kışlaya geri dönmeleri kararını Halim Paşa'nın verdiğini, kendisinin de Paşa'nın emrinde çalışan biri olarak bu emre karşı bir şey yapamayacağını söylemişti[563]. Faik Bey'den bu cevabı alan mülteci subaylar, özenle hazırladıkları evlerini terk etmenin zorluğunu anlatmak gayesiyle Halim Paşa'ya bir grup mülteci göndermişlerdi. Fakat, önceki girişimleri gibi bundan da bir netice elde edememişlerdi[564].

Mülteciler, bunun üzerine durumu Bâbıâli'ye bildirmeğe karar verdiler. Bu amaçla da bir mektup yazdılar[565]. Bu mektup, Joseph Hutter tarafından kaleme alınmıştı. Kossuth'un bazı eklemeleriyle de son şekli verilen mektupta, özet olarak Halim Paşa hakkında şu şikayetlere yer veriliyordu:

Halim Paşa'nın bize esir gibi davranması kabul edilemez bir davranıştır. Birkaç astsubay ile arkadaşları, mültecilere dahil olma-

---

560 Korn'a göre kışın şiddetinden Şumnu'daki bütün dükkanlar kapalıydı. Şumnu sakinleri evlerine kapanıp ocaklarının yanlarında günlerini geçiriyorlardı (Korn, *Aynı eser*, s. 169).
561 Korn, *Aynı eser*, s. 169; Hutter, *Aynı eser*, s.139.
562 Imrefi, *Aynı eser*, s.228; Korn, *Aynı eser*, s.170.
563 Imrefi, *Aynı eser*, s.228; Hutter, *Aynı eser*, s.139.
564 Imrefi, *Aynı eser*, s.228; Korn, *Aynı eser*, s. 170; Hutter, *Aynı eser*, s.139.
565 Korn, *Aynı eser*, s. 171; Hutter, *Aynı eser*, s.141.

yan bir Macar[566] tarafından hapisten kaçıp Avusturya Konsolo-
su'nun evine sığınan bir mülteci hükümlüyü saygısız bir şekilde geri
istemeğe ikna edilmişlerdi. Arkadaşlarımızın bu uygunsuz davranı-
şını kınamakla kalmayıp, mültecilere dahil olmadığı halde, bu olayın
elebaşçısını da yakalayıp Türk memurlarına teslim etmiştik. Bundan
sonra da bir mahkeme oluşturarak olayda adı geçen herkesin uygun
bir biçimde cezalandırılmalarını sağladık. Ancak Halim Paşa, bizim
bu davranışlarımızı soğuğun -21 dereceye ulaştığı ve çok az insanın
evinden dışarıya çıkmağa cesaret ettiği 21 Ocak'ı 22 Ocak'a bağlayan
gecede bizi evimizden dışarı çıkarıp, içinde ne döşemenin ne de oca-
ğın olduğu ve duvarların içindeki sıcaklığın dışındaki sıcaklıktan en
fazla bir derece fark ettiği kışladaki odalarımıza yerleştirerek ödül-
lendirdi. Fakat asırlardır başka uluslar tarafından övülen ve hayran-
lık duyulan ve en sıcak insan sevgisini emreden Türk dininin bu
şekilde lekelenmesi, daha da ileriye giderek mültecileri misafirper-
verlikle karşılaması için sarayın kendisine gönderdiği emirleri hiçe
sayması ve nihayet sarayın bize gösterdiği misafirperverlik karşısın-
da medeni Avrupa'dan elde ettiği saygı ve sempatiyi bu şekilde yok
etmeğe uğraşması karşısında sessiz kalamazdık. Halim Paşa'nın e-
mirleri sonucu ortaya çıkan bu korkunç manzara şunlardan oluşu-
yordu:

Hastalar zayıflıklarına bakılmadan yataklarından alınarak bir
saat uzaklıktaki kışlaya götürüldüler. İyileşmekte olanlar, askerler
tarafından yapılan kaba davranışların sonucunda yine kötüleşti. Bu
soğukta aniden evsiz ve yiyeceksiz kalan sağlam insanlar da hasta
oldu. Eşyalarımızın bir kısmı yağmalandı ve bir kısmı da dikkatsizce
evlerimizden dışarıya karların üzerine atılarak çiğnendi. Birçok su-
bay ve eşlerine kötü şekilde kızıldı ve çocuklara eziyet edildi. Önce-
den içlerinde oturulmaz durumda olan evlerimizde yaptığımız tami-
rat ve temin ettiğimiz odun, kömür, tencere ve tabaklarımız bu uygu-
lama sonucunda kayboldu. Kısaca her şeyin cezasını çektik. Biz emi-
niz ki bu davranış sadece Halim Paşa'nın kendisinin yaptığı bir ha-
rekettir ve sizin bundan haberiniz yoktur. Bu yüzden Bâbıâli'ye bil-

---

[566] Hutter, Bardy isimli bu Macar'ın Şumnu'ya Yunanistan'dan geldiğini yazarken,
Korn ise İtalya'dan geldiğini yazar (Hutter, *Aynı eser*, s.141; Korn, *Aynı eser*, s.166).

dirmek istiyoruz ki, biz kanımızı ve canımızı sizin uğrunuza feda etmeğe ve sizden gelen her emre amade olmaya hazırız. Sadece kendisinin yerliler tarafından şişirilmesine izin veren ve bize acı çektirerek, moralmen çökmemize sebep olan Halim Paşa'nın ellerinden kurtaracak kadar merhamet duyarsanız, size sonsuz derecede müteşekkir olacağız[567].

Bu şikayet mektubunun altında 150 subayın imzası vardı. Hutter'e göre bu mektup, İstanbul'da çok çabuk etkisini göstermiş ve Halim Paşa'nın görevine son verilmiş[568] ve Halim Paşa'nın yerine ondan daha ılımlı bir kimse olan Mahmud Paşa tayin edilmişti[569]. Korn ise hatıratında bu şikayet mektubuna yer vermekle birlikte, Halim Paşa'nın görevden alındığına dair bilgi vermez. İmrefi ise hatıratında, Halim Paşa ile ilgili kısa bir bilgi verir[570].

Osmanlı belgelerinde ise Halim Paşa'nın görevden alındığına dair bir kayıt yoktur. Yukarıda da değinildiği üzere o, 20 günlük bir izinle İstanbul'a gelmişti. Mülteci subaylarının gönderdiği şikayet mektubunun Halim Paşa'nın İstanbul'a çağrılmasında ne kadar etkili olduğunu bilemiyoruz. Ancak kesin olarak bildiğimiz, Halim Paşa'nın 20 günlük geçici süreyle İstanbul'a gitmek üzere Ömer Paşa'ya müracaatta bulunmasıdır[571]. Ömer Paşa da, onun bu isteğini Seraskerliğe yazmış ve neticede Halim Paşa'ya tekrar Şumnu'ya geri dönmek şartıyla söz konusu izin verilmişti. Belgeden de anlaşıldığı üzere, Halim Paşa'nın görevden alınması bir tarafa, İstanbul'a gelmek için kendisi müracaatta bulunmuştu. Öyle anlaşılıyor ki Hutter, onun İstanbul'a izinli olarak gitmesini görevden alma olarak yanlış algılamıştı. Korn hatıratında, Kütahya, Halep ve Malta'ya gönderile-

---

567 Hutter, *Aynı eser*, s.141-144.
567 Hutter, *Aynı eser*, s.144; Korn, *Aynı eser*, s.172-173.
568 Hutter, *Aynı eser*, s.144. Korn'a göre bu mektup beklenen neticeyi vermiş ve evlerinden çıkarılan subaylar tekrar evlerine geri dönmüşlerdi. Ayrıca birçok subay da yeni evlere taşınmışlardı. Bazı subaylar da, Türk subayları ile anlaşarak beraber aynı evde kalmışlardı. (Korn, *Aynı eser*, s.174).
569 Hutter, *Aynı eser*, s.120.
570 Imrefi'nin Şumnu'daki mültecilerle Halim Paşa arasındaki ilişkilere değinmeler için bkz. Imrefi, *Aynı eser*, s.227-228.
571 BOA., İra. Dah. nr. 12118.

cek mültecileri organize etmek üzere Şumnu'ya gelen Ahmed Vefik Efendi'nin buradaki görevini tamamladıktan sonra Halim Paşa'yı da yanına alarak oradan ayrıldığını yazar[572]. Demek oluyor ki, Halim Paşa 20 günlük bir izinle İstanbul'a gelmiş ve tekrar Şumnu'ya geri dönmüştür. Onun, Ahmed Vefik ile beraber Şumnu'dan ayrılmasıyla da mülteciler, Mahmud Paşa'nın kumandası ve Faik Bey'in gözetimi altına girmişlerdir[573]. Bu görüşü destekleyen diğer önemli bir nokta da, Ahmed Vefik Efendi'nin Şumnu'dan ayrılmasından sonra, burada kalan mültecilerin durumlarıyla ilgili Bâbıâli'ye takdim edilen yazıların hemen hepsinin altında Faik Bey'in mührü olduğu halde, Halim Paşa'nın hiçbir yazının altında mührünün olmamasıdır. Halbuki, Şumnu'daki mültecilerle ilgili haberleri o tarihe kadar Halim Paşa ve Faik Bey İstanbul'a bildiriyordu. Dolayısıyla, Halim Paşa'nın İstanbul'a çağrılması bilgisi doğru, görevden alındığına dair verilen malumat da yanlıştır. Öte yandan, Halim Paşa'nın, Hutter ve Korn'un hatıralarında belirttiği şiddette olmasa da, mültecilerle iyi geçinemediği kesindir. Çünkü, onun İstanbul'a gelme gerekçeleri arasında *"sûret-i memûriyeti kendisine lâyıkıyla tefhîm"*[574] olunması da vardı.

I. Kossuth'a Suikast Girişimleri

Avusturya Hükümeti, Şumnu'daki mültecilerin durumunu daha da zorlaştırmak için her türlü yola başvuruyordu. Daha Macar birlikleri Avusturya ve Rusya müttefik orduları karşısında kesin yenilgiye uğrayıp Kossuth ve arkadaşları Osmanlı Devleti'ne sığındıkları sırada, Avusturya Hükümeti tedbir alma yoluna gitmişti. Bu amaçla Belgrat, Yaş ve Bükreş'teki ajanlarına Kossuth ve yandaşlarının eşkalleriyle birlikte görüldüğü her yerde hemen yakalanması için talimat gönderilmişti. Aynı zamanda, bu ajanlara yardımcı olunması ve onlarla işbirliği yapılması doğrultusunda Osmanlı Devleti'ndeki konsolosluklarına olduğu gibi, civar ülkelerdeki konsolosluklara da benzer emirler göndermişti. Avusturya Hükümeti, belirlenen hedefe

---

[572] Korn, *Aynı eser*, s.200.
[573] Korn, *Aynı eser*, s.202.
[574] BOA., İ. Dah. nr. 12118.

ulaşmak yani, Kossuth ve diğer mülteci önderlerinin izinin sürülmesi ve yakalanması amacıyla iki de komiser görevlendirmişti. Bu komiserler, ihtilal liderlerinden birini yakalamayı başarırlarsa, en kısa ve en emin yoldan Avusturya'ya gönderecektiler. Verilen bu görevi başarıyla yerine getirebilmek için ajanlara pasaport, eğitim ve yeterli miktarda ödenek de sağlanacaktı. Ayrıca bunlar, Osmanlı Devleti'ndeki Avusturya misyonerlerinden eğitim alacaklardı[575].

Mülteci liderlerini yakalamaları görevlerinin yanı sıra bu ajan ve komiserler, mülteciler arasında huzursuzluk çıkarmak ve bir kısmını parayla kandırmak yoluna da gideceklerdi. Ayrıca, mültecilerin vatanlarından ayrı kalmanın vermiş olduğu psikolojik sıkıntıyı da kullanarak, boş vaatlerde bulunup aralarında disiplinsizlik ve moral bozukluğu meydana getirmek de bu kişilerin görevleri arasındaydı. Avusturya Hükümeti, mülteci liderlerinin yakalanması ve mülteci birliğinin dağıtılması için görevlendirdiği bu ajanlardan, Vidin'deki yaklaşık 3.000 mülteciyi anavatanlarına göndermenin dışında istediği neticeyi alamamıştı.

Avusturya'nın asıl amacı Kossuth'u ele geçirmekti. Fakat bu başarılamamıştı. Kossuth'un Avusturya tarafından ele geçirilememesinin asıl sebebi, Osmanlı Devleti'nin aldığı sıkı güvenlik önlemleriydi[576]. Diğer bir sebep de, bu tür komplolara karşı kendisini koruyabilmek amacıyla Kossuth'a sürekli bilgi verilmesiydi.

Avusturya Hükümeti Kossuth'u ele geçirmek için yaptığı girişimlerden bir netice elde edemeyince, daha etkili bir önlem alma yoluna gitmiştir. Bu önlem, Kossuth'u bir suikastla öldürtmekti. Böylece, mülteciler meselesi Avusturya açısından kısa yoldan halledilmiş olacaktı. Avusturya Hükümeti tarafından böyle radikal bir planın ortaya konması önemli nedenlere dayanmaktaydı. Asıl amaç, Kossuth'u öldürmek ve Macarları lidersiz bırakmaktı. Bu şekilde mültecilerin dirençleri tamamen kırılacaktı[577]. Mülteciler, önderlerini

---

575 Hajnal, *Aynı eser*, belge no:129, s.706. Kossuth ve arkadaşlarının Osmanlı Devleti'nde izlenmesi hakkında Avusturya Dışişleri Bakanlığı'nın 14 Ağustos 1849 tarihli önergesi.
576 Imrefi, *Aynı eser*, s.227.
577 Eszalary, *aynı makale*, s.443.

168   *Osmanlı'ya Sığınanlar*

kaybetmenin verdiği çöküntüyle de kendi kendilerine dağılacaklardı. Diğer bir amaç ise, mülteci liderlerinin canlarına kastetmek suretiyle, Bâbıâli'yi Avrupa Devletleri önünde küçük düşürmekti. Bu plan başarıya ulaşacak olursa, Osmanlı Devleti'nin mültecilerin güvenliğini sağlayamadığını bütün dünya görmüş olacaktı[578].

Mültecileri Vidin'de Avusturyalı ajanlar takip ediyor ve kendilerine verilen emirler doğrultusunda hükümetlerine raporlar sunuyorlardı. Bu ajanların Vidin'deki görevleri arasında, Kossuth'a suikast girişimi yoktu. Vidin kampında mültecilerin yaşadıkları günleri anlatan belgelerde bu tür bir girişimin yapıldığına dair en ufak bir ip ucuna rastlamıyoruz. Fakat Şumnu kampında Kossuth'a bir kaç defa suikast eylemi yapıldı. Bu eylemler, başlangıçta bir sürü insanın mülteci adı altında Şumnu'da toplanmasıyla başlamıştı. Aslında kendisini mülteci olarak takdim eden bu insanlar, parayla tutulmuş Avusturya ajanlarından başka kimseler değillerdi. Bunlar, Kossuth hakkında bilgi topluyorlardı[579]. Yukarıda da değindiğimiz gibi Avusturya'nın Ruscuk Konsolosu Rössler, Şumnu'ya gelmiş ve Halim Paşa'dan Kossuth'un kendisine verilmesini veya öldürülmesini talep etmişti. Bunu talep eden Rössler, Avusturya'nın Osmanlı Devleti'nde görev yapan resmi bir memuruydu.

Kossuth'a ilk suikast 1849 yılının sonlarına doğru düzenlendi. Swetozar Jassinger adlı bir şahıs, İstanbul'da işi gücü olmayan birkaç Sırp ve Hırvat'ı toplayarak onları silahlandırdı. Bunların asıl amacı, Kossuth ve Murad Paşa'yı (Bem) öldürmekti[580]. Ancak Jassinger, taktik hatası yaparak topladığı adamları İstanbul'dan tek grup halinde Şumnu'ya doğru yola çıkarmıştı. Eli silahlı olan bu kişiler, Şumnu'daki halkın hemen dikkatini çekmişti. Hatta, suikastçılar Şumnu'ya geliş gayelerinin bizzat Kossuth'u öldürmek olduğunu açıktan açığa söylemişlerdi. Bu sözlerin kulaktan kulağa yayılması mülteciler üzerinde olumsuz etkiler yapmış ve mülteciler, Osmanlı Devleti ile Avusturya'nın gizlice anlaşarak kendilerini öldürecekleri

---

578 Hajnal, *Aynı eser*, belge no:84, s.611.
579 Eszalary, *Aynı makale*, s.444.
580 Hajnal, *Aynı eser*, belge no:76, s.591; Eszalary, *aynı makale*, s.444.

vehmine kapılmışlardı[581]. İki devletin bu konuda anlaştıklarına dair dedikodular Şumnu'da yayılmağa başladı.

Bu sebeple Şumnu'da Kossuth ve diğer mülteci liderlerinin Osmanlı elbisesi yaptırarak Ahyolu ve Varna üzerinden bir gemiyle İngiltere'ye gitmek hususunda İngiliz Konsolosu ile yazıştıklarına dair haberler de dolaşıyordu[582]. Bu suikast girişimi başarısızlıkla sonuçlanmış ve suikastla ilgili olarak yakalananlar mahkemede yargılanarak cezalandırılmıştı. Bu planın başarısız kalmasında, bu sırada İstanbul'da bulunan Polonyalı ajan Koscielski'nin Kossuth'u bilgilendirmesinin rolü olduğunu söylemek faydalı olacaktır[583]. Fakat suikast senaryosunu hazırlayan Jassinger, kaçmayı başarmıştı. Halim Paşa, bu olayın ortaya çıkmasından sonra, Kossuth'un ikamet ettiği evin etrafında güvenlik önlemlerini arttırmış ve onun yanına en sadık hizmetçisini vermişti[584].

Diğer bir komplo da 1850 yılına bir-iki gün kala gerçekleştirilmeye çalışılmıştır. Bu kez, Kossuth'u öldürmek için, Jasmagy adında birisi suikast teşebbüsünde bulunmuştu. Jasmagy, Avusturya'nın Vidin ve Ruscuk konsolos yardımcılarıyla iletişim halindeydi. Aynı zamanda bu şahıs, anavatanlarına dönmeleri için, Vidin'deki mülte-

---

581 "*Nemçe Konsolosu'nun yanına İstanbul'dan bir adam gelmiş ve yanında beraber beş-altı tüfenkli kılıçlı Hırvatlar getürmüş onlar alenen söylüyorlar bizler bizim düşmanlarımız ve üzerlerinde kanımız olan Ceneral Bem ve Kossuth ve sâirleri öldürmeğe geldük deyü ve bunlar da bu lakırtıları işittiklerine mebnî Devlet-i Aliyye Nemçe Devleti ile hafîfçe lakırtı etmişler ve bizleri bunlara gizlice öldürecekler diyerek canlarından emin olamıyorlar ve bunlara başka başka sizin canınız bizim canımızdan azîzdir ve sizin bir kılınıza sâye-i hazret-i şâhânede hiçbir hata gelmez diyerek temîn sûretinde ifâde olunmakda ise de adamlar bir gûne temîn olunamıyorlar...*" (BOA., DUİT., 75-1/64-4 Halim Paşa'nın Sadârete takdîm ettiği 11 S 66/27 Aralık 1849 tarihli tahrîrât; Ahmed Refik, *Aynı eser*, s.153).

582 BOA., DUİT., 75-1/64-4.

583 Koscielski, 24 Aralık 1849'da Kossuth'a göndermiş olduğu mektupta, düzenlenebilecek suikasta dikkat çekmiş ve onu uyarmıştı. İstanbul'dan Şumnu'ya giden bu kişilerin Kossuth'a pasaport, para ve kaçmak için yol tezkiresi teklif edebileceklerini bu bakımdan dikkat etmesi gerektiği üzerinde durmuştu. (Hajnal, *Aynı eser*, belge no:75, s.588). Kossuth, İstanbul'dan muhtemel suikastlara karşı dikkatli olması yolunda kendisini uyaran bir kurye geldiğini, ayrıca katillerin Şumnu'da bulunduğu yolunda Varna İngiliz Konsolosu'nun kendisini sık sık uyardığını Boekh'e yazmıştı (Hajnal, *Aynı eser*, belge no:88, s.630).

584 Eszlary, *Aynı makale*, s.444.

ciler arasında yoğun propaganda faaliyetlerinde bulunmuştu[585]. Jasmagy'nin faaliyetlerini bilen Türk yetkilileri, mültecilerin dikkatli olmaları için uyarıda bulunmuştu. Ayrıca Kossuth'un ikamet ettiği evin çevresindeki güvenlik önlemleri artırılmıştı[586].

Jasmagy, Şumnu'daki mülteciler arasında gerginliği artırmak için her türlü yolu deniyordu. Hatta, Türklerin mülteciler üzerinde daha fazla kontrol sağlamak için, suikast söylentilerinin bizzat onlar tarafından uydurulduğunu bile iddia diyordu[587]. Jasmagy'nin Şumnu'da bulunduğunu öğrenen Kossuth, Halim Paşa'ya bir mektup yazarak ondan yardım istemişti[588]. Kossuth, mektubunda Osmanlı Devleti'nin, mültecilerin ikamet edecekleri yerde Avusturyalı bir gözlemci bulundurulma talebini reddetmesinin bağımsız bir devlete yakışır hareket olduğunu,[589] ancak Avusturya'nın Osmanlı Devleti'nin onuruna ve bağımsızlığına kastetmekten kaçınmadığı üzerinde duruyordu. Çünkü ona göre, Jasmagy'nin mültecileri gözetmek üzere görevlendirilmesi, Bâbıâli'nin Avusturya'nın talebini reddetmesi kararına uygun değildi. Kossuth, Osmanlı Devleti'nin bu

---

[585] Hajnal, *Aynı eser*, s.belge no:81, s.602 Kossuth'un Serasker Paşa'ya gönderdiği 29 Aralık 1849 tarihli mektup.

[586] İmrefi, *Aynı eser*, s.227.

[587] İmrefi, *Aynı eser*, s.227.

[588] Suikastçılar hakkında Halim Paşa'ya bir mektup gönderen Kossuth, Jasmagy'nin mültecileri bir şeytan gibi etkileyerek ortalığı karıştırdığını ve onun hem Macaristan hem de Osmanlı Devleti'nin menfaatleri aleyhine çalışan bir casus olduğunu bildirmişti. Tehditlere maruz kalan sadece kendisi olsa, hiçbir şekilde yardım talebinde bulunmayacağını, ancak meselenin bütün mültecileri ilgilendirdiğinden gerekli önlemlerin alınmasını istemişti. (Hajnal, *Aynı eser*, belge no:82, s.604). Bu suikastla ilgili olarak Jasmagy raporunda, kendisinin henüz Şumnu'ya varmadan, Varna'daki İngiliz Konsolosu tarafından Kossuth'un ikaz edildiğini yazar. Yine o, Türklerin bu konuda bilgilendirilmiş olacağından şüphe duyuyordu. Jasmagy şüphelenmesinde haksız da sayılmazdı. Çünkü, o Şumnu'ya doğru hareket ederken dikkat çekmekten kaçınmak amacıyla yanında bulunanlardan sekiz kişiyi İstanbul'a geri göndermek istedi. Ancak, bu kişilerin pasaportları nizami olarak düzenlenmesine rağmen Paşa, onlara vize vermedi. Ayrıca Jasmagy bu olumsuzluklara ek olarak karın yağmış olmasını da amacına ulaşmakta bir engel olarak görmüştür. Bütün bu olumsuzluklara rağmen o, raporunda amacından vazgeçmediğini, uygun bir anda suikastı mutlaka gerçekleştireceğini yazar (Hajnal, *Aynı eser*, belge no:163, s.786).

[589] Hatta Kossuth, Avusturya'nın bu isteğinin suikasttan daha vahim olduğunu, bu isteğin Osmanlı Devleti'nin bağımsızlığına ve onuruna yapılmış bir saldırı ve meydan okuma olarak değerlendiriyordu (Hajnal, *Aynı eser*, belge no:82, s.603).

hareketleri engellemek için gerekli girişimlerde bulunmasını ve Sultan'ın misafirlerine saldırma cüreti gösteren bu kişilerin en kısa zamanda cezalandırılmalarını istemişti[590]. Kossuth'un isteği üzerine evinin önündeki korumaların sayısı birden altıya çıkarıldı. Bu korumalar sadece Türklerden oluşmuyordu. Korumalar arasında Macarlar da vardı[591].

Jasmagy'nin Kossuth'a suikast girişimi sonuçsuz kaldı. Zira Serasker Paşa, Kossuth'un isteği üzerine, bu tür komplolara karşı gerekli önlemlerin alınması hususunda Halim Paşa'yı uyarmıştı[592]. Ayrıca Bâbıâli, Avusturyalı ajanların propagandalarına alet olup tuzaklarına düşmemeleri için, mültecilere şimdilik 50.000 kuruş atiyye-i seniyye verilmesini de kararlaştırmıştı[593].

Jasmagy, mültecilerin özellikle de Kossuth'un peşini bırakmamıştır. Daha sonra da değinileceği gibi, mültecilerin Kütahya'ya gitmesiyle o da Şumnu'dan ayrılarak Kütahya'ya gitmişti.

Kossuth'a bir suikast da Dembinski'nin kuzeniyle evli olan Madame Dembinski tarafından planlandı. Doğrusu hiçbir mülteci, Kossuth'a yakınlığı ile bilinen bu kadından bir komplo beklemiyordu. Bu kadın, Macaristan'ın bağımsızlığı hakkında müspet düşüncelere sahipti. Hatta, Kossuth ve diğer mülteciler tarafından Avusturya düşmanı olarak tanınıyordu. Fakat 1850 Ocak ayının başlarında gelişen olaylar, bu kadın hakkındaki iyimser düşüncelerin yanlışlığını ortaya koymuştu. Yapılan plana göre Kossuth'a takma bir isim verilecek ve İngiliz gemisiyle İstanbul'a, oradan da Viyana'ya götürülecekti. Ancak bu plan da Kossuth'un eski dostlarından biri olan Beck'in ihbarı sayesinde gerçekleşmemiştir[594].

---

[590] Kossuth, elde bu kadar delil varken, Halim Paşa'dan yakalanan katillerin sınır dışı edilmeyip, adalete teslim edilerek cezalandırılmalarını istemişti. Hajnal, *Aynı eser*, belge no:82, s.604.

[591] Imrefi, *Aynı eser*, s.227.

[592] Hajnal, *Aynı eser*, belge no:82, s.604.

[593] BOA., DUİT., 75-1/64-1 Sadâretin Mâbeyn'e takdîm ettiği 25 S 66/7 Ocak 1850 tarihli arz tezkiresi ve bir gün sonra sadır olan irade.

[594] Eszlary, *Aynı makale*, s.444.

Kossuth, bu suikast girişimlerini kendi lehine çevirmek istiyordu. Saldırganların teşebbüslerini gerçekleştirebilmeleri için fırsat verecek, ancak amaçlarına ulaşacakları sırada onları vurduracaktı. Böylece, elinde Avusturya'nın yaptıklarını dünya kamuoyuna gösterebileceği somut bir delil olacaktı. Kossuth'un bu planı yerine getirebildiği söylenemez. Ancak yine de suikast haberlerinin yayılması bile gereken etkiyi gösteriyordu[595]. Aslında bu suikast girişimleri ve sonuçları Kossuth'un itibarını yükseltiyor ve mültecilerin ona bağlılığını daha da kuvvetlendiriyordu.

J. Bayan Kossuth'un Şumnu'ya Gelişi

Kossuth'un eşi Theresa'nın 2 Şubat 1850'de Şumnu'ya gelişi mülteciler ve özellikle de Kossuth için hoş bir sürpriz olmuştu. Kossuth, Osmanlı Devleti'ne iltica etmek için Arad'dan ayrılmaya karar verdiği zaman, çocuklarının geleceğinin belirsizliği yüzünden Theresa, kendisine eşlik edememişti. Bayan Kossuth, annelik sorumluluğunu yerine getirmek için Arad'da kocasıyla vedalaşmış ve çocuklarını aramaya karar vermişti. Kossuth, 11 Ağustos 1849'da eşinden ayrılmıştı[596]. Bir taraftan Macaristan'ın içine düştüğü durum, diğer taraftan da çocukları hakkında hiçbir bilgiye sahip olamaması ve son olarak da eşinden ayrılması, Kossuth için kuşkusuz üzüntü verici bir durum olmuştu.

Bayan Kossuth, Macar Özgürlük Savaşı'nda annelik ve eşlik görevini büyük bir sabırla yerine getirmişti. Onun tek amacı çocuklarını da alarak saklandığı yerden çıkmak ve ülkeyi terk etmekti. Fakat Theresa, çocuklarıyla iletişim kurmayı başaramamıştı. Çünkü Kossuth'un üç çocuğu da Avusturya tarafından yakalanarak gözetim altına alınmıştı. Bayan Kossuth ise, Avusturya askeri birlikleri tarafından her yerde arandığı halde ele geçirilememişti. Theresa, Macaristan'da bir soydaşının evinde kalıyordu[597]. Çocuklarını beraberinde Osmanlı Devleti'ne getiremeyeceğini anlayınca tek başına eşinin

---

[595] Hajnal, *Aynı eser*, s.285.
[596] Imrefi, *Aynı eser*, s.31.
[597] Korn, *Aynı eser*, s.174.

yanına gitmeye karar vermişti[598]. Bu kaçışta ona, başlangıçta Mayerhoffer adlı bir genç eşlik etmişti. Mayerhoffer, bayan Kossuth ile Peşte'ye gitmiş ve buradan da Szemlin'e geçmişti. Burada pasaport temin edilmesinden sonra bir muhafız gözetiminde Belgrat'a ulaşmışlardı. Bayan Kossuth bu şehirde Sardunya Konsolosu'nun evine sığınmıştı. Bu evde bir süre kaldıktan sonra Bridham[599] adlı bir İngiliz, onu Şumnu'daki eşinin yanına götürme görevini üstlenmişti. Bridham'ın yardımları sayesinde bayan Kossuth, 2 Şubat 1850'de Şumnu'ya ulaşmıştı[600]. Theresa'nın Şumnu'ya gelişi mülteciler arasında büyük sevinç yaratmıştı. Mülteciler onun kendilerine katılmasını kutlamak üzere bir fener alayı düzenlemiş, bir de balo tertiplemişlerdi[601]. Theresa'nın Şumnu'ya gelmesi hem mültecilerin yaşantılarında önemli değişikliklere neden olmuş, hem de Kossuth'un mücadele azmini artırmıştı[602].

K. Ahmed Vefik Efendi'nin Şumnu'ya Gönderilmesi

Bâbıâli ile Rus Hükümeti arasında varılan anlaşma gereğince, Polonyalı mültecilerden Rusya vatandaşı olanların isimlerinin belirlenmesi için, Bâbıâli Şumnu'ya bir komiser gönderecekti. Mültecilerin isimleri tespit edildikten sonra Varna'ya indirilecekler ve Osmanlı Devleti'ne ait bir gemiyle Malta Adası'na gönderilecektiler[603]. Bâbıâli tarafından Şumnu'ya gönderilen Komiser, Rusya Sefareti tarafından verilen listede adı geçen Müslüman mültecileri de seçecekti. Bunlar da, Varna'ya indirilecek ve buradan gemiye bindirilerek Halep'e gitmek üzere İskenderun'a sevk edileceklerdi. Görevli komiser, bu

[598] İmrefi, *Aynı eser*, s.228-229.
[599] Bayan Kossuth'un Şumnu'ya gelmesinde büyük rolü olan Bridham, Macar Özgürlük Savaşı sırasında *"Times"* gazetesinin muhabirliği görevini yürütüyordu. Savaş sonrasında da aynı gazetenin Sırbistan muhabiriydi. Fakat, Sırbistan Kralı'nın hassa alayı ile korunan Theresa'ya Sırbistan'dan geçerken arkadaşlık etmesinden dolayı işinden kovulmuştu (Korn, *Aynı eser*, s.174).
[600] İmrefi, *Aynı eser*, s.229; Korn, *Aynı eser*, s.174.
[601] İmrefi, *Aynı eser*, s.229; Korn, *Aynı eser*, s.174; Eszlary, *Aynı makale*, s.446.
[602] Eszlary, *Aynı makale*, s.446.
[603] Korn, *Aynı eser*, s.177.

174 *Osmanlı'ya Sığınanlar*

işlemi tamamladıktan sonra, adı geçen yerlere gönderilecek olanların isimlerini Rus yetkililerine bildirecekti[604]. Avusturya ile varılan anlaşma gereğince, Kütahya'ya gönderilecek mültecilerin tespit edilmesi, bu komiserin görevleri arasındaydı.

Öte yandan Fuad Efendi, mülteciler meselesinin Rusya cihetini halletmek üzere Petersburg'a gönderilmişti. Fuad Efendi, Rusya'ya hareketinden önce görevi Ömer Paşa'ya devretmişti. Ancak, Fuad Efendi Petersburg'taki görevini başarıyla tamamlamış ve geri dönme vakti gelmişti. Eflak ve Boğdan'da durum normalleştiğinden Fuad Efendi, Rusya dönüşünde Bükreş'te yirmi beş gün kaldıktan sonra İstanbul'a gelecekti. Ömer Paşa, her ne kadar Bükreş komiserliğini başarıyla sürdürüyorduysa da Sadâret, bu göreve yeni birisinin atanmasının daha uygun olacağı kanaatindeydi. Bu görevlinin Tercüme Odası Serâmedânından Ahmed Vefik Efendi[605] olması kararlaştırıldı[606]. Eflak ve Boğdan komiserliğine tayin edilen Ahmed Vefik

---

604 Hajnal, *Aynı eser*, belge no:164, s.788.
605 Ahmed Vefik Efendi hakkında sayısız kitap ve makale kaleme alınmıştır. Biz, burada önemli olan birkaçının ismini vermekle yetineceğiz. Mehmed Süreyya, *Sicill-i Osmanî*, 1308, I, s.308-309; Şemseddin Sami, *Kamûsu'l-Alâm*, İstanbul 1316, VI, 4688-4689; Ahmet Hamdi Tanpınar, "Ahmed Vefik Paşa", *İA.*, I, s.207-210; Ömer Faruk Akün, "Ahmed Vefik Paşa" *DİA.*, s.143-157; Mehmet Zeki Pakalın, *Ahmed Vefik Paşa*, İstanbul, 1942; İbnülemin Mahmut Kemal İnal, *Son Sadrazamlar*, II, İstanbul 1982; F. Abdullah Tansel, "Ahmed Vefik Paşa", *Belleten*, nr.109, (1964), s.117-139; a.mlf, "Ahmed Vefik Paşa'nın Eserleri", *Belleten*, nr. 110, (1964), s.249-283; a.mlf., "Ahmed Vefik Paşa'nın Şahsiyetinin Teşekkülü-Hususi Hayati ve Muhtelif Karakterleri", *Belleten*, nr.113, (1965), s.121-175; Mehmed Selahaddin, *Bir Türk Diplomatının Evrâk-ı Siyasiyyesi*, İstanbul 1306; Ahmed Refik, *Lamartine Türkiye'ye Muhaceret Kararı İzmir'deki Çiftliği (1849-1853)*, İstanbul 1925; Ion Matei, "Ahmed Vefik Paşa'nın Rumenlerle Münasebeti", *Edebiyat Fakültesi Türk Dili ve Edebiyatı Dergisi*, (çev. Zeynep Kerman), Aralık 1972, s.49-91 ; a.mlf., "Ahmed Vefik Paşa'nın Rumenlerle Olan Münasebetlerine Dair", *Türk Dünyası Araştırmaları*, Ekim 1982, s.20, (çev. Zeynep Kerman) s.123-164; Sevim Güray, *Ahmed Vefik Paşa*, Ankara 1966; İsmail Hikmet, *Ahmed Vefik Paşa*, İstanbul, 1932.
606 "... *Eflak ve Boğdan'ın... gerü kalmış işleri cüziyyât kabîlinden olub Devletlü Ömer Paşa Hazretleri dahî nezâret edeceği derkâr ise de her hâlde bir politika memûrunun bulunması fâideden hâlî olmayacağından bunun için münâsibi lede't-teemmül Tercüme Odası Hülefâsı Ser-âmedânından İzzetlü Ahmed Vefik Efendi bir kaç lisâna âşinâ ve zâten müstakîm ve fâtîn-i bendegân-ı hazret-i şâhâneden olduğundan tamamı bu maslahata ehil ve müstehak görünmesiyle onun yedine talîmât-ı lâzıma i'tâsıyla müsteşar-ı müşârunileyhin Bükreş'e vusûlünde orada bulunmak ve müşârunileyhden dahî ta'lîmât almak ve Ömer Paşa Hazretleriyle dahî her şeyi müzâkere eylemek üzere hemân çıkarılması ve buradan Varna'ya çıkub Şumnu'ya giderek... tefrîk-i mülteciyân memûriyetini dahî icrâ eylemesi..."*

Efendi'ye bir de talimat verilmişti[607]. Bu tayininin bir yönü de mülteciler ilgilendirmekteydi. Ahmed Vefik Efendi, memuriyet mahalline giderken, bu göreve ek olarak Şumnu'ya geçerek Kütahya, Halep ve Malta Adası'na gönderilecek mültecilerin nakillerini gerçekleştirecekti[608]. Ahmed Vefik Efendi bu göreve 23 Aralık 1849 tarihinde getirilmişti. Fakat o, bu göreve atanmasından ancak bir buçuk ay kadar sonra İstanbul'dan Şumnu'ya hareket edebilmişti. Halbuki Sultan Abdülmecid, onun hemen görev mahalline hareket etmesini istemişti[609]. Ancak o, bu göreve tayin edildiği sırada oldukça hastaydı. Nitekim, İstanbul'daki siyasi gelişmeler hakkında Kossuth'a bilgi veren Guyon'un mektuplarında, Ahmed Vefik Efendi'nin bu tarihlerde hasta olduğu ifade edilmektedir[610]. Hatta Guyon, onun hastalık sebebiyle evinden dışarı çıkamadığından seyahatini sürekli ertelemek zorunda kaldığını ifade eder[611].

BOA., DUİT., 75-1/59-1 Sadâret'in Mâbeyn'e takdîm ettiği 7 S 66/23 Aralık 1849 tarihli arz tezkiresi; İbnülemin Mahmut Kemal İnal, Aynı eser, s.652; Ahmed Refik, Aynı eser, s.146).

[607] Eflak ve Boğdan fevkalade komiserliğine tayin olunan Ahmed Vefik Efendi'ye bu göreviyle ilgili verilen talimatta özet olarak şu hususlara dikkat etmesi istenmekteydi: Fuad Efendi'nin gayretli çalışmaları neticesinde Eflak ve Boğdan ahalisi Osmanlı Devleti'ne büyük bir sempati duymaya başlamışlardır. Ahmed Efendi'nin dikkat edeceği en önemli husus, Fuad Efendi'nin uygulamalarını devam ettirmektir. Bükreş'te bulunan Rusya memuru General Duhamel ile iyi ilişkiler kurulacak ve sebepsiz yere onunla tartışmaya girilmeyecekti. Her ne kadar Rumeli Ordû-yı Hümâyûnu Ömer Paşa ile Ahmed Efendi'nin görevleri farklı ise de, Ömer Paşa, bölgenin meselelerine vukuflu olmasından dolayı Ahmed Efendi, onunla sık sık görüşüp fikir alış verişinde bulunacaktı. Ayrıca, bölgenin meselelerini Eflak ve Boğdan Beyleri ile de müzakere edecekti. Eflak ve Boğdan Boyarları arasındaki değişik yaşam tarzlarını da göz önünde bulunduracak olan Ahmed Efendi, bölge halkının gönlünü kazanmaya çalışacaktı. Eflak ve Boğdan'da bulunan İngiliz ve Fransız Konsoloslarıyla da iyi ilişkiler kurulacaktı. Bu yörenin halkı işlerini genelde rüşvet ile görmeğe alışık bulunduğundan Ahmed Efendi, bu konuya özellikle dikkat edecekti (BOA., DUİT., 75-1/62-2 23 S 66/8 Ocak 1850 tarihli Sadâret'in arzı ve 24 S 66/9 Ocak 1850 tarihli Padişahın iradesiyle Ahmed Vefik Efendi'ye verilen talimat müsveddesi).

[608] BOA., DUİT., 75-1/59-1

[609] BOA., DUİT., 75-1/59-1.

[610] Hajnal, *Aynı eser*, belge no:101 s.658 Guyon'un Kossuth'a gönderdiği 14 Ocak 1850 tarihli mektup.

[611] Guyon Kossuth'a gönderdiği başka bir mektubun da ise Ahmed Efendi'nin iyi bir şahsiyet olduğunu ve Macarlara sempati duyduğunu yazar. Ayrıca o, her şeyi Ahmed Efendi ile açık bir şekilde konuşabileceğini Kossuth'a yazmıştı. Yine onun

Eflak ve Boğdan komiserliğine tayin edilen Ahmed Vefik Efendi'ye Şumnu'daki mültecilerin Kütahya, Halep ve Malta Adası'na nasıl gönderileceği hususunda on yedi maddeden oluşan bir talimatname verildi. Bu talimatnamede Ahmed Vefik Efendi'den şu hususların yerine getirmesi istenmekteydi:

1- Avusturya ve Rusya elçilerince verilen defterlerde Kütahya, Halep ve Malta'ya gönderilecek mültecilerin isimleri kaydedilmiştir. Şumnu'ya vardığında Halim Paşa, Faik Bey ve Kütahya'ya gönderilecek mültecilerin refakatine tayin edilen Miralay Süleyman Refik Bey ile işbirliği yapacak ve defterlerde isimleri yazılı olan mültecilerin yerine başkalarının gönderilmemesine dikkat edeceklerdir.

2- Rusya Sefâreti tarafından verilen defterde isimleri yazılı olanlar Malta'ya, Avusturya Sefâreti tarafından verilen defterde isimleri olanlar ise Kütahya'ya gönderilecektir. Defterlerde isimleri yer alan Müslüman olmuş mülteciler ise Halep'e nakledilecektir. Malta'ya gidecek mültecileri Tâif-i Bahri, diğerlerini de Gemlik ve İskenderun iskelelerine nakletmek üzere Tâir-i Bahrî vapurları tahsis edilmiştir. Polonyalı mültecilerin gideceği Malta Adası, Kütahya ve Halep'e nazaran uzak olduğundan öncelikle bunların yol ihtiyaçları karşılanacaktır. Ayrıca, Vidin'den Şumnu'ya nakillerinde olduğu gibi, yanlarına zâbıtân-ı askeriyeden bir kişi ve yolculukları sırasında muhafazaları için bir miktar asker tayin edilecektir. Gemlik İskelesi ile Varna'nın arası İskenderun'a oranla daha yakın olduğundan, öncelikle Kütahya kafilesi Varna'ya gönderilecektir. Kütahya'ya gidecek mültecilerden bazılarının ailesi beraberinde olduğundan, onlar da Kütahya'ya gönderilecektir. Yolculuk esnasında çocuk ve kadınların huzur içerisinde seyahat etmelerine özen gösterilecektir.

3- Mevsim kış olduğundan, kendilerini taşıyacak vapurların Varna İskelesi'nde boş yere bekletilmemeleri için, mültecilerin ihtiyaçları beş altı gün zarfında karşılanarak Şumnu'dan Varna'ya hareketleri sağlanacaktır. Tâir-i Bahrî Vapuru önce Kütahya yolcularını Gemlik'e götüreceğinden, buradan Varna'ya kaç günde geri dönebi-

---

ifadesine göre, Ahmed Efendi, mültecilerin tüm isteklerine olumlu cevap verecek birisiydi (Hajnal, *Aynı eser*, belge no:116, s.685).

leceği hesaplanacak, Müslüman mülteciler de ona göre Şumnu'dan ayrılacaklardır[612].

4- Rusya ve Avusturya Sefâretleri tarafından verilen defterlerde isimleri olanlar ve Halep'e gönderilenlerin dışında, Avusturya vatandaşı olmayan mültecilerden Malta'ya gitmek isteyen olursa, bunların istekleri kabul edilecek ve Tâif vapuruna bindirileceklerdir.

5- Avusturya vatandaşı olup Kütahya'ya gönderilecek mültecilerden veya Avusturya Sefareti tarafından verilen defterde isimleri yer almayanlardan, kendi istekleriyle vatanlarına dönmek isteyenlere engel olunmayacaktır. Fakat, Avusturya'ya dönmeleri için de Ahmed Vefik Efendi tarafından kesinlikle teklif yapılmayacaktır.

6- Avusturyalı mültecilerden kaç kişinin Kütahya'ya gönderileceği ve bunların kimler oldukları Şumnu'daki Avusturya Konsolosu tarafından bilindiğinden, Ahmed Vefik Efendi Kütahya'ya nakil meselesini onunla da müzakere edecektir.

7- Mültecilere Sultan Abdülmecid tarafından gönderilen 150.000 kuruş, Halep, Kütahya ve Malta'ya gönderileceklere rütbe ve mesleklerine göre dağıtılacaktır.

8- Şumnu'dan ayrılan mülteciler, Varna'ya varıncaya ve oradan vapurlara bindirilinceye kadar, kendilerine iyi muamele edilmesine ve bunlardan hiçbirinin kaçmamasına azami dikkat gösterilecektir. Bu amaçla da belli sayıda asker yolculuk boyunca mültecilere refakat edecektir. Kütahya, Halep ve Malta'ya gönderilecek mültecilerin çoğu Macar Özgürlük Savaşı'nın önde gelen isimleri olduğundan, bunların muhafazasına tayin edilen kişiler, mültecilerin hoş tutulmalarına gayret edeceklerdir. Ayrıca bu konuda Ahmed Vefik Efendi tarafından kendilerine tavsiyelerde yapılacaktır.

9- Kütahya'ya gönderilecek mültecilerin ellerinde tahminen 300 kadar at bulunuyordu. Ancak bunların vapura bindirilerek sahipleriyle birlikte nakledilmeleri mümkün görünmüyordu. Atlar, satılıp paraları kendilerine verilse dahi, sahiplerinden bazılarının daha fazla

---

[612] Gerçekten de Ahmed Efendi talimatta belirtilen hususlara harfiyen uymuştu. Nitekim, Kütahya grubu Şumnu'yu 15 Şubat'ta, Halep grubu ise 24 Şubat'ta terk etmişlerdi (Korn, *Aynı eser*, s.182; Hutter, *Aynı eser*, s.147; İmrefi, *Aynı eser*, s.232).

para edebilecek olan atlarının bir oldu bittiğe getirilip ellerinden alındığını iddia etmeleri muhtemeldir. Bu yüzden nahoş bir duruma meydan vermemek için, bu hayvanların Varna'daki İngiliz ve Fransız memurların gözetimi altında tutulmalarına karar verilmiştir. Hayvanlar, görevli memurlar tarafından satılıncaya kadar Varna'da uygun yerlere yerleştirileceklerdir. Bakımları daha önceden olduğu gibi Osmanlı Devleti tarafından yapılacaktır. Mülteciler, atlarını konsolosluklara bırakmak yerine, karadan İstanbul'a götürmekte ısrar ederler ise buna mani olunmayacaktır. Bu iş için mülteci lideri olmayan birkaç kişi görevlendirilerek, yanlarına da ihtiyaca göre birkaç Osmanlı memuru tayin edilecektir.

10- Mülteciler, kış sebebiyle çorap, çarık ve aba gibi giyeceklerin temini için birkaç gün Şumnu'da kalmak isterlerse, kendilerine 5 günden fazla izin verilmeyecektir.

11- Ahmed Vefik Efendi Şumnu'ya vardığında, ayrı ayrı mahallere gönderilmelerinden dolayı, mültecilerin itirazlarıyla karşılaşabilirdi. Oysa, onların hayatlarını kurtarmak için Osmanlı Devleti bütün riskleri göze alarak Avusturya ve Rusya'nın taleplerini reddetmişti. Bununla birlikte Bâbıâli, devletler arası anlaşmaları çiğnememek için de, kendilerini bu iki devletin sınırlarından uzak bir yere yerleştirmek zorunda kalmıştı. Aynı zamanda, Osmanlı Devleti Kütahya'daki bütün mültecileri mümkün olan en kısa zamanda serbest bırakmak için elinden gelen her şeyi samimiyetiyle yapacaktı. Ancak, onların da serbest kalabilmeleri için Kütahya'da sakin durup, Avusturya'nın itirazlarına sebep olacak hareketlerden kaçınmaları gerektiği kendilerine hatırlatılacaktır.

12- Mültecilere iyi muamele edilmesine dikkat edilecektir. Yüksek rütbeli olanlara daha çok itibar gösterilerek, Rusya ve Avusturya'nın itirazına sebep olabilecek bir ortam yaratılmayacaktır. Zira, kısa bir süre önce Şumnu'daki Avusturya Konsolosu'ndan bu yolda şikayetler alınmıştı. Bu yüzden her iki tarafı da kırmamak için itidalli hareket edilecektir.

13- Mültecilerin gerek Şumnu'dan hareketleri sırasında, gerekse yolculukları süresince suikasta uğramaları muhtemeldir. Böylesi hadiselerin yaşanmaması için görevli memurlar uyarılacaktır.

14- Kütahya, Halep ve Malta'ya gönderilecek mültecilerden başka, Şumnu'da kalanlar Halim Paşa'ya teslim edileceklerdir[613].

15- Mülteciler parasızlık yüzünden çaresizlik içerisinde bulunduklarından, Silistre Valisi'ne Eyâlet emvâlinden 150.000 kuruşun mültecilere verilmesi emri yazılmıştır. Ahmed Vefik Efendi, Halim Paşa ile görüşüp söz konusu parayı mültecilere dağıtacaktır.

17- Ahmed Vefik Efendi, bu talimatta yer alan hususları zaman geçirmeden uygulamaya koyacak ve Şumnu'daki gelişmeleri sık sık Bâbıâli'ye rapor edecektir. Ayrıca mültecilerin isimlerini ihtiva eden bir defteri de İstanbul'a gönderecektir. Şumnu'daki görevi sona erdikten sonra da Bükreş'e gidecektir[614].

Ahmed Vefik Efendi, mültecilerin nakillerini gerçekleştirmek üzere tüm yetkilerle donatılmış olarak 31 Ocak 1850'de İstanbul'dan yola çıkmış[615] ve 3 Şubat'ta Varna'ya ulaşmıştı. Aynı gün buradan ayrılarak Şumnu'ya hareket etmişti. Görkemli bir törenle karşılandığı Şumnu'ya 5 Şubat 1850'de varmıştı[616]. Mülteciler, onu kutsal biri olarak görüyor ve gelişiyle problemlerinin çözüleceğine inanıyorlardı[617]. Türk görevliler ve mültecilerin önde gelenleri tarafından Ahmed Vefik Efendi için görkemli bir karşılama töreni düzenlendi[618].

---

[613] Her ne kadar Ahmed Vefik Efendi'ye verilen talimatta, Şumnu'da kalan mültecilerin Halim Paşa'ya teslim edilmesi yazıyorsa da Ahmed Efendi Şumnu'daki görevini tamamladıktan sonra Halim Paşa'yı da yanına alarak asıl görev yeri olan Bükreş'e hareket etmiştir. Halim Paşa'nın Şumnu'dan ayrılmasıyla bu göreve Mahmud Paşa tayin edilmişti (Korn, *Aynı eser*, s.120).

[614] BOA., DUİT., 75-1/63-7 24 S 66/8 Ocak 1849 tarihli irade ile Ahmed Vefik Efendi'ye verilen talimat.

[615] *Cerıde-i Havâdis*, nr.470, 23 RA 1266/6 Şubat 1850.

[616] Hutter, *Aynı eser*, s.144; Korn, *Aynı eser*, s.178; Imrefi, *Aynı eser*, s.229; BOA., 75-2/13-13, Ahmed Vefik Efendi'nin Sadâret'e takdîm ettiği 23 RA 66/6 Şubat 1850 tarihli tahrirat.

[617] Korn, Ahmed Vefik Efendi'yi kısaca şöyle anlatmaktadır: Ahmed Vefik Efendi modern Türk okullarında yetişmiş bir şahsiyettir. Kibar hareketleri, Fransız ve İtalyan dillerini konuşurken sergilediği maharet ona tam bir beyefendi görünüşü vermektedir. Padişah'a yıllarca tercümanlık yapmış olması sayesinde diplomasiyi en ince ayrıntılarına kadar öğrenmiştir. Öyle ki, bir konu hakkında konuşurken o kadar süslü sözler kullanır ki, konu hakkında sizi tamamen aydınlatacak zannedersiniz. Fakat konuşmanın sonunda yine onun istediği kadar bilgilendirilmiş olduğunuzu görürsünüz (Korn, *Aynı eser*, s.178).

[618] Korn, *Aynı eser*, s.178.

Mülteciler onun için kırmızı, yeşil ve beyaz renklerden oluşan ışıklı bir ulusal gösteri hazırlamışlardı. Esasında bu kutlama, Kossuth'un eşinin Şumnu'ya gelişi sebebiyle 2 Şubat'ta yapılacaktı[619]. Ancak, Ahmed Vefik Efendi'nin Şumnu'ya geleceği daha önceden mültecilere bildirildiğinden, bu lambalar onun karşılama töreninde kullanılmak üzere saklanmıştı[620].

Ahmed Vefik Efendi kendisine gösterilen bu ilgiden çok memnun kalmıştı. Bundan böyle mültecilerin hayatlarının daha da kolaylaşacağını, padişahın onların dertleriyle yakından ilgilendiğini söyledi. Sultan'ın, Rusya ve Avusturya'nın isteklerine karşı çıkma konusunda bir an bile tereddüt göstermediğini söyleyerek, onlara teselli verici bir konuşma yaptı. Onun bu konuşması mülteciler üzerinde olumlu tesir yaptı ve yüzlerce mülteci Balkan Dağları'na çarpıp vadiye dönen bir ses tonuyla, Türkçe olarak, *"Padişahım çok yaşa"* diye bağırdılar[621]. Ahmed Vefik Efendi'nin ifadesine göre mültecilerin *"sadâ-yı teşekkürleri semâya çıkmış ve dinleyenlerde zâr zâr ağlamadık can kalmamıştı"*[622]. Ancak, mültecilerin bu sevinci kısa sürdü. Zira, Ahmed Vefik Efendi'nin Şumnu'ya kendilerini Anadolu'ya göndermek üzere geldiğini öğrendiklerinde büyük bir üzüntü duydular. Hatta, Hauslab'ın Vidin'e gelişinde olduğu gibi aralarında büyük bir gerginlik yaşandı[623].

---

[619] Korn, *Aynı eser*, s.174.

[620] Hutter, *Aynı eser*, s.145.

[621] Korn, *Aynı eser*, s.178. Ahmed Efendi 6 Şubat 1850 tarihinde Sadâret'e sunmuş olduğu tahrîrâtında mültecilerin kendisini karşılamasını şu şekilde anlatır: *"...ahşamısı Macarlar üç yüz kadar fenerle bir alay tertîb edüb ve kullarının bulunduğum müdîr konağının havlusuna biriküb Rabbim 'ömr ü şevket-i hümâyûnlarını bin kat daha izdiyâd buyursun velî-ni'met-i bî-minnetimiz padişâhımız efendimiz hazretlerinin bu kadar vakittir haklarında bezl olunan merhamet ve ihsân-ı bî-pâyân-ı şehinşâhînin ve büyük küçük cümlesinin hadlerinde ziyâde nâil oldukları rahat ve ittifâk-ı zâidenin yâd ve tezkârı sırasında sadâ-yı teşekkürleri semâya çıkmış ve dinleyenlerde zâr zâr ağlamadık can kalmamıştır. Fakat vâki' olan nutk-ı türkîlerinde kendülerinin reislerinden ayrılmaması niyâzı musırrâne beyân kılınmış olduğundan asıl teşekkürleri kullarından ziyâde bi't-tâbi' hallerinden anlaşılacağı ve padişâhımız efendimiz sâyesinde hüsn-i hareketlerine göre gördükleri 'asâyış daha artacağı misillü bazı cevaplarla savuşturulup yine ol kışlada yerlü yerine çekilmişlerdir..."* (BOA., DUÎT., 75-1/ 13-3).

[622] BOA., DUÎT., 75-1/ 13-3.

[623] İmrefi, *Aynı eser*, s.229.

Ahmed Vefik Efendi'nin Şumnu'ya vardıktan sonra yaptığı ilk iş Kossuth, Murad Paşa, Dembinski ile diğer mülteci liderlerini ziyaret etmek olmuştu. Bu ziyaret sırasında Ahmed Vefik Efendi, onlara gelecekleri hakkında bilgi vermiş ve vatansız kalmalarından dolayı kendilerini teselli etmişti[624].

Daha önce de değinildiği gibi Kossuth, Kütahya'ya gitmek istemiyordu. Muhalefetini Ahmed Vefik Efendi'nin Şumnu'ya gelişine kadar çok ciddi bir şekilde de devam ettirmişti. Kossuth, *"Şumnu'dan çıkmaktansa kendimi vururum"*[625] diyecek kadar Kütahya'ya gitmeye karşıydı. Fakat, Ahmed Vefik Efendi'nin Şumnu'ya gelişi ile bu meseleyle ertelenemez bir şekilde yüz yüze gelmişti. Kossuth, ya Kütahya'ya gidecek ya da kendisi ve mülteciler için başka alternatifler bulacaktı. Üstelik, mültecilerin yerleştirilmeleri için ileri sürdüğü tezlerin hiçbiri Bâbıâli tarafından kabul görmemişti. Bu konuda itimat ettiği İngiltere ve Fransa'dan da beklediği desteği alamamıştı.

Ahmed Vefik Efendi, mülteci liderleri ve özellikle de Kossuth'u Kütahya'ya gitmeye ikna etmek için büyük çaba harcadı. Bu amaçla, Kossuth ile içeriği hakkında kaynakların çok az bilgi verdiği, iki saatlik bir görüşme yaptı. Kossuth, görüşmede Kütahya'ya gitmeye karşı çıktıysa da bundan bir netice alamadı. Bu kararın değişmeyeceğini anlayınca da Ahmed Vefik Efendi'den Şumnu'da kalacak mültecilerin akıbetini öğrenmek istedi. Ahmed Vefik Efendi'den tatmin edici cevaplar alamayınca ikili arasında şiddetli bir tartışma yaşandı[626]. Bu görüşmede Kossuth, kesin olarak Kütahya'ya nakledileceklerini ve bu kararın değişmeyeceğini anlamıştı. Nitekim, Ahmed Vefik Efendi'nin Sadâret'e sunduğu tahriratta *"... Mösyö Kossuth'la şimdilik şöyle iki saate kadar mükâleme olundukda ibtidâ-yı emirde izhâr eylediği niyât-i şedîdenin ekserisinden vaz geçirülüp..."*[627] önemli ölçüde ikna edildiğini yazmıştı. Hatta, bu görüşmenin hemen arkasından

---

[624] Korn, *Aynı eser*, s.181.
[625] Imrefi, *Aynı eser*, s.230.
[626] Korn, *Aynı eser*, s.182.
[627] BOA., DUİT., 75-1/ 13-3.

Ahmed Vefik Efendi, Kütahya'da birlikte kalacağı kişilerin isimlerinin yazılı olduğu bir listeyi ona vermişti[628].

Osmanlı Devleti'nin mültecileri Kütahya'ya göndermekte kararlı olduğunu anlayan Kossuth, mültecilerin büyük çoğunluğunun kendisini takip etmek istediğini iyi bildiğinden, Ahmed Efendi'ye bir mektup vererek ondan bazı isteklerde bulundu[629]. Her zamanki gibi mektup, Sultan'a duyulan minnettarlığı ifade eden cümlelerle başlıyordu. Kossuth, Abdülmecid'e saygı beslediklerini, ancak vatanseverlik duygusu içinde Bâbıâli'ye yapmak istedikleri hizmetlerin engellenmesinden dolayı üzüntülü olduklarını ifade etmişti. Kossuth mektubunda, şu üç şeyi talep ediyordu:

1- Mültecilerin ayrılmadan bir arada olmaları yani, müşterek bir kaderi paylaşmalarına izin verilmesi,

2- Kamp yeri olarak Kütahya yerine Bursa'nın tayin edilmesi,

3- Gözetim altına alınacak mültecilerin, ihtiyaçlarının karşılanmasının garanti altına alınması. Ayrıca Şumnu'da kalacak olanların da ihtiyaçlarının karşılanmasının kabul edilmesi[630].

Söz konusu isteklerden anlaşılacağı üzere artık Kossuth, Kütahya'ya olmasa bile, hiç değilse Anadolu'ya gitmeyi kabul etmişti. Tercihi Bursa idi. Fakat bu isteği de diğerleri gibi gerçekleşmedi. Neticede Kossuth, Kütahya'ya gitmeyi kabul etmişti. Büyük bir ihtimalle Abdülmecid'in *"Kütahya takımının orada uzun müddet kalmalarına ve istedikleri yerlere gidebilmelerine Saltanat-ı Seniyye tarafından mesâî sarf edilmekte"* olunduğu yolundaki mesajının Ahmed Vefik Efendi tarafından kendisine iletilmesi üzerine daha fazla direnmemişti[631].

Mültecilerin Şumnu'dan ayrılmalarını ayrıntılı olarak V. bölümde ele alacağız.

---

[628]   Hutter, *Aynı eser*, s.146.
[629]   Hajnal, *Aynı eser*, belge no:121, s.690 Kossuth'un Ahmed Vefik Efendi'ye 9 Şubat 1850 tarihili mektubu.
[630]   Hajnal, *Aynı eser*, belge no:121, s.690.
[631]   Kemal Karpat H., "Kossuth in Turkey: The Impact of Hungarian Refugees in the Ottoman Empire 1849-1851" *Osmanlı Öncesi ve Osmanlı Araştırmaları Uluslararası Komitesi VII. Sempozyumu Bildirileri*, (Ankara 1994), s.111.

L. Şumnu'da Kalan Mülteciler

1-Şumnu'da Kalan Mültecilerin Miktarı

Şubat'ın 15'inde Hıristiyan, 24'ünde de Müslüman mülteci liderleri Kütahya ve Halep'e gitmek üzere Şumnu'yu terk etmişlerdi. Sayıları 120 kadar olan Rusya vatandaşı Polonyalı mülteciler ise, 12 Mart'ta Malta'ya hareket etmişlerdi. Şumnu'da kalanların sayısı Kütahya, Halep ve Malta'ya giden mültecilerin toplamından daha fazlaydı. Bu sayı fazlalığına rağmen, Malta'ya gönderilenleri hesaba katmazsak, haklarında en az bilgiye sahip olduğumuz grup, Şumnu'da kalan mültecilerdir. Bunun başlıca sebebi, bütün dünya kamuoyunun dikkatinin mülteci liderleri üzerinde odaklanmasıydı[632]. Macar ve Polonyalı mülteci liderlerinin Şumnu'dan ayrılmasıyla geride kalan mülteciler, dünya kamuoyunda ikinci plana düşmüştü. Dolayısıyla daha az ilgi görüyorlardı. Artık ne Rusya ne de Avusturya elçileri, Şumnu'daki mültecilerle ilgili Bâbıâli nezdinde bir girişimde bulunuyordu. Çünkü Şumnu'daki mülteci grubu, sayısal fazlalığa rağmen söz konusu devletleri rahatsız edebilecek güçte değildi. Şimdi bütün gözler Kütahya grubu üzerindeydi. Bu sebeple, başta Kossuth olmak üzere Kütahya'ya gönderilen mültecilere Bâbıâli büyük bir itina gösteriyordu. Halep'e gidenler din değiştirdiklerinden, Rusya ve Avusturya artık bunlarla ilgilenmiyordu. Diğer taraftan Polonyalı mülteci liderlerinin Malta Adası'na gönderilmesiyle de Rusya açısından mülteciler meselesi kapanmış bulunuyordu.

Ahmed Vefik Efendi, Polonyalı mültecileri Malta'ya gönderdikten sonra buradaki görevinin sona erdiğini bildirerek, Halim Paşayla birlikte Şumnu'dan ayrılmıştı. Halim Paşa'nın ayrılışından sonra mültecilerin işlerine bakmak üzere Mahmud Paşa görevlendirilmişti[633].

---

632 Karpat, *Aynı makale*, s.118.
633 Korn, Mahmud Paşa için özet olarak şunları yazar: Mahmud Paşa, dininin kendisine emrettiği insan sevgisini tamamıyla yerine getirmeğe çalışan Müslümanlar arasında sayılabilir. Onu yakından tanıma fırsatı bulan herkes, insanlara gösterdiği sevgiyi ve sıcaklığı kabul etmek zorundadır. Onun ilkesi *"bahtsızlar korumayı hak ediyorlar"* idi. Mültecilerin hiçbiri onun bu ilkeden şaştığını iddia edemez. A-

Şumnu'daki mültecilerle ilgili olarak belirtilmesi gereken önemli bir nokta da, bunların sayılarının her gün değişiklik göstermesidir. Bu konuda kesin bir rakam vermek oldukça zordur. Zira, Şumnu'ya özellikle ilk günlerde, her gün yeni mülteci gelmekteydi. Bâbıâli, uzun bir süre gelenleri mülteci sıfatıyla kabul etti. Ancak bu durum, karışıklığa sebep oluyordu. Çünkü, bazıları mülteci olmadıkları halde kendilerini bu sıfatta gösterip mültecilerin arasına katılabiliyorlardı. Bu karmaşık ortama son vermek amacıylá, Bâbıâli 17 Haziran 1850'den itibaren Macaristan'dan gelenlerin kabul edilmemesine karar verdi[634]. Gerçekten de alınan bu karar kısa sürede etkisini gösterdi. Zira, Şumnu'daki Macar ve Polonyalı mültecilerin 1850 Temmuz'undaki sayılarını günlük olarak gösteren jurnali mevcuttur. Faik Bey tarafından tutulan jurnalde, 31 günlük süre zarfında mültecilerin sayısında sürekli olarak azalma olduğu gözlenmektedir[635].

Söz konusu jurnale göre, Şumnu'daki Polonyalı mültecilerin günlük sayısı şöyleydi:

Ay	Bin-başı	Ağa	Yzb.	Mü-lâzım	Başça vuş	Çavuş	Nefer	Has-talar	Top-lam
1 Temmuz	5	20	23	95	8	128	169	6	454
2 Temmuz	5	20	23	95	8	128	169	6	454
3 Temmuz	5	20	23	95	8	128	169	6	454
4 Temmuz	5	20	23	95	8	128	169	6	454
5 Temmuz	5	20	23	95	8	128	169	6	454
6 Temmuz	5	20	23	95	8	128	169	6	454
7 Temmuz	5	20	23	95	8	128	170	6	455
8 Temmuz	5	20	23	95	8	128	170	5	455
9 Temmuz	5	20	23	95	8	128	171	5	455
10 Temmuz	5	20	23	95	8	128	171	5	455
11 Temmuz	5	20	23	95	8	128	171	5	455

vusturya Konsolosu Rössler'in entrikalarının hiçbiri, Mahmud Paşa üzerinde etkili olmamıştı. Paşa, eğilmez ve satın alınmaz bir adamdı. Kaderin bize reva gördüğü acılara onun yumuşak huyu sayesinde katlanabiliyorduk. Sık sık paranın gelip gelmediğini öğrenmek için Mahmud Paşa'ya gidiyorduk. Eğer Paşa, gelmedi diyorsa herkes onun dürüstlüğüne güvenerek inanıyor ve geri dönüp sabırla bekliyordu (Korn, *Aynı eser*, s.202-203).

[634]　BOA., HR. MKT. 34-83.
[635]　BOA., Maliye Nezâreti Masârıfat Defteri, (ML. MSF), Nr. 9163.

12 Temmuz	5	20	23	95	8	128	171	5	455
13 Temmuz	5	20	23	95	8	128	171	5	455
14 Temmuz	5	20	23	95	8	128	171	5	455
15 Temmuz	5	20	23	95	8	128	171	5	455
16 Temmuz	5	20	23	95	8	128	171	4	455
17 Temmuz	5	20	23	95	8	128	172	4	455
18 Temmuz	5	20	23	95	8	128	172	4	455
19 Temmuz	5	20	23	95	8	128	172	4	455
20 Temmuz	5	20	20	70	4	99	161	4	343
21 Temmuz	5	20	20	70	4	99	160	5	343
22 Temmuz	5	20	20	70	4	99	160	5	343
23 Temmuz	5	20	20	70	4	99	161	3	343
24 Temmuz	5	20	20	70	4	99	163	3	343
25 Temmuz	5	20	20	70	4	99	163	3	343
26 Temmuz	5	20	20	70	4	99	163	3	343
27 Temmuz	5	20	20	70	4	99	163	3	343
28 Temmuz	5	18	20	69	4	99	163	3	341
29 Temmuz	5	18	20	69	4	99	163	3	341
30 Temmuz	5	18	20	69	4	99	163	3	341
31 Temmuz	5	18	20	69	4	99	163	3	341

Macar mültecilerinin sayısı da şöyleydi:

Ay	Binbaşı	Ağa	Yzb.	Mülâzım	Başçavuş	Çavuş	Nefer	Toplam
1 Temmuz	1	14	14	29	29	40	154	281
2 Temmuz	1	14	14	29	29	40	154	281
3 Temmuz	1	14	14	29	29	40	154	281
4 Temmuz	1	14	14	29	29	40	154	281
5 Temmuz	1	14	14	29	29	40	154	281
6 Temmuz	1	14	14	29	29	40	154	281
7 Temmuz	1	14	14	29	29	40	154	281
8 Temmuz	1	14	14	29	29	40	154	281
9 Temmuz	1	14	14	29	29	40	154	281
10 Temmuz	1	14	14	29	29	40	154	281
11 Temmuz	1	14	14	29	29	40	154	281
12 Temmuz	1	14	14	29	29	40	154	281
13 Temmuz	1	14	14	29	29	40	154	281
14 Temmuz	1	14	14	29	29	40	154	281
15 Temmuz	1	14	14	29	29	40	154	281
16 Temmuz	1	14	14	29	29	40	154	281
17 Temmuz	1	14	14	29	29	40	154	281

18 Temmuz	1	14	14	29	29	40	154	281
19 Temmuz	1	14	14	29	29	40	154	281
20 Temmuz	-	10	10	21	22	32	126	221
21 Temmuz	-	10	10	21	22	32	126	221
22 Temmuz	-	10	10	21	22	32	126	221
23 Temmuz	-	10	10	21	22	32	126	221
24 Temmuz	-	10	10	21	22	32	126	221
25 Temmuz	-	10	10	21	22	32	126	221
26 Temmuz	-	10	10	21	22	32	126	221
27 Temmuz	-	10	10	21	22	32	126	221
28 Temmuz	-	6	6	13	15	24	70	134
29 Temmuz	-	6	6	13	15	24	70	134
30 Temmuz	-	6	6	13	15	24	70	134
31 Temmuz	-	6	6	13	15	24	70	134

2- Müslüman Mültecilerin Bosna İsyanını Bastırmaya Götürülmeleri

Osmanlı Devleti, bir taraftan mülteciler meselesi ile uğraşırken diğer taraftan da Bosna'da çıkan isyanla ilgilenmek zorunda kalmıştı. 1840'ta Tanzimat Fermanı'nın ortaya koyduğu yeni idare tarzı, Vezir Mehmed Vecihi Paşa tarafından Bosna'da tatbik edilmek istendiğinde ciddi sıkıntılar ortaya çıkmıştı[636]. Mehmed Paşa, kazalardaki yerli yöneticilerin yerine İstanbul'dan tayin edilen memurları atayınca, Bosna Müslümanları Paşa'ya karşı isyan etmişlerdi. Fakat bu isyan kısa sürede bastırılmıştı. Bir süre sonra, Tahir Paşa, 1848'de arazi sahiplerinin şahsi arazilerinde, köylülerin çalışma mecburiyetini ortadan kaldırmıştı. Üstelik, bu arazi sahipleri vermekle mükellef oldukları vergileri muntazam olarak ödemiyorlardı. Tahir Paşa, köylülerin kendi topraklarında yetiştirdiği ürünlerin 1/3'ü ile biçilen otun yarısının beylere verilmesini emretmişti[637]. Aynı zamanda Tahir Paşa, beyler ile köylü arasında bu konuda yazılı bir anlaşma yapılmasını da istemişti[638].

---

[636] Carl Ritter Sax, *Geschichte des Machtverfalls der Türkei bis Ende des AIA. Jhs.*, Wien 1913, s.313; J. Krcsmark, "Bosna-Hersek", *İslam Ansiklopedisi*, II, s.732.

[637] Sax, *Aynı eser*, s.314; Krcsmark, İA,II, s.732.

[638] Sax, *Aynı eser*, s.314.

Bu yeni düzenleme, ne köylülerin ne de mülk sahiplerinin işine geliyordu. Tahir Paşa, Bosna'daki tüm Müslüman ve Hıristiyanları çağırtarak, ister Müslüman isterse Hıristiyan olsun herkesin senede 88 kuruş vergi ödeyeceğini açıklamıştı. Buna ek olarak Hıristiyanlar, kişi başına senede 7 kuruş haraç ödeyeceklerdi. Paşa'nın bu isteklerini kabul etmeyen halk, bir kez daha isyan etmişti. Tahir Paşa, başlangıçta isyancıları bozguna uğratmışsa da bölgedeki kolera hastalığı sebebiyle isyancılarla uzun müddet mücadele edememişti. Diğer taraftan Hersek yöneticisi Ali Paşa, isyanı gizlice teşvik ediyordu. Bu şekilde isyan bütün Bosna'ya yayılmıştı[639]. Ta ki Ömer Paşa idaresindeki ordunun 1850 baharında Bosna'ya hareketine kadar[640]. Bâbıâli, Bosna Eyâleti'nde meydana gelen isyanı bastırmak için Ömer Paşa'ya emir göndermişti[641].

Bâbıâli bir taraftan Avrupa topraklarında bulunan ordu birliklerine Bosna'ya gitmeleri için emir gönderirken, diğer taraftan da 14 Nisan 1850'de Şumnu'daki Müslüman olan mültecilerden bir kısmını Bosna'ya doğru yola çıkarmıştı. Şumnu'dan hareket eden grup, içlerinde 200 Macar'ın da bulunduğu iki piyade taburundan oluşuyordu. Mahmud Paşa, savaş tecrübesi olan Macarlara ve onların cesaretine güvendiğini, yeni din kardeşlerinin yanlarında yer alacaklarını ümit ettiğini belirten bir konuşma yapmıştı[642]. Mülteciler şehirden çıkmadan şehrin kapısında müftü, yeni din kardeşlerini karşıladı. Onlar için bir kurban kesti. Sonra da ellerini havaya kaldırarak *"Allah sizi başarıya ulaştırsın"* diye dua etti[643]. *"Amin"* seslerinden sonra din değiştiren mülteciler, yeni din kardeşlerine yardımcı olmak üzere Bosna'ya hareket ettiler. Sayıları 60'ı bulan subaylar, 17 Nisan 1850'de, birliklerinin komutasını üzerine alıp, Bosna'daki karışıklığa son vermek üzere görevlendirilen Ömer Paşa ile Varna'ya

---

[639] Sax, *Aynı eser*, s.315.
[640] Sax, *Aynı eser*, s.315; Branislav Djurdjev, Bosna Hersek, *İslam Ansiklopedisi*, TDV., VI, s.301. Ömer Paşa'nın maiyetine Bâbıâli tarafından De'âvî Nâzırı Mazlûm Bey de geçici görevle tayin olunmuştu (Lütfî, *Vak'a-nüvis Ahmed Lütfî Efendi Tarihi*, Haz. Münir Aktepe, İstanbul 1984, s.26).
[641] Lütfî, *Aynı eser*, s.186-187.
[642] Korn, *Aynı eser*, s.205.
[643] Korn, *Aynı eser*, s.206.

vardılar. Ömer Paşa, onları iki alay halinde birleştirdi ve en çalışkanlarını yanına aldı[644].

Bosna'da meydana gelen isyana son vermek amacıyla görev alan Müslüman mülteciler şunlardı[645].

Albay	Yarbay	Binbaşı	Çavuş	Teğmen
Kohlmann[646]	Fritsch	Divicsek	Seyhold	Bibera
		Reunyi	Grofs	Szoss
		Collin	Arvai	Bernat
		Reifs	Argai	Potholay
		Dr. Gaal	Czillinger	Cziriek
			Uazay	Reifs
			Pech	Farkos
			Keller	Legrand
			Freund	Mondel
			Siegel	Reisinger
			Nacherer	Baron
			Kuttuffovits	Kifs Josef
			Dr. Regelberger	Remdonowich

---

[644] Korn, *Aynı eser*, s.206. Ömer Paşa, kısa sürede Bosna isyanını bastırmıştı. Bosna isyanına el altından destek veren Hersek yöneticisi Ali Paşa önce hapsedildi ve ardından da öldürüldü. İsyancıların önde gelenlerinden birkaçı da idam edilmiş ve Bosna'da düzen yeniden sağlanmıştı. Vilayet makamı Trovnik'ten Bosna-Saray'a taşındı ve böylece Boşnak beylerinin nüfuzu kırılmış oldu (Sax, *Aynı eser*, s.315-316).

[645] Korn, *Aynı eser*, s.206.

[646] Müslüman olduktan sonra Mehmed Feyzî Paşa ismini alan Kohlmann, 1827'de Wiener Stadt Askeri Akademisi'nden mezun olmuştur. Daha sonra Avusturya Ordusunda Erkân-ı Harp zâbiti olarak görev yapmış ve 1848-1849'da Honveds (Macarca vatan muhafızı demektir) ordusunda Erkân-ı Harbiye Mîralâylığı ile istihdam edilmiştir. Macar İhtilali sonunda Osmanlı Devleti'ne sığınmış ve daha sonra din değiştirerek Osmanlı Devleti'ne hizmet etmiştir. 1855 Kars müdafaasında Erkân-ı Harbiye sıfatıyla bulunmuş ve Kars istihkamlarının inşasında pek çok hizmetleri geçmiştir. Feyzî Paşa, Temmuz 1889 başlarında vefat etmiş ve Karacaahmed'e defnedilmiştir. Öldüğünde 80 yaşındaydı. (Mehmed Süreyya, *Sicill-i Osmanî*, İstanbul 1311, IV, s.43-44; *1293 Senesi Rus Seferinde Gazi Ahmed Muhtar Paşa'nın Halyas ve Zivin Muhâberâtı*, müt. Kolağası Mehmed Cemil, s.19-20, İstanbul, 1326 (1910).

			Dr. Rombay	Apotheker (Eczacı)
			Dr. Grattke	İsimleri tespit edilemeyen 10 Polonyalı
			İsimleri tespit edilemeyen 6 Polonyalı	

3-Fuad Efendi'nin Şumnu'daki Mültecileri Ziyareti

Şumnu'da yaşanan diğer önemli bir gelişme ise Fuad Efendi'nin şehre gelmesiydi. Fuad Efendi, mülteciler meselesi yüzünden Rusya ile Osmanlı Devleti arasında bozulan ilişkileri düzeltmek göreviyle Petersburg'a gönderilmişti. Petersburg'taki görevini tamamlayan Fuad Efendi, buradan dönerken 7 Nisan 1850'de Şumnu'ya da uğramıştı. Şehre gelir gelmez mültecilerin durumu hakkında bilgi istedi ve mültecilerin aralarından seçtiği birkaç sözcüyle görüşme yaptı. Bu görüşmede mülteciler, Fuad Efendi'ye şikayetlerini ilettiler. Fuad Efendi, şikayet ve istekleri dinledikten sonra mültecilere yardım amacıyla şunları sağladı[647]:

1- Macar ve Polonyalı askerlerden oluşan birliğe ordudaki konumlarına göre 10 kuruş verildi,

2- Her ay 30 kuruş alan astsubay ve subayların maaşları 75 kuruşa çıkarıldı,

3- Din değiştiren askerler, Ömer Paşa'nın yanına Varna'ya doğru yola çıkacak ve orduda kendilerine verilecek görevlerin başına geçeceklerdi,

4- Yurt dışına gitmek isteyen mülteciler, Fuad Efendi'nin İstanbul'a döndüğünde bu meseleyi Padişahla görüşmesini bekleyeceklerdi,

---

[647] Huter, *Aynı eser*, s.190; Korn, *Aynı eser*, s.204.

5- Osmanlı Devleti'nde yerleşmek isteyen ve dinlerinden dönmeyen mültecilere Saray'dan çıkacak kararı beklemeleri tavsiye edildi[648].

Fuad Efendi, Şumnu'da bir gün kaldıktan sonra hemen İstanbul'a doğru yola çıktı. İstanbul'a vardıktan kısa bir süre sonra mülteciler, onun kendilerine verdiği sözleri tuttuğu ve sıkıntıları çözmeye çalıştığı haberini aldılar.[649]

4-Şumnu'daki Mültecilerin Dağılması

a. Amerika'ya Giden Mülteciler

Kossuth ve diğer mülteci liderleri Şumnu'da iken mülteciler arasında kardeşlik ve huzur ortamı vardı. Fakat, mülteci liderlerinin Şumnu'dan ayrılmasıyla bu huzur ortamı kısa süre sonra kayboldu[650]. Moral bozukluğu ve can sıkıntısı, önceden ortalıkta olmayan bir çok meseleyi gündeme getiriyordu. Şimdi herkes kendisini mültecilerin lideri ilan ediyordu[651]. Bunlara Avusturya Elçisi Rössler'in mülteciler arasında ikilik çıkarmak için harcadığı çabalar da eklenince, kardeşlik düşmanlığa dönüşüyordu. Rössler, kendini artık amacına ulaşmış görüyordu. Mültecilerin tek tek önünde diz çöküp af dileyecekleri günün yakın olduğunu düşünüyordu[652]. Bu şartlar altında hayat, mülteciler için gün geçtikçe çekilmez oluyordu[653]. Şumnu'da daha fazla kalmak istemeyen mülteciler, ya İstanbul'a ya da başka bir ülkeye gitmek istiyorlardı. Yurtdışına çıkmak isteyen mülteciler, Polonyalı Koscielski'yi kendilerine gerekli izni ve pasaportları temin etmesi için İstanbul'a gönderdiler. Diğer taraftan, mültecilerin sıkıntılarını bilen Faik Bey ise, yakında İstanbul'dan iyi haberler geleceğini söyleyerek onları teselli etmeğe çalışıyordu[654].

---

648 Korn, *Aynı eser*, s.204. Hutter'e göre Fuad Efendi, mültecilerin acılarını dindirmeğe çalışan gökten inmiş bir melek gibiydi. O, mültecilere verdiği sözü tutmuş ve mültecilerin istekleri Bâbıâli tarafından kabul görmüştü (Hutter, *Aynı eser*, s.191).
649 Hutter, *Aynı eser*, s.190; Korn, *Aynı eser*, s.205.
650 Korn, *Aynı eser*, s.215.
651 Hutter, *Aynı eser*, s.188.
652 Korn, *Aynı eser*, s.216.
653 Hutter, *Aynı eser*, s.188.
654 Korn, *Aynı eser*, s.216.

Bâbıâli ise Şumnu'daki mültecilerin durumunun ne olacağını tartışıyordu. Ahmed Vefik Efendi, mültecilere din değişikliği zorunluluğu olmadan Osmanlı ordusunda istihdam edilmeleri teklifinde bulunmuştu[655]. Bu teklif, mültecilerin bir çoğu tarafından olumlu karşılandı. Bununla birlikte, mültecilerin bir kısmı Amerika'ya, bir kısmı da Osmanlı Devleti dışında herhangi bir ülkeye gitme arzusundaydılar. Bu amaçla da, meseleyi hem Bâbıâli hem de İstanbul'daki Amerika elçiliğine bildirecek dört kişilik bir grup oluşturdular[656]. Bu grup, aldıkları kararları Philipp Korn vasıtasıyla Ahmed Vefik Efendi'ye bildirdikleri gibi, İstanbul'daki Amerika elçiliğine de 12 Şubat 1850'de bir mektup gönderdiler[657].

Mektupta Avusturya Hükümeti, kendilerini affetse bile Amerika'ya gitme arzusundan vazgeçmeyecekleri ifade ediliyordu. Amerika'ya yük olmamak için bu ülkeye gideceklerin, nitelikli ve meslek sahibi olan arkadaşları arasından seçildiği belirtiliyordu. Ayrıca, Amerika'ya gitmek isteyenlerin listesi de elçiye gönderilmişti[658]. Onlar, Kuzey Amerika Elçiliğinden şu isteklerde bulunmuşlardı:

1- Türkiye'deki mültecilik hayatından en kısa zamanda kurtulmak,

2- Amerika'da mültecilerin yerleşeceği yerin kendilerine bildirilmesi,

3- Gidecekleri yere kadar gerekli korumanın sağlanması,

4- New-York'a ulaşıncaya kadar kendileri için gerekli olacak yiyecek maddelerini temin etme imkânı olmadığından ihtiyaçlarının karşılanması[659].

Amerika Elçiliği'nden gelen cevap, pek iç açıcı değildi. Elçilik, mektuba ancak 5 Nisan'da cevap vermişti. Cevabın geciktirilme nedeni ise, Elçi Marsch'ın ifadesine göre, mültecilerle ilgili devletinden

---

655 Korn, *Aynı eser*, s.191.
656 Oluşturulan dört kişilik grup şu isimlerden oluşuyordu: Yüzbaşı Philipp Korn ve Joseph Hutter, Yarbay Michael Galkovsk ve Teğmen Valentin Törlei (Korn, *Aynı eser*, s.194).
657 Korn, *Aynı eser*, s. 192.
658 Korn, *Aynı eser*, s.193.
659 Korn, *Aynı eser*, s.193.

şimdiye kadar bir direktif gelmemesiydi. Elçi gönderdiği mektupta; *"Şu anda Birleşik Devletler Parlamentosu'nda ülkeye mülteci olarak girenler hakkında bir kanun çıkarılmaya çalışılıyor. Büyük bir ihtimalle bu kanunun çıkması en az Haziran'a kadar sürer. Bu yüzden İstanbul'daki Amerikan Elçiliği, kendisine yöneltilen bu sorunla ilgili hiçbir açıklama yapmaya yetkili değildir. Yine de baylar size söz veriyorum ki, devletimden Türkiye'deki mülteciler hakkında bir haber alır almaz size bildireceğim. Herhangi bir ön yargıya yol açmamak için devletimin bana mültecilerin serbest bırakılması ile ilgili girişimlerde bulunmam için emir verdiğini hatta, Bursa'daki Kossuth'u ve arkadaşlarını bir gemi ile Amerika'ya gönderme isteğimi bildirmek zorundayım. Fakat kendisine gemiye çıkma izni verilmemesinden dolayı, gemi günlerce süren bekleyişten sonra arkadaşı olan Boet'i alıp uzaklaşmak zorunda kalmıştır"* [660].

Gerçekten de Kossuth, Kütahya'ya gitmek üzere Bursa'da bulunduğu sırada, Amerika Birleşik Devletleri Elçisi Marsch, 11 Mart 1850'de Bâbıâli'ye müracaatta bulunarak, Kossuth ve arkadaşlarının Karadeniz'de bulunan bir gemiye bindirilerek Amerika'ya gönderilmelerini istemişti. Hatta Elçi, bu iş için İstanbul'da bulunan Missisipi vapurunun tahsis edilebileceğini de Bâbıâli'ye iletmişti. Ayrıca Marsch, Avusturya ile Macaristan arasındaki savaş sona erdiğinden, Amerika gibi uzak bir devlete gidecek mülteciler için Avusturya'nın hiçbir itirazının olmayacağını da belirtmişti[661].

Osmanlı Hükümeti'nin Marsch'a verdiği cevap ise, Avusturya tarafından Bâbıâli'ye sunulan defterde isimleri olmayanların istedikleri yere gidebilecekleri yolundaydı. Ancak, Kütahya'ya gönderilenlerin muhafazasını Osmanlı Devleti taahhüt ettiğinden, Avusturya Hükümeti istemedikçe bunların hiç bir tarafa gönderilemeyeceği ifade edilmişti[662].

---

[660] Korn, *Aynı eser*, s.194-195. Kossuth'un bir süre kaldığı Bursa'dan Kuzey Amerika'ya kaçma planı biliniyordu. Fakat Kossuth'un Boet ile yaptığı bu plan suya düşmüştü (Korn, *Aynı eser*, s.195).

[661] BOA., DUİT, 75-1/25-3. Amerika Elçisi Marsch'ın Hâriciye Nezâreti'ne takdîm ettiği 11 Mart 1849 tarihli takrîr.

[662] BOA., DUİT, 75-1/25-2. Bâbıâlice Amerika Sefareti'ne verilen takrîrde şunlar yazılıydı: *"...İş bu mülteciyândan bir gûne ilişiği olmayanların istedikleri yerlere azîmetlerine taraf-ı Devlet-i Aliyye'den bir gûne su'ûbet ve mümânaât gösterilmeyeceği derkâr*

Bu arada, Kuzey Amerika'ya gidecek mültecileri organize etmek amacıyla kurulan dört kişilik grubun içerisinde yer alan Philipp Korn, 14 Şubat 1850'de Kossuth ile bir görüşme yapmıştı. Bu görüşme, Kossuth'un Şumnu'dan ayrılmasından bir gün önce gerçekleşmişti. Yaklaşık yarım saat kadar süren görüşmenin konusu, Kuzey Amerika'ya gitmek isteyen mültecilerdi. Kossuth, mültecilerin isteklerini olumlu karşılayarak, Korn'a bir de mektup vermişti. Mektupta Kossuth, *"Macaristan Başkanı olan ben, anavatanı uğruna ihtişamlı bir şekilde savaşan ve Rus-Avusturya despotluğuna isyan eden ve sadece ihanet sonucu yenilen ünlü Macar ordusunun kalıntıları olan bu yürekli adamlarımı, Kuzey Amerika'nın cesur halkına ve hür iradesiyle seçilmiş yönetimine emanet ediyorum"* [663] diyordu. Yine mektupta, kendilerini sadece Amerika halkının anlayabileceğini, özgürlük savaşında Amerika halkının verdiği mücadeleyi örnek aldıklarını ve bu devletin mültecilere beslediği sempatinin kendilerine güç verdiğini ifade ediyordu. Kossuth, vatansız kalmanın ve kalbinin acısını dindirebilecek tek şeyin, Amerika'nın özgür havasını teneffüs etmek olduğunu belirtiyordu. Mektubun sonunda Kossuth, Amerika'ya gitmek isteyen mültecilere, bu ülke yönetiminin teveccühlerine layık olmalarını da tavsiye ediyordu[664].

Kütahya, Halep ve Malta'ya giden mültecilerden sonra, Şumnu'da kalanlardan kaç kişinin Amerika'ya gittiği tespit edilebilmiş değildir. Her ne kadar mültecilerin Amerika Elçisi Marsch'a gönderdikleri mektupta, oraya gidecek kişi sayısının 100'ü aşmayacağı yazılısıysa da[665] bu mültecilerin Amerika'ya gittiğine dair her-

---

olmasıyla *Avusturya Devleti tarafından Bâbıâli'ye i'tâ olunan defterde isimleri münderic bulunmayanlar ve başka sûretle ilişiği kalmayan Macarlu ve Lehlü mültecîlerin Cemâhir-i Müctemî'a tarafından bu sûretle arz olunan mihmân-nüvâzlıktan istifâde etmelerine hiçbir mâni yoktur. Fakat defter-i mezkûrda muharrerü'l-esâmî rüesâ-yı mülteciyânın der-dest-i tesviye olan bazı şerâyit ile Memâlik-i Mahrûsa-i Hazret-i Şâhânede muhâfazalarını Devlet-i Aliyye ta'ahhüd göstermiş olduğuna ve düvel-i mütehâbe ile olan mu'âmelât ve münâsebâtda hâlisâne ve müstakîmâne hareket olunmak verilen sözde durulmak zât-ı şevket-simât-ı hazret-i mülûkânenin usûl-ı mültezimelerinden bulunduğuna mebnî rüesâ-yı mûmâileyhimin Amerika'ya azîmetlerine muvâfakat edememekte Saltanat-ı Seniyye'nin mecbûr ve mazûr olduğu..."* (BOA., DUİT., 75-2/25-2).

663 Korn, *Aynı eser*, s.189.
664 Korn, *Aynı eser*, s.189.
665 Korn, *Aynı eser*, s.193.

hangi bir belge bulunamamıştır. Ancak, Kuzey Amerika'ya gitmek için Osmanlı Devleti ve Amerika Birleşik Devletleri nezdinde girişimde bulunmak üzere oluşturulan dört kişilik grupta yer alan Hutter ve Korn, Şumnu'dan Anadolu'ya gelmişlerdir. Hutter ise hatıratında, Kuzey Amerika'ya gitmek isteyen mültecilerle ilgili hiçbir bilgi vermez. Daha da ilginç olanı, gerek Korn gerekse Hutter, Şumnu'dan İstanbul'a ve oradan da Anadolu'ya gitmişlerdi. Daha sonra, Amerika yerine İngiltere'ye gitmeği tercih etmişlerdi[666].

Mültecilerin sadece Amerika'ya değil, diğer Avrupa ülkelerine de gitmek için, Saray nezdinde girişimlerde bulundukları biliniyor. Bu amaçla Polonyalı Herr Koscielski, mültecilerin yurt dışına çıkmalarına izin alabilmek için İstanbul'a gelmişti. Korn, ondan Amerika Elçiliği'nden kendilerine pasaport almalarını istemişti. Koscielski, Korn'un istediği pasaportları Amerika elçiliğinden temin etmişti[667]. Amerika Elçisi, 24 Mayıs 1850'da Amerika'ya gitmek isteyenlere verilmek üzere Koscielski'ye bir de mektup vermişti. Mektupta Elçi Marsch, mülteciler hakkında ülkesinden bilgi alamadığını, ancak Birleşik Devletlerin mültecileri kabul edeceğinden emin olduğunu yazıyordu. Ülkesinde mülteciler için uygun bir yerin hazırlandığına dair duyumlar aldığını, fakat şimdiye kadar mültecilerin Amerika'ya yolculukları sırasında, ihtiyaç duyulacak para ve Amerika gemilerinde serbest seyahat edebilme izni hakkında bir bilgi alamadığından üzgün olduğunu ifade ediyordu[668].

b.Osmanlı Ülkesinin Değişik Bölgelerine Yerleşen Mülteciler.

Şumnu'daki mültecilerden Osmanlı ordusunda görev almak isteyenlerin sayısı her geçen gün artıyordu. Ahmed Vefik Efendi, din değiştirmeyen mültecilerin orduda istihdam edilmesini önerirken Fuad Efendi, mültecilerin Osmanlı ordusunda rütbelerine göre istihdam edilmeleri fikrindeydi. Şumnu'daki mülteciler hakkında başka bir düşünce de, Macar ve Polonyalı mültecilerden seçilmiş Hıristiyan alayları oluşturulması yönündeydi. Bu önerilerden Ahmed Vefik

---

[666] Korn, *Aynı eser*, s.200.
[667] Korn, *Aynı eser*, s.216-218.
[668] Korn, *Aynı eser*, s.218.

Efendi'nin din değiştirmeden mültecilerin orduda istihdam edilmesi fikri kabul gördü. Türk ordusunda görev almak isteyen mülteciler, bu haberi alınca Bâbıâli'ye övgüler yağdırmışlardı[669].

Ancak, Osmanlı Ordusu'nda görev almak isteyenlerin sayısı o kadar çoktu ki, Bâbıâli bu isteklere bir anda olumlu cevap veremiyordu[670]. Nitekim Serasker Paşa, askeriyede istihdam edilenlerin artması üzerine, bundan sonraki müracaatların kabul edilmesi durumunda bir takım müşkülatla karşılaşılacağını Sadâret'e bildirdi. Seraskerlik, mültecilerden Avrupa'ya gitmek isteyenlere kolaylık gösterilmesi de istiyordu. Seraskerlik'ten sunulan bu öneri, Sadâretçe de kabul gördü[671]. Sadâret ayrıca, mültecilerin Osmanlı Devleti'ne sığındıkları sırada zayi olduğu rivayet edilen bazı eşyalar ve 86 baş hayvan için sahiplerine toplam 129.000 kuruş vermeği de kararlaştırdı. Osmanlı Devleti'nin çeşitli bölgelerine dağılarak kendi sanatlarını icra ederek geçinmek isteyenlere yarımşar akçeden toplam 50.000 kuruş verilmesi de alınan kararlar arasındaydı. Yine, yurt dışına çıkmak isteyen mültecilere de 75.000 kuruş verilecekti. Bu rakamla-

---

[669] Korn, *Aynı eser*, s.217-218.

[670] Şumnu grubundan bazı mülteciler, Bâbıâli'ye müracaatta bulunarak ihtiyaç ve zaruret içerisinde olduklarını bildirmiş ve kendilerinin mesleklerine göre istihdam olunmalarını istemişlerdir. Mesela, Taskol, kendisinin süvari alaylarında fiilen veya muallimlik; Diflenski ise 1828'den beri gerek Polonya ve gerekse İtalya'da askeri hizmetlerde bulunduğunu belirterek piyade muallimliği sıfatıyla istihdam edilmelerini rica etmişlerdi. Joseph Rakoczy ise Fransa ve Belçika'da köprü ve yol mühendisi olarak görev yaptığını belirterek iki sene müddetle bu tür bir meslekte istihdam edilmesini Osmanlı Hükümeti'ne bildirmişti (BOA., 75-2/24-2 Şumnu'daki mültecilerden bazılarının hâkpâ-yı hümâyûna takdîm ettikleri arz-ı hâl; Karpat, *Aynı makale*, s.118). Yukarıda isimleri geçen mültecilere Bâbıâlice nasıl cevap verildiğini tespit edebilmiş değiliz. Ancak, başka bir belgede Şumnu'dan İstanbul'a gelen 6 kadar mültecinin askeriyede istihdam olunmaları isteklerine olumlu cevap verildiği görülmektedir. Bu hususta gerekenin yapılması için Sadâret'den Serasker Paşa'ya 27 Mayıs 1850'de emir yazıldı (BOA., HR.MKT., 34-32). Daha sonraki tarihe ait bir diğer belgede de, otuz kadar mültecinin bu yöndeki taleplerine olumsuz cevap verildiği anlaşılmaktadır. Sadâret, bu isteklerin kabul edilmemesine askeriyede boş kadro olmadığını gerekçe göstermiştir. Sadâret bunların askeriyede istihdamlarını kabul etmediği gibi, bir yolunu bularak yurt dışına gönderilmelerinin uygun olacağı yönünde karar aldı (BOA., DUİT., 75-2/61 Sadâret'in Mâbeyn'e takdîm ettiği 13 M 67/18 Kasım 1849 tarihli arz tezkiresi).

[671] BOA., DUİT., 75-2/45 Seraskerliğin Sadârete takdîm ettiği 28 B 66/28 Mayıs 1850 tarihli tezkire.

ra, Şumnu mal sandığında akçe yetersizliği nedeniyle tayinat bedeline karşılık verilecek 100.000 kuruş da eklenince, toplam olarak bir anda 354.000 kuruş verilmesi öngörülmüştü[672]. Bu harcamalarla ilgili karar, Sultan Abdülmecid tarafından da onaylanmıştı[673].

Mültecilerin bir kısmı da, Osmanlı Devleti'nin kendilerine Avrupa'ya gitmek üzere izin vermesini ve maddi destek sağlamasını istiyorlardı. Bâbıâli, Şumnu'daki mültecilerin bir an önce dağıtılması taraftarıydı. Nitekim, 7 Haziran 1850'de, Faik Bey'e mültecilere iletilmek üzere şu kararların alındığı bildirildi.

1- Osmanlı Devleti, ülke içinde kalan herkese istediği şehirde kalma izni vermiştir. Şumnu'yu terk etmek isteyen herkese 250 kuruş verilecektir,

2- Osmanlı Devleti'ne iltica ederken Kalafat Paşası tarafından atları alınan bütün mültecilere 1.000'er kuruş tazminat ödenecektir,

3- Sırbistan ve Eflak haricinde yurt dışına gitmek isteyenlerin hepsine kapılar açıktır. Bu istekte bulunanlara 500'er kuruş verilecektir,

4- Her mülteciye bir takım yazlık elbise verilecektir,

5- Mültecilere devlet tarafından tahsis edilen evler boşaltılacak ve şimdiye kadar süren yardımlar sona erecektir[674].

Bâbıâli tarafından yurt dışına çıkacak mülteciler için tahsis edilen 500 kuruşu mülteciler yeterli bulmamışlardı. Onlara göre, kendilerini kabul edecek devletlerin İngiltere ve Amerika gibi uzak ülkeler olduğu düşünüldüğünde bu miktar, yol harçlığı olabilecek bir rakam bile değildi. Mülteciler, bu şikayetlerini Bâbıâli huzurunda dile getirmek için Mowcseinsky'yi görevlendirmişlerdi[675]. Bu girişimlerinden olumlu netice aldıkları anlaşılmaktadır. Nitekim, Sadâret'in Mâbeyn'e takdim ettiği 18 Kasım 1850 tarihli arz tezkiresinde, Şumnu'daki mültecilerden yurt dışına çıkmak isteyenlere harçlık

---

[672] BOA., DUİT., 75-2/45-1; Karpat, *Aynı makale*, s.118.
[673] BOA., DUİT., 75-2/45-1 Sadâret'in 17 B 66/29 Mayıs 1850 tarihli arz tezkiresi üzerine sâdır olan 18 B 66/30 Mayıs 1850 tarihli irade.
[674] Korn, *Aynı eser*, s.219, Hutter, *Aynı eser*, s.193.
[675] Korn, *Aynı eser*, s.219.

olarak 300.000 kuruşun gönderildiği belirtilmektedir. Ancak bu para da yeterli olmamıştır. Zira, gönderilen paranın önemli bir miktarı, Kalafat'da atları zayi olan mültecilere ödenmişti. Geri kalan miktar da sayıları 900 kadar olan mülteciden Avrupa'ya giden 400'üne harçlık olarak verilmişti[676].

Mültecilerden 400 kadarı yurt dışına gitmiş olsa bile, önemli bir miktarı hâlâ Şumnu'da bulunuyordu. Faik Bey'in 6 Kasım 1850 tarihli tahriratına göre, Şumnu'da 306 mülteci daha vardı. Bunlardan 254 Polonyalı ve 8 Macar İngiltere'ye, 6 Macar da kendi ülkesine gitmek istiyordu. Macarlardan 59 kişi ise henüz nereye gideceklerine karar vermemişlerdi. Bunlar, İstanbul'daki Amerika elçiliğinde çalışan bir müstahdeme işlerini havale etmişlerdi[677]. Ancak yukarıda da değinildiği gibi Hazine'den bütün mültecilerin yurt dışına çıkmaları için ayrılan 300.000 kuruş sadece 400 mülteci için harcanmıştı. Diğer mültecilerin Şumnu'dan gönderilmeleri için paraya ihtiyaçları vardı. Konu, Serasker Paşa'nın konağında Sadrazam ve diğer bir kaç devlet erkanının katıldığı toplantıda değerlendirildi. Şumnu'daki mülteciler için aylık 100.000 kuruş harcandığı göz önünde bulundurularak, onların yurt dışına çıkmaları için gerekli olan paranın tedarikine karar verildi[678].

Bu arada İngiltere Elçisi Canning, "...*merkûmlardan bir yüz kadarı İngiltere'ye irsâl olunduğu hâlde İngiltere Devleti kayırılmalarına himmet eder ve cânib-i sefâretden elli-altmış bin guruş kadar i'âne akçesi dahî verilür. Lakin üç yüz adam birden Liverpool'a gitdiği gibi onların cümlesinin yerleştirilmesi veyâhûd Amerika'ya 'azîmetleri masrafını devlet-i müşârunileyhânın çekmesi uyamayacağından Liverpol'dan Amerika'ya kadar muhtâc olacakları masârıf için taraf-ı Saltanat-ı Seniyye'den mu'âvenet...*"[679] edilmesini istemişti. Uzun süre mültecileri himaye eden, onları iâde etmemek adına Rusya ve Avusturya ile savaş riski-

---

[676] BOA., DUİT., 75-2/60 Sadâret'in Mâbeyn'e takdîm ettiği 13 M 67/18 Kasım 1850 tarihli tahrirat.
[677] BOA., DUİT., 75-2/60 Faik Bey'in sadâret'e gönderdiği 30 ZA 66/6 Kasım 1850 tarihli tahrirat.
[678] BOA., DUİT., 75-2/60.
[679] BOA., DUİT., 75-2/60.

ni göze olan ve maddi fedakarlıkta bulunan Osmanlı Devleti'ne karşılık İngiliz elçisinin 300 kadar mültecinin masraflarının karşılanamayacağını söylemesi dikkat çekicidir.

Diğer taraftan mülteciler Amerika'ya gitmek isterseler, İstanbul'dan Amerika'ya doğrudan yolcu taşıyan vapur bulmak imkânı da yoktu. İngiltere'ye vardıklarında mülteciler ancak Liverpool iskelesinden başka bir gemiye binerek Amerika'ya gidebilirlerdi. Yolda geçirecekleri günlerin uzaması sebebiyle doğal olarak yapacakları masraflar da artacaktı. Bâbıâli, mültecilerin İngiltere'den Amerika'ya yapacakları yolculuk masraflarını üstlenmek istemiyordu. Bu yüzden Canning'in teklifi kabul edilmedi ve mültecilerin İngiltere'ye kadar gemide yapacakları harcamaları karşılamanın yanı sıra, adam başına 1.000 kuruş harçlık verilmesi kararlaştırıldı. Diğer taraftan kış mevsimi yaklaşıyordu. Mültecilerin yazlık elbiselerle gönderilmeleri *"merhamet-i seniyyeye"* uygun olmayacağından, kendilerine birer takım kışlık elbise verilmesi de uygun bulundu[680].

Şumnu'da kalan yaklaşık 300 mülteci İngiltere'ye gönderilmek üzere İstanbul'a getirildi. Ancak, kendilerini İngiltere'ye götürecek gemi henüz yolculuğa hazır hale getirilememişti. Bunun için 15 günlük bir süreye ihtiyaç vardı. Fakat mülteciler, kendilerini Varna'dan İstanbul'a getiren vapurda 15 günlük süreyi geçirmeleri halinde çeşitli hastalıklara yakalanabilirlerdi. Bu sebeple gemi hazır hale getirilene kadar Kuleli Kışlası'na yerleştirildiler[681].

Mültecilerin önemli bir kısmı yurt dışına çıksalar bile, Osmanlı Devleti'nde kalanlar da vardı. Tespit edilebildiği kadarıyla, aşağıda Osmanlı Devleti'nde kalan mültecilerin bir isim listesi verilecektir. Kuşkusuz bu liste tam değildir. Bunun dışında, isimleri tespit edilemeyen bir çok mültecinin Osmanlı Devleti'nde kaldığı söylenebilir. Sonraki tarihlerde bunların bir kısmı Osmanlı ülkesinde kalırken, diğer bir kısmı da çeşitli Avrupa ülkelerine gitmişlerdi.

---

[680] BOA., DUİT., 75-2/60.
[681] BOA., DUİT., 75-2/64 Sadâret'in Mâbeyn'e takdim ettiği 26 S 67/ 31 Aralık 1850 tarihli arz tezkiresi.

Albay	Yarbay	Binbaşı	Yüzbaşılar	Üsteğmenler	Teğmenler	Astsubaylar	Siviller
Szabo Istvan	Kabos	Jasics		Salkowski Michael	Szacsvai	Borza Aron	Batthanyi Istvan[682]
	Weppler	Rozsty	Nyujto	Imredy	Borros	Erdös Gabriel	Joannovitsch György[683]
		Fischer	Pongratz	Endrödy	Racz Istvan	Grün Lajos	Bencze[684]
		Golsz	Nagy İmre	Nobitshek Wilhelm	Orosz	Khun Albert	Buia
		Dömöter	Philipp Korn[685]	Glosz	Földvary	Vekony Istvan	Gorove[686]
		Boeck	Matta Eduard	Neudenbach Franz	Peczolt	Krenmüller	Bordan
		Dezfy	Kosztolanyi August	Grosinger Karl	Santa	Sipos	Katich Istvan
		Graf Laszlo	Hutter Joszsef[687]	Nagy Istvan	Pasztori	Henei Stephan	Virag Istvan
			Uetz Anton	Szeredy Istvan	Lönyi	Straller Ferdinand	Egressy Gabriel
			Fischback Herrmann	Tar Istvan	Dombrosky	Gruber Jozef	Hatos Barabyali
			Czinser	Burmann Baron	Körmöndy	Pamzay Janos	Prik Jozef
			Nosticius Wilhelm	Teleky Oszkar[688]	Bereczky	Hegyveresi Ferenc	Hauer
			Toth Robert	Brunner Janos	Scritek	Kovacs Janos	Podraszky
			Dancs Andras	Lovasz Mihaly	Levai	Brenowaczk Pal	Ströbel
			Knall Györgei	Pilly Miklos	Hüffel[689]	Major Imre	Vermes[690]
			Börczy Gyula	Franscisci Kazimir[691]	Hochholzer Hugo[692]		Melessy
			Specht Leopold	Mak	Globotschnigg Jozsef		Bordan Ede
			Bosz Johann	Ligetfy	Polakovich		Fontana[693]

[682] Daha sonra Macaristan'a gitti (Korn, *Aynı eser*, s.222).
[683] Macaristan'a gitti (Korn, *Aynı eser*, s.222).
[684] Milletvekili (Korn, *Aynı eser*, s.223).
[685] İngiltere'ye gitti (Korn, *Aynı eser*, s.220).
[686] İsviçre'ye gitti (Korn, *Aynı eser*, s.223).
[687] İngiltere'ye gitti (Korn, *Aynı eser*, s.220).
[688] Macaristan'a gitti (Korn, *Aynı eser*, s.220).
[689] Fransa'ya gitti (Korn, *Aynı eser*, s.221).
[690] Fransa'ya gitti (Korn, *Aynı eser*, s.223).
[691] Macaristan'a gitti (Korn, *Aynı eser*, s.222).
[692] Amerika'ya gitti (Korn, *Aynı eser*, s.222).

			Nemeth Gergely	Rakocssy	Molnar		
			Helley İstvan		Duhek		
			Rekasy Raymund		Bazil		
			Nagy Karoly		Biro		
			Meszaros		Unger Ignatz		
			Hencz		Szalanczy Dominik		
			Bernat[694]				
			Jozsa				
			Szathmary				
			Raszonyi				
			Leonidas				
			Wawrek				
			Zarka				
			Utassy				
T.: 1	2	8	31	19	24	15	19

M. Macaristan'dan Amerika'ya Giden İhtilalciler

Görgei'nin Vilagos'ta Ruslara karşı silahlarını bırakmasından sonra, Macar Özgürlük Savaşı sona ermişti. Ancak, Komarom kalesi hâlâ Macarların elindeydi. Komarom'un 14 aylık bir savunmadan sonra düşmesiyle Macarların elinde kalan son kale de Avusturya'ya geçmişti. Kalenin düşmesinden sonra burada savaşan Macarlar da kendilerine sığınacak bir ülke aramaya başladılar. Savaşın kaybedilmesi durumunda Amerika'ya gidip orada bir koloni oluşturmak amacıyla, Komarom Valisi Ujhazi tarafından bir mülteci komitesi kurulmuştu. Bu komiteye bazıları sivil, bazıları da subay olmak üzere 200 kişi kayıt yaptırmıştı. Kayıtlılar, kimseye yük olmak istemediklerinden kendi aralarında bir miktar da para toplamışlardı. Komarom'un Avusturya'nın eline geçmesinden sonra, mülteci komitesi başkanı Ujhazi, vatandaşlarına Amerika'ya iltica etmek istemeleri halinde onlara yardımcı olacağını söylemişti. Bu ülkeye iltica etmeye karar verenler, durumlarını düzeltmek ve çeşitli ailevî sıkıntı-

---

693 Doktor (Korn, *Aynı eser*, s.223).
694 Macaristan'a gitti (Korn, *Aynı eser*, s.221).

larını halletmek için bir süre daha Macaristan'da kalmak zorunday-
dılar. Bu sebeple, Amerika'ya gideceklerin en son Ekim ayına kadar
Hamburg'ta olmaları kararlaştırıldı[695].

Komarom savaşını kaybeden Macarların ülkelerinden ayrıldık-
tan sonra gittikleri ilk şehir Breslav'dı. Komarom'da Macar birlikleri-
nin kumandanı olan General Klapka da 12 Ekim 1849'da şehre gel-
mişti. Breslav'da mülteciler için küçük bir karşılama töreni düzenle-
di. Ancak, şehrin güvenliğinden sorumlu olan kişiler, bu karşılama-
dan pek hoşnut kalmadılar ve Klapka'nın şehre gelişinin ertesi günü
mültecileri şehirden uzaklaştırdılar. Breslav'dan ayrılan mültecilerin
ikinci uğrak yeri Berlin olmuştu. Aynı tarihlerde Haynau, Prusya
Kralı'nın resmi davetlisi olarak burada bulunuyordu. Belki de onun
girişimleri sonucunda mültecilere Berlin'de kalmaları için sadece iki
gün mühlet verildi[696].

Mülteciler, Berlin'den ayrıldıktan sonra 16 Ekim 1849'da Ham-
burg'a vardılar ve burada coşku ve sevinçle karşılandılar. Misafirha-
nelerde ve en zengin tüccarların yanında ağırlandılar. Onlara ücret-
siz yolculuk yapmaları için imkân sağlandığı gibi, giyecek eşya da
verildi. Ayrıca, mültecilere para toplamak amacıyla bir de komite
kuruldu. Ujhazi, Amerika'ya gideceklere refakat etmek üzere Ham-
burg'ta General Klapka'dan ayrıldı. Klapka ise, Avrupa'da kalmaya
karar verdi. Ujhazi'nin mültecilerle Amerika yolculuğu Kasım'ın
ortasında başladı. Bunlara *"Howard"* ve *"Hermann"* adında iki de
gemi tahsis edildi. Ujhazi, Hermann gemisi ile yolculuk yapıyordu.
Adı geçen iki gemi ile Amerika'ya giden mültecilerin sayısı 100 ka-
dardı[697]. Bu mülteci taifesi, 15 Aralık'ta New-York'a geldi[698]. Geldik-
leri günün akşamında mültecilere 60 kişiden oluşan bir Alman koro-
su konser verdi. Bu konserler üç gün devam etti. Ujhazi'nin ikamet
ettiği eve Amerika'daki çeşitli uluslardan ziyaretçiler geliyordu. Ay-

---

[695] Imrefi, *Aynı eser*, s.235.
[696] Imrefi, *Aynı eser*, s.236.
[697] Imrefi, *Aynı eser*, s.237.
[698] Ujhazi ve arkadaşları New-York'ta *"Irving"* ve *"Astor"* adlı otellere yerleştirildiler (Imrefi, *Aynı eser*, s.249).

rıca, mülteciler için 4.000 doların toplandığı bir miting de düzenledi[699].

Diğer taraftan ABD Başkanı Taylor, ülkesinde bulunan Ujhazi'ye bir mektup gönderdi. Başkan mektubunda, Macarların özgürlük savaşına ülkesinin derin bir sempati duyduğunu yazıyordu. Macaristan'dan sonra Amerika'yı ikinci bir vatan olarak bulacaklarını ümit ettiğini belirtiyordu[700]. Bu arada New-York'ta bulunan mültecilere Washington'a gelmeleri için bir davetiye gönderildi. Ujhazi ve arkadaşları daveti kabul edip Washington'a geldiklerinde, Başkan ve diğer bakanlar tarafından karşılandılar. Başkan, onlara Macaristan'ın bağımsızlığını elde etmesi halinde bütün Macarların geri dönmekte özgür olduklarını söyledi. Ayrıca, Kossuth ve arkadaşlarının da kısa bir süre sonra ülkesini şereflendireceklerini ümit ettiğini de sözlerine ekledi[701].

Bir süre sonra Amerika'ya gelen mültecilerden bir grup, kendileri için tahsis edilen topraklara yerleştirildiler. Bunlar, Ujhazi ile beraber Thamson Nehri kıyısında *"Uj Buda"* adında bir koloni kurdular. Diğer bir grup da, Texas'a gitti[702].

Komaron'un düşmesinden sonra Macarlar çeşitli Avrupa ülkelerine dağılmışlardı. Mültecilerin tercih ettikleri ülkeler arasında başta İngiltere olmak üzere Kuzey Amerika, İsviçre ve Sardunya geliyordu. Mültecilerin misafirperverlik gördükleri ülkeler arasında Fransa en sondaydı[703].

---

[699] Imrefi, *Aynı eser*, s.249.
[700] Imrefi, *Aynı eser*, s.251.
[701] Imrefi, *Aynı eser*, s.251.
[702] Imrefi, *Aynı eser*, s.257.
[703] Imrefi, *Aynı eser*, s.236.

DÖRDÜNCÜ BÖLÜM
DİPLOMATİK KRİZ

A. Mültecilerin Osmanlı Devleti'ne Sığınmasına İlk Tepkiler

1-Rusya'nın Tepkisi

Görgei'nin Macar ordusundan geriye kalanlarla birlikte Vilagos kalesi önünde Ruslara teslim olmasından sonra Mareşal İvan Paskeviç, 13 Ağustos 1849'da Çar'a bir mektup yazmış ve *"Macaristan'ın haşmetlünün ayakları altında"*[704] olduğunu bildirmişti. Aslında, Haynau komutasındaki 170.000 kişilik Avusturya ve Paskeviç emrindeki 200.000 kişilik Rus birliklerinden oluşan müttefik ordu karşısında Macarların matematiksel olarak hiçbir şansı yoktu. Üstelik, bu ordu Sırp ve Hırvat birliklerince de destekleniyordu. Destek kuvvetleriyle yaklaşık 500.000'i bulan bu kalabalık kuvvetler karşısında daha fazla direnemeyen Macarlar Türk topraklarına sığınmak zorunda kalmışlardı[705]. Macarlar arasında yaklaşık 1.000 kadar Polonyalı bulunuyordu ve bunlar General Bem'i takip ederek Osmanlı ülkesine iltica etmişlerdi. Polonyalılar arasında en göze çarpan isim-

---

[704] Harold Temperley, *England and The Near East The Crimea*, London 1936, s.259; F. Eckhart, *Macaristan Tarihi*, (çev. İbrahim Kafesoğlu), Ankara 1949, s.213.

[705] Charles d'Eszlary, "L'émigration hongroise de Louis Kossuth en Turquie entre 1849-1850", *Türk Tarih Kongresi*, IV, (20-26 Ekim 1961), Ankara 1967, s.432.

ler Bem ile birlikte, General Dembinski, General Wysocki ve Zamoyski idi[706].

Bu dört önemli ismi Rusya'ya ihanet suçundan askeri mahkeme önüne çıkarmak isteyen Çar Nikola, Osmanlı Devleti'nden iâdelerini istemeye karar verdi. Bu amaçla Çar, niyetini iyi ifade edilmiş terimlerle açıkladığı bir mektubu Sultan Abdülmecid'e ulaştırma göreviyle, maiyetinde bulunan generallerden birini 24 Ağustos 1849'da İstanbul'a gönderdi[707]. İşin ilginç tarafı, Çar Nikola'nın mektubunu Sultan'a götürmekle görevlendirilen general, Polonya kökenli Prens Leon Radziwill idi[708]. Radziwill, Çar'ın mektubunu Sultan'a vermenin yanı sıra, Bâbıâli'den mültecilere sığınma hakkı vermemesini ve bunların tutuklanarak Rusya'ya iâde edilmesini istemekle de görevliydi. Bunlara ilaveten Sultan'a Macar savaşının mutlu sonla neticelendiğini haber verme misyonu da vardı[709]. Radziwill, 4 Eylül 1849'da İstanbul'a geldi[710].

Çar, Sultan Abdülmecid'e gönderdiği mektupta Macar isyanını bastırmak için Avusturya'ya yaptığı yardıma değiniyor ve Osmanlı Devleti'nin savaşta tarafsız kalmasından övgü ile söz ediyordu. Çar'a göre, eğer Rusya harekete geçmemiş olsaydı, ihtilaller Avrupa için büyük tehlike olacaktı. Dolayısıyla Rusya, Avusturya'ya yardım etmekle Avrupa'daki barış ortamının tesisinde büyük rol oynamıştı. Ayrıca Çar, Macar savaşının mutlu sonla neticelendiğini Sultan'a bildiriyor ve harp bittiğine göre, mültecilerin geri verilmesinin şart olduğunu belirtiyordu. Yine o, ihtilalin çıkmasından sorumlu olan kişilerin iâde edilmesi amacıyla Titof'un Bâbıâli nezdinde yapacağı

[706] Bapst, Edmond, *Les Origenes de la Guerre de Crimee la France et la Russie de 1848 a 1854*, Paris 1912 s.85.
[707] Istvan Hajnal, *A Kossuth-emigracio Törökorszgban*, Budapest 1927, belge no:206, s.861; Bapst, *Aynı eser*, s.85. Leon Radziwill'in görevlendirilmesi hakkında Boul'un 2 Eylül 1849 tarihli raporu.
[708] Daha önce Gradno hafif süvari albayı ve sonra İmparator yaveri olan Prens Radziwill'e 19 Ağustos 1849'da generallik rütbesi verildi. (Bapst, *Aynı eser*, s.85).
[709] Hajnal, *Aynı eser*, belge no: 206, s.261.
[710] Korn Philipp, *Kossuth und Ungarn in der Türkei*, Hamburg und New-York 1851, s.175; Temperley, *Aynı eser*, s.262; Hajnal, *Aynı eser*, belge no:139 s.726, Rusların tutumu ve Radziwill'in vardığına dair Avusturya Elçisi Stürmer'in 5 Eylül 1849 tarihli raporu.

girişimlerde kolaylık gösterilmesini de istiyordu. Çar, Rus ordularının bir sene önce benzer bir olayda Eflak ve Boğdan'a girmelerine atıfta bulunarak, Rusya'nın ihtilalcilere karşı büyük bir özveri ile mücadele ettiğini vurguluyordu. Son olarak Çar, iki ülke arasında bir problem yaşanmaması için, Sultan'dan mülteciler meselesinin tatminkar bir çözüme kavuşturulmasını istiyordu[711].

Çar, Sultan Abdülmecid'e gönderdiği mektupla yetinmeyip Kont Nesselrod'dan, 1849'da Macar ordusu saflarında Rusya'ya karşı savaşan Polonyalı dört mültecinin iâde edilmesi için Bâbıâli'ye bir nota vermesini istemişti[712]. Bu emir üzerine Nesselrod, Çar'ın Sultan'a gönderdiği mektuptan bir gün sonra, 25 Ağustos 1849'da[713] dört Polonyalının iâde edilmesi için Bâbıâli'ye iletilmek üzere Titof'a bir nota gönderdi[714]. Bu dört kişi Bem, Dembinski, Wysocki ve Zamoyski idi[715].

Nesselrod, bu dört mülteci şefinin ihtilalin tamamen bastırıldığını görüp hak ettikleri cezadan kurtulmak için, Osmanlı Devleti'ne iltica ettiklerini ileri sürmekteydi. Ona göre, bu şahsiyetlerin Osmanlı ülkesine sığınmaları Rusya tarafından beklenmekteydi. Çünkü, ihtilal liderlerinin bütün ülkelerdeki davranış biçimleri aynıdır. Onlar, her nerede olurlarsa olsunlar, ihtilal fikirlerini ateşleyip iç savaş ve isyanı başlatır, mağlup olduklarında kandırdıkları zavallı halkı kötü kaderleriyle baş başa bırakıp, sadece kendi güvenliklerine önem verirler. Bu yüzden, Polonyalı mülteci şefleri derhal tutuklanıp iâde

---

[711] Mehmed Galib, "Leh ve Macar Mültecilerine Ait Vesâik", *Yeni Tasvir-i Efkâr*, Nr.40, 22 C 1327/9 Temmuz 1909, s.4-5.

[712] Vladimir Potyemkin, *Uluslararası İlişkiler Tarihi*, (çev. Atilla Tokatlı), İstanbul, 1977, s.546. Bu eser, Potyemkin yönetiminde S. Bakruşin, A. Efimov, İ. Mintz, E. Kosminski tarafından yazılmıştır.

[713] Nesselrod, Osmanlı Devleti'ne iltica eden dört Polonyalının iâdesini isteme emrini Titof'a yazdığı gün, eşinin Gastein sularında boğulduğu haberini almıştı. Karısının ani ölüm haberiyle sarsılan Nesselrod, on iki gün boyunca kapısını ziyaretçilere kapattı. Bu süre içerisinde mülteciler meselesiyle ilgili olarak Petersburg'ta hiçbir devletin yetkilisiyle görüşmedi (Bapst, *Aynı eser*, s.101).

[714] Bapst, *Aynı eser*, s.86.

[715] BOA., Âlî Fuad Türkgeldi'den Satın Alınan Evrak (AFTE) 1-41, 26 L 1265; Mehmed Galib, "Leh ve Macar Mültecileri", *Yeni Tasvir-i Efkâr*, Nr.60, 13 B 1327/30 Temmuz 1909; Mehmed Memduh, *Mir'ât-ı Şu'ûnat*, İzmir 1328, s.87-88; Bapst, *Aynı eser*, s.86 Kont Nesselrod'un Titof'a gönderdiği 25 Ağustos 1849 tarihli nota.

edilmelidirler. Nesselrod, 1830 İhtilali'ni hatırlatarak, bu ihtilalde Rusya'nın huzur ve emniyetini tehlikeye atan bu insanların Macar savaşına katılmakla büyük suç işlediklerini iddia ediyordu. Ona göre, Rusya vatandaşı olan bu insanlar, sadece Avusturya Devleti'nin varlığını tehlikeye düşürmekle yetinmeyecekler, aynı zamanda, eski Polonya'yı oluşturan bütün ülkelerde savaş ve ayaklanma çıkaracaklardı[716].

Nesselrod, notasının sonunda Titof'un Bâbıâli'ye karşı izleyeceği stratejiye de değiniyordu. Bu stratejiye göre Titof, adı geçen mültecilerin iâdesini talep ederken, Bâbıâli'nin siyasi mülteciler konusunda uymaya azami özen gösterdiği insan severlik ve merhamet ilkeleri üzerine hiç bir tartışmaya girmeyecekti. Zira Rusya, bu konudaki görüşlerini birçok kere Bâbıâli'ye açık ve kesin bir dille bildirmişti. Ona göre, sadece insan severlik adı altında siyasi mültecilerin korunması usulünü, Avrupa devletleri fiilen terk etmişlerdi. Dolayısıyla, Rusya'nın Osmanlı Devleti'nden istediği açık ve kesin bir ifadeyle *"evet"* ya da *"hayır"* cevabıydı. Titof'un asıl görevi, mültecilerin iâdesi hususunda Bâbıâli'den bu cevaplardan birini almaktı. Ayrıca Titof, Bâbıâli'ye notanın reddedilmesi halinde doğacak sonuçların iyi hesaplanması gerektiğini de hatırlatacaktı. Nesselrod'un notası, mültecilerin iâde isteğinin geri çevrilmesi durumunda politik ilişkilerin bundan büyük zarar göreceği uyarısıyla son buluyordu[717].

Nesselrod'un notası kaba ve emir verir bir üslupla kaleme alınmıştı. Notada, mültecilerin iâde edilmemesi halinde Çar'ın Osmanlı Devleti'ne savaş açmaktan kaçınmayacağı ima ediliyordu. Notada dikkati çeken diğer önemli bir husus ise, Osmanlı Devleti'ne iltica eden yaklaşık 1.000 kadar Polonyalı mülteciden sadece dördünün iâdesinin istenmesiydi[718]. Bu dört şefin idaresi altında savaşa katılan halk, zavallı ve biçare olarak nitelendiriliyordu.

---

[716] BOA., AFTE, 1-41; Mehmed Galib, "Leh ve Macar Mültecileri",*Yeni Tasvir-i Efkâr*, Nr.60, 13 B 1327/30 Temmuz 1909, s.5; Mehmed Memduh, *Aynı eser*, s.107; Bapst, *Aynı eser*, s.87.

[717] BOA., AFTE, 1-41; Mehmed Galib, "Leh ve Macar Mültecileri", *Yeni Tasvir-i Efkâr*, Nr.60, 13 B 1327/30 Temmuz 1909, s.4; Mehmed Memduh, *Aynı eser*, s.107-108; Bapst, *Aynı eser*, s.87-88.

[718] Bapst, *Aynı eser*, s.87-88.

Titof, Nesselrod'un notası henüz İstanbul'a ulaşmadığından başlangıçta hükümetine nazaran daha yapıcı bir politika izliyordu. Nitekim, 15 Ağustos 1849'da Polonyalı mültecilerin iâdesiyle ilgili Hariciye Nezareti'ne sunduğu notada, Nesselrod'dan daha yumuşak diplomatik bir dil kullanmıştı. Titof, Küçük Kaynarca Anlaşması'nın II. maddesine[719] atıfta bulunarak, Bâbıâli'nin geçmiş anlaşmalardan doğan yükümlülüklerini yerine getirmesini istiyordu. Çok sayıda ihtilalcinin Osmanlı sınırında toplanmasının sadece komşu ülkeler için değil, aynı zamanda Bâbıâli için de bir sorun olacağı üzerinde duruyordu. Titof'a göre, Osmanlı Devleti'nin bu insanlara müsamahakar davranmaması çok önemliydi. Aksi halde, Eflak ve Boğdan'da tesis edilen huzur ve barış ortamı bozulacak ve arkasından tüm ülke bir kargaşa yuvası haline gelecekti. Titof, notasında on kadar Polonyalı mülteci şefinin Osmanlı ülkesine sığındığı sırada, Memleketeyn'de bulunan Rus memuru General Duhamel'in Fuad Efendi'ye başvurarak bunların iâde edilmesi talebinde bulunduğunu hatırlatıyordu. Titof ayrıca, Fuad Efendi'nin mültecilerin sıkı bir şekilde gözetim altında tutuldukları ve Bâbıâli'den bir emir gelinceye kadar iâde edilmeyecekleri şeklinde Duhamel'e verdiği cevabı da yazısına eklemişti[720]. Titof, bu hatırlatmaları yaptıktan sonra, şimdi Polonyalı mültecilerin ya Eflak ve Boğdan'daki Rus subaylarına ya da Rus yetkililerine teslim edilmesi için, Fuad Efendi'ye bir an önce emir yazılmasını istiyordu. Ayrıca elçi, Osmanlı Devleti'nden Rus-

---

[719] Osmanlı Devleti ile Rusya arasında 1774'te imzalanan Küçük Kaynarca Anlaşması'nın II. maddesi şöyleydi: *"İki devletin re'âyâsından bazıları âher bir töhmet ve 'adem-i itâat veyâhûd hiyânet edüb devleteynin birine ihtifâ veyâhâd ilticâ kasdında olur ise Devlet-i Aliyyemde dîn-i İslâmı kabûl ve Rusya Devletinde tanassur edenlerden ma'âda aslâ bir bahâne ile kabûl ve himâyet olunmayub der-'akab redd veyâhûd hiç olmaz ise ilticâ eyledikleri düvelin memâlikinden tard olunalar ki bu misillü yaramazların sebebi ile iki devlet beynine müverris-i bürûdet veyâhûd bâ'is-i bahs-i 'abes olur asla bir ma'nâ vâki' olmaya. Kezâlik tarafeyn re'âyâsından olub gerek ehl-i İslâm ve gerek Hıristiyan zümresinden bir kimesne bir dürlü taksîrât edüb her ne mülâhaza ile bir devletden ol bir devlete ilticâ ederler ise bu misillüler taleb olundukca bilâ-tehîr redd olunalar"* (BOA., DUİT., 75-1/9-2; Muâhedât Memûası, I, İstanbul 1296, s.255).

[720] Ayrıca General Duhamel, Titof'a bir mektup göndererek Fuad Efendi'ye mültecilerle ilgili bir talimat göndermesi için Bâbıâli nezdinde girişimde bulunmasını istemişti. (BOA., DUİT., 75-1/9-6; Ahmed Refik, *Aynı eser*, s.30-31; Hajnal, *Aynı eser*, belge no:134, s.717-718).

ya'ya iltica edenlerin, Bâbıâli'nin talebi üzerine iâde edildiğini emsal göstererek, Polonyalı mültecilerin de aynı şekilde iâde edileceği yolunda Fuad Efendi'ye emir gönderileceğini düşünüyordu. Titof son olarak, Çar'a bilgi verebilmesi için yukarıda sözünü ettiği meselelere verilecek cevabı beklediğini de belirtmişti[721].

2- Avusturya'nın Tepkisi

Avusturya Elçisi Stürmer, Macarların Osmanlı ülkesine sığınmak üzere sınıra yaklaştıkları duyumunu aldığında, Sadrazam Reşid Paşa ve Hariciye Nazırı Âlî Paşa ile birer görüşme yapmıştı. Elçinin Âlî Paşa ile yaptığı görüşme hakkında bir bilgimiz yoktur. Ancak Stürmer, Reşid Paşa ile yaptığı görüşme hakkında hükümetine sunduğu raporda bilgi verir. Bu rapordan anlaşıldığı kadarıyla Reşid Paşa, Stürmer'e mültecilerin Osmanlı Devleti'ne sığınmasıyla ilgili görüşlerini sormuş o da, Bâbıâli'nin mültecileri kabul etmesi durumunda, Rusya ve Avusturya ile her an bir savaş tehlikesi yaşayabileceğini söylemişti. Ayrıca, mültecilerin sınırı geçmeleri halinde, Osmanlı Devleti'nin meşru hükümetlere karşı ayaklanan isyancıların kabul edildiği bir ülke konumuna düşeceği, Bâbıâli'den ilgi gören bu insanların başarısız kalmış planlarını gerçekleştirmek amacıyla silahlanıp yeniden organize olarak komşu ülkelere sızabilecekleri konusunda Reşid Paşa'nın dikkatini çekmişti. Böylece, amaçlarını gerçekleştirmek için kendilerine uygun bir ortam bulan bu isyancılar, sadece Rusya ve Avusturya'nın değil, aynı zamanda Osmanlı ülkesinin de huzurunu bozacaklardı. Diğer taraftan Stürmer, mültecilerin kabul edilmesi halinde Osmanlı Devleti'nin her iki devletle ilişkilerinin bozulacağı ve bu nedenle de mültecilerin Osmanlı Devleti'nde görülmesi halinde yakalanıp iâde edilmelerini Reşid Paşa'dan istemişti[722].

Bu görüşmenin üzerinden çok geçmeden, Schwarzenberg'in Osmanlı ülkesine iltica eden Macarların iâde edilmesini talep eden 14

---

[721] BOA., DUİT., 75-1/9-6; Ahmed Refik, *Aynı eser*, s.30-31; Hajnal, *Aynı eser*, belge no:134,   s.717-718.
[722] Hajnal, *Aynı eser*, belge no:134, s.714.

Ağustos 1849 tarihli notası geldi[723]. Stürmer, hükümetinin gönderdiği notayı 27 Ağustos'ta Bâbıâli'ye sundu. Schwarzenberg'in notası, meslektaşı Nesselrod'un notasına göre bir kaç bakımdan farklılık gösteriyordu. Bu farklılıkların en dikkate değeri Nesselrod'un dört Polonyalının iâdesini istemesine karşılık, Schwarzenberg'in başta Kossuth olmak üzere bütün Macarların iâdesini istemesiydi. Rusya ve Avusturya'nın istekleri arasındaki bu farklılık bir süre devam etmiştir[724]. İki nota arasındaki diğer bir fark ise, ikincisinin daha yumuşak bir üslupla yazılmış olmasıydı. Schwarzenberg'ın notası, Nesselrod'unki gibi kaba ve emir niteliği taşımıyordu[725].

Schwarzenberg notasında, Bâbıâli'nin Şubat 1849'da Fuad Efendi'ye gönderdiği talimata, Macar ihtilalcilerinin "*isyancı*" olarak kabul edildiğini hatırlatıyordu. Avusturya Devleti'ne karşı isyan eden bu kişilerin Osmanlı ülkesine ilticaları halinde, 1739 Belgrat Anlaşması'nın XVIII. maddesi[726] hükmünce kabul olunmayacaklarının açıkça ifade edildiğine dikkat çekiyordu. Avusturya Başbakanına göre Bâbıâli, daha önce aldığı karara sadık kalmayarak, ülkesine iltica eden Macar isyancıları iâde etmemiş ve sadece ellerindeki silahları almakla yetinmişti. Schwarzenberg, Osmanlı Devleti'nin bu şekilde hareket etmesini tutarsızlık olarak yorumluyor ve mültecilerin kabulünden dolayı Stürmer'den Bâbıâli'yi protesto etmesini

---

[723] BOA., DUİT., 75-1/9-5; Hajnal, *Aynı eser*, belge no:128, s.702 Schwarzenberg'in Stürmer'e gönderdiği 14 Ağustos 1849 tarihli nota.

[724] Bapst, *Aynı eser*, s.87-88.

[725] Potyemkin, *Aynı eser*, s.546-547.

[726] Osmanlı Devleti ile Avusturya arasında imzalanan 1739 Belgrat Anlaşması'nın XVIII. maddesi şöyleydi: "*Tarafeyn re'âyâsından müfsid ve âsî ve bed-hâh olanlar iki cânibden dahî kabûl olunmaya bu makûle ehl-i fesâd ve çeteci ve gâretçi her kimin re'âyâsı olur ise olsun her kangı toprakda bulunur ise müstehak oldukları cezâları tertîb oluna ve ihtifâ ederler ise haberleri alunub zâbitleri âgâh oluna ki haklarından geleler. Ve zâbit ve baş olanlar dahi bu misillü eşkıyânın haklarından gelinmekde ihmâl ve tekâsül ederler ise mesûl ve mu'âteb olub azl ve hakkından geline ve ulûfelü ve dirliklü kendü hallerinde olmayub böyle şekâvet edenlerin te'addîleri külliyet ile mündefi' olmak için mutlaka hırsızlık ile ta'ayyüş eden haydûd ve pirî bey dedikleri kuttâ'-ı tarîk saklanmayub ve beslenmeyüb gerek kendülerin ve gerek saklayanların haklarından geline ve bu makûle fesâd-hâdis müstemirresi olanlar sonradan salâh sûretin gösterirler ise dahî i'timâd olunmayub sınurlardan ba'îd yerlerde iskân etdirile*" (BOA., DUİT., 75-1/9-2; *Muâhedât Mecmuası*, II, İstanbul 1296, s.128-129).

istiyordu[727]. Schwarzenberg, mültecilerin iâde edilmesini iki temel gerekçeye dayandırıyordu: Bu gerekçelerden birincisi, Belgrat Anlaşması'nın XVIII. maddesi; ikincisi ise iki ülke arasındaki mevcut anlaşmalar gereğince Osmanlı Devleti'nde bulunan Avusturya vatandaşlarını sorgulama hak ve yetkisinin İmparatorluk konsolosluklarına ait olmasıydı. Ona göre Osmanlı Devleti, hükümetine karşı isyan eden bu kişileri koruyarak, onların konsolosluklar tarafından muhakeme edilmesine mani olmaktaydı. Bu durumu ise, anlaşmaların Avusturya Devleti'ne verdiği hakkın Bâbıâli tarafından açıkça ihlali olarak yorumluyordu. Schwarzenberg'e göre Osmanlı Devleti, Batı Avrupa ülkelerinde hakim teamül olan siyasi mültecilerin kabul edilmesini gerekçe göstererek de Macar asilerini kabul edemezdi. Zira, Fransa ve İsviçre gibi Cumhuriyet rejimi ile idare edilen ülkelerde bile, bu nevi insanlara karşı en sert tedbirler uygulanıyordu. Yine ona göre mülteciler, Osmanlı ülkesinde boş durmayıp Bâbıâli'yi güç durumda bırakacak fiiller işleyeceklerdi. Üstelik, Osmanlı Devleti'nde zaptiye nizamının tam oturmamış olması yüzünden, suç işleyen mültecilerin cezalandırılmalarında da bir çok sıkıntı yaşanacaktı. Böyle bir ortamda mültecilerin tekrar ihtilal ve isyan girişiminde bulunmaları yüksek bir ihtimaldi. Schwarzenberg, Bosna isyanına da atıfta bulunarak bu isyanda işledikleri fiillerin cezasından kurtulmak için Avusturya'ya iltica etmek isteyenlerin kabul edilmediklerini ifade ediyordu. Dolayısıyla, Bâbıâli bu olayda Avusturya'nın sergilediği tutumun benzerini ortaya koymalıydı. Schwarzenberg, daha da ileri giderek Macar mültecilerinin yanı sıra Polonyalıların da iâde edilmesi için, Stürmer'in vakit kaybetmeden Bâbıâli nezdinde girişimlerde bulunmasını istiyordu. Avusturya Başbakanı, Stürmer'den notanın bir suretini Bükreş'teki Avusturya Konsolosuna da göndermesini istiyordu. Konsolos da, Avusturya Hükümeti'nin mültecilere bakış açısını öğrenmesi için sözü edilen notayı Fuad Efendi'ye verecekti[728].

---

[727] BOA., DUİT., 75-1/9-5; Hajnal, *Aynı eser*, belge no:128, s.702.
[728] BOA., DUİT., 75-1/9-5; Hajnal, *Aynı eser*, belge no:128, s.702-703.

Stürmer, Schwarzenberg'in notasına verilecek cevabı beklemeden Titof ile bir araya gelerek Bâbıâli'ye karşı izlenecek ortak politikayı tespit etmeye çalıştılar. İki elçi, Hariciye Nazırı Âlî Paşa'ya eş zamanlı bir nota verme konusunda anlaştılar. Titof, Âlî Paşa'ya sunacağı notayı önceden hazırlamıştı. Bu notanın bir suretini de Stürmer'e verdi. Stürmer, notayı inceledikten sonra Titof'un taleplerine benzer, fakat daha farklı üslupta bir nota hazırladı. Yukarıda da değinildiği gibi Titof notasını 29 Ağustos'ta Âlî Paşa'ya sunmuştu. Stürmer de Titof ile vardığı anlaşma gereğince hazırladığı notayı aynı tarihte Âlî Paşa'ya verdi[729].

Stürmer, notasında mülteciler meselesinde olayların tahmin edilenden daha hızlı geliştiğini, buna karşılık konu hakkında Bâbıâli'den yeterince bilgi alamadığından yakınıyor ve Macar İhtilali'ni organize eden ihtilal liderleri hakkında Bâbıâli'nin bir an önce karar vermesini istiyordu. Daha sonra elçi, mültecilerin Osmanlı Devleti'ne iltica ettikleri ilk günlerde, Bükreş'teki Avusturya Konsolosu Timoni'nin Fuad Efendi'ye mültecilerin iâde edilmeleri için yaptığı başvuruyu ve Fuad Efendi'nin verdiği cevabı hatırlatıyordu. Bu hatırlatmalardan sonra Stürmer, Bâbıâli'nin bu husustaki kesin emrini Avusturya Devleti'ni memnun edecek tarzda, Fuad Efendi'ye bir an önce bildirmesini istiyordu. Elçi, mevcut durumun ciddi olduğunu ve iki devlet arasındaki ilişkileri Bâbıâli'nin vereceği kararın şekillendireceğini belirtiyordu. Notasının sonunda ise verilecek olumsuz bir kararın, ortaya çıkarabileceği istenmeyen sonuçların önceden iyice düşünülmesi temennisinde bulunuyordu[730].

3- İngiltere'nin Tepkisi

İngiliz Hükümeti'nin mültecilerin Osmanlı ülkesine ilticalarına bakışını, daha çok Avusturya'nın Londra Elçisi Colloredo'nun hükümetine gönderdiği raporlardan öğreniyoruz. İngiltere ve Fransa başlangıçta Macar Özgürlük Savaşı'nda sessiz kalmışlardır. Avus-

[729] Hajnal, *Aynı eser*, belge no:134, s.715.
[730] BOA., DUİT, 75-1/9-3; Hajnal, *Aynı eser*, belge no;134, s.716-717 Stürmer'in Âlî Paşa'ya takdîm ettiği 29 Ağustos 1849 tarihli nota.

turya'nın parçalanması, bu iki devletçe Orta Avrupa ve Balkanlar'da Rusya'nın yayılmasını kolaylaştıracak bir gelişme olarak görülüyordu. Bu sebeple Macaristan, İngiltere ve Fransa'ya yaptığı yardım başvurularına olumlu cevap alamamıştı[731]. Nitekim İngiltere Dışişleri Bakanı Lord Palmerston'un 2 Ağustos 1849'da Colloredo'ya verdiği gizli mektupta, Britanya Hükümeti'nin Avusturya'daki monarşi yönetimini desteklediği ifade ediliyordu[732].

Ancak Rusya'nın, Avusturya'yı desteklemesinden ve savaşın seyrini değiştirmesinden sonra, İngiltere'nin stratejisinde değişiklikler meydana geldiği görülmektedir. Bu strateji değişikliği İngiltere'nin Macaristan'a duyduğu sempatiden kaynaklanmıyordu. Rusya'nın müdahalesinden sonra İngiltere'nin Macaristan'a yönelmesindeki neden, Hindistan yolu ile ilgiliydi. Zira Rusya, on beş yıl önce ayaklanan Mısır Valisi Mehmed Ali Paşa'ya karşı zor durumda kalan Sultan'a yardım elini uzatmıştı. Bu yardım sayesinde Rusya, Osmanlı Devleti üzerinde himaye kurmayı amaçlıyordu. Mehmed Ali Paşa isyanında, İngiltere başlangıçta pasif davranmış ve inisiyatifi Rusya'ya kaptırmıştı.

İngiltere daha önce düştüğü hataya bir kez daha düşmek istemiyordu. Diğer taraftan, İngiltere'nin bu meselenin başlangıcında net bir politika izlememesi İngiliz kamuoyu tarafından tenkit edilmişti. İngiliz kamuoyunun mesele üzerinde hassasiyetle durması sebepsiz değildi. Çünkü Rusya, Macar ihtilalcilerini hezimete uğratmanın verdiği moral gücü ile Balkanlar'da daha etkili bir politika izleyebilirdi. Öteden beri İngiltere'de, Rusların İstanbul'a yerleşeceği ve Hindistan yolunu kapatacağına dair değişmez bir kanaat hakimdi. Ayrıca, Osmanlı Devleti'ni yıkma ve onun yerine kendi güdümünde eski Bizans'ı yeniden kurma düşüncesinde olan Rusya, küçük bir fırsatı bile değerlendirip harekete geçebilirdi. Bu nedenle İngiliz kamuoyu, Rusya'ya karşı çok dikkatliydi. Dolayısıyla İngiltere, Osmanlı Devleti'nin devamiyetini, Rusya'nın siyasetine bir set oluşturması açısından kendi çıkarlarına uygun buluyordu. Bu nedenle İngiliz

---

[731] Fahir Armaoğlu, *Siyâsi Tarih 1789-1760*, Ankara 1997, s.164.
[732] Hajnal, *Aynı eser*, belge no:172, s.802.

Hükümeti, Mehmed Ali Paşa isyanında düştüğü hatayı tekrarlamak istemiyordu.

Macarların yenileceğini anlayan İngiliz Hükümeti, baştaki tutumunun aksine, meseleye farklı bir yaklaşımla bakmaya başladı. Nitekim Palmerston, Colloredo ile yaptığı özel bir görüşmede Macaristan'daki ayaklanma bastırıldıktan sonra Avusturya'nın nasıl bir düzenlemeye gideceğini sormuştu. Colloredo ise, hükümdara karşı mücadele verenler bertaraf edildikten sonra, İmparatorluk Hükümeti otoritesini sağlamak ve monarşinin bütünlüğünü korumak için gerekli düzenlemeleri yapacaktır şeklinde cevap vermişti. Bu cevaptan sonra Palmerston, Avusturya Elçisi'ne İngiltere'nin Viyana Elçisi Ponsonby'e gönderilmek üzere yazılan mektubun muhtevası hakkında bilgi verdi. Bu mektupta, Avusturya'dan kan dökülmesinin durdurulması istenmekteydi. Ayrıca, ortak menfaatler için Britanya Hükümeti'nin İmparatorluk Hükümeti ile Macarlar arasında arabuluculuk yapmayı memnuniyetle kabul edeceği ifade ediliyordu. Mektupta Avusturya böyle bir arabuluculuğa istekliyse Lord Ponsonby buna yetkilidir deniliyordu[733].

Bu görüşmenin üzerinden fazla geçmeden İngiltere, Avusturya'ya karşı tavrını giderek sertleştirmeye başladı. Palmerston, Osmanlı Devleti'nin Londra Elçisi Mehmed Emin Paşa'[734]nın da bulun-

---

733 Hajnal, *Aynı eser*, belge no:172, s.802-803.
734 Mehmed Emin Paşa, Hazine-i Hümayun Kethüdası Kıbrıslı Mehmed Emin Efendi'nin kardeşi Hüseyin Efendi'nin oğlu olup, 1813'te Kıbrıs'ta doğmuştur. Çocukluğunu Kıbrıs'ta geçirdikten sonra İstanbul'a gelip, Enderun'a girdi. 1828'de Hassa İkinci Taburu'na yüzbaşı oldu. Namık Paşa ile birlikte 1833'te Londra'ya gitti. Buradan Paris'e geçerek bir müddet lisan öğrenimi gördü. İstanbul'a döndüğünde Kolağası oldu. İstanbul'da bir süre bu görevi yürüten Mehmed Emin Paşa, Osmanlı talebelerine nezaret etmek ve yarım kalan tahsilini tamamlamak üzere tekrar Paris'e gönderildi. Sultan Abdülmecid'in cülusunda İstanbul'a geldi ve 1840'da Dâr-ı Şurâ'ya üye oldu. Daha sonra, Akka Muhâfızlığı (1844), Kudüs Mutasarrıflığı (1845), Tırnova Kaymakamlığı (1846) ve Belgrat Muhafızlığı (1846) görevlerinde bulundu. Tırhâlâ Mutasarrıflığına tayin edilip oraya gitmek üzere iken, 25 Eylül 1848'da Londra elçiliğine atandı. Mehmed Emin Paşa'dan önce bu göreve Kamil Paşa tayin edilmişti. Ancak, Kamil Paşa, dil bilmemesini gerekçe göstererek Londra elçiliğinden affını istedi. Bu sırada Londra, politik açıdan Avrupa devletlerinin adeta merkezi konumundaydı. Bu nedenle Londra elçiliğine tayin edilecek zatın Avrupa'nın ahvaline ve yabancı dile tam bir hakimiyeti gerekiyordu. Bu yüzden Kamil Paşa'nın bu isteği kabul edilerek, yerine Avrupa'da öğrenim görmüş, Av-

duğu bir yemekte, Avusturya'nın Macarlara karşı izlediği politikayı tasvip etmediğini, söz konusu ülkenin elçisine şu cümlelerle ifade etmişti: "...*bir takım biçâre ve kar-ı makûleleri gibi gurûh-ı 'acezeyi darb edib dürlü dürlü mezâlim ve ta'addiyâta mübâderet...*"[735] olunmaktadır.

Mehmed Emin Paşa'nın ifadesine göre Avusturya Elçisi, Palmerston'un bu sözlerine cevap vermemişti[736] Ancak elçi, İngiliz Hükümeti'nin bu politika değişikliğini hükümetine rapor etmişti. Colloredo, raporunda İngiliz Hükümeti'nin dış politikasının tamamen Palmerston'un kontrolünde olduğunu belirtiyordu. Palmerston'un akıllı ve kurnaz bir diplomat olduğunu bilen elçi, Avusturya Hükümeti'nin Palmerston'a karşı dikkatli davranması gerektiği uyarısında bulunuyordu. Ayrıca hükümetine, İngiltere'nin

---

rupa usul ve ahvalini iyi bilmesinin yanı sıra iyi bir yabancı dil bilen Mehmed E-min Paşa atandı. Diğer taraftan, bir süreden beri Londra elçiliği, "ortaelçilikle" i-dare olunuyordu. Ancak bu sıralarda İngiltere, Lord Stradford Canning'i büyükelçi sıfatıyla İstanbul'a göndermişti. Dolayısıyla, Osmanlı Devleti'nin Londra'ya göndereceği elçinin de aynı sıfatta olması gerekiyordu. Bu nedenle, Mehmed Emin Paşa'nın uhdesine vezaret rütbesi tevcih edilerek, "büyükelçi" unvanıyla Londra'ya gönderilmesi tasvip olundu. Ayrıca yol harçlığı olarak, 150.000 kuruş verildi (BOA., İra. Har. Nr. 2235 Sadâret'in Mâbeyn'e takdîm ettiği 26 L 64/25 Eylül 1849 tarihli arz tezkiresi). Mehmed Emin Paşa, yaklaşık iki sene Londra elçiliği görevinde bulundu. Onun yerine daha önce Viyana elçiliği görevinde bulunan Kostaki Mussurus tayin olundu. (BOA., İra. Har. 3653 Sadâret'ın Mâbeyn'e takdîm ettiği 23 CA 67/25 Nisan 1851 tarihli arz tezkiresi) Mehmed Emin Paşa, İstanbul'a döndükten sonra Halep'te çıkan isyanı bastırmak amacıyla Ekim 1850'de buraya vali tayin olundu. Halep isyanını başarılı bir şekilde bastıran Paşa, Ekim 1851'de Arabistan Ordusu Müşirliğine getirildi. Daha sonra Edirne valisi olarak atanan Mehmed E-min Paşa, Ocak 1854'te Kaptan-ı Derya, aynı yılın Mayıs ayında Sadrazam oldu. Sadrazamlık görevinde yaklaşık altı ay kaldıktan sonra azledildi ve Meclis-i Tanzimat Reisliğine getirildi. Eylül 1856'da Petersburg fevkalade elçisi oldu. Daha sonraki tarihlerde devletin çeşitli üst kademelerinde görev alan Paşa, Ekim 1859'da ikinci defa Sadrazam oldu. Ancak, onun ikinci Sadrazamlık dönemi birinciye göre daha da kısa sürdü ve iki ay sonra azledildi. Mayıs 1860'ta üçüncü defa Sadrazamlığa getirilen Mehmed Emin Paşa, bir yılı aşkın bir süre bu görevde kaldıktan sonra Ağustos 1861'de tekrar azledildi. Bu tarihten sonra Edirne valiliği ve Meclis-i Âli üyeliği görevinde bulunan Paşa, 1871'de vefat etti ve Sultan Mahmud Türbesi bahçesine defnedildi. (İbnülemin Mahmut Kemal İnal, *Son Sadrazamlar*, I, İstanbul, 1982, s.83-98; Mehmed Süreyya, *Sicill-i Osmani*, IV, İstanbul 1311, s.300-301).

735 BOA., DUİT., 75-1/6-3; Ahmed Refik, *Aynı eser*, s.27 Londra Elçisi Mehmed Emin Paşa'nın Sadâret'e takdîm ettiği 17 N 65/6 Ağustos 1849 tarihli tahrîrât.

736 BOA., DUİT., 75-1/6-3; Ahmed Refik, *Aynı eser*, s.27.

Macarlara sempati duymaya başladığını belirtiyor ve bundan sonra geliştirilecek politikalarda İngiltere'nin hesaba katılmaması gerektiğini tavsiye ediyordu. Öte yandan Palmerston'nun dış politikadaki gücünü etkisiz hale getirmek için hükümetinin Fransa'ya yaklaşmasını istiyordu. Avusturya Elçisi'nin hükümetine Fransa'ya yakınlaşma tavsiyesinde bulunmasının nedeni, Fransa'nın Londra'ya atanan yeni elçisine duyduğu yakınlık ve elçinin mülteciler meselesine bakış açısıydı. Colloredo, Fransız elçisiyle yaptığı görüşmede Avusturya'nın Macarlara karşı izlediği politikaya Fransa'nın ılımlı baktığı izlenimini edinmişti. Elçi, Fransa ile Avusturya arasındaki ilişkilerin daha da geliştirilmesini istiyordu. Colloredo'ya göre İngiliz Hükümeti, Avusturya ve Fransa arasındaki uzlaşmayı kaygıyla izlemekteydi. Palmerston bu yakınlaşmayı bozmak için planlar yapmaktaydı. Bu sebeple, Avusturya Hükümeti'nin yeni politikalar geliştirmek zorunda olduğunu belirtiyordu[737].

Elçinin hükümetine sunduğu rapordan anlaşıldığı kadarıyla İngiltere'de iyi niyetli ve ılımlı insanlar, Avusturya'nın politikalarını desteklemeye devam ediyorlardı. Hatta çeşitli yer ve zamanlarda bu politikayı destekler mahiyette konuşmalar yapıyorlardı. Buna karşılık kamuoyunun büyük çoğunluğu Macarların lehine, Avusturya'nın aleyhine dönmüştü. Macarları destekleyen İngilizlere göre Macaristan, Ekim 1848'den beri Avusturya'ya karşı haklı bir mücadele vermektedir. Colloredo'ya göre, İngiliz kamuoyunda oluşan bu düşüncenin değiştirilmesi oldukça zordu. Hatta İngiltere'de Macarlar lehine oluşan sempati o kadar ileri gitmişti ki, onlara destek amacıyla mitingler tertip ediliyordu. Ayrıca, İngiliz halkı adına bir temsilcinin son durumu yerinde görmek amacıyla Macaristan'a gönderildiğini bildiriyordu[738].

İngiltere'nin Macar davasına giderek artan bir sempati göstermesi, Avusturya Hükümeti'ni ve özellikle de Schwarzenberg'i hiç etkilemedi. Schwarzenberg, Palmerston'un yaptıklarını *"ipe sapa gelmez"* bir tavır olarak değerlendiriyordu. Ona göre, Palmerston'un

---

[737] Hajnal, *Aynı eser*, belge no:173, s. 805.
[738] Hajnal, *Aynı eser*, belge no:173, s.803.

tavırlarını dikkate almaya gerek bile yoktu. Zira, Avusturya Hükümeti'nin ilgilenmesi gereken daha önemli meseleler vardı. Bu meselelerde İngiliz bakanının sempati duyduğu işler, tam tersine Avusturya lehine gelişiyordu. Buna örnek olarak da Sicilya ve Macaristan'da Avusturya'nın kazandığı başarıları gösteriyordu. Schwarzenberg, bu başarılara yenilerinin ekleneceği iddiasındaydı[739].

Macarların Rus-Avusturya orduları karşısında yenilip Osmanlı Devleti'ne iltica etmeleri İngiltere'de büyük bir sansasyon yarattı. Bu haber, Macarları destekleyenler tarafından üzüntü ile karşılandı. Bunlar, Macarların zaferini veya en azından savaşın uzayarak monarşiyi zayıf düşürmesini bekliyorlardı. İngilizler, Macaristan'ın kaybettiği davaya duyulan sempatinin göstergesi olarak büyük bir gösteri yaptılar. Bu gösteride, Palmerston'a kamuoyunun önde gelen isimleri tarafından övgüler yağdırılıyor ve izlemiş olduğu politika takdirle karşılanıyordu[740].

Kısacası İngiltere, Macar Özgürlük Savaşı'na başlangıçta olumlu ya da olumsuz bir tepki göstermemişti. Ancak bir süre sonra, Rusya'nın müdahale edip savaşın gidişatını değiştirmesi sonucunda sessizliğini bozarak Macarların yanında yer almıştır. Burada hemen şunu ilave etmeliyiz ki, İngiltere'nin İstanbul'daki elçisi Canning bu konuda hükümetinden daha duyarlı davranmıştı. Zira o, Rusya'nın amaçları konusunda hükümetini pek çok kez uyarmıştı. Belki de o, başlangıçta sessiz kalan hükümetinin sabrının tükenmesini bekliyordu. Bir defasında Palmerston'dan Rus ilerlemesine karşı İngiltere'de ciddi protestoların olmadığını bildiren bir telgraf aldığında, telgrafı masaya çarparak şöyle bağırmıştı: *"İşte böyle bir adama hizmet etmem gerekiyor."*[741]

4- Osmanlı Devleti'nin Tepkisi

Rusya ve Avusturya'nın iâde taleplerinden sonra, herkes büyük bir merakla Bâbıâli'nin vereceği kararı beklemeye başladı. Aslında,

---

739   Hajnal, *Aynı eser*, belge no:177, s.807-808.
740   Hajnal, *Aynı eser*, belge no:174, s.806.
741   Hajnal, *Aynı eser*,23-24.

Osmanlı Devleti'nin mültecilere bakış açısı Avrupa devletleri ve ö-
zellikle de Rusya ile Avusturya tarafından biliniyordu. Şöyle ki, daha
Macar Özgürlük Savaşı'nın ilk aylarında Bükreş'te bulunan Avus-
turya Konsolosu Timoni, Eflak ve Boğdan meselesiyle ilgilenmek
üzere Bükreş'e gönderilen Fuad Efendi'ye, Macarların Osmanlı ülke-
sine sığınması durumunda devletinin tavrının ne olacağını sormuş-
tu[742]. Fuad Efendi de cevaben hangi devletin vatandaşı olursa olsun
silahlı olarak Osmanlı Devleti'ne gelmek isteyenlere asla izin veril-
meyeceğini Timoni'ye iletmişti. Macarlardan iltica etmek isteyen
olursa, ellerindeki silahlar alınarak bir senet karşılığında sınırdaki
Avusturya memurlarına teslim edilecekti. Silahları ellerinden alınan
mülteciler ise daha sonra sınırdan uzak yerlere yerleştirilecekti[743].
Fuad Efendi, Bâbıâli'ye gönderdiği tahriratında Macarların Osmanlı
ülkesine sığındıktan sonra, Avusturya sınırına yakın bir yerde silahlı
ve toplu olarak bulunmalarının sakıncalı olacağını belirtiyordu. Zira,
iltica edenlerin ellerindeki silahlar alınmazsa bölgede bulunan Rus
askerleri onları tahrik ederek neticesi önceden kestirilemeyen bir
savaşın içerisine sürükleyebilirlerdi[744].

Öte yandan Avusturya İmparatoru, Macar İhtilali'ni tek başına
bastıramayacağını anlayınca Schwarzenberg'in tavsiyesi üzerine

---

[742] Timoni'nin Fuad Efendi'ye Macarların Osmanlı ülkesine sığınmaları hâlinde
Bâbıâli'nin tavrının ne olacağını sorduğu tarihlerde Avusturya ordusu, özellikle
Erdel'de Macarlar tarafından büyük bozguna uğratılmıştı. Savaşın cereyan ettiği
Erdel'de köy ve kasabalar yağma ve tahrip edilmişti. Savaştan canını kurtaran
halkın bir kısmı kışın şiddetinden hayatlarını kaybederken, savaş ve soğuktan can-
larını kurtaranlar ise Osmanlı Devleti'ne iltica etmek üzere sınıra gelmişlerdi. O
sene kışın şiddetli geçmesinden dolayı yaklaşık 500 kadar kişi soğuktan donarak
ölmüştü. Sınıra gelenler arasında Avusturya vatandaşları da vardı. Fuad Efendi,
bir tarafın diğerinden farkı olmadığını silahsız olarak kim iltica ederse, bunların
mağdur ve perişan olmamaları için, kabul edileceğini Sadâret'e iletti. Ayrıca Fuad
Efendi, geçici tedbir olarak mağdur olan bu insanları yerleştirerek, ihtiyaçlarını
karşılamak üzere bir de memur görevlendirdi. Aynı tarihlerde, Macaristan karşı-
sında başarısızlığa uğrayan Avusturya, Çar Nikola'dan yardım istemeye hazırla-
nıyordu (BOA., İra.Har. 2360 Fuad Efendi'nin Sadâret'e takdim ettiği 11 S 65/6
Ocak 1849 tarihli tahrirat).
[743] BOA., İra.Har. 2360 Avusturya'nın Bükreş Konsolosu Timoni'ye gönderdiği 23
Aralık 1848 tarihli mektup.
[744] BOA., İra.Har. 2360 Fuad Efendi'nin Sadâret'e takdim ettiği 5 S 65/31 Aralık 1849
tarihli tahrîrât.

Çar'dan yardım istemeğe hazırlanıyordu. Avusturya'nın Rusya'ya yardım için başvuruda bulunacağını haber alan Fuad Efendi, Bükreş'teki Rus Generali Duhamel ile görüşerek söz konusu yardım teklifine Rusya'nın yaklaşımını öğrenmek istemişti. Duhamel'in Fuad Efendi'ye verdiği cevap gayet açıktı. Avusturya, Macar İhtilali'ni bastıramaz ve yardım isterse, Rusya bu yardımı esirgemeyecekti. Fuad Efendi, Rusya'nın Avusturya'ya yardıma istekli görünmesini şaşkınlıkla karşılamıştı. Çünkü, böyle bir yardımın yapılabilmesi ancak Rusya'nın ordularını Eflak ve Boğdan'dan geçirmesiyle mümkündü. Fuad Efendi, Osmanlı Devleti'ne bağlı bir eyaletten asker geçirip başka bir devlete yardım edilmesinin hukuken asla kabul edilemeyeceğini ve iki devlet arasındaki anlaşmaların da buna müsait olmadığını Duhamel'e iletti. Ayrıca, Sadâret'e gönderdiği tahriratta, Rusya'nın almaya hazırlandığı bu kararın protesto edilmesini istedi[745].

Bâbıâli, Avusturya sınırları içerisinde cereyan eden hadiselerde tarafsız kalmaya özen gösteriyordu. Reşid Paşa, Rusya'nın Eflak ve Boğdan'dan asker geçirerek Avusturya'ya yardım etmesinin diplomatik yollarla engellenmesi taraftarıydı. Paşa'ya göre, diplomatik girişimlerden bir netice elde edilemezse Rusya ile askeri bir çatışmaya girilmemeliydi. Böylesi bir harekette sorumluluğun tamamen Rusya'ya ait olacağının hatırlatılması yeterliydi. Çünkü, Rusya'nın Eflak ve Boğdan'dan asker geçirmesini Osmanlı Devleti'nin engellemesi bir hayli zordu. Zira iki devlet arasındaki anlaşmalara göre Rusya, zaten Eflak ve Boğdan'da bir miktar asker bulundurmaktaydı. Rusya, Osmanlı Devleti'nin karşı çıkması halinde Avusturya'ya göndereceği askerî birlikleri Eflak ve Boğdan'daki birliklerden gönderebilecekti[746].

Ancak çok geçmeden sınırdan daha ciddi haberler gelmeye başlamıştı. Zira Fuad Efendi başka bir tahriratında Rus ordusunun teyakkuz halinde bulunduğunu hatta, bir alay süvari ve piyade birliği

---

[745] BOA., İra.Har. 2360 Fuad Efendi'nin Sadâret'e takdim ettiği 27 S 65/22 Ocak 1849 tarihli tahrîrât.

[746] BOA., İra. Har. 2360 Sadâret'in Mâbeyne takdîm ettiği 7 RA 65/31 Ocak 1849 tarihli arz tezkiresi.

ile birkaç yüz Kazak'ı hududa gönderdiğini bildiriyordu. Ayrıca, Rusya'nın bir yandan Boğdan'daki askerlerini Erdel'e göndermeğe çalışırken bir yandan da Prut'tan asker getirmeğe başladığını belirtiyordu. Fuad Efendi'ye göre, Rusya'nın fiili olarak savaşa katılması durumunda meselenin boyutları daha da büyüyecekti. Zira Rusya, Macarların yenilerek Osmanlı Devleti'ne iltica etmeleri halinde, bunları ele geçirmek isteyecek ve bu yüzden de peşlerini bırakmayacaktı. Bu durumda da savaş Osmanlı topraklarına sıçramış olacaktı. Üstelik, bu sırada Macarların Erdel'de 44.000 askeri bulunuyordu. Macarların savaşı kaybedip Osmanlı ülkesine sığınmak istemeleri halinde bu kadar kişiye silah bıraktırmak bir hayli zor olacaktı. Silahlarını bırakmak istemeyenlere savaşla karşılık verilmesi ise, Macarlara karşı Rusya ile birlikte savaşa girilmesi anlamına gelecekti. Gelişmesi muhtemel bu olaylar karşısında Fuad Efendi, daha somut önlemler alabilmek için kendisine yapacağı işlerin çerçevesini belirleyen bir talimatın gönderilmesini de istemişti[747].

Fuad Efendi'nin bu tahrîratından kısa bir süre sonra, Avusturya ordusu karşısında mağlup olan Macarların bir kısmı Osmanlı Devleti'ne iltica ettiler. Fuad Efendi, bu ani gelişme üzerine sınırdaki olayları daha iyi takip edebilmek için Mirliva İsmail Paşa'yı bir talimatla bölgeye gönderdi[748]. İsmail Paşa'ya verilen talimata göre, iltica etmek isteyen Macarların sığınma istekleri, ancak silahlarını teslim etmeleri karşılığında olumlu karşılanacaktı. Lider konumunda olan mülteciler, asla iâde edilmeyeceklerdi. Silahlarını teslim edenlerin hayatları güvence altına alınacak ve kendilerine her türlü yardım yapılacaktı. Toplu olarak iltica edip silahlarını bırakmak istemedikleri takdirde ise kabul edilmeyeceklerdi. İsmail Paşa'ya verilen talimatta en dikkate değer husus ise, Avusturya askerlerinin Macarlar karşısında sıkışıp Osmanlı Devleti'ne iltica etmeleri halinde silahlı olarak kabul edilecekleri maddesiydi[749]. Halbuki, Fuad Efendi daha önce

---

[747] BOA., İra. Har. 2368 Fuad Efendi'nin Sadâret'e takdîm ettiği 29 S 65/24 Ocak 1849 tarihli tahrîrât.

[748] BOA., İra. Har. 2368 Fuad Efendi'nin Sadâret'e takdîm ettiği Gurre RA 65/25 Ocak 1849 tarihli tahrîrât.

[749] Ayrıca, İsmail Paşa'dan Rus askerinin miktarını ve hareketini dikkatli bir şekilde gözlemlemesi isteniyordu. Aynı şekilde Macarlar ile Avusturyalılar arasındaki sa-

Bükreş'teki Avusturya Konsolosu Timoni'ye Osmanlı ülkesine iltica etmek isteyenlerin silahlarının alınacağını söylemişti[750].

Sadâret, Fuad Efendi'nin tahriratını ve İsmail Paşa'ya verdiği talimatı bütün yönleriyle değerlendirdikten sonra, ona konuyla ilgili olarak bir talimat gönderdi. Bu talimatta, Avusturya askerlerinin Osmanlı ülkesine ilticaya mecbur kalmaları halinde silahlarının alınmaması ve Macarların ise silahlarını bırakmadıkça kabul edilmemeleri yönünde İsmail Paşa'ya verilen talimatın isabetli olduğu belirtiliyordu. Ayrıca, Fuad Efendi'den Osmanlı Devleti'ne iltica edecek Macarlara özellikle dikkat etmesi isteniyordu. Çünkü Macarlar, Osmanlı topraklarında Avusturya Devleti aleyhinde faaliyette bulunabilirlerdi. Bu sebeple de Macarların ellerindeki silahlar mutlaka alınmalıydı. Fuad Efendi'ye gönderilen talimatta dikkat çeken husus ise, 1739 Belgrat Anlaşması'nın XVIII. maddesine atıfta bulunulmasıydı. Talimatta belirtildiğine göre, söz konusu anlaşma maddesi hükmünce, Macarların kabul olunmaması gerekiyordu. Buna rağmen bir yolunu bularak Osmanlı ülkesine sığınanların da iâde edilmemesi isteniyordu. İltica edenlerin ellerinden silahları alınarak sınırdan uzaklaştırılacak ve iç bölgelere yerleştirileceklerdi. Diğer taraftan, savaşın cereyan ettiği Erdel'de halkın perişan ve mağdur olmaması için Eflak'a iltica etmek isteyenler olursa, bunların silahsız olarak kabul edilmelerinde bir beis olmadığı da belirtiliyordu[751]. Sadâret,

---

vaşın seyri hakkında iki günde bir kurye çıkarıp, Fuad Efendi'yi bilgilendirecekti. Rusya askerinin kumandanı kendisiyle iletişim kurmak isterse kabul edecekti. Ancak, Osmanlı askerlerinin kendileriyle birlikte hareket etme istekleri olursa kabul olunmayacaktı. Ayrıca İsmail Paşa, hududa gönderilen asakir-i şahanenin sıhhat ve rahatlarına dikkat edecekti. (BOA., İra. Har. 2368 Fuad Efendi'nin İsmail Paşa'ya verdiği Gurre-i RA 65/25 Ocak 1849 tarihli talimat). Diğer taraftan Fuad Efendi, Rusya'nın Eflak ve Boğdan'daki askerleri ile Prut sınırındaki birliklerini bölgeye sevk etmesi üzerine, bu birliklerin miktarını öğrenmek için ticaret yapmak amacıyla Fokşan'a bir görevli göndermişti. Rusya'nın harekete geçmesi üzerine daha önce İbrail ve Kalas'a gönderilen altı tabur asker, geri çağrılarak hududa gönderildi. Bu birliklere ilaveten Bükreş ve Krayova'da bulunan üç tabur askerle de sınırda ikinci bir hat oluşturuldu. Fuad Efendi, tahriratında kış mevsiminde askerleri yerlerinden oynatmaya gönlünün razı olmadığını, ancak gelişmelerin bunu zorunlu hale getirdiğini ifade ediyordu (BOA., İra. Har. Nr. 2368).

750 BOA.; İra. Har. 2368.
751 BOA., İra.Har. Nr. 2368 18 Ra 65/11 Şubat 1849 tarihli irade ile Fuad Efendi'ye gönderilen talimat.

Fuad Efendi'ye gönderdiği talimatın bir suretini de Rus Hükümeti'ne göndermişti. Rusya, Fuad Efendi'den istenilen hususları ana hatlarıyla olumlu karşıladı, ancak Macarların silahlarını bırakmak şartıyla Osmanlı Devleti'ne kabul edilecekleri maddesine itiraz etti. Bu nedenle Nesselrod, söz konusu maddenin değiştirilmesi için Nesselrod, Titof'a bir talimat gönderdi[752].

Hâriciye Nâzırı Âlî Paşa, Canning ve Aupick'e Rusya'nın Erdel'e girmek için askerlerini Eflak ve Boğdan'dan geçirme isteği konusundaki görüşlerini sordu. Her iki elçinin de Âlî Paşa'ya verdiği cevap aynıydı. Elçilere göre, Rusya'nın Osmanlı Devleti'ne ait bir toprak parçasından asker sevk ederek başka bir devlete yardım etmeye kalkışması asla kabul edilebilir bir davranış değildi. Rusya'nın böyle bir harekette bulunması, *"hukûk-ı Devlet-i Aliyye'nin"* açıkça ihlali anlamına gelecekti. Bu sebeple hem Canning ve hem de Aupick, Fuad Efendi'nin General Duhamel'e Rusya'nın bu girişiminin asla kabul edilemeyeceği şeklindeki cevabını olumlu bulduklarını Âlî Paşa'ya iletmişlerdi[753]. İngiltere ve Fransa elçilerinden gerekli desteği alan Bâbıâli, bu meselede takip edeceği politikayı daha cesur bir şekilde ortaya koymaya başladı. Nitekim, daha önce Sadâret tarafından 31 Ocak 1849'da Mâbeyn'e sunulan arz tezkiresinde, Rusya'nın Eflak ve Boğdan'dan asker geçirerek Avusturya'ya yardıma gitmesi engellenemediği takdirde Rusya ile askeri bir çatışmaya girilmemesi yönünde karar alındığı halde, İngiliz ve Fransız elçilerinin bu beyanlarından sonra Bâbıâli'nin tavrında belirgin bir değişiklik olduğu dikkat çekmektedir. Nitekim, 10 Şubat 1849'da Mâbeyn'e takdim

---

[752] Nesselrod talimatta, Macarları Avusturya meşru hükümetine karşı isyan eden asiler olarak değerlendiriyordu. Ona göre asi Macarlar, Osmanlı Devleti'ne iltica ettikten sonra Bulgaristan veya Sırbistan'a gönderilseler bile isyan girişimlerinden vazgeçmeyeceklerdi. Çünkü asiler, Eflak ve Boğdan'da isyana istekli olan halk ile gizli iletişim kuracaklar ve bu bölgeleri ihtilalcilerin toplandığı merkezler haline getireceklerdi. Bu nedenle Nesselrod, Fuad Efendi'ye gönderilen talimatın ilgili maddesinin değiştirilmesi için, Titof'un girişimde bulunmasını istedi. Ayrıca, konu Avusturya'yı da ilgilendirdiğinden Nesselrod, Titof'un Avusturya Elçisi Stürmer ile ortak hareket etmesini de tavsiye etti (BOA., HR.MKT. 25-34 Kont Nesselrod'un Titof'a gönderdiği 25 Şubat 1849 tarihli mektup).

[753] BOA., İra. Har. 2368 Fransa Elçisi Aupick'in 4 Şubat 1849 ve İngiltere Elçisi Canning'in 9 Şubat 1849 tarihlerinde Hariciye Nezareti'ne takdim edilmek üzere Sefaret BaşTercümanı'na verdikleri talimat.

edilen arz tezkiresinde, Rusya'nın Osmanlı topraklarından asker geçirip başka bir ülkeye girmesine sessiz kalınamayacağı kesin bir dille ifade ediliyordu. Belgrat Anlaşması'nın XVIII. maddesi çerçevesinde *"...tarafeynin bedhâh ve 'âsî tâkımını kabûl ve himâye etmemeleri..."* gerektiği halde, anlaşmada *"o makûlelerin reddine dâir bir sarâhat"* olmadığından iltica edenlerin iâde edilmemeleri kararı alındı[754].

Diğer taraftan, Osmanlı Devleti, 1832 Bosna isyanının öncülerinden Avusturya'ya iltica edenlerin iâdesini istemiş, ancak Avusturya Hükümeti asilerin zararsız hale getirilmesi ve suçlarının affedilmesi halinde geri verebileceğini söylemişti. Kısaca, Belgrat Anlaşması'nın XVIII. maddesinin asilerin iâde edilmesine şümulü olmadığı yorumunu ilk olarak Avusturya yapmıştı[755].

Yukarıda anlatılanlara bakılarak denilebilir ki, Osmanlı Devleti, Macar Özgürlük Savaşı'yla ilgili gelişmeleri yakından takip etme gereği duymuştur. Bu biraz da zorunluluktan kaynaklanıyordu. Zira, Osmanlı Devleti'nin mütecanis olmayan yapısından dolayı ihtilal fikirleri, özellikle gayrimüslim tebaa arasında yayılmaya müsait idi. Diğer taraftan, savaş genellikle Osmanlı sınırına yakın bölgelerde cereyan ediyordu. Osmanlı Devleti beklenmedik bir şekilde kendini savaş içerisinde bulabilirdi. Üstelik, Osmanlı Devleti'nin savaşa girmesini hem Rusya hem de Macaristan istiyordu. Osmanlı Devleti'nin Macar Özgürlük Savaşı'na bakış açısını ortaya koyduktan sonra, Rusya ve Avusturya elçilerince verilen notaların İstanbul'da meydana getirdiği yankılar üzerinde duracağız.

Bâbıâli'ye arka arkaya sunulan notalardan sonra, Meclis-i Mahsûs 30 Ağustos 1849'da toplanarak meseleyi bütün yönleriyle tartıştı. Rusya ile 1774'de yapılan Küçük Kaynarca Anlaşması'nın II., Avus-

---

[754] BOA., İra. Har. Nr.2365 Sadâret'in Mâbeyn'e takdim ettiği 17 RA 65/10 Şubat 1849 tarihli arz tezkiresi.

[755] Mâbeyn-i Hümâyûn Başkitâbetince Sadâret'e bildirilen Abdülmecid'in şifâhî emrinde *"...mu'âhede-i mezkûrenin on sekizinci mâddesi iktizâsınca tarafeynin bed-hâh ve 'âsî takımını kabûl ve himâye etmemeleri lâzım gelür ise de o makûlelerin reddine dâir bir gûne sarâhat olmadığına mu'âhede-i mezkûrede olan 'adem-i kabûl lakırtısının redde dahî şümûlü olmadığını kendüleri ol vakit isbât etmiş olduklarına..."* denilmekteydi (BOA., İra. Har. Nr.2365 Mâbeyn'nin Sadâret'e gönderdiği 18 RA 65/11 Şubat 1849 tarihli hamişine irade).

turya ile 1739'da yapılan Belgrat Anlaşması'nın XVIII. maddelerine müracaat edildi. Meclis'te bunlara ilaveten Rusya ve Avusturya elçileri tarafından Bâbıâli'ye sunulan 29 Ağustos 1849 tarihli notalar da okundu. Bundan sonra, Rusya ve Avusturya'ya karşı oluşturulacak politikaların tespitine geçildi. Meclis üyeleri önce bu mesele hakkında genel kanaatlerini dile getirdiler ve daha sonra da Rusya ve Avusturya'nın taleplerini değerlendirdiler. Üyelerden bir kısmı Macaristan'a karşı kazandıkları başarıdan dolayı moral gücü yüksek olan Rusya ve Avusturya'nın isteklerine olumlu cevap verilmesi, yani mültecilerin iâde edilmesi gerektiğini ileri sürdüler. Zira, böyle kritik bir dönemde mültecilerin iâde edilmemesi, Bâbıâli'yi sonuçları önceden kestirilemeyen çetrefilli bir yola sürükleyebilirdi[756].

Ancak, bu insanların iâde edilmeleri, onları cellada teslim etmekten farksız olacağı gerekçesiyle bu görüş kabul görmedi. İnsan severliği ve misafirperverliği kendisine şiar edinen Osmanlı Devletince mültecilerin iâde edilmeyip, itina ve sadakatle muhafaza edilmeleri fikri ağırlık kazandı. Mecliste böylesi bir düşüncenin ortaya çıkmasında, Avrupa Devletleri'nin politik mültecilere bakış açısı da etkili oldu. Nitekim, bu dönemde Avrupa Devletleri, ülkelerinden firar eden mültecileri iki sınıfa ayırmaktaydı. Birincisi, adam öldürme ve hırsızlık suçunu işleyenlerdi. Bunlar, hak ettikleri cezadan kurtulmak için başka ülkelere iltica ettiklerinde yakalanıp iâde edilmeleri gerekiyordu. İkincisi ise, politik endişelerle firar edenlerdi. Bunların durumu birinci kategorideki gibi olmayıp, politik amaçla bir başka devlete iltica edenlerin iâde edilmesi teâmülü çoktan terk edilmişti. Bu yüzden, Osmanlı Devleti'nin adeta hukuki bir sözleşme şeklini alan genel teâmülün dışına çıkması söz konusu değildi. Üstelik, bu kaideyi yok farz etmesini Avrupa kamuoyuna izah etmesi de zordu. Ayrıca, Sultan Abdülmecid mültecileri kabul edip hayatlarını güvence altına almakla, bütün dünya kamuoyuna Osmanlı misafirperverliğini göstermiş olacaktı. Meclis üyeleri mesele hakkındaki

---

756 BOA., DUİT., 75-1/9-1; Ahmed Refik, *Aynı eser*, s.37-38; Saydam, *Aynı makale*, s.362-363 Sadâret'in Mâbeyn'e takdîm ettiği 13 Ş 65/1 Eylül 1849 tarihli arz tezkiresi.

genel kanaatlerini bu şekilde ifade ettikten sonra, mültecilerin Rusya ve Avusturya'ya iâde edilmemeleri görüşü ağırlık kazandı[757].

İstekleri kabul edilmediği için Rusya ve Avusturya'nın Bâbıâli'ye karşı düşmanca bir tavır takınacakları da aşikardı. Bâbıâli, bu iki komşu devletle ilişkilerinin yalnızca mülteciler meselesi yüzünden gerginleşmesini de istemiyordu. Bu nedenle, Rusya ve Avusturya'ya söz konusu antlaşmalar ve Avrupa devletlerinin politik mültecilere bakışı çerçevesinde uygun bir cevap verilmesi fikri ön plana çıktı.

Mecliste ilk olarak, Rusya'nın isteklerine mesnet teşkil eden Küçük Kaynarca Anlaşması'nın II. maddesi ele alındı. Yapılan değerlendirmede, anlaşmanın mültecilerin kabul edilmesiyle ilgili maddesi hakkında iki temel görüş ileri sürüldü: Birincisine göre, iâde edilecek mültecilerin o devletin gerçek vatandaşı olması gerekiyordu. Halbuki, Dembinski ve onunla birlikte Osmanlı ülkesine iltica eden Polonyalıların bir kısmı, uzun zaman önce Rusya'ya ait Polonya topraklarını terk ederek İngiltere ve Fransa'ya yerleşmişlerdi. Bunların adı geçen devletlerden birinin vatandaşlığına geçmiş olmaları ihtimal dahilindeydi. Dolayısıyla, bu mültecilerin haklarında herhangi bir araştırma yapmadan Rusya vatandaşı olduklarını iddia etmek mümkün değildi. Ayrıca bu kişiler, Rusya'dan Osmanlı Devleti'ne sığınmış değillerdi. Dahası, bir araştırma yapmadan Rusya vatandaşı oldukları varsayımından hareketle iâde edilmeleri halinde, sonradan vatandaşlığına geçtikleri devletler tarafından talep olunmaları kuvvetle muhtemeldi. Bu durumda da mensup oldukları devletlerle Osmanlı Devleti arasında büyük problemler ortaya çıkacaktı. Bu nedenle, öncelikle vatandaşlık sorununun halledilmesi gerekmekteydi[758].

İkincisine göre ise, bu kişiler gerçekten Rusya vatandaşı olsalar bile, Kaynarca Anlaşmasının II. maddesi sadece mültecilerin iâde edilmesi hükmünü ihtiva etmiyordu. Ayrıca, aynı maddede iki ülke arasındaki dostluğu zedeleyici bir duruma mahal verilmemesi için,

---

[757] BOA., DUİT., 75-1/9-1; Ahmed Refik, *Aynı eser*, s.37-38; Saydam, *Aynı makale*, s.362-363.

[758] BAO., DUİT., 75-1/9-1; Ahmed Refik, *Aynı eser*, s.38.; Saydam, *Aynı makale*, s.363.

iâde edilmedikleri takdirde hiç değilse sığındıkları ülkeden çıkarılmaları ibaresi derç olunmuştu. Bu ifadeye dayanarak anlaşmaya imza koyan devletlerin, iltica edenleri iâde veya sınır dışı etme şıklarından birisini tercih hakları olması gerektiği ileri sürüldü[759].

Bu iki temel görüşe ilaveten, Küçük Kaynarca Anlaşması'ndan sonraki uygulamalar da emsal gösterilerek mültecilerin iâde edilmemesi yönünde tavır alınması kararlaştırıldı. Gerçekten de Kaynarca Anlaşması'ndan sonra, muhtelif tarihlerde Battal Paşa, Tayyar Paşa, Ramiz Paşa, Sirozî Yusuf Paşa, Alemdar Mustafa Paşa'nın Kethüdası Ahmed Efendi, Rum Beylerinden Boğdan Voyvodası Mavro Kordato, Eflak Voyvodası İpsilanti'nin de aralarında bulunduğu Müslüman ya da Hıristiyan bir çok Osmanlı vatandaşı Rusya'ya sığınmıştı. Ancak, Bâbıâli'nin bütün ısrarlarına rağmen Rusya adı geçen şahsiyetleri iâde etmemişti. Dahası Rusya, Bâbıâli'nin bu kişilerle ilgili iâde isteklerine olumsuz cevap verirken Kaynarca Anlaşması'nın II. maddesini gerekçe göstermişti. Kısacası, anlaşmanın ilgili maddesini ilk önce Rusya yorumlamıştı. Rusya'nın istekleri bütün yönleriyle tartışıldıktan sonra, ağırlık kazanan bu temayül doğrultusunda Rusya Elçisi Titof'a cevap yazılmasına karar verildi[760].

Meclis-i Mahsûs'da daha sonra Avusturya Devleti'nin istek ve iddiaları ele alındı. Müzâkerelerde Avusturya'nın Macar mültecilerinin iâdesini istemek için tek hukuki dayanağının Belgrat Anlaşması'nın XVIII. maddesi olduğu ifade edildi. Ancak, söz konusu maddede mültecilerin iâde edilmesi hükmünün yer almadığı, sadece kabul ve himaye olunmamaları tabiri bulunduğu görüşü dile getirildi[761]. Bu nedenle de Meclis üyeleri, Macarların iâde edilmesinin anlaşmanın ruhuna aykırı düşeceği fikrinde görüş birliğine vardılar. Öte yandan Avusturya da Rusya gibi ortaya koyduğu uygulamalarla anlaşmanın bu maddesini kendi politikası doğrultusunda tefsir etmişti. Örneğin, Bosna isyanında elebaşı olan Hüseyin Kapudan ve maiyetindekiler ve Yunan isyanında Rusya'dan Eflak ve Boğdan'a

[759] BAO., DUİT., 75-1/9-1; Ahmed Refik, *Aynı eser*, s.38-39; Saydam, *Aynı makale*, s.363-364.

[760] BAO., DUİT., 75-1/9-1; Ahmed Refik, *Aynı eser*, s.39.

[761] BAO., DUİT., 75-1/9-1; Ahmed Refik, *Aynı eser*, s.39.

geçen İpsilanti Avusturya'ya iltica ettiklerinde Osmanlı Devleti tarafından geri istenmelerine rağmen iâde edilmemişlerdi. Üstelik, bunların iâde edilmemeleri için Metternich tarafından ileri sürülen gerekçe, söz konusu maddedeki mültecilerin iâde edilmesiyle ilgili hükümdeki müphemlikti. O sırada Bâbıâli'ye verilen cevapta, bunların Osmanlı Devleti'ne iâde edilmeleri halinde Rusya'nın da benzer isteklerde bulunup Polonyalıların iâdesini isteyeceği ileri sürülmüştü. Avusturya elçisine, hükümetinin geçmişteki bu uygulamaları hatırlatılarak belirtilen görüşler doğrultusunda cevap yazılması uygun görüldü[762]. Meclis'teki bu görüşmeler Reşid Paşa tarafından bir arz tezkiresi ile Sultan Abdülmecid'e takdim edildi.[763]

Belgrat Anlaşması'nın XVIII. maddesinde mültecilerin iâde edilmesine dair bir tabirin olmadığını Avusturya Hükümeti de biliyordu. Nitekim Schwarzenberg, Avusturya ile Osmanlı Devleti arasındaki mevcut anlaşmaya dayanarak mültecilerin iâdesinin talep edilemeyeceğini açıkça itiraf etmişti. Ona göre hükümetlerin vazifesi, mültecilerin iâde edilmesini sağlamak değil, onları zararsız hale getirmek ve sınırlardan uzaklaştırmaktı[764].

Meclis'te yapılan görüşmelerin içeriğinden de anlaşılacağı üzere, Bâbıâli'nin Macar ve Polonyalı mültecilere dostça bir yaklaşımı vardı ve onları Rusya ve Avusturya'ya teslim etmek istemiyordu[765]. Bu arada, Bâbıâli'nin mültecilerin iâde edilmemesi yönündeki tavrının Vidin'de duyulması, mülteciler arasında büyük bir sevinç yarattı[766].

B- Osmanlı Devleti'nin Gösterdiği Tepkilerin Siyasi Yansımaları

1-Rusya ve Avusturya'nın Osmanlı Devleti Üzerindeki Baskıları

Daha öncede değinildiği gibi Leon Radziwill, Bâbıâli'den Osmanlı ülkesine sığınan Polonyalı mültecilerin iâdesini sağlamak ve

---

[762] BOA., DUİT., 75-1/9-1; Ahmed Refik, *Aynı eser*, s.39-40.
[763] BOA., DUİT., 75-1/9-1; Ahmed Refik, *Aynı eser*, s.41.
[764] Hajnal, *Aynı eser*, belge no:136, s.721.
[765] Temperley, *Aynı eser*, s.259-260.
[766] Imrefi, *Aynı eser*, s.187.

bu konuda Çar'ın mektubunu Sultan'a sunmak göreviyle İstanbul'a gelmişti. Radziwill, 6 Eylül 1849'da Sultan tarafından kabul edildi ve Çar'ın mektubunu Abdülmecid'e sundu[767]. Sultan'ın Radziwill'i kabulünde Titof da bulunuyordu[768]. Prens Radziwill, Çar'ın mektubunu Sultan'a sunduktan sonra, mektubun içeriği doğrultusunda ifadelerde bulundu. Sultan da ona Macaristan'daki savaşın sona ermesine barış ve düzenin yeniden tesis edilmesine sevindiğini ifade etti. Daha sonra Sultan, Çar'ın kardeşinin hastalığından dolayı duyduğu üzüntüyü dile getirdi ve Radziwill için gönül alıcı sözler söyledi. Sultan'ın konuşmayı bitirmesinden sonra Titof, Çar'ın taleplerinin önemini vurgulayıcı bir konuşma yaptı. Gerek Titof gerekse Radziwill'in Sultan'ın huzurundaki konuşmaları Âlî Paşa tarafından Türkçe'ye tercüme ediliyordu. Sultan, konuşmaları dikkatle dinledikten sonra, Çar tarafından kendisine gösterilen dostluktan samimi duygularla söz etti ve kendisinin de aynı kanaatleri taşıdığından şüphe edilmemesini ifade etti. Rusya'yı rahatsız edecek bir durumun olmadığını ve iki devlet arasındaki dostluğu zedeleyecek gelişmelerin yaşanmaması için her türlü önlemin alındığına dair güvence verdi[769]. Yine de Titof, Radziwill'in isteklerinin derhal yerine getirilmesini yani, Polonyalı mültecilerin iâde edilmesini biraz da diplomatik ölçüyü aşarak istedi. Fakat Sultan, Rusya elçisinin tavırlarına aldırmaksızın bakanlarının düşüncesini almak zorunda olduğunu ve kararını daha sonra bildireceğini söyledi. [770]

Görüşmede Titof, Sultan Abdülmecid'e bir de mektup sundu. Mektupta, Rus ordusunun Macaristan'da kazandığı zaferden söz ediliyor ve bu zafere herkesin sevinmesi gerektiği belirtiliyordu. Zira bu zafer, Osmanlı Devleti'nin komşusu ve dostu olan iki İmparatorlukta iç güvenliğin ve huzurun sağlanmasına bir vesile olacaktı. Mektupta, savaşı kaybeden ihtilalcilerin Osmanlı Devleti'nden iyi bir misafirperverlik görmek için çaba harcayacakları ifade ediliyor ve

---

[767] Bapst, *Aynı eser*, s.88; Temperley, *Aynı eser*, s.262 Radziwill ve Titof'un Sultan ile görüşmesine dair Stürmer'in 12 Eylül 1849 tarihli raporu, Hajnal, *Aynı eser*, belge no:141, s.730.

[768] Hajnal, *Aynı eser*, belge no:141, s.730.

[769] Hajnal, *Aynı eser*, belge no:141, s.731.

[770] Bapst, *Aynı eser*, s.31.

Sultan'dan onların bu kurnaz yalanlarına inanmaması isteniyordu. Aynı zamanda, Avrupa'da bu fesatçıları bağrına basan birçok ülkenin acı tecrübeler yaşadığı, bu nedenle mültecileri kabul etmenin devlet ciddiyetiyle bağdaşmayacağı belirtiliyordu. Titof, Sultan'ın iki ülke arasındaki samimi dostluğu da düşünerek, onu Rus Çar'ının başvurusunu dikkate almaya davet ediyordu. Çünkü mülteciler, iyi muhafaza edilseler de fırsat bulduklarında karanlık işler çevirmekten vazgeçmeyeceklerdi. Titof, mektubun sonunda Rusya'nın Polonyalı mültecileri neden ısrarla istediğini şu cümlelerle ortaya koyar: *"Macaristan savaşı ile Rus kanı aktı. Memleketimin göbeğinde seçkin ve saygın aileler bu mücadelede ölen kahramanlara ve subaylara ağlamaktadır. Verilen bu karardan sonra Majesteleri, İmparatordan âsi şeflerin yıkıcı faaliyetlerine devam etmelerini ve yeni kurbanlar almaları için bu şeflere karşı kayıtsız kalmasını isteyecekler mi acaba"*[771].

Kabulden sonra Âlî Paşa, Titof'a Sultan ile yapılan görüşmenin içeriği hakkında Meclis-i Hass üyelerine bilgi vereceğini söyledi. Paşa, konunun önemli olduğunu bu nedenle kapsamlı bir tartışmadan sonra, kesin cevap verilebileceğini ifade etti. Titof ise, Radziwill'in İstanbul'da az bir süre kalacağını bu nedenle, kısa sürede cevap verilmesinin önemli olduğunu belirtti. Nihayet Titof, 10 Eylül'de bilgi alacağı konusunda temin edildi[772].

Daha önce de değinildiği gibi Avusturya elçisi Stürmer, 29 Ağustos 1849'da Bâbıâli'ye takdim ettiği notasında, Belgrat Anlaşması'nın XVIII. maddesini gerekçe göstererek Osmanlı Devleti'ne iltica eden Macar mültecilerinin iâdesini istemişti. Stürmer, hükümetinin kararlı tutumunu bizzat Sultan'a da ifade etmek istiyordu. Bu amaçla da Hariciye Nazırı Âlî Paşa'dan Sultan'ın kendisini huzura kabul etmesi için randevu talebinde bulundu. Âlî Paşa da elçinin talebi üzerine onu Sultanla görüştürdü. Görüşme 4 Eylül 1849'da gerçekleşti. Sultan'ın elçiyi kabulünde Âlî Paşa da hazır bulundu[773]. Görüşmenin konusu mültecilerin iâde edilmesi meselesiydi. Stürmer,

---

[771] Hajnal, *Aynı eser*, belge no:141, s.731-732 Titof'un Sultan Abdülmecid'e takdim ettiği 6 Eylül 1849 tarihli mektup.

[772] Hajnal, *Aynı eser*, belge no:141, s.731.

[773] Stürmer, Sultanla yaptığı görüşmede Âlî Paşa'dan başka, hizmet etmek amacıyla bir de hizmetçinin bulunduğunu belirtir. (Hajnal, *Aynı eser*, belge:138, s.722, Sultanla iâde meselesine dair yaptığı görüşme ile ilgili Stürmer'in 5 Eylül 1849 tarihli raporu).

Sultan'ın huzurunda Fransızca konuşmuştu. Konuşmanın çoğunu anlayabilen Sultan'a, anlayamadığı yerlerde ise Âlî Paşa yardımcı oluyordu[772].

Stürmer'in Sultan ile yaptığı görüşmede nelerin konuşulduğunu, onun 5 Eylül 1849'da hükümetine gönderdiği mektuptan öğreniyoruz. Mektuptaki bilgilere göre, kabulde ilk konuşmayı Stürmer yapmış ve Sultan'a özet olarak şunları söylemişti:

Sultan'ın Macaristan'da meydana gelen olaylara çok üzüldüğü ve ihtilalin bastırılmasına da aynı oranda sevindiği bilinmektedir. Macaristan ve Erdel'deki savaşın, Osmanlı sınırlarına yakın bir yerde patlak vermesi üzüntü vericidir.

Bu savaşın Osmanlı Devleti için ortaya koyduğu sorunlar, tam olarak ortadan kaldırılamamıştır. Meselenin en önemli tarafı Osmanlı ülkesine sığınan mültecilerdir. Sultan'ın bu insanları kabul etmesi, alicenaplığı ve dünyadaki bütün mutsuz insanlara kucak açma arzusundan kaynaklanmaktadır. Fakat, Osmanlı topraklarına iltica eden bu insanlar mutsuz değillerdir. Bilakis onlar, halkının kanını emen canilerdir. Bu sebeple, Avusturya Hükümeti'nin mültecilerin iâdesi hususundaki ısrarları anlayışla karşılanmalıdır. Bu canilere bir ibret dersi verilmesi gerekir.

Bu, sadece Avusturya İmparatoru'nun değil, aynı zamanda tüm hükümdarların güvenliği için zorunludur. Bu insanların Türk topraklarında kalmaları tehlikeli ve korunmaları zordur. Mültecilerin Osmanlı ülkesinde toplanması ve korunması kabul edilebilir bir durum değildir. Bunların Osmanlı Devleti'nde kalması Avusturya Hükümeti'nin menfaatleriyle uyuşmamaktadır. Avusturya Hüküme-ti, ne pahasına olursa olsun buna engel olacaktır. Osmanlı Devleti, mültecilere abartılmış bir iltifat göstermektedir ve birkaç insanı kurtarmak için binlercesini feda etmektedir[773].

Stürmer'i dikkatle dinleyen Sultan, ilk olarak Avusturya İmparatoru'na mutluluk dileklerini sunduktan sonra, gelişen son olaylar yüzünden İmparator'un yeterince sevinemediğini, iki devlet

---

772 Hajnal, *Aynı eser*, belge no:138, s.724.
773 Hajnal, *Aynı eser*, belge no:138, s.722-723.

yüzünden İmparator'un yeterince sevinemediğini, iki devlet arasında mevcut olan dostluğun geliştirileceğini ve bunun için de iyimser olduğunu ifade etti. Avusturya İmparatoru'nun kötü bir dönemde tahta çıktığını, ancak onun olayların üstesinden başarıyla gelerek mutlu sonu hazırladığını ve gelecekte değerinin daha iyi anlaşılacağını söyledi. Konuşmasının son bölümünde ise Sultan, mültecilerin iyi muhafaza edildiklerini, bu nedenle de endişeye mahal olmadığını beyan ederek, konun her yönüyle araştırılması ve tartışılması gerektiğini ifade etti[776].Sultan'dan istediği cevabı alamayan Stürmer, konu hakkında tartışmaya girmek istemediğini söyleyerek Sultan'ın huzurundan ayrıldı[777].

Stürmer, Sultan'ın huzurundan ayrıldıktan sonra Reşid ve Âlî Paşalar ile de bir görüşme yaptı. Bu görüşmede Stürmer, Avrupa'daki ihtilallere katılan ayak takımını kabul ederek, Bâbıâli'nin riskli bir iş yüklendiğini söyledi. Buna mukabil Reşid Paşa ise, Macar mültecilerinin sınırdan uzaklaştırıldığı ve sıkı bir şekilde gözetim altında tutulduklarını belirterek, Avusturya Hükümeti'nin endişelenmesi için bir neden olmadığını ifade etti. Paşa'nın bu ifadelerinden Stürmer tatmin olmadı. Zira ona göre, Bâbıâli ne kadar iyi niyetli olursa olsun, bu isyancıları koruması ve firar etmelerine engel olması mümkün değildi[778].

Diğer taraftan, görüşmede mültecilerin nereye yerleştirilecekleri de gündeme geldi. Stürmer, Bâbıâli'nin mülteci liderlerini yerleştirmeği düşündüğü Girit Adası'nın uygun bir yer olmadığını belirtti. Reşid Paşa ise, mülteci liderlerini Diyarbakır, Musul veya Bağdat'a yerleştirmeyi düşündüklerini, ancak Avusturya Hükümeti'nin Musul ve Bağdat'ta İngiliz ajanları bulunduğu için buna razı olmayacağını ifade etti. Stürmer, Reşid Paşa ile yaptığı görüşmenin içeriği hakkında hükümetine bilgi verdiği raporunda, mültecilerin Osmanlı ülkesine ve özellikle İstanbul'a kesintisiz bir şekilde akın ettiklerini belirtiyordu. Bu kişiler, sahte isimler ve kostümler altında geldiklerinden Bâbıâli ve elçiliklerce kontrol edilmelerinin mümkün olmadı-

776 Hajnal, *Aynı eser*, belge no:138, s.724.
777 Hajnal, *Aynı eser*, belge no:138, s.724.
778 Hajnal, *Aynı eser*, belge no:140, s.728.

ğını hükümetine bildirdi. Stürmer'in verdiği bilgiye göre, Radziwill'i İstanbul'a getiren gemide bile Macaristan'dan iltica etmiş kişiler vardı[779].

Stürmer, gerek Sultan gerekse onun bakanları ile yaptığı görüşmelerde Bâbıâli'nin görünürde iki sebepten dolayı mültecileri geri vermek istemediği izlenimini edinmişti. Bunlardan ilki insanî hassasiyet, diğeri de Sultan'ın şerefiydi. Oysa elçiye göre, Bâbıâli'nin mültecileri iâde etmemesindeki gerçek neden ise, İngiltere ve Fransa'dan aldığı destekti[780].

Bu arada Reşid Paşa, 12 Eylül'de Stürmer'e mesaj göndererek onu görüşmeye davet etti. Paşa, mesajında Sultan ile görüşmesi için randevu alacağını da belirtti. Fakat Stürmer, daha önce bütün detaylarıyla incelenen ve tartışılan bir konuda söylenecek bir sözün kalmadığını ve davete icabet etmeyeceğini yazılı olarak Paşa'ya iletti. Ayrıca Stürmer, Bâbıâli'ye sürekli tavsiyelerde bulunan Canning ve Aupick'in Osmanlı Devleti'nin yanlış bir yola girmesi durumunda parmaklarını dahi kıpırdatmayacaklarının bilinmesini istedi[781].

---

779 Hajnal, *Aynı eser*, belge no:140, s.729-730.
780 Hajnal, *Aynı eser*, belge no:140, s.729. Ayrıca Stürmer, tercümanı Ritter Schwarzhuber'i Rusya ve Avusturya'nın notalarının ele alındığı 8 Eylül 1849 tarihli Meclis-i Mahsûs toplantısından sonra, görüşmelerin içeriği hakkında bilgi alması için Âlî Paşa'ya gönderdi. Âlî Paşa, tercümana toplantıda bir karar alınmadığını, sadece konu hakkında Rusya ve Avusturya elçileri tarafından Hâriciye Nezâreti'ne sunulan notalar ile Çar'ın Sultan'a gönderdiği mektubun değerlendirildiğini söyledi. Schwarzhuber, Âlî Paşa'ya 29 Ağustos tarihli notanın üzerinden uzunca bir zaman geçmesine rağmen hâlâ bir cevap alınamadığını, verilecek red cevabının Bâbıâli için büyük risk taşıdığını ifade etti. Ayrıca, Bâbıâli ile Avusturya hükümeti arasındaki diplomatik ilişkilerin kesilmesinin üzücü, fakat uzlaşmaz bir tavırla karşılaşmaları halinde ise, kaçınılmaz olacağını ifade etti.(Hajnal, *Aynı eser*, belge no:142, s.733-734). Diğer taraftan Titof, 11 Eylül 1849'da toplanan Meclis-i Mahsûs'dan bir gün sonra Bâbıâli'ye karşı izlenecek ortak stratejiyi belirlemek için Stürmer ile bir araya geldi. İki elçi, Radziwill 16 Eylül'de döneceğinden, Bâbıâli'nin vereceği kararı hızlandırmak için Titof'un tercümanı Chirico'yu Âlî Paşa'ya gönderme kararı aldılar. Paşa ile görüşen Chirico, meclisin konuyu müzakere ettiğini bu yüzden kendisinin açıklama yapacak durumda olmadığı cevabını aldı. Elçiler, bu girişimden de bekledikleri sonucu alamadılar. Stürmer'e göre Türklerin amacı, İngiliz ve Fransız desteğinden emin olmak için zaman kazanmaktı (Hajnal, *Aynı eser*, belge no:143, s.736 Stürmer'in 12 Eylül 1849 tarihli raporu).
781 Hajnal, *Aynı eser*, belge no:145, s.742-743.

Sultan Abdülmecid, meseleyi elçilerle bir kez daha müzakere etmeyi düşünüyordu. Sultan'ın arzuladığı görüşmenin olup olmadığına dair elimizde bir belge mevcut değildir. Ancak, Stürmer'in Reşid Paşa'ya gönderdiği mektubun içeriği böyle bir görüşmenin yapılmadığı izlenimini vermektedir. Zira, Stürmer'in mektuptaki ifadelerinden Sultan ile bir kez daha görüşmenin konuyu daha hassas bir mecraya sürükleyeceği ve Sultan'ın saygınlığı açısından da şık olmayacağı gerekçesiyle bu görüşme teklifine sıcak bakmadığı anlaşılmaktadır[782]. Diğer taraftan Stürmer'in Reşid Paşa'ya gönderdiği mektuptan sonra gelişen olaylar dikkate alındığında, Sultanla elçiler arasında bir görüşmenin olmadığı izlenimi daha da kuvvet kazanmaktadır.

Rusya ve Avusturya'nın Osmanlı Devleti üzerinde yaptığı baskının İngiltere elçiliğinde öğrenilmesi heyecana sebep olmuştu. Büyükelçi Canning, Çar'ın kişisel düşmanıydı. Çünkü İmparator, 1832'de kendisini İngiltere elçisi olarak Petersburg'a kabul etmediğinden ona kin beslemişti[783]. İstanbul'da büyükelçi olarak güven kazanan Canning, Osmanlı Devleti'nin bağımsızlığını koruyucu bir rol üstlenmişti. Bâbıâli'nin Rusya ve Avusturya'nın isteklerini kabul etmesi halinde bağımsızlığına gölge düşeceğini düşünen Canning, elçilerin isteklerine karşı koymaya karar verdi[784]. Bu amaçla Lord Palmerston'a yazdığı mektupta, Osmanlı Devleti'ni neden destekleme ihtiyacını duyduğunu şöyle ifade ediyordu: *"Bir an için Bâbıâli'yi desteklemekten geri dursaydım, Türkler Rus baskısına boyun eğeceklerdi ve böyle insanlık, şeref ve ana siyaset tutumu gibi hayati değerleri ilgilendirmeyen başka bir mesele olsaydı, hakka ve mantığa bakmaz, daha az tehlikeli bir yol seçerdim. Ama bu durumda aralarında Zamoyski'nin de bulunduğu seçkin insanların kaderini bir yana bırakalım, itibarımızı tehlikeye atmadıkça daha başka bir hareket tarzı tutmaya imkân yoktu. Şerefsizlik damgasını yiyecek olan bizdik. Her şeye rağmen Reşid bile baskıya tek başına dayana-*

---

[782] Hajnal, *Aynı eser*, belge no:145, s.743.
[783] Çar'ın, Canning'i reddediş sebebi, onun Yunan bağımsızlık savaşı sırasında Rusya'ya karşı takındığı düşmanca tavırdı (Bapst, *Aynı eser*, s.89).
[784] Bapst, *Aynı eser*, s.89.

cak gücü bulamayacaktı. Eminim, bir an önce onun yardımına koşmanın önemini takdir edeceksiniz"[785].

Canning, usta bir manevrayla Fransız Elçisi Aupick'i kendi tarafına çekmeği başardı. Nitekim Aupick, 7 Eylül'de Reşid ve Âlî Paşalara baş tercümanı vasıtasıyla bir mesaj göndererek, Rus ve Avusturya'nın isteklerine direnmelerini ve Bâbıâli'nin mültecileri güvenilir bir yerde muhafaza etmesini istedi. Mesajda Osmanlı Devleti'nin Avrupa'nın sempatisini kazanmak için iyi bir fırsat yakaladığını ve kendisinin de bu sorunla ilgili bütün gelişmeleri Fransız Hükümeti'ne bildirdiğini de iletti[786].

Meslektaşının meseleye bu kadar ciddiyetle yaklaştığını gören Canning de harekete geçti. Âlî ve Reşid Paşaları ziyaret ederek, onları insanlık sorunu haline gelen bir meseleyi Rusya ve Avusturya'nın asla savaş nedeni yapamayacaklarına inandırmaya çalıştı[787]. Meselenin başlangıcından beri mültecilerin iâde edilmesine karşı olan Bâbıâli, İngiliz ve Fransız elçileriyle yapılan bu fikir alış verişinden sonra niyetini daha açık ve net bir şekilde ortaya koymaya başladı. Reşid Paşa, mültecilerin iâdesinin Sultan tarafından kabul edilemeyeceğini kendisine söylediğinde, Titof *"O halde bu bir reddediştir."*[788] diyerek tepkisini dile getirdi. Reşid Paşa da bunun üzerine, *"Bu, Sultan'ın İmparatorunuzdan kendisine iltica eden kişilerin başkalarına zarar vermeyecek şekilde gözaltında tutulması görevini kendisine bırakması ve güvenmesi isteğidir"*[789] şeklinde cevap verdi.

Titof ve Radziwill'in Sultan'ı ziyaret etmesinden iki gün sonra, 8 Eylül 1849'da Meclis-i Mahsûs toplandı. Toplantıda Rusya ve Avusturya elçilerinin 29 Ağustos tarihli notaları okundu. Meclis üyelerine bu iki ülke temsilcilerinin Sultan'la yaptıkları görüşmeler hakkında bilgi verildi. Daha sonra da, elçilere nasıl cevap verileceğinin tartışılmasına geçildi. Ancak uzunca bir süre devam eden bu görüşmele-

---

[785] Stanley Lane Poole,*Lord Stratford Canning'in Türkiye Anıları*, (çev. Can Yücel) Ankara, 1988, s.105.
[786] Bapst, *Aynı eser*, s.89-90.
[787] Bapst, *Aynı eser*, s.90.
[788] Bapst, *Aynı eser*, s.90.
[789] Bapst, *Aynı eser*, s.90.

rin sonunda adı geçen elçilere verilecek cevapla ilgili kesin bir karar çıkmadı[790].

Esasında toplantıya katılan meclis üyelerindeki hâkim temayül, mültecilerin iâde edilmemesi yönündeydi. Fakat bu konuda kesin karar verilmeden evvel Titof ile bir kez daha görüşülmesi uygun bulundu. Böylece mültecilerin neden iâde edilmedikleri, gerekçeleri ile birlikte bir kez daha Titof'a anlatılacak ve onun ikna edilmesine çalışılacaktı[791].

Alınan karar gereği 9 Eylül'de Reşid Paşa'nın konağında Radziwill'in de hazır bulunduğu gizli bir görüşme yapıldı[792]. Reşid Paşa'nın isteği üzerine gerçekleşen bu görüşme gizli olmasına rağmen, Avusturya Elçisi Stürmer de görüşmeden haberdardı. Nitekim, daha sonra hükümetine sunduğu raporlarda bu görüşmenin içeriği hakkında bilgi vermişti[793]. Görüşmede Reşid Paşa, Titof ve Radziwill'e özet olarak şunları söylemişti:

Osmanlı Devleti'nin mültecileri geri vermemekteki amacı, kendilerine karşı isyan eden bu insanlara yardımcı olmak değildir. Korunma ve himaye altına alınmalarının ardında yatan temel neden, Osmanlı Devleti'nin misafirperverliği ve insan severliğidir. Eğer mülteciler, Osmanlı ülkesinde kalırlarsa Diyarbakır kalesi gibi mahfuz kalelerden birine yerleştirileceklerdir. Ayrıca, muhafazaları için bir miktar asker görevlendirilecek ve güvenliklerinden sorumlu bir de özel komiser tayin edilecekti. Böylece mülteciler, Rusya için tehlike arz etmekten çıkacaklardır[794].

---

[790] BOA., DUİT., 75-1/18-; BEO., A.MKT. MHM., 17-16; Mehmed Galib, "Leh ve Macar Mültecileri", Yeni Tasvir-i Efkâr, Nr.40, 22 C 1327/9 Temmuz 1909, s.5; Hajnal, Aynı eser, belge no:142, s.733; Ahmed Refik, Aynı eser, s.57 Sadâret'in Mâbeyn'e takdim ettiği 25 Ş 65/13 Eylül 1849 tarihli arz tezkiresi.

[791] BOA., DUİT., 75-1/18-1; BEO., A.MKT. MHM., 17-16; Mehmed Galib, "Leh ve Macar Mültecileri" Yeni Tasvir-i Efkâr, Nr.40, 22 C 1327/9 Temmuz 1909, s.5; Ahmed Refik, Aynı eser, s.57.

[792] BOA., DUİT., 75-1/18-; BEO., A.MKT. MHM., 17-16; Mehmed Galib, "Leh ve Macar Mültecileri" Yeni Tasvir-i Efkâr, Nr.40, 22 C 1327/9 Temmuz 1909, s.5; Ahmed Refik, Aynı eser, s.57.

[793] Hajnal, Aynı eser, belge no:142, s.734.

[794] BOA., DUİT., 75-1/18-; BEO., A.MKT. MHM., 17-16; Mehmed Galib, "Leh ve Macar Mültecileri" Yeni Tasvir-i Efkâr, Nr.41, 23 C 1327/10 Temmuz 1909, s.5; Ahmed Refik, Aynı eser, s.57-58.

Reşid Paşa, Titof'a Meclis-i Mahsûs'un 8 Eylül tarihli toplantısı hakkında da bilgi vermişti. Paşa'nın elçiye verdiği bilgiye göre, toplantıda Osmanlı Devleti için en hayırlı yolun mültecilerin ülkeden uzaklaştırılması olduğu yönünde görüş birliğine varılmıştı. Ancak, bunların gittikleri yerlerde korumasız kalacakları, bu durumun da Rusya ve Avusturya tarafından kabul edilmeyeceği dikkate alınarak söz konusu karardan vazgeçilmişti. Ayrıca, Küçük Kaynarca Anlaşması'na göre, Osmanlı Devleti'ne sığınan mültecilerin Rusya'ya iâde edilmesi için, bu ülkenin vatandaşı olmaları gerekiyordu. Polonyalı mülteciler Rusya vatandaşı olsalar bile, Osmanlı Devleti'ne Rusya'dan sığınmamışlardı. Üstelik bunlar, uzun zamandan beri Rusya'yı terk edip Avrupa'nın çeşitli ülkelerine yerleşmişlerdi. Rusya, bundan önce Osmanlı Devleti'nden bu ülkeye iltica etmiş bir çok Osmanlı vatandaşını iâde etmemişti. Özet olarak Kaynarca Anlaşması'nın II. maddesinin bu konu ile ilgili hükmünü ilk önce Rusya kendi politik çıkarlarına uygun bir şekilde yorumlamış ve uygulamıştı[795].

Reşid Paşa, her türlü çabasına rağmen Titof ve Radziwill'i ikna edemedi. Her ikisi de mültecilerin iâdesi konusunda hiç bir polemiğe girmeyeceklerini söyleyerek, Bâbıâli'nin *"evet"* ya da *"hayır"* cevabını bir an önce vermesini istediler. Bâbıâli'nin suskun kalmasının *"hayır"* anlamına geleceğini, bunun sonuçlarının da iyi düşünülmesi gerektiğini ifade ettiler. Mültecilerin başka ülkelere gönderilmesini de istemeyen Rus temsilcilerine göre, Osmanlı Devleti mültecilerin korunmasına ne kadar dikkat ederse etsin bunlar mutlaka bir yolunu bulup firar edeceklerdi. Bu eylemi gerçekleştiremeseler dahi çeşitli ülkelerdeki dostlarına mektuplar göndererek fitne ve fesat çıkarmaktan geri kalmayacaklardı. Bu tür eylemleri ise, Çar'ın onaylaması mümkün değildi. Osmanlı ülkesine firar eden bu insanlar, bir çok yerde ihtilal çıkarılmasına ön ayak olmuşlardı. Bu sebeple, bunların cezalandırılmaları gerekiyordu. Aksi halde yapacakları eylemler başkalarına örnek olacak ve bunlara karşı önlem alınması zorlaşacaktı. Rus temsilcilerine göre, Polonyalı mülteciler her ne kadar Rusya'dan

[795] BOA., DUİT., 75-1/18-; BEO., A.MKT. MHM., 17-16; Mehmed Galib, "Leh ve Macar Mültecileri" *Yeni Tasvir-i Efkâr*, Nr.41, 23 C 1327/10 Temmuz 1909, s.5; Ahmed Refik, *Aynı eser*, s.57-58.

gelmemişlerse de Macaristan'da Rus askerine karşı savaşmışlardı ve dolayısıyla Osmanlı Devleti'nden Rusya'ya iltica edenler, bunlarla kıyaslanamazdı[796].

Reşid Paşa, siyasi mültecilerin iâde edilmesi usulünün Avrupa'da terk edildiğini, Osmanlı Devleti'nin yeni usule uymaması durumunda daha başka sıkıntılar yaşayacağını söylediyse de, Titof ve Radziwill'in tavırlarında bir yumuşama sağlayamadı. Görüşmenin sonunda Radziwill ve Titof, mevcut durumun bu şekliyle devam etmesi halinde diplomatik münasebetlerin kesileceğini ima ettiler[797].

Elçilerin katı tutumunun değişmediğini gören Reşid Paşa, Rus Çarının Radziwill'i İstanbul'a gönderdiği gibi, Sultan'ın da bu meselenin halli için Petersburg'a özel görevle birini gönderebileceğini söyledi. Sultan'ın özel görevle birisini Çar'a göndereceğini düşüncesini ilk defa bu görüşmede duyan Radziwill ve Titof, konu hakkında yorum yapmaktan kaçındılar[798].

Bu görüşmeden de anlaşılacağı üzere, Bâbıâli hem mültecileri iâde etmeğe yanaşmıyor hem de Rusya'yı ikna etmeğe çalışıyordu. Kuşkusuz, böylesine mühim bir meselede İstanbul'da bulunan İngiliz ve Fransız elçilerinin görüşleri de önemliydi. Zira Osmanlı yöneticileri, mülteciler meselesinde Rusya'nın işi nereye kadar götüreceğini tam anlamıyla kestiremiyorlardı. Bu nedenle Bâbıâli, bir taraftan Rusya ve Avusturya elçilerini ikna etmeye çalışırken, diğer taraftan da İngiliz ve Fransız elçileriyle de fikir alış verişinde bulunuyordu. Bu diplomatik girişimler siyasi münasebetlerin kesildiği güne kadar devam etti.

Reşid Paşa, Osmanlı Devleti'ni her açıdan çağın ihtiyaçlarına cevap verecek seviyeye getirmek için elinden geleni yapan, ileri görüş-

---

[796] BOA., DUİT., 75-1/18-1; BEO., A.MKT. MHM., 17-16; Mehmed Galib, "Leh ve Macar Mültecileri" *Yeni Tasvir-i Efkâr*, Nr.42, 24 C 1327/11 Temmuz 1909, s.4; Ahmed Refik, *Aynı eser*, s.59.

[797] BOA., DUİT., 75-1/18-1; BEO., A.MKT. MHM., 17-16; Mehmed Galib, "Leh ve Macar Mültecileri", *Yeni Tasvir-i Efkâr*, Nr.42, 24 C 1327/11 Temmuz 1909, s.4; Ahmed Refik, *Aynı eser*, s.59; Hajnal, *Aynı eser*, belge no:142, s.734.

[798] BOA., DUİT., 75-1/18-1; BEO., A.MKT. MHM., 17-16; Mehmed Galib, "Leh ve Macar Mültecileri", *Yeni Tasvir-i Efkâr*, Nr.42, 24 C 1327/11 Temmuz 1909, s.4; Ahmed Refik, *Aynı eser*, s.59.

lü, zeki ve eğitimli bir devlet adamıydı. Paşa, devletin son asırda Ruslara karşı girdiği savaşlarda ne kadar başarısız olduğunu, bunun tabii bir sonucu olarak barış anlaşmalarının devleti ne kadar zarara soktuğunu biliyordu. Buna rağmen, şartların Rusya ile savaşmayı gerektirmesi halinde bundan çekinmeyecek kadar da cesur bir mizaca sahipti[799]. Daha Londra ve Paris elçilikleri yaptığı sıralarda Reşid Paşa, Avrupa kamuoyunu Osmanlı Devleti lehine çevirmek için büyük gayret göstermişti[800]. Ülkesine döndükten sonra yaptığı icraatlar göz önüne alındığında, Avrupa'daki Osmanlı imajının değiştirilmesinin onun nihai hedeflerinden biri olduğu açıkça görülmektedir.

Reşid Paşa, Macar ve Polonyalıların yenilgiye uğrayıp Osmanlı ülkesine iltica etmek üzere yola çıktıkları haberini aldığında bu gelişmeden memnun kalmıştı. İmrefi'ye göre Paşa, iltica edenler arasında Avrupa ihtilalinin önde gelen isimlerinden Kossuth, Bem, Kmety, Dembinski, Guyon gibi şahsiyetlerin bulunduğunu duyunca, sevincini arkadaşlarından ve Sultan'dan gizlememişti. Zira Paşa, Osmanlı Devleti'nin bu değerli insanları kabul ve himaye ederek Avrupa'ya karşı özgürlüğün koruyucusu imajı vereceğini, bunun da az bir şey olmadığını biliyordu[801]. Böylece ezeli düşman Rusya'ya karşı Avrupa'nın sempati ve desteği kazanılmış olacaktı. Bu sebeple de mültecilere yaklaşımı her zaman olumlu olmuştu.

Paşa, bu mesele karşısındaki tutumunu Rusya ve Avusturya'nın Bâbıâli üzerinde yoğun baskı kurduğu sırada bile değiştirmedi. Nitekim Meclis-i Mahsûs'un 8 Eylül 1849'daki toplantısından sonra, Sultan'a arz ettiği tezkiresinde şu görüşleri dile getirmişti:

Mülteciler iâde edildiklerinde ya kurşuna dizilecekler ya da Sibirya'da yer altında bulunan maden ocaklarına gönderileceklerdir. Sibirya'ya gönderilmeseler bile bir kalenin zindanına atılmaları veya küreğe vurulmaları kesindir. Bu nedenle, Osmanlı Devleti'ne sığınan

---

[799] Imrefi, *Aynı eser*, s.181.
[800] Ahmed Lütfi, *Tarih-i Devlet-i Osmaniyye*, VI, Dersaâdet 1302, s.60.
[801] Imrefi, *Aynı eser*, s.181-182; M. Tayyib Gökbilgin, "Rakoczi Ferenc II. Ve Osmanlı Devleti Himayesinde Macar Mültecileri" *Türk-Macar Kültür Münasebetleri Işığı Altında II. Rakoczi Frenc ve Macar Mültecileri Sempozyumu*, (31 Mayıs-3 Haziran 1976), İstanbul 1976, s.17.

238 *Osmanlı'ya Sığınanlar*

bu insanları geri vermek, onları cellada teslim etmekten farksızdır. Böyle bir tutum ise, asırlar boyu misafirperverliği ile tanınan Osmanlı Devleti'ne yakışmazdı. Rusya'nın mültecileri bu kadar ısrarla istemesi, sadece cezalandırma arzusuyla açıklanamaz. Bu ısrarların asıl sebebi, mültecilerin iâdesini sağlayarak Osmanlı Devleti'nin onurunu kırmak ve Bâbıâli'yi istediği şekilde yönlendirebileceğini Avrupa kamuoyuna ve Osmanlı topraklarında yaşayan gayrimüslim ahaliye göstermektir[802].

Elçilerle birebir yapılan görüşmelerden bir netice çıkmayınca, Meclis-i Mahsûs, konuyu ele almak üzere 11 Eylül 1849 tekrar toplandı. Reşid Paşa, meclis üyelerine elçilerle yaptığı sonuçsuz kalan görüşmeler hakkında bilgi sundu. Görüşmeler devam ederken Titof, tercümanını göndererek Radziwill'in 16 Eylül'de geri dönmeğe mecbur olduğunu, bu nedenle kesin kararın bir an önce verilmesini istedi. İki devlet tarafından sıkıştırılan Bâbıâli, artık konu hakkında bir karara varmak mecburiyetindeydi.

Yani meclis, ya *"evet"* ya *"hayır"* cevabını verecek, ya da üçüncü bir yolu tercih ederek yine kesin bir cevap vermekten kaçınacaktı. Yapılan görüşmelerden sonra, Çar'ı Macarlara karşı kazandığı zaferden dolayı kutlamak için, Petersburg'a özel bir memur gönderilmesine karar verildi. Bu memur, Osmanlı Devleti'nin mültecileri neden iâde etmediğini Çar'a bizzat anlatacaktı.

Çünkü Bâbıâli, şimdiye kadar Rusya'nın taleplerini hep Titof'un ağzından öğrenmişti. Rusya'ya bir memur gönderilmesi fikri bütün üyeler tarafından kabul edildi. Bu konudaki kararlılığı göstermek amacıyla hazırlanan bir kağıdın sol köşesine *"her dürlü suver-i muhtemeleyi göze aldırarak Fuad Efendi'nin gönderilmesi"*[803], sağ köşesine de *"mahzûr-ı 'âcil mütâla'asıyla firârileri hemân reddetmek"*[804] cümleleri yazılarak üyelerin hiçbir tesir altında kalmadan hangisini tercih

---

[802] BOA., DUİT., 75-1/18-1; BEO. A.MKT.MHM., 17-16; Mehmed Galib, "Leh ve Macar Mültecileri" *Yeni Tasvir-i Efkâr*, Nr.41, 23 C 1327/10 Temmuz 1849, s.4; Ahmed Refik, *Aynı eser*, s.56.
[803] BOA., DUİT., 75-1/18-1.
[804] BOA., DUİT., 75-1/18-1.

ediyorlarsa o şıkkın altına isimlerini yazmaları istendi[805]. Yapılan oylamada bütün üyeler, kağıdın sol köşesine yani Fuad Efendi'nin Rusya'ya gönderilmesi şıkkının altına isimlerini yazmışlardı[806].

Öte yandan, Avusturya İmparatoru'na alınan kararla ilgili bir mektup yazılmasına karar verildi. Mektubu İmparator'a Osmanlı Devleti'nin Viyana elçisi Kostaki Mussurus Bey takdim edecekti. Bâbıâli'nin mülteciler meselesindeki tutumunu Avusturya Hükümeti'ne anlatması için Mussurus'a bir talimat gönderilmesine de karar verildi[807].

Böyle bir kararın alınmasıyla elçilerin isteklerine "*evet*" ya da "*hayır*" cevabı verilmemiş oluyordu. Ayrıca, Rusya'ya özel bir memur gönderilmek suretiyle zaman kazanılacak ve bu süre içerisinde İngiltere ve Fransa elçileriyle temas kurularak görüşlerinin hangi istikamette olduğu iyice anlaşılacaktı[808].

2- Rusya ile Siyasi Münasebetlerin Kesilmesi

Titof ve Stürmer'in bütün baskılarına rağmen Bâbıâli'den henüz resmi bir açıklama yapılmamıştı. Elçiler, Âlî Paşa'ya isteklerinin kabul edilmemesi durumunda Osmanlı Devleti ile resmi ilişkileri kesme emri aldıklarını ilettiler[809]. Ancak, bu blöflerinden de bir netice elde edemediler. Zira Âlî Paşa, 11 Eylül 1849'da toplanan Meclis-i Mahsûs'taki görüşmelerden sonra iki elçiye, Sultan'ın iki Rus Çar'ı ve Avusturya İmparator'undan mültecileri kendi korumasına bırakma-

---

BOA., DUİT., 75-1/18-1; BEO. A.MKT.MHM., 17-16; Mehmed Galib, "Leh ve Macar Mültecileri" *Yeni Tasvir-i Efkâr*, Nr.42, 24 C 1327/11 Temmuz 1849, s.4; Ahmed Refik, *Aynı eser*, s.61-62.

Bu isimler şunlardı: İsmail, İzzet, Tevfik, Mazlûm, Şefik, Edhem, Tahsin, Tahir, Mehmed Rüşdü, Süleyman Refet, Fethi, Mehmed Ali, Arif Hikmet, Reşid, Rauf, Arif (Reis-i Meclis-i Âlî) Tevfik, Mahmud, Mahmud, Abdülhak, Esad, Arif, (BOA., DUİT., 75-1/18-4; Ahmed Refik, *Aynı eser*, s.76; Ahmed Refik, "Fuad Efendi'nin Çar Birinci Nikola ile Mülâkâtı, *Türk Tarih-i Encümeni Mecmûası*, 12, (1311), s.370.

BOA., DUİT., 75-1/18-1; BEO. A.MKT.MHM., 17-16; Mehmed Galib, "Leh ve Macar Mültecileri", *Yeni Tasvir-i Efkâr*, Nr.43, 25 C 1327/12 Temmuz 1849, s.4; Ahmed Refik, *Aynı eser*, s.61-62.

BOA., DUİT., 75-1/18-1; BEO. A.MKT.MHM., 17-16; Mehmed Galib, "Leh ve Macar Mültecileri", *Yeni Tasvir-i Efkâr*, Nr.42, 24 C 1327/11 Temmuz 1849, s.5; Ahmed Refik, *Aynı eser*, s.61.

Bapst, *Aynı eser*, s. 90.

larını bizzat rica edeceğini, bu nedenle de mültecilerin iâdesinin gerçekleşmeyeceğini bildirdi[810]. Fakat, elçilerden bunu kesin red cevabı olarak kabul etmeyip ve ülkelerinin Bâbıâli ile diplomatik ilişkilerini kesmemelerini istedi[811].

Titof ve Stürmer, yapılan bu açıklama üzerine bir araya gelerek[812] Bâbıâli'ye karşı oluşturulacak stratejiyi görüştüler ve bir kez daha mültecileri iâde talebinde bulunma noktasında anlaştılar[813]. Aralarında vardıkları mutabakat gereği, 14 Eylül 1849'da Hâriciye Nâzırı'na hemen hemen aynı mealde birer nota verdiler[814]. Titof notasında, iki ülke arasındaki mevcut anlaşmalar gereği Çar'ın politik sığınmacıların iâde edilmesi isteğini yineliyordu. Notada, Macar İhtilaliyle savaşların yaşandığı bölgelerde tekrar bu türden hadiselerin yaşanmaması için, Kaynarca Anlaşması'nın ilgili maddesinin uygulanmasının büyük bir ehemmiyet arz ettiği vurgulanıyordu. Bu tür tehlikelerle karşılaşmamak için Çar'ın söz konusu anlaşmanın uygulanmasına verdiği öneme değiniliyordu. Elçiye göre Çar, hem Rusya ve hem de Osmanlı Devleti'nin güvenliğinin tehlikeye düşmesini istememekteydi. Titof notada, Bâbıâli'nin dikkatini çekmek için bu hatırlatmaları son kez yaptığını ifade ediyor, kaçamak cevapların kabul edilmeyeceğinin bilinmesini de istiyordu[815]. Asıl söylemek istediğini notanın sonuna saklamıştı. Eğer Pazar akşamına kadar Rusya vatandaşı olup Osmanlı Devleti'ne iltica eden asiler geri

---

[810] Bapst, *Aynı eser*, s.91.
[811] Imrefi, *Aynı eser*, s.185.
[812] Avusturya Hükümeti, Titof ile ortak hareket etmesi için Stürmer'e talimat göndermiştir. Nitekim Schwarzenberg, 4 Eylül 1849'da Stürmer'e gönderdiği talimatta, Titof ile iyi ilişkiler içerisinde olmasını ve onunla ortak hareket etmesini istemişti. Stürmer, bu talimat doğrultusunda Titof ile işbirliği yapıyordu. Öyle ki, bu işbirliği zaman zaman talimatta belirtilen hususların üzerine bile çıkabiliyordu. Nitekim, hükümetine gönderdiği 12 Eylül 1849 tarihli mektubunda Titof ile aynı politikayı izlediğini, halbuki böyle kapsamlı bir emir almadığını itiraf etmişti (Hajnal, *Aynı eser*, belge no:142, s.735).
[813] Hajnal, *Aynı eser*, s.belge no:145, s.740.
[814] BOA., DÜİT., 75-1/20-2,3; Mehmed Galib, "Leh ve Macar Mültecileri", *Yeni Tasvir-i Efkâr*,5 ; Ahmed Refik, *Aynı eser*, s.50; Ahmed Refik, *Aynı makale*, s.361; Hajnal, *Aynı eser*, s.743-746; Bapst, *Aynı eser*, s.91.
[815] BOA., DÜİT., 75-1/20-2; Ahmed Refik, *Aynı eser*, s.52; Ahmed Refik, *Aynı makale*, s.361; Hajnal, *Aynı eser*, belge no:145, s.745.

verilmezse, ikinci bir emre kadar diplomatik ilişkilerin kesilmiş sayılacağını bildiriyordu[816].

3-Avusturya İle Siyasi Münasebetlerin Kesilmesi

Avusturya Elçisi Stürmer de aynı tarihli ve benzer içerikli notasında, Osmanlı ülkesine sığınan bütün Macar mültecilerinin iâdesini talep ediyordu. O da Belgrat Anlaşması'nın XVIII. maddesi hükmünce mültecilerin iâdesiyle ilgili notalarına hiçbir cevap alamamaktan şikayet ediyordu. Geçen bu süre zarfında isteklerine cevap verilmediği gibi, Osmanlı ülkesine sığınan mülteci sayısının da hızla arttığını belirtiyordu. Bâbıâli'nin vereceği karara göre iki ülke arasındaki ilişkilerin şekilleneceğini ifade ediyordu. Buna rağmen, Bâbıâli'nin sürekli kaçamak cevaplar vererek zaman kazanmaya çalıştığını belirtiyordu. Sultanla yaptığı görüşmeye de değinen elçi, bu görüşmede Sultan'ın genel ifadeler kullanarak meseleyi bakanlarına havale ettiğini ve bu konuda kendisiyle tartışmaya girmekten kaçındığını ifade ediyordu[817]. Stürmer de Titof gibi, asıl söylemek istediğini notasının sonuna saklamıştı. O da bundan sonra verilecek cevabın geciktirilmesini *"hayır"* olarak değerlendireceğini ifade ediyor, 24 saat içerisinde olumlu bir cevap verilmezse diplomatik ilişkilerin kesileceğini belirtiyordu[818].

---

[816] Titof notasında şöyle diyordu: *"...eğer Pazar günü akşama kadar Rusya Devleti teb'asından olup Memâlik-i Mahrûsa-i Şâhâneye iltica etmiş olan kâffe-i 'âsîlerin bize redd ve teslîmi husûsunda cânib-i Bâbıâli'den muvâfakat buyurulduğu bana ihbâr kılınamaz ise müceddeden yeni bir emr alıncaya kadar Bâbıâli ile olan muhâberât-ı diplomatikiyyeme münkati' olmuş nazarıyla bakılmasını taraf-ı vâlâ-yı nezâret-penâhîlerine ma'a't-tessüf bildirmeğe mecbûr kalacağım aşikârdır..."* (BOA., DUİT., 75-1/20-2; Ahmed Refik, *Aynı eser*, s.52; Ahmed Refik, *Aynı makale*, s.361; Hajnal, *Aynı eser*, belge no:145, s.746).

[817] BOA., DUİT., 75-1/20-3; Ahmed Refik, *Aynı eser*, s.54; Ahmed Refik, *Aynı makale*, s.361; Hajnal, *Aynı eser*, belge no:145, s.477.

[818] Stürmer ise notasında şöyle diyordu: *"...bundan ziyâde her bir dürlü tehîre devletimin rızâsını redd nazarıyla bakacağımdan yarın değil öbürgünün akşamı Viyana'ya bir istefto çıkaracak olduğum cihetle o zamâna değin Memâlik-i Mahrûsa-i Şâhâne'de bulunan bi'l-cümle 'âsî mültecilerin bize istirdâd olunmasına Bâbıâli'nin muvâfakatı haberini ahz eylediğim halde müceddeden emr ahz edinceye kadar kendüsiyle olan münâsebât-ı diplomatikiyyemin münkati' 'add buyurulmasını Bâbıâli'den ricâ ederim..."* (BOA., DUİT., 75-1/20-3; Ahmed Refik, *Aynı eser*, s.54; Ahmed Refik, *Aynı makale*, s.361; Hajnal, *Aynı eser*, belge no:145, s.477; İmrefi, *Aynı eser*, s184).

Stürmer'in Hâriciye Nezâreti'ne verdiği 14 Eylül tarihli nota, 30 Ekim'de Viyana gazetelerinde ek bir nüsha olarak yayınlandı. Bâbıâli'ye karşı ortaya konan bu tavır basın tarafından büyük övgü aldı[819].

Stürmer, bu notayı 15 Eylül sabahı Âlî Paşa'ya bizzat kendisi takdim etti. Âlî Paşa, elçinin yanında notayı dikkatle okuduktan sonra, notada kullanılan ifadeler hakkında hiçbir açıklamada bulunmadı. Paşa, elçiye muhtemelen 16 Eylül'de Meclis'in meseleyi görüşmek üzere toplanacağını ve alınan kararın kendisine ileteceğini söyledi. Paşa ayrıca, Rus Çarı'nın Polonyalı mültecilerin iâdesiyle ilgili mektubuna hazırlanan cevabın gönderildiğini ve söz konusu mektubu Çar'a ulaştırmakla Fuad Efendi'nin görevlendirildiğini ifade etti. Âlî Paşa konu hakkında Avusturya İmparatoruna yazılan mektubun Mussurus tarafından İmparator'a iletileceğini de sözlerine ekledi[820].

Âlî Paşa'nın bu açıklamaları üzerine Stürmer, Sultan'ın söz konusu mektuplardan bir netice elde edemeyeceğini ve bu girişimin Titof ile kendisinin Bâbıâli'ye karşı olan tavırlarında bir değişikliğe sebep olmayacağını belirtti. Stürmer'e göre Fuad Efendi, Petersburg'ta soğuk karşılanacak ve beklediği ilgiyi göremeyecekti. Dolayısıyla bu girişimin hiçbir sorunu çözmeyeceği, bu nedenle de sonuçları önceden bilinen bu girişimden vazgeçilmesini tavsiye etti[821].

Stürmer, Âlî Paşa'yla görüştükten sonra Reşid Paşa ile de biraraya geldi. Elçilerin son notalarından bilgisi olan Paşa, Kostaki Mussurus'tan alınan yeni haberlere göre, Schwarzenberg'in mülteciler meselesinde yumuşak bir lisan kullandığını, dolayısıyla diplomatik ilişkilerin kesilmesi tehdidinin Avusturya Hükümeti'ne ait olmadığını öne sürdü[822].

Öte yandan Fuad Efendi'nin Petersburg'a gönderildiği söylenerek Titof'un yumuşatılmasına çalışıldı[823]. Tehdit ve şikayetlerinin bir netice vermediğini gören Titof ve Stürmer, Âlî Paşa ile 17 Eylül'de yaptıkları görüşmede, Rus Çar'ı ve Avusturya İmparator'u nezdinde

---

[819]   İmrefi, *Aynı eser*, s.183-184.
[820]   Hajnal, *Aynı eser*, belge no:145, s.747.
[821]   Hajnal, *Aynı eser*, belge no:145, s.746-747.
[822]   Hajnal, *Aynı eser*, belge no:145, s.748.
[823]   Bapst, *Aynı eser*, s.93.

Sultan'ın yapacağı girişimlerin sonuçlarını beklemeden Bâbıâli ile ilişkilerin kesildiğini bildirdiler[824]. Diplomatik ilişkilerin kesilmesi üzerine Çar'ın özel temsilcisi Radziwill, Saraya veda etmeden İstanbul'u terk etti[825].

Ancak, Stürmer ve Titof, hükümetlerinden diplomatik ilişkilerin kesilmesi için bir talimat almamışlardı. Bâbıâli ile diplomatik münasebetlerin kesilmesi fikrini Titof ortaya atmış, Stürmer de ona uymuştu[826]. Nitekim Schwarzenberg, 13 Ekim 1849'da Paris'teki elçisine gönderdiği gizli mektupta, her iki elçinin de kendi inisiyatifiyle hareket ederek Bâbıâli ile diplomatik ilişkileri kesmelerinden üzüntü duyduğunu yazmıştı[827].

C- Siyasi Münasebetlerin Kesilmesinin Yankıları

1- Osmanlı Devleti'nde

Osmanlı Devleti ile Rusya ve Avusturya devletleri arasındaki diplomatik ilişkilerin kesilmesiyle ortaya çıkan gerginlik, sadece bu meselenin içinde olan devletlerde değil, aynı zamanda İngiltere ve Fransa'da da endişeyle karşılandı.

Özellikle, elçilerin siyâsi münasebetlerin kesilmesini Bâbıâli'ye bildirdikten sonra Osmanlı Devleti içinde olağanüstü hareketlilik yaşandı. Her an Rusya ile bir savaş yaşanabilirdi. Hatta, Rusya'nın mültecileri geri almak için Prut üzerine asker sevkiyatında bulunduğu söylentisi halk arasında yayılmaya başlamıştı[828].

Gerçekten de mülteciler meselesi yüzünden Osmanlı Devleti ile Rusya arasında bir savaş olacağına dair hem payitaht İstanbul'da hem de taşrada güçlü bir kanaat hakim olmuştu. Halkın büyük ço-

---

[824] Temperley, *Aynı eser*, s.262; Bapst, *Aynı eser*, s.95.
[825] Hajnal, *Aynı eser*, belge no:146, s.75; Imrefi, *Aynı eser*, s.s.185; *Ceride-i Havadis* Nr.452; Bapst, *Aynı eser*, s95.
[826] Kurat, *Aynı makale*, s.457.
[827] Hajnal, *Aynı eser*, belge no:192, s.830 Schwarzenberg'in Paris'teki Avusturya Elçisi Hübner'e gönderdiği 13 Ekim 1849 tarihli mektup.
[828] Mahmud Celaleddin Paşa, *Mirat-ı Hakîkat*, (Haz. İsmet Miroğlu), İstanbul, 1983, s.32; Saydam, *Aynı makale*, s.369.

ğunluğu İngiltere ve Fransa'nın yardımıyla Rusya'dan intikam alınacağına inanıyordu. Nitekim Edirne Valisi İsmail Rahmi, 20 Eylül 1849'da Sadâret'e sunduğu yazısında " *bu husûsda nâsda olan lakırdılar şu vechile oluyor ki velî-ni'met-i 'âlem pâdişâhımız efendimiz hazretlerinin kemâl-i teemmül ve dirâyet-i pâdişâhâneleri ve zât-ı ma'âl-ı simât-ı sadâret- penâhîlerinin dahi dirâyet-i zâtiyye ve Avrupaca derkâr olan ma'lûmât-ı müselleme-i 'âlîleri cihetle İngiltere ve Fransa devletleri birlikde olduğu hâlde Rusya Devleti'nin nihâyet-i ikbâlîdir mağlûb olacağında şekk ve şübhe yokdur"*[829] gibi sözlerin halk arasında söylendiğini yazmıştı[830].

Aynı konuyla alakalı olarak, Trabzon Valisi Mehmed Hayreddin Paşa tarafından Sadâret'e gönderilen 29 Ekim 1849 tarihli tahriratta ise, sadece Müslüman halkın değil, Hıristiyan vatandaşların da mülteciler meselesi yüzünden Rusya'ya açılacak bir savaşa gönüllü olarak katılacakları ifade edilmekteydi[831]. Valinin ifadesine göre, Müslüman ve Hıristiyan halk arasında, eski savaşlarda böylesi ortak bir tavır hiçbir zaman husûle gelmemişti. Trabzon Valisi, Müslüman halkın Rusya'ya savaş açılması hususundaki fikrini de şu şekilde ortaya koyuyordu: *"...ehl-i İslâm dahî kemâl-i meyl ve rağbet ve izhâr-ı hâhiş ve iştiyâklarına nazaran şâyed 'ilân-ı harb olunmak lâzım gelse tâmmü'l-esliha güzide-tüvânâ olarak bilâ-ibrâm kendü rızâlarıyla kırk- ellibin asker tecemmü' ederek uğur-ı meyâmin-mevfûr-ı hazret-i pâdişâhîde*

---

[829] BOA. BEO.A.MKT. 226-77, 1265.11.9.

[830] Edirne Valisi İsmail Rahmi, Titof ve Stürmer'in diplomatik münasebetleri keserek İstanbul'u terk ettiklerine dair haberlerin Edirne'de yayıldığını belirtiyor ve böyle bir gelişmenin olup olmadığını soruyordu. Sadâret'ten yazılan cevapta, mülteciler meselesinde Rusya ve Avusturya devletleriyle yaşanan gelişmeler özetlendikten sonra, bu iki devlet elçilerinin İstanbul'u terk ettiklerinin doğru olmadığı ifade ediliyordu (BOA. BEO. A.MKT. 225-72, 1265.11.3).

[831] Mehmed Hayreddin Paşa, Trabzon'daki gayrimüslim halkın tepkisini şu şekilde ifade ediyordu: *"...Trabzon iskelesine âmed-şûd eden vapurlar ile mürûr u 'ubûr eden teb'a-i Devlet-i 'Aliyye ve sâire tarafından Rusya üzerine kalkılacak ve ilân-ı harb kılınacak gibi kelimât ve tefevvühüne ibtidârları ahâlinin mesmû'ları oldukda ehl-i İslâm şöyle dur- sun re'âyâ-yı Devlet-i 'Aliyye bile devleteyn-i müşârunileyhümânın iş bu tekliflerini tahsîn etmeyerek onlar dahi teşebbüs olunan tedâbir-i hasenenin murâd-ı seniyye vechile karîn-i hüsn-i husûlünü kiliselerinde du'â ve niyâz etmekde ve sâye- Saltanat-ı Seniyyede az vakitde mazhar oldukları 'adâlet ve hakkâniyetin kadr ü şükrünü bilerek hem mezheblerinin bu vechile hareketlerini beyenmedikleri..."* (BOA. DUİT., 75-1/45-2 Trab- zon Valisinin Sadâret'e takdîm ettiği 12 Z 65/29 Ekim 1849 tarihli tahrîrât).

can ve baş fedâ edecekleri akvâl ve ef'âllerinden ve revş ü etvârlarından istidlâl" olunmaktadır[832].

2- İngiltere'de

İstanbul'daki gelişmeler, Paris ve Londra'da büyük bir heyecan uyandırdı[833]. Avrupa basınında sık sık mülteciler meselesi yüzünden savaş çıkacağına dair haberler yer alıyordu. Özellikle İngiliz medyası, Osmanlı Devleti ve Macaristan'a karşı sempatik, Rusya'ya karşı ise antipatik bir hava oluşturmak için yayınlar yapıyorlardı[834]. Buna rağmen, İngiltere'den resmi açıklama gecikmeli olarak geldi. Çünkü, İngiliz Parlamentosu tatilde olduğundan meclis üyeleri ve bakanların bir kısmı Londra'da bulunmuyordu. Meclis, ancak 1 Kasım 1849'da toplanabildi. Rusya ve Avusturya'ya karşı gösterdiği direnişte Osmanlı Hükümeti'ne yardımcı olmak amacıyla, Viyana ve Petersburg'ta temsilcilikler kurulmasına karar verildi. Ayrıca, 12 gemiden oluşan İngiliz filosuna Akdeniz'den Çanakkale Boğazı'na hareket etmesi için emir verildi. Bunlara ek olarak, Canning'e gerektiğinde filoya Marmara ve hatta Karadeniz'e girmek hususunda emir yetkisi verildi[835]. Diplomatik arenada bunlar cereyan ederken Londra'da Rusya ve Avusturya aleyhinde sürekli mitingler düzenleniyordu[836].

Lord Palmerston, İngiltere'nin Paris Elçisi Normanby'e 29 Eylül 1849'da yazdığı mektupta, Rusya ve Avusturya'nın Bâbıâli ile siyasi münasebetleri kesmeleri üzerine Hükümeti'nin takınacağı tavrı ve kendi görüşünü şu cümlelerle açıklamıştı: *"Ben öyle zannediyorum ki, iki İmparatorluk sefîrleri tarafından vukû bulan bu teşebbüs gözdağı vermek içün bir oyundur. Şâyed muvaffakiyetle netîcelenmeyecek olur ise -ki şimdiye kadar da hâl onu gösteriyor- o zaman devletleri tarafından ya iltizâm edilmeyecek veya geri alınacaklardır. Fakat bu neticeyi elde etmek içün ye-*

---

832 BOA. DUİT., 75-1/45-2.
833 M. Tayyib Gökbilgin, "XIX. Asır Sonlarında Türk-Macar Münasebetleri ve Yakınlığı", *Nemeth Armağanı*, Ankara 1962, s.172.
834 İmrefi, *Aynı eser*, s.185.
835 Bapst, *Aynı eser*, s.95.
836 İmrefi, *Aynı eser*, s.185.

gâne çâre İngiltere ile Fransa'nın pâdişâha samîmâne ve 'azimkârâne yardımda bulunmaları ve Rusya ile Avusturya devletlerine îcâbında Türk'ü müdâfa'a edecek dostlar bulunduğunu da göstermeleridir. Bunun içün de evvelâ Viyana ile Petersburg'da dostâne fakat 'azîm-perverâne vesâyâda bulunmak padişâhın kendisinden istenilen şeyi îfâya bir mecbûriyeti bulunmadığını ve tarafından bir mecbûriyet bulunmadığı cihetle de bu hareketi şeref ve haysiyetine mugâyir olarak yapamayacağını anlatmak lâzımdır. Sâniyen gerek İstanbul'u hâlen veyâ ani bir ta'arruzdan vikâye etmek ve gerek Boğaziçinde bulunarak kendisine ma'nevî bir istinâd teşkîl etmek üzere pâdişâh tarafından da'vet olunur olunmaz hâzır bulunmak için müşterek donanmalarımızın Çanakkale'de bulunmalarını emr etmelidir. Ben kat'iyen eminim ki, Almanya'nın, Lehistan'ın ve şimâlî İtalya'nın şu günkü vaz'iyetinde Avusturya ve Rusya böyle bir mesele içün İngiltere, Fransa ve Türkiye ile bozuşmak tehlikesini göze alamaz"[837].

Palmerston, 6 Ekim 1849'da Canning'e gönderdiği mektupta da Osmanlı Devleti'nin Londra Elçisi Mehmed Paşa'nın, hükümetinden aldığı emir üzerine İngiliz Hükümeti'nden maddî ve manevî yardım istemek için başvuruda bulunduğunu ifade ediyordu. İngiliz Kabinesi, 6 Ekim 1849'da Osmanlı Devleti'nin yardım talebine olumlu cevap vermedi. Palmerston, mektubunda bu konuda Fransa'nın da desteğini almak için girişimlerde bulunacağını belirtiyordu. Palmerston'un Canning'e gönderdiği bu gizli mektup, kendi ifadesine göre Osmanlı Devlet adamlarına cesaret vermek amacıyla kaleme alınmıştı. Palmerston İngiliz Hükümeti'nin kesin notasını beklemeden, Bâbıâli'nin bu mektubu neşretmemesini istemişti[838].

Lord Palmerston, Paris ve İstanbul elçilerine bu mektupları gönderdikten sonra, Rusya'nın Londra elçisine Türkiye'nin İngiltere'den yardım talep ettiğini söylemişti. Ayrıca, Viyana elçisi vasıtasıyla Avusturya Devleti'ne İngiltere'nin Türkiye'ye yardım yapmaya karar verdiğini de bildirmişti[839].

---

[837] Ahmed Refik, *Aynı eser*, s.82; Ahmed Refik, *Aynı makale*, s.373.
[838] Ahmed Refik, *Aynı eser*, s.82.
[839] Ahmed Refik, *Aynı eser*, s.83.

3- Fransa'da

İngiltere, bir savaş ihtimalinde Fransa Hükümeti'ni bütün imkânlarını seferber ederek Bâbıâli'ye destek vermeye çağırdı[840]. Ancak, diplomatik ilişkilerin kesilmesinden sonra takınılacak tavır konusunda Fransa Hükümeti başlangıçta kararsızdı. Ayrıca Fransız Hükümeti, mülteciler meselesi yüzünden bir savaş çıkarsa Meclis ve kamuoyu tarafından desteklenip desteklenmeyeceğinden emin değildi[841].

Bununla birlikte, Bâbıâli'nin mültecileri iâde etmemesi Fransız kamuoyu tarafından takdirle karşılanmıştı. Nitekim, 27 Eylül 1849'da Fransa Hükümeti'nin İstanbul'daki elçisine gönderdiği talimatta şunlar yazılıydı: *"Şimdiki halde Saltanat-ı Seniyye'nin gerek kendi şân ve nâmûsuna ve gerek bütün insâniyetin menâfi'ine 'âid olan bir meselede ibrâz buyurduğu sebât ve metânet-i 'âlîsini tahsîn ve sitâyişle iktifâ ederim. Şu kadar ki, bu iki devlet-i İmparatoriyenin istid'âsını redd birle beraber nâfile vekârlarını ihlâl ve nâmûslarını tahrîk edebilecek şeylerden ictinâba dahî dikkat buyurulmuş olacağını memûl ederim. Her hâlde Saltanat-ı Seniyye'nin bir mevki'-i müşkile ve mükeddereden çıkmasına Fransa Devlet-i Cumhûriyyesi elinden geldiği mertebe mu'âvenet eylemeğe hâhişkar..."* dır[842].

Diğer taraftan, Osmanlı Devleti'nin Paris Elçisi Kalimaki Bey'in 14 Ekim 1849'da Bâbıâli'ye gönderdiği *"gayet mahremâne"* mufassal arîzada, Osmanlı Devleti'nin mülteciler meselesinde ortaya koyduğu tavrın Fransız kamuoyunca nasıl algılandığı anlatılıyordu. Kalimaki, arîzasında bir sene öncesine kadar çeşitli gazete ve risalelerde Osmanlı Devleti'nin geleceği hakkında düşmanca spekülasyonlar yapıldığını hatta, bazı önyargılı kişilerin gerçekleri görmezlikten gelerek, Osmanlı Devleti'nin hayat ve bekasına inanmadıklarını belirtiyordu. Ancak, Osmanlı Devleti hakkındaki bütün bu düşünceler, Rusya ve Avusturya ile siyâsi münasebetlerin 17 Eylül 1849'da kesilmesini takip eden 24 saat içerisinde ortadan kalktığı ifade edili-

---

[840] Imrefi, *Aynı eser*, s.184.
[841] Bapst, *Aynı eser*, s.97-97.
[842] Ahmed Refik, *Aynı makale*, s.372.

248   Osmanlı'ya Sığınanlar

yordu. Sadece *"National"* gazetesi, Osmanlı Devleti hakkındaki asıl-
sız ve çirkin iftiralarına devam etmekteydi. Kalimaki'ye göre, Fransız
basınında ortaya çıkan bu olumlu havadan, mülteciler meselesinde
kararsız kalan Fransız Hükümeti ve meclisi de mutlaka etkilenecek-
tir[843].

Gerçekten de Fransız kamuoyunda oluşan bu müspet hava,
Fransız Hükümeti'ni de etkilemişti. Nitekim Avusturya'nın Paris
Elçisi Hübner, Fransız Dışişleri Bakanı ile görüşmesinin ardından, bu
ülkenin mülteciler meselesindeki ılımlı tutumunu değiştirdiğini hü-
kümetine rapor etmişti. Hübner raporunda, Tocqueville'nin de mese-
leye Lord Palmerston gibi bakmaya başladığını ifade ediyordu.
Tocqueville, Rusya ve Avusturya'nın mültecileri iâde isteklerinde
haklı olsalar bile, mültecilerin durumunu belirleyen anlaşma madde-
lerinin geçerliliğini yitirdiği görüşündeydi. Bakana göre, Sultan'ı
mültecileri iâde etmeğe zorlamak, onu Avrupa ve kendi kamuoyun-
da küçük düşürmeye çalışmak demekti[844].

4- Amerika'da

Rusya ve Avusturya'nın Osmanlı Devleti'ne sığınan mültecilerin
iâdelerini istemeleri ve buna bağlı olarak gelişen olaylar, Okyanus'un
öteki kıyısındaki Amerika'da da yankı buldu. Komarom'un düşme-
sinden sonra Amerika'ya giden mülteciler, gerek halk tarafından
gerekse yöneticiler tarafından büyük bir coşkuyla karşılandı. Bu coş-
kuya rağmen Amerikan yönetimi, mültecilerle ilgili resmi açıklama-
sını gecikmeli olarak yaptı. Bilindiği üzere Amerika Birleşik Devlet-
leri Başkanı Monreo, tarihe kendi adıyla geçen Monreo Doktrini'yle 2
Aralık 1823'te Avrupalı güçleri ilgilendiren savaşlara ve politikalara
karışmamayı kararlaştırmıştı. Yani, kendi kıtasına kapanarak
"İnfirad" politikası izlemeyi esas almıştı. Gerçekten de Birleşik Dev-
letler Başkanı Taylor'un, 26 Aralık 1849'da konuyla ilgili olarak ka-
muoyuna yayınladığı bildiride, bu politikanın esaslarına bağlı kalın-

---

[843] BOA., DUİT., 75-1/43-3 Fransa Elçisi Kalimaki Bey'in Hâriciye Nezâreti'ne takdîm
ettiği 14 Ekim 1849 tarihli arîza.
[844] Hajnal, *Aynı eser*, belge no:187, s.822-823 Hübner'in hükümetine sunduğu 3 Ekim
1849 tarihli raporu.

dığı açık bir şekilde görülmektedir. Başkan bildiride, Amerika'nın Avrupa'daki savaşlara bilinçli olarak katılmadığını belirtiyordu. Ancak, Avusturya-Macaristan savaşında Amerikan halkının Macar vatanseverlerine karşı duyduğu sempatiyi sahiplenmeyi de görev bildiğini ifade ediyordu. Bu sebeple Avrupa'da bulunan elçisine, eğer Macarlar bağımsızlıklarını ilan edecek durumdaysalar, onların devletini resmi olarak tanıyacağını bildirdiğini söylüyordu. Başkan, Macarların savaşı kaybetme nedeni olarak da Rusya'nın müdahalesini gösteriyordu. Kendilerini özgürlüğe götürecek cesur, fakat başarısız bir girişimde bulunan bu halkın sıkıntı ve acılarına karşı Amerika'nın derin bir sempati duyduğunu belirtiyordu[845].

Ancak Avusturya'ya karşı asıl büyük tepki, Senator General Cass tarafından ortaya kondu. Cass, 4 Ocak 1850 tarihinde Senato'ya sunduğu önerisinde Amerika halkı ile hiçbir bağlantısı bulunmayan Avusturya ile diplomatik ilişkilerin kesilmesini önerdi. Bu öneri, Senato'nun büyük kısmı ve halk tarafından coşku ile karşılandı. Ancak, kamuoyunda sansasyon yaratan bu öneri, Senato'da kabul edilmedi. Arkasından Senator Seword, Amerikan Senatosu'na yeni bir öneride bulundu. Bu öneride de, Rusya ve Avusturya'nın Macar ulusunu ve özgürlüğünü yok etmesinin bir haksızlık ve baskı olduğu ve bu sebeple de kınanmayı hak ettikleri üzerinde duruluyordu. Seword, Macarların başta Birleşik Devletler halkı olmak üzere bütün halkların sempatisini kazandıklarını ve Amerika'ya gelmiş ve gelecek mültecilere toprak verilmesi önerisinde bulundu. Bu teklifler üzerinde haftalarca tartışmalar yapıldığı gibi, bir çok yeni öneriler de ortaya atıldı. Bu öneriler arasında, Macaristan'ın bağımsızlığının geri verilmesinden Avusturya ile siyasi münasebetlerin kesilmesine kadar bir çok husus vardı. Ancak, Avusturya ile siyasi ilişkilerin kesilmesi önerisi Senato'da kabul görmedi. Buna karşın halkın mültecilere duyduğu sempati ilan edildi ve onlara toprak verilmesi kararlaştırıldı. Ayrıca, Kossuth ve arkadaşlarının serbest bırakılmaları için Bâbıâli nezdinde girişimlerde bulunulması da kararlaştırıldı[846].

---

845 Imrefi, *Aynı eser*, s.251.
846 Imrefi, *Aynı eser*, s.252-253.

Amerika'nın bu tavrı, Washington'daki Avusturya elçisi ile ABD Dışişleri Bakanı arasında uzun süren görüşmelere neden oldu. Elçi Ritter von Hülfeman, Macaristan'a ilişkin olarak yayınladığı bildirideki ifadelerinden dolayı Amerikan Başkanı'nı protesto etti. Ayrıca, Kossuth ve arkadaşlarının Amerika'ya gelmeleri için bir girişimde bulunulması halinde, ülkesinin Washington ile diplomatik ilişkilerini keseceğine dair bir nota verdi. Bunun üzerine Amerika Dışişleri Bakanı, ülkesinin her zaman siyasi mültecileri kabul etmeye hazır olduğunu, elçinin bu durumu kabul etmemesi halinde pasaportunun kendisine hemen teslim edileceğini bildirdi[847].

Osmanlı Devleti ile Amerika Birleşik Devletleri arasındaki resmi ilişkiler, 7 Mayıs 1830'da imzalanan "Ticaret ve Dostluk" anlaşması ile kurulmuştu. Amerika, İstanbul'daki ilk daimi temsilciliğini maslahatgüzar düzeyinde açmıştı. İlk maslahatgüzar,11 Ağustos 1831'de İstanbul'a gelmişti. Daha sonra Amerika Birleşik Devletleri, 3 Mart 1839'da İstanbul'daki maslahatgüzarına "elçi" unvanını vermişti[848]. Washington ile Viyana hükümetleri arasındaki gerilim devam ederken, ABD Marsch'ı İstanbul'a elçi olarak gönderdi. Bâbıâli de, 1850 yılında ilk defa resmi temsilci sıfatıyla Armin Bey'i Washington'a gönderdi. Sıcak bir şekilde karşılanan Armin Bey, ilk olarak Amerika Başkanı'na resmi ziyarette bulundu. Ziyarette, Birleşik Devletlerin başarılı eğitim sistemi hakkında bilgi edinmek ve ülkesine bilgi vermek amacıyla görevlendirildiğini belirtti. Ayrıca, Sultan'ın Macar mültecileri meselesinde takip ettiği siyasetin Amerikan kamuoyunca desteklemesinden büyük sevinç duyduğunu söyledi. Yeni Dünya'ya ayak bastığı andan itibaren kendisine gösterilen misafirperverlik ve sevgiyi, Sultan'a duyulan saygının bir işareti olarak gördüğünü de sözlerine ekledi[849]. Elçinin konuşmasından sonra, ABD Başkanı şunları söyledi:

"Barış ve dostluk niyetleriyle Haliç'ten Atlantik Okyanusu'nun kıyısına geldiniz. Çok eski ve zengin bir tarihe sahip olan bir ülkeden ileri görüşlü yöneticiniz, sizi ancak 200 yıllık geçmişe sahip 25 milyon nüfuslu yeni bir

847 Imrefi, Aynı eser, s.254.
848 Rıfat Uçarol, Siyasi Tarih, İstanbul 1985, s.123.
849 Imrefi, Aynı eser, s.256.

cumhuriyetin uygarlığını, yönetimini, yükselişini ve gücünü incelemek üzere göndermiş. Armin Bey, farkında mısınız ki, Sultanınız Macar meselesine karşı takındığı tavırla Amerikan halkının ve bütün aydın ülkelerin sempatisini kazanmıştır. Bizi ilgilendirmeyen siyasi meselelere karışmadan Amerikan halkı dünyada olup bitenleri yakından izliyor"[850].

D. Halkın Zarar Görmemesi İçin Alınan Tedbirler

Osmanlı Devleti'nde yaşayan Rus ve Avusturya vatandaşlarından başka, her iki ülkeden ticaret yapmak amacıyla Osmanlı ülkesine gelen bir çok tüccar vardı. Ayrıca, adı geçen ülkelerin Osmanlı Devleti'nin birçok şehrinde konsoloslukları da bulunuyordu. Nitekim bunu dikkate alan Avusturya Hükümeti, siyasi münasebetlerin kesilmesi üzerine Stürmer'e bir talimat göndererek, Bâbıâli ile kesilen ilişkilerin sadece politik saha ile sınırlandırılmasını istemişti. Vatandaşlarının politik kavgadan zarar görmemesini isteyen Avusturya, onların menfaatlerini koruması için Stürmer'den gayret göstermesini de istemişti[851].

Diğer taraftan Sadâret, ilişkilerin kesilmesinden dolayı hem Osmanlı hem Rusya hem de Avusturya vatandaşlarının zarara uğramamaları için vilâyet ve sancaklara gizli bir talimat gönderdi[852]. Söz konusu emir öncelikle Bursa, Selanik, Aydın, Edirne, Silistre, Niş, Bosna, Belgrat, Vidin, Trabzon, Erzurum, Van-Hakkari, Hayda, Halep, Şam, Cezâyir-i Bahr-ı Sefîd, İzmir, Filibe, Tırnova, Tırhâlâ, Mısır, Yanya, İşkodra, Hersek ve Trablusgarb'a[853] yollandı. Bu talimatta diplomatik ilişkilerin kesilmesine rağmen, ticari faaliyetlerin önceki gibi devam edeceği ifade ediliyordu. Ayrıca, ülkenin her yerinde Rusya ve Avusturya konsolos, tüccar ve tebaasının işlerinin görül-

---

850 Imrefi, *Aynı eser*, s.257.
851 Hajnal, *Aynı eser*, belge no:147, s.754. Schwarzenberg'in Stürmer'e gönderdiği 27 Eylül 2849 tarihli talimat.
852 BOA., DUİT., 75-1/27-2, Mehmed Galib, "Leh ve Macar Mültecileri", *Yeni Tasvir-i Efkâr*, Nr. 44, 25 C 1327/13 Temmuz 1909, s.4; BEO. A.MKT. MHM 17-64, 1265.11.20 Sadâret'in 13 ZA 65/30 Eylül 1849 tarihli iradeyle onaylanarak bazı sancak ve vilayetlere gönderdiği tahrirat.
853 BEO. A.MKT. MHM 17-64, 1265.11.20.

mesinde bir engel çıkarılmaması isteniyordu[854]. Kuşkusuz bu talimatın gönderildiği vilayet ve sancakların hepsinde Rusya ve Avusturya konsoloslukları yoktu. Ancak, bu iki devletin az ya da çok Osmanlı ülkesinin her tarafına dağılmış, ticaretle uğraşan vatandaşları vardı. Gerçekten de iki ülkenin Bâbıâli ile diplomatik ilişkilerini kesmesi politik saha ile sınırlı kalmıştı. Nitekim, Cezâyir-i Bahr-ı Sefîd Valisi Mehmed Ragıb ve Van-Hakkari Valisi Esad Paşa, Sadâret'e gönderdikleri yazılarda kendilerine verilen emir doğrultusunda politik münasebetlerin kesilmesinin ticari münasebetlere yansıtılmadığını ifade etmişlerdi[855].

E. Bâbıâli'nin Destek Arayışları ve Diplomatik Girişimler

1-Bâbıâli'nin İngiltere ve Fransa Elçileriyle Dirsek Teması

Osmanlı Devleti'ne iltica eden Macar ve Polonyalı mülteciler lehine İngiltere, Fransa ve Amerika'da bir kamuoyu oluşmuştu. Bâbıâli'nin mültecileri iâde etmemesi her tarafta taktirle karşılanıyordu. Mustafa Reşid Paşa, Avrupa kamuoyunda oluşan bu olumlu havadan yararlanmak istiyordu[856]. Mülteciler meselesi yüzünden her an bir savaş çıkabilirdi. Reşid Paşa, Titof ve Stürmer'in siyasi münasebetlerin kesilmesi tehdidini içeren notalarının ardından, İngiltere ve Fransa'nın meseleye bakış açısını öğrenmek istiyordu[857]. Bunun için de Hariciye Nazırı Âlî Paşa'yı görevlendirdi[858]. Âlî Paşa, 15 Eylül

---

[854] BOA., DUİT., 75-1/27-2, Mehmed Galib, "Leh ve Macar Mültecileri", *Yeni Tasvir-i Efkâr*, Nr. 44, 25 C 1327/13 Temmuz 1909, s.4; BEO. A.MKT. MHM 17-64, 1265.11.20.

[855] *"...bu tarafdan murûr ve 'ubûr edecek tüccâr ve tab'ası haklarında kemâ-kân mu'âmele-i bi'l-mücâmelenin icrâsıyla mesâlih-ı vâkı'alarında mu'âhedâta tatbikan mu'âmele ve harekete say' u gayret ve hiçbir cihetle tağyîr-ı mu'âmele tecvîz olunmayarak ser-rişte-i şikâyet olacak bir hâlet vukû'a getürülmemesi husûsuna kemâl-i itinâ ve dikkat kılınacağı..."* (BOA., BEO., A.MKT. 232-69 Kürdistan Valisi Esad Paşa'nın Sadâret'e takdim ettiği 15 Z 65/1 Kasım 1849 tarihli tahrîrât; BEO.A.MKT., 232-80, Cezâyir-i Bahr-ı Sefîd Valisi Mehmed Ragıb'ın Sadâret'e takdîm ettiği 16 Z 65/2 kasım 1849 tarihli tahrîrât).

[856] Ahmed Refik, *Aynı makale*, s.362.

[857] Imrefi, *Aynı eser*, s.181.

[858] Ahmed Refik, *Aynı makale*, s.362.

akşamı İngiltere ve Fransa elçilerine hemen cevaplamalarını rica ettiği bir dizi yazılı soru gönderdi. Canning ve Aupick, bir araya gelerek Âlî Paşa'nın sorduğu sorulara ortak cevap verdiler[859]. Âlî Paşa, İngiltere elçiliğinden Bâbıâli'ye gönderilen cevapları tercüme ettirerek Reşid Paşa'ya sundu. Reşid Paşa'ya sunulan soru-cevap kağıdında, Âlî Paşa'nın soruları siyah, elçilerin verdiği cevaplar ise kırmızı mürekkeple yazılıydı[860].

Âlî Paşa'nın elçilere sorduğu sorular ve aldığı cevaplar şöyleydi:

1-Osmanlı Devleti, Rusya ve Avusturya Devletleriyle imzaladığı Kaynarca ve Belgrat Anlaşmalarına göre mültecileri geri vermek zorunda mıdır?

-Bizim düşüncemize göre hayır.

2-Osmanlı Devleti, mültecilerin iâdesini reddedip ilgili devletlerin isteğine hayır cevabı verirse, söz konusu anlaşmaları ihlal etmiş olur mu?

-Birinci soruya verilen cevap göz önüne alınırsa ihlal etmeyeceği açıktır.

3- Eğer Bâbıâli olumsuz bir cevap verirse Rusya bunu kendisine yapılmış bir hakaret olarak değerlendirip savaşa karar verebilir mi?

-Doğrulanması güç bir hareketi Rusya'ya atfetmek ona haksızlık yapmak olur.

4- Anlaşmalar, Rusya'ya savaş ilan etme hakkı ve gerekçesi vermediği halde Osmanlı Devleti'ne savaş açması durumunda, Fransa ve İngiltere böyle bir hareketi nasıl karşılar? Böyle bir hadisenin vukûu halinde İngiltere ve Fransa Bâbıâli'ye destek verir mi?

-İki hükümetin Rusya'nın tutumunu kınayacağı ve Bâbıâli'ye gerekli desteği sağlayacağının açıkça bilinmesi gerekir.

5- Mülteciler meselesi yüzünden Rusya harp ilan etmeyip, iki devlet arasındaki ilişkilerde soğukluk meydana gelirse, bunun ortadan kaldırılması için İngiltere ve Fransa aracılık yapacaklar mıdır?

---

[859] Bapst, *Aynı eser*, s.91-92; Ahmed Refik, *Aynı makale*, s.362.
[860] Ahmed Refik, *Aynı makale*, s.362.

-Bu durumda her iki devlet de ilişkilerin normale dönmesi için elinden gelen gayreti sarf edeceklerdir.

6- Vidin'de bulunan mülteciler, Rusya vatandaşı mıdır?

-Bunlar arasında Rusya vatandaşı olanlar olabilir. Ancak, bunlar Rusya vatandaşı olsalar bile, Kaynarca ve Belgrad Anlaşmalarına göre, bunların iâde edilmesi gerekmez[861].

Yukarıdaki soru ve cevaplarda en fazla dikkati çeken husus, Rusya'nın Osmanlı Devleti'ne savaş açması ihtimalinden söz edilirken, Avusturya'nın adının anılmamış olmasıydı. Burada akla gelen ilk husus, Osmanlı Devleti'nin mülteciler meselesinde asıl belirleyici rolü Rusya'nın oynayacağına inanmış olmasıdır. Zira, Rusya'nın, Osmanlı Devleti'ne savaş açmaya karar vermesi durumunda, müttefikini de benzer bir karara sürüklemesinin zor olmayacağı gayet açıktı[862].

Reşid Paşa, elçilerin görüşlerini aldıktan sonra 16 Eylül 1849'da toplanan Meclis-i Mahsûs'ta mesele yeniden ele alındı. Yapılan görüşmeler sonucu, mültecilerin iâde edilmemesi yönünde kesin karar alındı. Vükelânın verilen karardan dönmemesi için de kendilerinden " *harb vukû'u rütbe-i tahkîke gelmedikçe bu karârdan dönülmeyeceğine ve gıyâbda bu karârın hilâfına söz söylenmeyeceğine*"[863] dair imzalı teminat alındı. Bu hususta mecliste tanzim edilen mazbata, aynı gün Sultan Abdülmecid'e takdim edildi. Adı geçen mazbatada, "*tekliflerine bir cevâb-ı muvâfık verilmediği hâlde Bâbıâli ile olan mu'âmelât-ı resmiyyelerin münkati' hükmünde tutulmasına dâir Rusya ve Avusturya elçilerinin vermiş oldukları takrîrler miyâne-i 'âcizânemizde lede'l-mütâla'a geçenki meclisimizde göze aldırmış olduğumuz suver-i ihtimâliyyenin biri dahî bu mâdde olduğundan şimdi bunun üzerine tağyîr-i karâr ve niyet olunması bir vechile câiz ve münâsib olmayacağı ve hususiyle İngiltere ve Fransa elçilerine îrâd olunmuş esile üzerine elçi-i mûmâileyhümânın tahrîren vermiş oldukları ecvibe ve temînât dahî Saltanat-ı Seniyye'nin haklı olduğunu isbât*

---

[861] BOA., DUİT., 75-1/20-5; Ahmed Refik, *Aynı eser*, s.68-69; Ahmed Refik, *Aynı makale*, s.363-364; Bapst, *Aynı eser*, s.92.
[862] Bapst, *Aynı eser*, s.92; Kurat, *Aynı makale*, s.457.
[863] BOA., DUİT., 75-1/20-4; Ahmed Refik, *Aynı eser*, s.69; Ahmed Refik, *Aynı makale*, s.364.

edeceği cümlemiz tarafından yegân yegân ve karâr-ı sâbıkada sebât olunma-sı tasvîb ve tensîb olunmuş..."[864] deniliyordu.

Abdülmecid, bütün heyet-i vükela tarafından mühürlenen söz konusu mazbatanın üzerine şu hatt-ı hümâyûnu yazdı: "*Sûret-i mu-karrere bu kere dahî ittifâk-ı ârâ ile teekküd etmiş olduğundan müste'inen billah-i te'âlâ icrâ-yı iktizâsına ibtidâr olunsun. Rabbimiz te'âlâ ve tekaddes hazretleri Devlet-i Aliyyemizi bu husûsda ve kâffe-i ahvâlde tevfikât-ı samedâniyyesine mazhar buyursun. Âmin. Bi hürmetihi resûlü'l-emîn*"[865].

Meclis-i Mahsûs'un bu kararı, Padişah'ın onayından geçtikten sonra 16 Eylül akşamı bir nota ile Rusya ve Avusturya elçilerine ile-tildi[866]. Bâbıâli tarafından elçilere sunulan notalardan sadece Avus-turya Elçisi Stürmer'e sunulana sahibiz. Maalesef, Titof'a sunulan notaya ne Başbakanlık Osmanlı Arşivi'nde ne de Hajnal'ın yayınla-dığı belgelerde tesadüf olunamamıştır.

Notada, mültecilerin Osmanlı Devleti'nin iç bölgelerinden birine nakledilecekleri yazılıydı. Ayrıca, adı geçen ülkelere mültecilerden gelebilecek bütün tehlikelere karşı garanti veriliyor[867] ve bazı önemli sebeplerden dolayı mültecilerin iâde edilmeyeceği ifade ediliyor-du[868]. Mültecilerin iâdesiyle ilgili verilecek cevabın gecikmesinden dolayı, Bâbıâli ile diplomatik ilişkilerin kesilmesini içeren 14 Eylül tarihli notaya değiniliyor ve notada kullanılan üslubun Bâbıâli'yi üzdüğü ifade ediliyordu. Daha sonra, Avrupa'nın siyâsî mültecilere bakışı ve Osmanlı Devleti'nden Avusturya'ya sığınan mültecilere karşı bu devletin uygulamaları ayrıntılı anlatılıyordu. Padişahın iki

---

[864] BOA., DUİT., 75-1/19-1; Ahmed Refik, *Aynı eser*, s.70. Padişaha sunulan mazbata-nın altında şu üyelerin mühürleri vardı: Ahmed Fehmi, Esseyyid Mehmed Âlî, Rauf, Esseyyid Mehmed Arif, Mustafa Reşid, Mehmed Tahir, Esseyyid Mahmud, Mehmed, Esseyyid Abdurrahman Nafiz, Ârif, Süleyman, Esseyyid Hüseyin Tah-sin, Mehmed Ârif, Mehmed Esad, Mehmed İzzed Abduh, İsmail, İsmail Zühdü, Tevfik, Mustafa, Ali Şefik, Esseyyid İbrahim Edhem, Tevfik, Mahmud Nedim (BOA., DUİT., 75-1/19-1; Ahmed Refik, *Aynı eser*, s.70; Ahmed Refik, *Aynı makale*, s.365).

[865] BOA., DUİT., 75-1/19-1; Ahmed Refik, *Aynı eser*, s.70; Ahmed Refik, *Aynı makale*, s.365.

[866] Hajnal, *Aynı eser*, belge no:146, s.750.

[867] Bapst, *Aynı eser*, s.93.

[868] Imrefi, *Aynı eser*, s.184.

ülke arasındaki dostluk ilişkilerinin bozulmaması için, İmparator'a bir mektup göndermeye karar verdiği de elçiye bildiriliyordu[869].

2- Fuad Efendi'nin Petersburg'a Gönderilmesi

Hatırlanacağı üzere 11 Eylül 1849'da toplanan Meclis-i Mahsûs'ta Avusturya İmparatoru ile Rus Çarına Abdülmecid tarafından birer mektup gönderilmesi kararlaştırılmıştı. Bu mektuplardan Avusturya İmparatoruna olanı Viyana Elçisi Kostaki Mussurus Bey, Rus Çarı'na gönderilecek olanı ise, o sırada Bükreş'te fevkalade memur olarak görev yapan Amedî-i Divân-ı Hümâyun[870] Fuad Efendi takdim edecekti. Mektubu Fuad Efendi'ye ulaştırmak için de Serasker Paşa'nın yaverlerinden birisi görevlendirilecekti. Yaver, hemen İstanbul'dan özel bir gemi ile Varna'ya hareket edecekti[871]. Bâbıâli'nin Fuad Efendi'yi Petersburg'a göndermekteki asıl amacı, mülteciler meselesinde Rusya'nın görüşünü birinci ağızdan, yani Çar'dan öğrenmekti. Diğer bir amaç da, Osmanlı Devleti'nin mültecileri iâde etmemesi halinde, Rusya'nın bunu bir savaş nedeni sayıp saymayacağını öğrenme arzusuydu. Ayrıca Fuad Efendi, Petersburg'a gidip ikili temaslara başlayana kadar zaman kazanılacak ve bu zaman zarfında İngiltere ve Fransa'nın meseleye bakış açıları da tam anlamıyla öğrenilmiş olunacaktı[872].

Fuad Efendi, başlangıçta sadece Sultan'ın mektubunu Çar'a iletmekle görevlendirilmişti. Ancak, daha sonra Fuad Efendi'ye

---

[869] Hajnal, *Aynı eser*, belge no:146, s.750-751.

[870] Amedî veya Amedî-i Divân-ı Hümâyûn adı verilen memur, Tanzimat'tan önce Reisülküttabın özel kalemi müdürü durumundaydı. Amedî, Sadâretle saray arasındaki irtibat ve haberleşmeyi sağladığı gibi devletin bütün harici işleriyle de meşgul olurdu. Amedî kaleminde devletin gizli işlerine dair meselelerin kayıtları yapıldığından bu göreve atanacak kişilerde iyi ahlak ve sır tutabilme özelliği aranırdı. (Necati Aktaş, Amedî, *DVİ*, III, s.12).

[871] BOA., DUİT., 75-1/18-1; BEO. A.MKT. MHM. 17-16; Mehmed Galib, "Leh ve Macar Mültecileri" *Yeni Tasvir-i Efkâr*, Nr.43, 25 C 1327/12 Temmuz 1909, s.5; Ahmed Refik, *Aynı eser*, s.62.

[872] BOA., DUİT., 75-1/18-1; BEO. A.MKT. MHM. 17-16; Mehmed Galib, "Leh ve Macar Mültecileri" *Yeni Tasvir-i Efkâr*, Nr.42, 24 C 1327/11 Temmuz 1909, s.5; Ahmed Refik, *Aynı eser*, s.61.

"Fevka'l-'âde Murahhas Büyükelçi" unvanı verildi[873]. Onun böylesine önemli bir göreve getirilmesinin başlıca sebebi, Fransızca'yı çok güzel konuşabilen iyi bir diplomat olmasıydı. Ayrıca, onun Bükreş'te bulunmasının da bu görevlendirmede etkili olduğu anlaşılmaktadır. Zira Bükreş, Petersburg'a İstanbul'dan daha yakındı. Dolayısıyla, onun Bükreş'ten Petersburg'a gitmesi daha az bir zaman alacaktı[874].

Fuad Efendi'nin Petersburg'a gönderilmesi kararlaştırıldıktan sonra kendisine Çar ile meseleyi nasıl müzakere edeceğine dair bir de talimat verildi[875]. Talimatta, Çar'ın sert mizaçlı olduğu ve bu yüzden de ikna edilmesinin zor olduğu belirtildikten sonra Fuad Efendi'nin öncelikle dikkat etmesi gereken hususlar şu şekilde belirtiliyordu:

Fuad Efendi, Rus devlet adamlarına Osmanlı ülkesine iltica eden mültecileri kabul etmenin, onların yaptıkları eylemleri onaylamak anlamına gelmediğini anlatacaktır. Çar'dan *"elini kalbine koyarak"* kendisini Sultan'ın yerinde farz edip, meseleye bir de Osmanlı Devleti açısından bakmasını isteyecektir. Eğer Çar, mültecilerin iâde edilmesindeki ısrarlı tutumundan vazgeçmezse, meseleyi çıkmaza sokmaktan titizlikle kaçınacaktır. Böylesi bir gelişmede Fuad Efendi, meseleyi İstanbul'a yazacak ve kendisine verilen cevap doğrultusunda hareket edecektir. Eğer Çar, mültecilerin iâde edilmesi isteğinden vazgeçerse, Fuad Efendi de Bükreş'teki eski görevine dönecektir[876].

[873] *"Sa'âdetlü Fuad Efendi Hazretlerinin sâdece nâme-reslik sûretiyle gönderilmesi tasavvurât-ı sâbıka iktizâsından ise de kendüsüne fevkal'âde murahhas büyükelçilik ünvânı verilse ihtimâl ki maslahatça fâideyi mûcib olacağı ve bu mâdde efendi-i mûmâileyhin memûriyetini mutazammın olan nâme-i hümâyûn-ı hazret-i mülûkâneye ünvân-ı mezkûrun derci iktizâ edeceği bugün devletlü Serasker Paşa ve ve Fethi Paşa Hazerâtı ve Hâriciye Nezâreti ile beynimizde olan ma'rız-i tensibde tezekkür olunmağın..."* (BOA., DUÎT., 75-1/17-1; Ahmed Refik, *Aynı eser*, s 71; Ahmed, *Aynı makale*, s.s.366; Âlî Fuad, *Aynı eser*, s.145; Mahmud Kemal, *Aynı eser*, s.151 Sadâret'in Mâbeyn'e takdim ettiği 25 Ş 65/13 Eylül 1849 tarihli arz tezkiresi).
[874] BOA., DUÎT., 75-1/18-1; BEO. A.MKT. MHM. 17-16; Mehmed Galib, "Leh ve Macar Mültecileri" *Yeni Tasvir-i Efkâr*, Nr.42, 24 C 1327/11 Temmuz 1909, s.5; Ahmed Refik, *Aynı eser*, s.60.
[875] Talimatta, bu görevin kendisine neden verildiği anlatıldıktan sonra, talimat kendisine ulaştıktan hemen sonra Bükreş'ten Varşova'ya hareket etmesi isteniyordu. Ayrıca, Petersburg'ta ne tür sorunlarla karşılaşabileceği ve bu sorunların üstesinden nasıl gelebileceği Fuad Efendi'ye bildirildi (Ahmed Refik, *Aynı makale*, s.368).
[876] BOA., DUÎT., 75-1/18-3; BEO. A.MKT. 224-56. 1265.10.26; Ahmed Refik, *Aynı eser*, s.66-67; Ahmed Refik, *Aynı makale*, s.369-370 25 Ş 65/13 Eylül 1849 tarihli iradeyle onaylanıp Fuad Efendi'ye gönderilen tahrîrât.

Talimatla birlikte Çar'a yazılan mektup Fuad Efendi'ye gönderildi. Sultan Abdülmecid'in Çar'a göndereceği mektubun içeriği iki nokta üzerinde odaklanıyordu. Birincisi, Çar'ı Macaristan'da kazandığı zaferden dolayı kutlamak, ikincisi de mültecilerin iâde isteğinden vazgeçmesini sağlamaktı. Sultan, mektubunda Prens Radziwill'in İstanbul'a gönderilmesini iki ülke arasındaki dostluğun bir göstergesi olarak kabul ettiğini belirtiyor ve duyduğu memnuniyeti Çar'a iletmesi için Fuad Efendi'yi görevlendirdiğini söylüyordu. Yine Sultan, Çar'ın sıkıntılı anlarda Osmanlı Devleti'ne gösterdiği iyi niyet ve dostluğun hiçbir zaman unutulmayacağını da belirtiyordu. Ayrıca, bu iyi niyet ve dostluğun güçlenmesini arzuladığını ve bu arzuyu da Çar'a bildirmek için fırsat kolladığını vurguluyordu. Sultan, bu gönül alıcı cümlelerden sonra, Titof tarafından Bâbıâli'ye iletilen istekleri yerine getiremediğinden dolayı üzgün olduğunu ifade ediyordu. Mültecilerin Osmanlı ülkesinde her türlü korumalarının sağlanacağına ve bundan sonra Rusya aleyhinde bir faaliyette bulunmayacaklarına dair Çar'a teminat veriyordu[877].

Diğer taraftan, Çar'ın Prens Radziwill ile Sultan'a gönderdiği mektubuna da cevap yazılmıştı. Ancak, diplomatik münasebetler kesildiğinden Radziwill, bu mektubu almadan İstanbul'dan ayrılmıştı[878]. Fuad Efendi, Sultan'ın cevabî mektubunu da Çar'a takdim edecekti.

Fuad Efendi, İstanbul'dan gönderilen talimat ve mektupları aldıktan sonra, yerine vekil olarak Ömer Paşa'yı tayin ederek 20 Eylül 1849'da Bükreş'ten ayrıldı[879]. Fuad Efendi'nin Bükreş'ten ayrıldığı sırada Çar Nikola, kardeşi Grandük Michael'in hastalığı sebebiyle Varşova'da bulunuyor ve kardeşini ziyaret ettikten sonra Petersburg'a dönmeyi düşünüyordu. Ancak, Michael'e felç inmişti ve hastalığı gittikçe ağırlaşıyordu. Bu sebeple de Çar, Petersburg'a gidi-

---

877 BOA., DUİT., 75-1/18-5; Ali Fuad Türkgeldi'den Satın Alınan Evrak, 1-41; Mehmed Galib, "Leh ve Macar Mültecileri" Yeni Tasvir-i Efkâr, Nr.43, 25 C 1327/12 Temmuz 1909, s.5; Mehmed Memduh, Aynı eser, s.111-112; Ahmed Refik, Aynı eser, s.64-65; Ahmed Refik, Aynı makale, s.367-368.

878 Ali Fuad (Türkgeldi), Ricâl-i Mühimme-i Siyasiyye, İstanbul 1928, s.140.

879 BOA., DUİT., 75-1/26-2 Fuad Efendi'nin Sadâret'e takdim ettiği 2 ZA 65/19Eylül 1849 tarihli tahrîrât.

şini ertelemişti[880]. Fuad Efendi, bu haberi Bükreş'ten hareket ettiği sırada öğrenmişti. Çok geçmeden Michael öldü. Fakat, kardeşinin ölümünden sonra Çar'ın Varşova'dan ayrıldığına dair Fuad Efendi'-ye bir bilgi ulaşmamıştı. Bu nedenle önce Varşova'ya, Çar'ı burada bulamadığı takdirde de Petersburg'a gitmeyi planlıyordu. Aslında Fuad Efendi, bu meseleyi Sadâret'e yazıp gelecek emre göre hareket etmek arzusundaydı. Ancak, bu konudaki yazışma en az on gün sürecekti. Diplomaside bir anın bile kıymetli olduğunu düşünen Fuad Efendi, önce Varşova'ya varıp, Çar'ı burada bulamadığı takdir-de Petersburg'a hareket edeceğini Sadâret'e bildirdi[881]. Öte yandan Fuad Efendi, Varşova'ya en kısa zamanda hangi yoldan varabilece-ğinin hesabını yapıyordu. Ona göre, Osmanlı Devleti sınırından doğ-ruca Rusya'ya geçildiğinde, karantina uygulaması dolayısıyla on dört gün beklemek gerekecekti. Eğer, Avusturya üzerinden Rusya'ya gidilecek olur ise, karantina uygulaması olmadığından daha hızlı hareket edilebilecekti. Bu plana göre, Bükreş'ten ayrıldıktan sonra, Yaş'a ve oradan da Bokonya ve sonra Lisburg'a varacaktı. Nihayet Krakov'dan geçtikten sonra Varşova'ya ulaşacaktı[882].

Çar'ın asker sever bir kişiliğe sahip olduğunu bilen Fuad Efendi, Erkân-ı Harbiye Mirâlayı Tevfik Bey ve Binbaşı Latif Ağa'yı da bera-berinde götürmüştü. Fuad Efendi, Bükreş'ten hareket etmek üzerey-ken, Rusya ve Avusturya elçilerinin Bâbıâli ile olan diplomatik ilişki-lerini kestikleri haberini almıştı. Bu gelişme, onun Rusya'daki göre-vini daha da zorlaştıracaktı. Bununla birlikte Fuad Efendi, Rus-ya'daki diplomatik girişimlerinden iyi bir netice elde edeceği ümidi-ni kaybetmemişti[883]. Kendisine verilen görevin bir benzeri de Viyana Elçisi Mussurus'a da verildiğinden, onunla koordineli hareket etme-nin faydalı olacağı düşüncesindeydi. Fuad Efendi, Sadâret'e gönder-diği yazısında bu konunun önemi üzerinde duruyor ve Rusya'daki faaliyetleri hakkında Mussurus'u bilgilendireceğini ve kendisinin de Viyana'daki gelişmelerden haberdar edilmesini istiyordu. Bu konu-

---

[880] BOA., DUİT., 75-1/26-2; Ahmed Refik, *Aynı makale*, s.370-371.
[881] BOA., DUİT., 75-1/26-2.
[882] BOA., DUİT., 75-1/26-2.
[883] BOA., DUİT., 75-1/26; Ahmed Refik, *Aynı eser*, s.72.

daki yazışmaların Rusya ve Avusturya devletlerince bilinmemesi için de Fransa ve İngiltere elçileri aracılığı ile yapılmasının uygun olacağı görüşündeydi[884]. Fuad Efendi'nin gönderdiği bu son tahriratta pasaport meselesine dair her hangi bir şey yazmaması ve Eflak'ta bulunan Rusya memurları tarafından bu konuda bir zorluk çıkartılmaması Bâbıâli'de memnuniyet yarattı. Hatta, bu bürokratik kolaylık Fuad Efendi'nin bu görevde olumlu sonuçlar alacağı yorumlarının yapılmasına neden oldu[885].

Fuad Efendi'nin Varşova'ya gideceği düşünülerek 100.000 kuruş yol harcırahı tahsis edilmişti. Ancak, onun Petersburg'a gitmesi durumunda bu para yetersiz kalacaktı. Bu sebeple 100.000 kuruş kadar ihtiyat poliçesi de gönderilmesi kararlaştırıldı[886].

Fuad Efendi Bükreş'ten ayrıldıktan 10 gün sonra, 30 Eylül 1849'da Varşova'ya vardı. Ancak Çar, kardeşinin ölümünden sonra Varşova'da bir gün kalmış ve Petersburg'a hareket etmişti. Dolayısıyla Fuad Efendi'nin Çarla Varşova'da görüşme ve Sultan'ın mektubunu takdim etme ihtimali kalmadı. Osmanlı elçisi, Varşova'da İngiliz Konsolosu Deplat ile görüştü. Bu görüşmede neler konuşulduğuna dair bir bilgiye sahip değiliz. Ancak, mevcut konjonktürel durum göz önüne alındığında, Fuad Efendi ile Deplat arasında mülteciler meselesinin konuşulduğu kolayca tahmin edilebilir. Bapst, eserinde bu görüşme ile ilgili olarak, İngiliz Konsolosu'nun Fuad Efendi'ye Fransız elçisinden kaçınmasını tavsiye etmiş olabileceğini belirtmektedir. Yazarı böyle bir düşünceye sevk eden neden ise, Fuad Efendi'nin Petersburg'a vardıktan sonra, İngiltere'nin Rusya işlerinden sorumlu kişisi Buchanan ile hemen temas kurmasına rağmen, Moriciere'le görüşmekten kaçınmasıydı[887].

---

[884] BOA., DUİT., 75-1/26; Ahmed Refik, *Aynı eser*, s.72; Ahmed Refik, *Aynı makale*, s.371.

[885] Kurat, Yuluğ Tekin, "Osmanlı İmparatorluğu ve 1849 Macar Mültecileri Meselesi", *VI.Türk Tarih Kongresi*, (20-26 Ekim 1961), Ankara 1967, s.451.

[886] BOA., DUİT., 75-1/26-1 Sadâret'in Mâbeyn'e takdim ettiği 11 ZA66728 Eylül 1849 tarihli arz tezkiresi.

[887] Bapst, *Aynı eser*, s.107.

Fuad Efendi, Varşova'da birkaç saat dinlendikten sonra buradan ayrılarak Petersburg'a hareket etti[888] ve 6 Ekim'de Petersburg'a ulaştı[889]. Petersburg'a vardığı ilk günü kalacağı oteli ayarlamakla geçirdi. Nihayet, Petersburg'a geldiğini Nesselrod'a bildirip görüşme talebinde bulundu. Nesselrod, görüşme tarihi olarak 8 Ekim 1849 tarihini belirledi[890]. Fuad Efendi, boş kalan iki gününü daha önce İstanbul'da Rusya elçiliği baştercüman yardımcılığı görevi yapan Boğdanof ile resmi bir görüşme yaparak değerlendirdi. Ancak Fuad Efendi, Sadâret'e gönderdiği tahrîrâtında Boğdanof ile yaptığı görüşmenin içeriği hakkında bir bilgi vermez[891].

Diğer taraftan, Varşova'da bulunan Avusturya'nın Rusya Elçisi Buol, Fuad Efendi'den sadece birkaç saat sonra Petersburg'a gelmişti. O da Nesselrod ile görüşme talebinde bulundu. Rusya Başbakanı, Fuad Efendi'ye 8 Ekim'e randevu verirken, Avusturya elçisine ise şehre geldiği güne, yani 6 Ekim tarihine randevu vermişti[892]. Burada üzerinde durulması gereken nokta, görüşme talebinde bulunan iki elçiden Avusturya elçisine önceliğin verilmesidir. Nesselrod, mülteciler meselesinde Avusturya Hükümeti'nin tutumunu bilmesine rağmen bu hususta söz konusu devletin görüşlerini bir de elçinin ağzından öğrenmek istemiş, bu nedenle de öncelikle Buol ile görüşmeyi uygun görmüştü[893]. 6 Ekim'de gerçekleşen görüşmede Nesselrod, mültecilerin iâde edilmemesinden dolayı diplomatik ilişkilerin kesilmesinden başka alternatifin kalmadığı konusuna değindi. Aynı zamanda, Rusya ve Avusturya'nın Bâbıâli'ye karşı ortak tavır almalarının önemine işaret etti. Ayrıca, Osmanlı Devleti ile diplomatik ilişkilerin kesilmesiyle yetinilmesi ve bu meselede daha ileri boyutlara varılacak girişimlerden kaçınılması gerektiğini söyledi. Rusya

---

[888] BOA., DUİT., 75-1/40-2 Fuad Efendi'nin Sadâret'e takdim ettiği 24 ZA 66/11 Ekim 1849 tarihli tahrîrât.
[889] BOA., DUİT., 75-1/40-2; Hajnal, *Aynı eser*, belge no:208, s.865 Avusturya elçisi Boul'un 14 Ekim 1849 tarihli raporu.
[890] BOA., DUİT., 75-1/40-2; Hajnal, *Aynı eser*, belge no:208, s.865; Bapst, *Aynı eser*, s.107.
[891] BOA., DUİT., 75-1/40-2.
[892] Hajnal, *Aynı eser*, belge no:208, s.865.
[893] Gerçekten de Nesselrod, Avusturya Elçisiyle konuşmadan Fuad Efendi ile görüşmek istemediğini Buol'a açıkça ifade etmişti (Hajnal, *Aynı eser*, belge no:208, s.866).

ve Avusturya'nın mültecilerin iâdesi konusunda kesin bir sonuç alamayacakları ortaya çıkarsa, bu meselenin iki devletin şeref ve haysiyetini zedelemeden halledilmesi gerekeceğini de belirtti[894].

Fuad Efendi, 8 Ekim'de Nesselrod tarafından kabul edildi[895]. Görüşmede Nesselrod, ilk olarak Çar'ın Osmanlı Devleti'ne yaptığı hizmet ve yardımlara değindi. Bu hizmet ve yardımlara karşılık, Çar'ın Osmanlı Devleti'nden iyi bir karşılık ve dostluk görmek ümidinde olduğu halde, isteklerinin geri çevrilmesine gücendiğini söyledi[896]. Bu kısa giriş konuşmasından sonra, Kaynarca Anlaşması'nın II. maddesini gündeme getirip, mültecilerin derhal iâde edilmesini istedi[897].

Fuad Efendi ise, bu meselenin iki boyutu olduğunu söyledi. Birinci boyutu, Kaynarca ve Belgrat Anlaşmalarının yorumlanması, ikinci boyutu ise, Padişah'ın bu meseleye bizzat el koyup kendisiyle Çar arasında dostane bir şekilde sonuçlandırmak arzusunda olduğunu belirtti. Mültecilerin iâde edilmesiyle ilgili anlaşma şartlarının gayet açık ve bu konuda bir tartışma yapmanın yersiz olduğunu ifade etti. Ayrıca, Sultan'ın bu konuyu bir şeref meselesi olarak değerlendirdiğini, bu yüzden İstanbul'da yapılan görüşmeleri dikkate almayıp doğrudan Çar'ın adalet ve insafına müracaat ettiğini söyledi. Çar'a duyulan bu güvene karşılık, mültecilerin iâdesi talebinden vazgeçmesini umduğunu belirtti. Sultan'ın, mültecilerin Osmanlı ülkesinde muhafazasını bir şeref meselesi olarak kabul ettiğini, bu yüzden de iâdelerinin onun şerefine dokunacağını ifade etti[898].

---

[894] Hajnal, *Aynı eser*, belge no:208, s.866.
[895] BOA., DUİT., 75-1/40-2; Bapst, *Aynı eser*, s.107.
[896] BOA., DUİT., 75-1/42-3; Mehmed Galib, "Leh ve Macar Mültecileri", *Yeni Tasvir-i Efkâr*, Nr.45; 23 C1327/13 Temmuz 1909, s.4; Mehmed Memduh, *Aynı eser*, s.112; Ahmed Refik, *Aynı eser*, s.85; Ahmed Refik, *Aynı makale*, s.375.
[897] BOA., DUİT., 75-1/42-3; Mehmed Galib, "Leh ve Macar Mültecileri", *Yeni Tasvir-i Efkâr*, Nr.45; 23 C1327/13 Temmuz 1909, s.4; Mehmed Memduh, *Aynı eser*, s.112; Ahmed Refik, *Aynı eser*, s.85; Ahmed Refik, *Aynı makale*, s.375; Bapst, *Aynı eser*, s.107.
[898] BOA., DUİT., 75-1/42-3; Mehmed Galib, "Leh ve Macar Mültecileri" *Yeni Tasvir-i Efkâr*, Nr.45; 25 C1327/13 Temmuz 1909, s.4; Mehmed Memduh, *Aynı eser*, s.113; Ahmed Refik, *Aynı eser*, s.85; Ahmed Refik, *Aynı makale*, s.375.

Fuad Efendi'nin bildirdiğine göre, bu konuşmadan sonra Nesselrod'un tutumunda yumuşama oldu. Buna rağmen, Bâbıâli ile siyasi münasebetler kesildiğinden o, Çar'ın kendisini kabul edip etmeyeceği konusunda önceden bir şey söyleyemeyeceğini Fuad Efendi'ye bildirdi[899].

Fuad Efendi, Nesselrod'un ifadelerinden kendisinin Çar'la görüştürülmek istenmediğini anladı. Oysa, Fuad Efendi'nin asıl amacı Çar ile görüşmek ve Sultan'ın mektubunu ona takdim etmekti. Öncelikle, Rus Başbakanı'nın bu konudaki fikrinin değiştirilmesi gerekiyordu. Bu nedenle Fuad Efendi, Bâbıâli ile ilişkilerin kesilmiş olmasının iki ülke arasındaki asli ilişkilere zarar vermeyeceğini Nesselrod'a söyledi. Ayrıca, Sultan'ın Çar'a özel bir elçi göndermesine rağmen, kabul edilmemesinin Çar'ın Osmanlı Devleti'ne gösterdiği dostluğa ters düşeceğini ifade etti. Bunun yanı sıra, bu davranışın dünya kamuoyunda nasıl karşılanacağının iyi hesap edilmesi gerektiğini de sözlerine ekledi[900].

Fuad Efendi'nin bu konuşması üzerine Nesselrod, aralarında geçen diyalogu Çar'a aktaracağını ve vereceği kararı kendisine ileteceğini söyledi. Ayrıca Nesselrod, Sultan'ın mektubunun içeriğini öğrenmek için bir suretini de kendisine vermesini istedi. Bu istek üzerine Fuad Efendi, daha önce Radziwill ile Çar'a gönderilmek üzere yazılan, ancak onun İstanbul'dan ayrılması üzerine gönderilemeyen mektubun bir kopyasını Nesselrod'a verdi[901].

Diğer taraftan, Fransa Elçisi General Moriciere de Fuad Efendi'nin görüştüğü gün, Nesselrod ile bir görüşme yaptı[902]. Moriciere, 13

---

[899] BOA., DUİT., 75-1/42-3; Mehmed Galib, " Leh ve Macar Mültecileri", *Yeni Tasvir-i Efkâr*, Nr.45; 25 C1327/13 Temmuz 1909, s.4; Mehmed Memduh, *Aynı eser*, s.113; Ahmed Refik, *Aynı eser*, s.85; Ahmed Refik, *Aynı makale*, s.375; Bapst, *Aynı eser*, s.107.

[900] BOA., DUİT., 75-1/42-3; Mehmed Galib, "Leh ve Macar Mültecileri", *Yeni Tasvir-i Efkâr*, Nr.45, 25 C1327/13 Temmuz 1909, s.4; Mehmed Memduh, *Aynı eser*, s.113-114; Ahmed Refik, *Aynı eser*, s.86; Ahmed Refik, *Aynı makale*, s.375.

[901] BOA., DUİT., 75-1/42-3; Mehmed Galib, "Leh ve Macar Mültecileri" *Yeni Tasvir-i Efkâr*, Nr.45; 25 C1327/13 Temmuz 1909, s.4; Mehmed Memduh, *Aynı eser*, s.113-114; Ahmed Refik, *Aynı eser*, s.86; Ahmed Refik, *Aynı makale*, s.376.

[902] Cezayir'de İslam hukuku öğrenimi gören ve Arap diplomasi ekolünde yetişen Moriciere, Nesselrod'a Kuran'dan ayetler okudu. Ancak Nesselrod, elçinin okuduğu ayetlere hiçbir değer vermiyordu (Bapst, *Aynı eser*, s.108).

Temmuz 1841'de imzalanan Londra Anlaşması'nın mukaddimesinde Rusya ile birlikte Fransa'nın açık bir şekilde Osmanlı Devleti'nin toprak bütünlüğünü garanti ettiğini söyledi [903]. Oysa, Fransa Dışişleri Bakanı Tocqueville, 1 Ekim 1849 tarihli talimatında Moriciere'den geçmiş konuları tartışma konusu yapmamasını istemişti. Ancak bu direktifler, 8 Ekim 1849'da henüz Petersburg'a ulaşmamıştı[904]. Daha sonra General, Macar İhtilali'nin bastırılmasını kastederek, Rusya ve Avusturya'nın kazandığı büyük başarılardan sonra, mültecilerin iâde edilmesi isteklerinin Fransız kamuoyunda meydana getirdiği kızgınlığa değindi. Bir taraftan Çar Nikola'nın tam egemen iradesi, diğer taraftan da daha az egemen olan halk iradesi varsa, Fransa Hükümeti'nin böylesine sınırlandırılan halk iradesini hesaba katarak Rusya'ya karşı mücadeleye girişmek zorunda kalabileceğini söyledi[905].

Devletler arası görüşmelerde kullanılan diplomatik üslup göz önüne alındığında, elçinin sözleri normal bir görüşmede sarf edilecek cinsten değildi. Üstelik, mülteciler meselesinde Fransa'nın Rusya'ya karşı tutumu elçinin ifade ettiği derecede katı da değildi. Nesselrod bunun farkındaydı. Bu nedenle Nesselrod, Fransa'nın İngiltere ve Osmanlı Devleti'nin etki alanına girmemesini düşünmüş olmalı ki, Moriciere'e benzer üslupla cevap vermedi. Nesselrod, elçinin üslubunun Titof tarafından Bâbıâli'ye sunulan notadaki isteklerin Fransız kamuoyunu tahrik etmiş olabileceğinden kaynaklandığını düşündü. Bununla birlikte Nesselrod, elçiye Fransızların meselelere üç noktadan baktıklarını ve ayrıca anlaşmaların kendilerine verdiği hakları kullanmaktan vazgeçmeyeceklerini ifade etti[906].

Bu sırada İngiliz basını, Fransa ve İngiltere'nin filolarını Akdeniz sularına gönderme kararı aldıkları haberlerini yayınlıyordu. Bu haberlerin yayınlanması Nesselrod'u çok etkilemiş olmalı ki, başka bir görüşmede Fransız elçisine mülteciler için yapılması gereken en iyi şeyin, meseleye dahil olmayan hiçbir devletin onlar için müdahalede bulunmaması olduğunu söyledi. Nesselrod, Fransa ve İngiltere bu

---

903 Bapst, Aynı eser, s.108-109.
904 Bapst, Aynı eser, s.109.
905 Bapst, Aynı eser, s.108.
906 Bapst, Aynı eser, s.108-109.

meselede nasıl kamuoylarını hesaba katmak zorundaysa, kendilerinin de Çar'ın sarsılmaz metanetini hesaba katmak zorunda olduklarını ifade etti. Ayrıca, Çar ile Sultan arasındaki bir soruna Fransa ve İngiltere'nin müdahale hakkı olmadığını, eğer bu iki devleti Bâbıâli'nin destekçileri olarak karşılarında bulursalar geri çekilmeyeceklerinin bilinmesini belirtti[907].

Bu arada Fuad Efendi, Nesselrod ile görüşmesinin ertesi günü, yani 9 Ekim'de programında olmadığı halde dışişleri müsteşarı ile de bir görüşme yaptı. Kısa süren bu görüşmede müsteşar, Fuad Efendi'ye mültecilerin iâde edilmesi gerektiğini ve Çar'ın fikir değiştirmeyeceğini söyledi[908].

Diğer taraftan, ilk görüşmeden üç gün sonra Nesselrod, Fuad Efendi'yle tekrar görüşme talebinde bulundu[909]. Fuad Efendi, 20 Ekim 1849'da Bâbıâli'ye gönderdiği mufassal tahriratında bu görüşme hakkında ayrıntılı bilgi verir. Onun verdiği bilgiye göre Nesselrod, ilk görüşmede konuşulanları Çar'a ilettiğini söyleyerek söze başladı. Daha sonra Sultan'ın verdiği teminatı, yani mültecilerin iyi bir şekilde muhafaza edilmelerini Çar'ın takdir ettiğini söyledi. Ancak, kendisi tarafından Osmanlı Devleti'ne bunca yardım ve iyilikler yapılmasının yanı sıra, iki ülke arasındaki anlaşmalara uyulması hususunda Rusya'nın küçük bir ihmal göstermediğine değindi. Ayrıca, Osmanlı Devleti tarafından gerçek manasının dışında yorumlanan Küçük Kaynarca Anlaşması'nın II. maddesini Çar'ın daha önce doğru bir şekilde ve anlaşmanın ruhuna uygun olarak yorumladığını ifade etti. Nesselrod, avanesiyle beraber Rusya'ya sığınan Kadıkıran'ın Osmanlı Devleti'nin isteğine uygun olarak geri verilmesini, anlaşmanın ilgili maddesinin Çar tarafından nasıl yorumlandığına delil olarak gösterdi. Öte yandan, mültecilerin Osmanlı ülkesinde bulunmalarının Rusya'da sürekli bir huzursuzluk meydana

---

[907] Bapst, *Aynı eser*, s.110.

[908] BOA., DUİT., 75-1/42-3, Mehmed Galib, "Leh ve Macar Mültecileri", *Yeni Tasvir-i Efkâr*, Nr.45, 26 C 1327/14 Temmuz 1909, s.5; Mehmed Memduh, *Aynı eser*, s.115; Ahmed Refik, *Aynı eser*, s.86; Ahmed Refik, *Aynı makale*, s.376.

[909] BOA., DUİT., 75-1/42-3, Mehmed Galib, "Leh ve Macar Mültecileri", *Yeni Tasvir-i Efkâr*, Nr.45, 26 C 1327/14 Temmuz 1909, s.5; Mehmed Memduh, *Aynı eser*, s.115; Ahmed Refik, *Aynı eser*, s.86; Ahmed Refik, *Aynı makale*, s.376.

getirebileceği gibi, Osmanlı Devleti'nin iç güvenliği için de tehlikeli olacağını söyledi[910].

Daha sonra Nesselrod, İngiliz ve Fransız filolarının Akdeniz'e gönderileceğine dair gazetelerde çıkan haberlere değindi ve Osmanlı Devleti ile Rusya arasında yürürlükte olan anlaşmalara göre, iki ülke arasındaki ihtilaflara Avrupa devletlerinin müdahaleye hakkı olmadığını belirtti. Anlaşmalar bu kadar açıkken İngiltere ve Fransa'nın meseleye karışır tavır içerisine girmelerinin ve bu konuda gazetelerde yer alan haberlerin Çar'ı üzdüğünü de sözlerine ekledi[911]. Nesselrod'un Fuad Efendi'ye söylediklerinden Çar'ın mültecilerin iâde edilmesindeki ısrarını sürdürdüğü anlaşılır.

Rus Hükümeti'nin isteklerinden vazgeçmediğini gören Fuad Efendi, Küçük Kaynarca Anlaşması çerçevesinde Osmanlı Devleti'nin meseleye bakış açısını bir kez daha Nesselrod'a anlattı. O, Padişah'ın mülteciler meselesinde Çar'a duyduğu güven ve dostluktan dolayı bizzat ona müracaat ettiğini, bu yüzden de Rusya'dan istenilenin, bu müracaata Çar'ın olumlu karşılık vermesi olduğunu ifade etti. Ayrıca, meselenin diplomasi dairesinden çıkartılarak Sultan ile Çar arasında kişisel bir mesele haline geldiğini, dolayısıyla Osmanlı Devleti'nin başka bir devlete yardım için başvuruda bulunmasının imkânsız olduğunu belirtti. Ancak, bir yardım talebi olmadan adı geçen ülkelerin kendi inisiyatifleri ile Osmanlı Devleti'nin yanında yer almasında Bâbıâli'nin bir sorumluluğunun olmadığını söyledi. Son olarak, ortada dolaşan bu tür spekülasyonlara son vermenin en iyi yolunun bu meseleyi bir an önce bitirmek olduğunu da dile getirdi[912].

---

[910] BOA., DUİT., 75-1/42-3, Mehmed Galib, "Leh ve Macar Mültecileri", *Yeni Tasvir-i Efkâr*, Nr.45, 26 C 1327/14 Temmuz 1909, s.5; Mehmed Memduh, *Aynı eser*, s.115; Ahmed Refik, *Aynı eser*, s.86-87; Ahmed Refik, *Aynı makale*, s.376.

[911] BOA., DUİT., 75-1/42-3, Mehmed Galib, "Leh ve Macar Mültecileri", *Yeni Tasvir-i Efkâr*, Nr.45, 26 C 1327/14 Temmuz 1909, s.5; Mehmed Memduh, *Aynı eser*, s.115; Ahmed Refik, *Aynı eser*, s.87; Ahmed Refik, *Aynı makale*, s.377.

[912] BOA., DUİT., 75-1/42-3, Mehmed Galib, "Leh ve Macar Mültecileri" , *Yeni Tasvir-i Efkâr*, Nr.45, 26 C 1327/14 Temmuz 1909, s.5; Mehmed Memduh, *Aynı eser*, s.115; Ahmed Refik, *Aynı eser*, s.87; Ahmed Refik, *Aynı makale*, s.377.

Buna mukabil Nesselrod, Bâbıâli'nin İngiltere ve Fransa'nın etkisi altına girmekle hata yaptığını bir kez daha söyledi. Özellikle İngiltere ve Fransa ile hemfikir olduklarını çağrıştıracak hareketlerden kaçınılması yolunda tavsiyelerde bulundu. İki ülke arasındaki bir meseleye üçüncü bir gücün karışması halinde, Çar'ın Sultan'ın çağrısına olumlu cevap vermesinin zorlaşacağını ve Rusya'nın daha hassas bir tutum içerisine gireceğini ifade etti[913].

Diğer taraftan Nesselrod, Fuad Efendi'ye Rusya'nın mültecileri istemekteki amacının bir kaç ihtilalciyi ele geçirmek olmadığını, Polonyalı mültecilerin Osmanlı ülkesinde kalmalarına izin verilmesi ve Rusya'nın isteklerinin kabul edilmemesinin ihtilalcileri cesaretlendireceğini söyledi. Bu nedenle Çar'ın böylesine tehlikeli bir durumu kabul etmesi söz konusu değildi. Fuad Efendi'nin bildirdiğine göre Nesselrod bu ifadelerden sonra yeni tekliflerde bulundu. Bu teklifler şöyleydi:

1- Rusya vatandaşı olan ve isimleri Rus elçisi tarafından tespit edilen Polonyalı mültecilerin sınır dışı edilmesi,.

2- Bâbıâli, Rusya vatandaşı iken daha sonra başka devletlerin himayesine giren Polonyalılardan, Osmanlı ülkesine iltica edip Rusya aleyhinde faaliyette bulunanların sınır dışı edilmeleri için ilgili ülkeler nezdinde girişimde bulunacağını kabul ederse Çar, mültecilerin iâdesini istemekten vazgeçecektir.

3- İltica edenlerden İslamiyet'i kabul edenlerin ise, Küçük Kaynarca Anlaşması'na göre iâde edilmemeleri fakat, bunların Osmanlı ülkesinin iç bölgelere yerleştirilmeleri[914].

---

[913] Hajnal, *Aynı eser*, belge no: 209, s.869 Buol'un 14 Ekim 1849 tarihli raporu.

[914] "...İmparatorun *teba'asından olub Memâlik-i Mahrûsa-i Şâhânede bulunan Lehlü firârîlerinden sefâretin ta'yîn edeceği eşhâsın memleketden tard olunmaları ve bundan böyle Lehlü firârîlerinden sâir devletin tab'iyyetine girüb Memleket-i Şâhâneye gelerek orada Rusya Devleti 'aleyhine fesâd eden eşhâsın dahî tard olunabilmesi için Saltanat-ı Seniyye tarafından sâir devletlerin istihsâl-ı muvâfakatlarına çalışılması ve bu kere iltîcâ eylemiş olanların içinden ba'zılarının kabûl-ı İslâmiyet eyledikleri mervî olub ahkâm-ı 'ahdiyye bunların hakkında sâkıt olur ise dahî bir müddet bir tarafa teb'îd kılınmaları hususuna Devlet-i Aliyye muvâfakat buyurur ise bunların reddini talebden İmparatorun ferâğat eylemesi mümkün olur..."* (BOA., DUİT., 75-1/42-3; Mehmed Galib, "Leh ve Macar Mültecileri" *,Yeni Tasvir-i Efkâr*, Nr.45, 26 C 1327/14 Temmuz 1909, s.5; Mehmed Memduh, *Aynı eser*, s.116; Ahmed Refik, *Aynı eser*, s.88; Ahmed Refik,

Fuad Efendi, İslamiyet'i kabul edenlerin Rusya sınırından uzak bir yere yerleştirilmelerinde hiçbir sorun olmayacağını söyledi. Macar İhtilali'nden sonra Osmanlı Devleti'ne iltica eden Polonyalıların ellerinde başka devletlerin pasaportu olsa bile, suçlu oldukları herkesçe bilindiğinden kimsenin bunlara sahip çıkmayacağını, dolayısıyla sınır dışı edilmelerinde bir mahzurun olmayacağını belirtti. Fuad Efendi, ikinci maddede dile getirilen isteğin kabul edilmesi halinde ise, bir takım sıkıntılar yaşanacağını Nesselrod'a ifade etti. Çünkü, Osmanlı Devleti'ndeki Polonyalıların çoğunun elinde başka bir devletin pasaportu vardı. Bunlar, anlaşmalarla himaye altına alınmışlardı. Bu nedenle Osmanlı Devleti, bunları sınır dışı etmek istediğinde bu kişilerin pasaportlarını taşıdıkları devletlerle sıkıntılar yaşanacaktı [915].

Buna mukabil Nesselrod, bu isteklerin kabul edilmesi halinde Osmanlı Devleti'nin Rusya ile olan anlaşmadaki yükümlülüğünü yerine getirmiş olacağını söyledi. Ayrıca o, diğer devletlerce Polonyalılara verilen pasaportların usulsüz olduğunu iddia etti. Bu sebeple, Osmanlı Devleti'nin bunları sınır dışı etmesine hiçbir devletin itiraz edemeyeceğine belirtti. Bu hususta Bâbıâli'nin yalnız kalmayacağını ve Rusya'nın tam destek vereceğini de sözlerine ilave etti[916]. Fuad Efendi'nin belirttiğine göre, başlangıçta Çar'ın kendisini kabul etmeyeceği izlenimi vermeye çalışan Nesselrod, kendisini dinledikten sonra yavaş yavaş fikir değiştirmeye başladı[917]. Nitekim Nesselrod, Çar'ın kendisini kabul edeceğini, ancak iki hükümetin isteklerinde asgari müştereklerin tespit edilip bir protokol düzenlenmesini istedi. Protokolün düzenlenmesi için de Fuad Efendi'nin

---

Memduh, *Aynı eser*, s.116; Ahmed Refik, *Aynı eser*, s.88; Ahmed Refik, *Aynı makale*, s.377).

915 BOA., DUİT., 75-1/42-3; Mehmed Galib, "Leh ve Macar Mültecileri", *Yeni Tasvir-i Efkâr*, Nr.45, 26 C 1327/14 Temmuz 1909, s.5; Ahmed Refik, *Aynı eser*, s.88; Ahmed Refik, *Aynı makale*, s.377; Mehmed Memduh, *Aynı eser*, s.117.

916 BOA., DUİT., 75-1/42-3; Mehmed Galib, "Leh ve Macar Mültecileri", *Yeni Tasvir-i Efkâr*, Nr.46, 27 C 1327/15 Temmuz 1909, s.4; Ahmed Refik, *Aynı eser*, s.88; Ahmed Refik, *Aynı makale*, s.378; Mehmed Memduh, *Aynı eser*, s.117.

917 BOA., DUİT., 75-1/42-3, Mehmed Galib, "Leh ve Macar Mültecileri", *Yeni Tasvir-i Efkâr*, Nr.45, 26 C 1327/14 Temmuz 1909, s.5; Mehmed Memduh, *Aynı eser*, s.115; Ahmed Refik, *Aynı eser*, s.87; Ahmed Refik, *Aynı makale*, s.377.

muvafakatının şart olduğunu söyledi[918]. Fakat, bu teklifi Fuad Efendi olumlu karşılamadı. Çünkü onun görevi, Padişahın mektubunu Çar'a teslim etmekti. Petersburg'a gelirken kendisine resmi bir evrak tanzim edip imzalama yetkisi verilmemişti. Bu yüzden Fuad Efendi, söz konusu teklifi Bâbıâli'ye bildirip gelecek cevaba göre hareket edeceğini bir kez daha Nesselrod'a söyledi[919]. Görüşme, Nesselrod'un konuşulanlar hakkında Çar'ı bilgilendirip, vereceği kararı kendisine ileteceğini söylemesiyle son buldu[920].

Daha sonra Nesselrod, Avusturya elçisiyle görüştü. Görüşmede Nesselrod, siyasi münasebetlerin yeniden kurulması için Çar'a sunulmak üzere hazırladığı plan hakkında elçiye bilgi verdi. Nesselrod'un hazırladığı planda üç önemli nokta vardı: Birincisi, mevcut siyasi gerginliği daha ileri boyutlara götürmemek. İkincisi, Bâbıâli'nin tamamen İngiltere ve Fransa'nın etkisi altına girmesine mani olmak. Üçüncüsü de bu meselede Çar'ın prestijini sarsmadan asgari müşterekte birleşerek ortak bir anlaşma yapmak[921].

Bundan başka Nesselrod, Bâbıâli'den isteyeceklerini yazılı olarak elçiye sunmuş ve yapılacak girişime Avusturya'nın da katılımını istemişti. Nesselrod'un Bâbıâli'den talep edeceği hususlar iki madde halinde sıralanmıştı. Bu istekler şöyleydi:

1- Osmanlı Devleti'ne iltica eden Polonyalılardan Rusya vatandaşı olanların sınır dışı edilmesi,

2- Bunlar arasında İslamiyet'i kabul edenlerin gözetim altında tutulacaklarına dair gerekli teminatın verilmesi[922].

---

[918] BOA., DUİT., 75-1/42-3; Mehmed Galib, "Leh ve Macar Mültecileri", *Yeni Tasvir-i Efkâr*, Nr.45, 26 C 1327/14 Temmuz 1909,s.5; Mehmed Memduh, *Aynı eser*, s.116; Ahmed Refik, *Aynı eser*, s.87; Ahmed Refik, *Aynı makale*, s.377.

[919] BOA., DUİT., 75-1/42-3; Mehmed Galib, "Leh ve Macar Mültecileri", *Yeni Tasvir-i Efkâr* Nr.45, 26 C 1327/14 Temmuz 1909, s.5; Mehmed Memduh, *Aynı eser*, s.116; Ahmed Refik, *Aynı eser*, s.87; Ahmed Refik, *Aynı makale*, s.377.

[920] BOA., DUİT., 75-1/42-3; Mehmed Galib, "Leh ve Macar Mültecileri", *Yeni Tasvir-i Efkâr*, Nr.46, 27 C 1327/15 Temmuz 1909, s.4; Ahmed Refik, *Aynı eser*, s.88-89; Ahmed Refik, *Aynı makale*, s.88; Mehmed Memduh, *Aynı eser*, s.117.

[921] Hajnal, *Aynı eser*, belge no:209, s.868.

[922] Hajnal, *Aynı eser*, belge no:209, s.868.

Bu arada Fuad Efendi, Nesselrod'dan cevap beklerken Çar'a yakınlığı ile tanınan Kont Orlof ile de görüşmek istiyordu. Orlof, haftada bir kez saraydan ayrılarak şehir merkezine geliyordu. Fuad Efendi, Orlof'un şehre hangi gün geldiğini araştırdı ve onunla görüşme fırsatı buldu. Fuad Efendi, onun Çar nezdinde etkili birisi olduğunu bildiğinden, Osmanlı Devleti'nin mülteciler meselesindeki tezini ona da anlattı. Fakat Orlof'un Fuad Efendi'ye söyledikleri Nesselrod'un söylediklerinden farksızdı. Dolayısıyla bu görüşmeden bir sonuç çıkmadı[923].

Fuad Efendi, Rusya'ya gönderildiğinde genel kanı, onun Çar tarafından kabul edilmeyeceği yönündeydi. Hatta, Fuad Efendi'nin Petersburg'ta geçirdiği ilk günlerde bu genel eğilim giderek artıyordu. Her ne kadar Nesselrod, Fuad Efendi ile yaptığı ikinci görüşmede Çar'ın onu kabul edeceğini ima etmişse de, şimdiye kadar somut bir gelişme de olmamıştı. Üstelik, Nesselrod da Çar'ın Fuad Efendi'yi kabul edeceği konusunda karamsardı. Nitekim, Fuad Efendi ile yaptığı ikinci görüşmeden sonra, bu konudaki karamsarlığını Avusturya elçisi ile görüşmesinde ona söylemişti[924].

Öte yandan Petersburg'ta bu gelişmeler olurken Çar, olayları şehre üç-dört saat mesafede bulunan yazlık sarayından takip ediyordu. Bu esnada, devletler arası konjonktür giderek Rusya'nın aleyhine gelişiyordu. Şöyle ki, Osmanlı Devleti'ne destek vermek amacıyla İngiliz ve Fransızların donanmalarını harekete geçirdikleri haberi Çar'a ulaştı. Bu gelişmeler karşısında endişelenen Çar, geri adım atmanın ve daha ılımlı tekliflerde bulunmanın mantıklı olacağını anladı[925] ve 16 Ekim 1849'da Fuad Efendi'ye görüşme için randevu verdi[926].

923 BOA., DUİT., 75-1/42-3; Mehmed Galib, "Leh ve Macar Mültecileri", *Yeni Tasvir-i Efkâr*, Nr.46, 27 C 1327/15 Temmuz 1909, s.4; Ahmed Refik, *Aynı eser*, s.89; Ahmed Refik, *Aynı makale*, s.378-379; Mehmed Memduh, *Aynı eser*, s.118.
924 Hajnal, *Aynı eser*, belge no:209, s.869.
925 İmrefi, *Aynı eser*, s.207.
926 BOA., DUİT., 75-1/42-3; Mehmed Galib, "Leh ve Macar Mültecileri", *Yeni Tasvir-i Efkâr*, Nr.45, 26 C 1327/14 Temmuz 1909, s.5; Ahmed Refik, *Aynı eser*, s.88; Ahmed Refik, *Aynı makale*, s.379; Mehmed Memduh, *Aynı eser*, s.117. Temperley, eserinde

Verilen randevu üzerine Fuad Efendi, Çar'ın kaldığı saraya gitti. Çar, onu bir odada yalnız olarak kabul etti. Fuad Efendi, daha önce hazırladığı konuşma metnini Çar'ın huzurunda okudu. Sultan'ın yazdığı mektubu iletmek üzere kendisini görevlendirildiğini ve Petersburg'a gönderilme amacının, Rus ordusunun Macaristan'da elde ettiği parlak zaferi kutlamak olduğunu söyledi. Rusya'nın, A-vusturya'ya yardım ederek Avrupa'daki barış ortamının tesisinde önemli bir görev ifa ettiğini Çar'a belirtti. Bu savaştan canını kurtarıp Osmanlı Devleti'ne sığınan mültecilerin iâde edilememesinden dolayı, Sultan'ın duyduğu üzüntüyü dile getirdi. Sultan'ın bunları kabul etmekle, ülkesini onların fesat ve ihtilal yuvası haline getirmek gibi bir düşüncesinin olmadığını söyledi. Sultan'ın, Osmanlı ülkesine sığınma talebinde bulunan bu insanları, bütün ülkelerde özellikle de doğu kültüründe kutsal sayılan sığınma hakkını hiçe sayarak kabul etmemesinin imkânsızlığına değindi.

Çar'ın istemesi halinde Sultan'ın Osmanlı Devleti'nin bir yerinde onları gözetim altında tutarak, kendi şerefi ve Çar'ın arzusunu bağdaştırmak istediğini de sözlerine ekledi. Fuad Efendi, konuşmasının sonunda Michael'in ölümünden büyük üzüntü duyduğunu, Sultan'ın da Çar'ın acısını gerçek bir kardeş gibi paylaştığından emin olmasını istediğini belirtti[927].

İmparator'un Fuad Efendi'yi 7 Ekim'de kabul ettiğini yazar ki, bu tarih yanlıştır (Temperley, *Aynı eser*, s.262).

[927] BOA., DUİT., 75-1/42-3; Ahmed Refik, *Aynı eser*, s.92-93 Fuad Efendi, İmparator'un huzurunda Fransızca olarak okuduğu nutkun bir suretini de Sâdâret'e gönderdi (BOA., DUİT., 75-1/42-3; Mehmed Galib, "Leh ve Macar Mültecileri", *Yeni Tasvir-i Efkâr*, Nr.46, 27 C 1327/15 Temmuz 1909, s.4; Ahmed Refik, *Aynı eser*, s.89; Ahmed Refik, *Aynı makale*, s.379; Mehmed Memduh, *Aynı eser*, s.118). Bu arada, İstanbul'da Çar'ın kardeşinin ölüm haberinin duyulması üzerine bir "ta'zîyet-nâme-i hümâyûn" gönderilmesine karar verildi. Bu tür ölüm hadiselerinde, durumun karşı taraftan bildirildikten sonra bir ta'zîyet-nâme-i hümâyûn yazılması usuldü. Ancak, politik endişelerle bu usulün dışına çıkıldığı görülmektedir. Zira Sadâret, Rus Hükümeti ölüm haberini vermeden Sultan'ın bu müessif olaydan duyduğu üzüntüyü içeren bir mektubun İmparator'a gönderilmesinde bir beis olmadığına karar vermişti (BOA., İra. Har. Nr. 2800 Sâdâret'in Mâbeyn'e takdîm ettiği 12 ZA 65/ 29 Eylül 1849 tarihli arz tezkiresi). Sultan'ın bu müessif olaydan duyduğu üzüntüyü ifâde eden mektup Fuad Efendi tarafından Çar'a takdim edildi (BOA., İra. Har. Nr. 2865 Fuad Efendi'nin Sadâret'e gönderdiği 19 Z 65/5 Kasım 1849 tarihli tahrîrat).

Çar, Fuad Efendi'yi dikkatle dinledikten sonra, kızgın bir şekilde Osmanlı Devleti hakkındaki dostane düşüncelerine ve yaptığı yardımlara dair bir çok söz söyledi. Kendisinin iki ülke arasındaki anlaşmalara tam uyduğunu belirterek, aynı hassasiyetin karşı taraftan gösterilmesini beklerken, Osmanlı Devleti'niŋ mülteciler meselesinde takındığı tavırdan şikayetçi oldu. Bu kısa konuşmadan sonra Çar ile Fuad Efendi arasında Avrupa'nın umumi durumu ve Osmanlı Devleti ile Rusya'nın politikaları üzerine bir saate yakın sohbet mahiyetinde bir fikir alış verişi oldu[928].

Fuad Efendi'nin belirttiğine göre, bu sohbetten sonra Çar aniden fikir değiştirdi ve iki hükümdar arasındaki muhabbete dayanarak Sultan'ın kendisine müracaat etmesine sevindiğini ve onun isteklerinin gerçekleşmesini kendisinin de arzuladığını söyledi. Ancak, tahtının şerefini ve devletinin menfaatlerini korumaya mecbur olduğunu ve bu konuda vereceği kararı Nesselrod'a ileteceğini söyledi. Çar, Fuad Efendi'den vereceği kararı Sultan'a iletmesini ve cevap gelinceye kadar da Petersburg'ta beklemesini istedi. Böylece onun hem Osmanlı Devleti'ne hem de Rusya'ya hizmet edeceğini belirtti[929].

---

[928] İmparator sohbette "askerinizi epeyce tanzîm ve kıyâfetinizi tebdil ettiniz. Şimdi de Fransız ve sâir ecnebi lisanlarını öğrenmeye çalıştığınızı haber alıyorum. Bu sizin için lüzûmsuz bir şeydir. Siz kendi lisanınızı öğreniniz, kafidir." demesi üzerine Fuad Efendi, "Elsine-i ecnebiyye tahsîl etmek bizim için nasıl lüzumsuz addolunur ki, bu gün zât-ı haşmet-penâhınızla o sâyede teşerrüf ediyorum" cevabını vermiştir (Mahmut Kemal, *Aynı eser*, s.152).

[929] "...hiddet ve infiâlini beşeresinde izhâr ile cevâba ağâz ederek kendüsünün Devlet-i 'Aliyye hakkında olan efkâr-ı safvetine ve 'arz etdiği hidmetlere dâir bir çok şey söyledikden sonra kedüsü mukâvelât-ı mevcûdenin aleyhinde hiç bir vakitde hareket etmediğinden ona mukâbele talebinde olduğu halde Devlet-i 'Aliyye tarafından gördüğü muâmeleden dolayı pek ziyâde gücenmiş olduğunu ifâde eyledikde taraf-ı çâkerânemden bî-tekrâr ecvibe-i münâsebe ile mukâbele olunub hâsılı Avrupa'nın ahvâl-ı 'umûmîyyesi ve Devlet-i 'Aliyye ve Rusya Devletinin politikaları üzerine bir sâ'ata karîb müddet âdetâ mübâhase ve müzâkere vukû'uyla nihâyet nasıl ise ta'dîl-i efkârı hâsıl olub mâdemki zât-ı hazret-i şâhâne kendülerine olan muhabbetime i'timâd ile murâca'at buyurdular husûl-i emelleri arzûkerdem olduğu misillü ben dahî muhâfaza-ı menâfi' ve nâmûsuma mecbûr olduğumdan bunu tevfîk için verdiğim kararı Kont Nesselrod size beyân edecekdir. Anı 'arz ve istîzân edüb cevâbı gelinceye kadar burada kalmanızı zâten isterim gerek Devlet-i 'Aliyye'ye gerek bize hidmet etmiş olursunuz..." (BOA., DUİT., 75-1/42-3; Mehmed Galib, *Yeni Tasvir-i Efkâr*, Nr.46, 27 C 1327/15 Temmuz 1909, s.4; Ahmed Refik, *Aynı eser*, s.89-90; Ahmed Refik, *Aynı makale*, s.379; Mehmed Memduh, *Aynı eser*, s.118-119).

İkili görüşme bittikten sonra, Fuad Efendi'nin maiyetinde bulunanlar da Çar'ın talebi üzerine huzura çıktılar. Fuad Efendi, onları tek tek Çar'a takdim etti. Bir iki dakika süren bu kabulden sonra Çar'ın huzurundan ayrıldılar[930].

Fuad Efendi ile yaptığı görüşmeden sonra Çar, Osmanlı Devleti ile en kısa zamanda diplomatik ilişkilerin normale döndürülmesini Nesselrod'a bildirdi[931]. Mülteciler meselesinin başından beri, Osmanlı Devleti'ne karşı sert politika izleyen Çar, nihayet olayın ne tarafa yöneldiğini fark etmişti. Çar'ı bu meselede ılımlı bir tavır sergilemeye sevk eden sebeplerin başında, Bâbıâli ve özellikle de Reşid Paşa'nın ortaya koyduğu kararlı tutum gelmektedir. Ayrıca, İngiltere ve Fransa'nın Osmanlı Devleti'nin yanında yer alacaklarını ilan etmeleri, onun yumuşamasında önemli bir etken olmuştur. Çar, diplomatik ilişkilerin yeniden başlamasını isteyerek, İngiltere ve Fransa donanmalarının Rusya'ya daha fazla yaklaşmasını engellemek istiyordu. Diğer taraftan, Fuad Efendi'nin Petersburg'ta sergilediği diplomatik performansın, sorunun barışçı yönde çözümlenmesinde önemli bir rol oynadığı açıktır. Ayrıca, Avrupa'da Osmanlı Devleti lehine hatırı sayılır bir kamuoyu oluşmuştu. Çar, Rusya'ya karşı Avrupa'da ciddi bir karşı duruşun olduğunu fark etmişti. Fransız gazetesi *"Press"*de yayınlanan bir yazıda Çar, olayların böyle sonuçlanacağını daha önceden bilseydi, mülteciler meselesinde kesinlikle böyle katı davranmazdı deniliyordu. Gazetede herkesin Osmanlı Devleti'ne sempati duymaya başladığı belirtiliyor ve bu meselede, Çar'ın Osmanlı Devleti'nin yalnız olmadığı ve onu küçümsememek gerektiğini kabul etmek zorunda kaldığı ifade ediliyordu[932].

Diplomatik ilişkilerin kurulması yönünde Çar'dan emir alan Nesselrod, bunu hemen Fuad Efendi'ye iletmek istiyordu. Fuad Efendi'nin ifadesine göre, *"nâ-mizâç"* olmasından dolayı, Nesselrod'a *"külfet"* olmamak için kendisi onun yanına gitti. Nesselrod, diploma-

930 BOA., DUİT., 75-1/42-3; Mehmed Galib, "Leh ve Macar Mültecileri", *Yeni Tasvir-i Efkâr*, Nr.46, 27 C 1327/15 Temmuz 1909, s.4; Ahmed Refik, *Aynı eser*, s.89-90; Ahmed Refik, *Aynı makale*, s.379; Mehmed Memduh, *Aynı eser*, s.119.
931 Bapst, *Aynı eser*, s.112.
932 İmrefi, *Aynı eser*, s.209.

tik münasebetlerin kurulması için öne sürdüğü şartların kabul edilmesini bu görüşmede de istedi. Ancak Fuad Efendi, ellerinde başka devletlerin pasaportu bulunan Polonyalıların sınır dışı edilmelerine, sadece Osmanlı Devleti'nin değil, diğer devletlerin karşı çıkacağını söyledi. Fakat Fuad Efendi, bu sorun yüzünden de görüşmelerin kesilmesini istemiyordu. Bu nedenle de durumu Bâbıâli'ye bildirip gelecek cevaba göre hareket edeceğini söyledi[933].

Fuad Efendi, tahriratının sonunda Petersburg'taki temaslarının genel bir değerlendirmesini şöyle yapar:

Rusya'nın Polonyalı mültecileri iâde talebinden vazgeçmesi sorunun barışçı yolla halledileceğinin bir işaretidir. Sorunun çözüm aşamasına gelmesinde Sultan Abdülmecid'in önemli bir rolü olmuştur. Rusya tarafından ileri sürülen şartlar, Osmanlı Devleti için de makuldür. Rusya vatandaşı olan Polonyalıların sınır dışı edilmelerinde bir sıkıntı yoktur. Fakat, ellerinde başka bir devletin pasaportu bulunan Polonyalıların sınır dışı edilmelerine himayeci devletlerin göstereceği tepki önemlidir[934]. Bu sebeple, Nesselrod'un bu önerisine kesin bir cevap vermekten kaçınılmıştır. Kesin red cevabı verilmesi durumunda Çar, Sultan'ın mektubunu kabul etmeyebilirdi. Ayrıca, bu maddeye Osmanlı Devleti'nden çok diğer devletler karşı çıkacaklardır. Bu durumda mesele iyice çetrefilli bir hal alacaktır. Dolayısıyla söz konusu sakıncalar düşünülerek Nesselrod'un teklifine ne evet ne de hayır cevabı verilmiştir. Sadece, bu teklifin kabul edilmesi halinde Osmanlı Devleti için doğacak mahzurlar dile getirilmiştir[935].

Diğer taraftan Fuad Efendi, Rusya vatandaşı olan Polonyalı mültecilerin bir an önce sınır dışı edilmesinde ve İslamiyet'i kabul eden mültecilerin Diyarbakır veya Rusya sınırından uzak bir yere

---

933 BOA., DUİT., 75-1/42-3; Mehmed Galib, "Leh ve Macar Mültecileri", *Yeni Tasvir-i Efkâr,* Nr.46, 27 C 1327/15 Temmuz 1909, s.4; Ahmed Refik, *Aynı eser,* s.90; Ahmed Refik, *Aynı makale,* s.379; Mehmed Memduh, *Aynı eser,* s.119.

934 BOA., DUİT., 75-1/42-3; Mehmed Galib, "Leh ve Macar Mültecileri", *Yeni Tasvir-i Efkâr,* Nr.46, 27 C 1327/15 Temmuz 1909, s.4; Ahmed Refik, *Aynı eser,* s.90; Ahmed Refik, *Aynı makale,* s.380; Mehmed Memduh, *Aynı eser,* s.119-120.

935 BOA., DUİT., 75-1/42-3; Mehmed Galib, "Leh ve Macar Mültecileri", *Yeni Tasvir-i Efkâr,* Nr.46, 27 C 1327/15 Temmuz 1909, s.5; Ahmed Refik, *Aynı eser,* s.91; Ahmed Refik, *Aynı makale,* s.381; Mehmed Memduh, *Aynı eser,* s.120.

gönderilmesinde acele edilmesini istiyordu. Zira böylesi bir girişim, Rusya'ya itimat telkin edeceği gibi, meselenin çözümünü de kolaylaştıracaktı[936].

Fuad Efendi tahriratında, Rus bakanlar ve Çar'ın psikolojik durumu hakkında tahliller de yapar. Onların tavır ve konuşmalarında son derece sert ve öfkeli olduklarını belirtir. Ancak, bu öfkelerine rağmen, Rus devlet ricâlinin mülteciler meselesi yüzünden Osmanlı Devleti'ne savaş açmak derecesine kadar ileri gidemeyeceklerini ifade eder. Yine de, Çar'ın sert mizacından dolayı her şeyi yapabileceğinin de gözden uzak tutulmaması uyarısında bulunur. Ona göre, İngiltere ve Fransa'nın bu meselede Osmanlı Devleti'nin yanında yer alması politik açıdan son derece önemlidir. Zira bu destek, Rusya'nın fikir değiştirmesinde önemli bir rol oynamıştır. Fuad Efendi'ye göre, Bâbıâli'nin bu noktada dikkatli davranması gerekmektedir. Çünkü, İngiltere ve Fransa'nın bu desteği Osmanlı Devleti'nin isteği üzerine verdiği izlenimi, Rusya'yı daha sert önlemler almaya sevk edebilirdi. Bu nedenle, Avrupa'nın desteğini almak için Bâbıâli'nin hiçbir girişimde bulunmadığını Rusya'yı inandırmak gereklidir[937].

Diğer taraftan Fuad Efendi, Petersburg'taki İngiliz ve Fransız elçileriyle gizlice görüşüp fikir alış verişinde bulunuyordu. Elçiler, Fuad Efendi'nin Petersburg'taki performansını taktirle karşıladılar. Ayrıca onlar, Nesselrod'un Fuad Efendi'ye sunduğu istekleri duyduklarında sorunun çözüme doğru gittiğine dair yorum yapmışlardı Ancak, Petersburg'taki bu olumlu gelişmelere rağmen mesele tam sonuçlandırılamamıştı. Bu nedenle Fuad Efendi, bir süre daha Petersburg'ta kalacağını ve Çar'ın isteğinin de bu doğrultuda olduğunu Sadâret'e bildirdi[938].

---

[936] BOA., DUİT., 75-1/42-3; Mehmed Galib, "Leh ve Macar Mültecileri", *Yeni Tasvir-i Efkâr*, Nr.46, 27 C 1327/15 Temmuz 1909, s.5; Ahmed Refik, *Aynı eser*, s.91; Ahmed Refik, *Aynı makale*, s.380; Mehmed Memduh, *Aynı eser*, s.120-121.

[937] BOA., DUİT., 75-1/42-3; Mehmed Galib, "Leh ve Macar Mültecileri", *Yeni Tasvir-i Efkâr*, Nr.46, 27 C 1327/15 Temmuz 1909, s.5; Ahmed Refik, *Aynı eser*, s.91-92; Ahmed Refik, *Aynı makale*, s.381; Mehmed Memduh, *Aynı eser*, s.121.

[938] BOA., DUİT., 75-1/42-3; Mehmed Galib, "Leh ve Macar Mültecileri", *Yeni Tasvir-i Efkâr*, Nr.47, 27 C 1327/16 Temmuz 1909, s.4; Ahmed Refik, *Aynı eser*, s.91; Ahmed Refik, *Aynı makale*, s.381; Mehmed Memduh, *Aynı eser*, s.121-122.

Nesselrod, Rusya'nın isteklerini Fuad Efendi'ye ilettikten sonra Rus kamuoyuna 19 Ekim'de resmi bir bildiri yayınladı. İngiltere ve Fransa'nın donanmalarını Akdeniz'e göndereceği haberlerinin Avrupa basınında ayyuka çıktığı bir sırada, Nesselrod'un kamuoyuna böyle bir bildiri yayınlamasındaki amacı, sorunun Osmanlı Devleti ile Rusya arasında çözüm safhasına girdiğini bütün Avrupa'ya duyurmaktı. Bu bildiride, Fuad Efendi'nin Petersburg'a gelmesinden sonra, gazetelerde çıkan dedikodulardan duyulan rahatsızlık dile getiriliyordu. Ayrıca, Osmanlı ülkesine sığınan Polonyalı mülteciler sorunun başka bir devletin müdahalesi olmaksızın Sultan ile Çar arasında dostane bir çözüme kavuşturulacağı ifade ediliyordu. Yine, Sultan'ın Çar'a doğrudan müracaatının içtenlikle kabul edildiği belirtiliyor ve Çar'ın bu meselede iki ülkenin karşılıklı çıkarlarını koruyacağına vurgu yapılıyordu[939].

Nesselrod, mülteciler meselesinde İngiltere ve Fransa'nın tutumunu biliyordu. Nitekim o, Fransız Elçisi Moriciere ile görüşmüş ve Fransa Hükümeti ve kamuoyunun Rusya'ya karşı olduğunu öğrenmişti. Nesselrod, Fransız Elçisi ile görüşmesine karşın, İngiltere elçisi ile uzun süre görüşme gereği duymamıştı. Çünkü, İngiltere'nin tavrı Fransa'ya göre daha açıktı ve İngiliz Hükümeti, kesin bir şekilde Osmanlı Devleti'ni destekliyordu. Nesselrod, Fuad Efendi ile yaptığı son görüşmeden sonra da İngiliz Elçisi Bloomfield ile görüşme gereği duydu. Böylece o, ilk defa İngiliz Hükümeti'nin mülteciler meselesine bilinen bakış açısını resmi bir ağızdan teyit etmiş olacaktı. Bloomfield, görüşmede hiçbir tartışmaya girmeyerek Lord Palmerston tarafından 8 Ekim 1849'da bir nüshası İngiltere'nin Viyana Elçisi Lord Ponsonby ve diğer bir nüshası da kendisine gönderilen notayı Nesselrod'a takdim etti. Bu notada, 13 Temmuz 1841'de Osmanlı Devleti ile beş devlet arasında imzalanan Londra Anlaşması'nın mukaddimesinde, Rusya'nın Sultan'ın egemenlik haklarına ve dokunulmazlığına saygı göstereceğini bütün dünyaya ilan ettiği hatırlatılıyordu. Ayrıca, Rus Hükümeti'nden anlaşmanın ruhuna aykırı

---

939   Bapst, *Aynı eser*, s.113.

Bâbıâli'den hiçbir istekte bulunmaması isteniyordu[940]. Yine notada, Küçük Kaynarca Anlaşması'nın II. maddesinin Rusya'ya mültecilerin iâdesini isteme hakkı verdiğini ancak, aynı anlaşmanın Sultan'a da mültecileri Rusya'ya teslim veya sınır dışı etme hususunda tercih yapma hakkını tanıdığı belirtiliyordu.

Notada en çok dikkat çeken husus ise, mülteciler meselesinin çözümlenmesi için Bâbıâli'nin Britanya Hükümeti'ne başvurarak yardım istediğinin ifade edilmiş olmasıydı. İngiltere ve Fransa'nın Osmanlı Devleti lehine meseleye karışmasını istemeyen Nesselrod, notadaki ifadelerden dolayı sinirlendi. Böyle bir notanın hiçbir yararı olmayacağı ve sorunun doğrudan İngiltere'yi ilgilendirmediğini söyleyerek, notanın geri çekilmesini istedi ve sorunun iki ülke arasında çözüme kavuşturulduğunu ifade etti. Fakat Bloomfield, Nesselrod'dan farklı düşünüyor ve sorunun çözüldüğüne inanmıyordu.

Elçi, Nesselrod'un Fuad Efendi ile yaptığı görüşmeden sonra kamuoyuna bildiriyi yayınlamasını, Rusya ile Osmanlı Devleti arasında konu üzerinde tartışmanın devam ettiğinin somut bir göstergesi olarak kabul ediyordu. Bu düşüncelerini de Nesselrod'a iletmekten çekinmedi. Aynı zamanda elçi, sorunun nasıl çözümleneceğini kendisine açık bir şekilde anlatmasından sonra, notayı geri çekip çekmeyeceğine karar verebileceğini söyledi[941].

Ayrıca, Nesselrod'dan Fuad Efendi ile yaptığı görüşme tutanağının bir kopyasını istedi[942]. Onun bu isteğine Nesselrod itiraz etti ve hiçbir açıklama yapmak istemediğini söyledi. Çünkü o, İngiltere'yi ilgilendirmeyen bir konuda elçinin soru sormaya hakkı olmadığını düşünüyordu[943]. Fakat Nesselrod, elçiyi ikna edemedi. Bloomfield, kendisine bir açıklama yapılmayacağını anlayınca, hükümetinin emirlerine uymaya ve notayı vermeğe mecbur olduğunu söyledi. Arkasından da Britanya Hükümeti'nin, Rusya ve Avusturya tarafından tehdit edilen Osmanlı Devleti'ne destek sözü verdiğinden soruna müdahale hakkının olduğunu ifade etti[944].

---

[940] Bapst, *Aynı eser*, s.114.
[941] Bapst, *Aynı eser*, s.114-115.
[942] Temperley, *Aynı eser*, s.268.
[943] Bapst, *Aynı eser*, s.115.
[944] Bapst, *Aynı eser*, s.115.

İngiliz elçisiyle görüşmesini tamamlayan Nesselrod, Fuad Efendi'nin kaldığı otele giderek onunla görüştü. Görüşmenin konusu, İngiliz Elçisi Bloomfield'in Bâbıâli'yi açık bir dille destekleyen notasıydı. Nesselrod, notanın bir nüshasını da Fuad Efendi'ye verdi ve Osmanlı Devleti'nin İngiltere'ye yardım için başvuruda bulunduğunu ve bu talep üzerine İngiliz donanmasının doğu sularına gönderildiğini Fuad Efendi'ye söyledi[945]. Ayrıca, Bâbıâli'nin böyle bir tutum içerisine girmesinin sorunu iyice çıkmaza sürüklediğini ifade etti. Sultan'ın bir taraftan Çar'a müracaat ederek meseleyi politika dairesinden çıkarıp iki hükümdar arasında özel bir mesele haline koymak isterken, diğer taraftan da bu arzusunun tam aksine başka bir devlete yardım için başvuruda bulunmasına Çar'ın üzüldüğünü belirtti. Nesselrod, ortaya çıkan bu yeni durum hakkında Fuad Efendi'den bilgi istedi ve vereceği bilgileri Çar'a aktaracağını söyledi. Ancak Fuad Efendi, Osmanlı Devleti'nin başka bir ülkenin yardımını talep ettiğine dair kendisine bir bilgi ulaşmadığını Nesselrod'a iletti[946].

3- *Siyasi Münasebetlerin Yeniden Kurulması*

a.Rusya İle Siyasi Münasebetlerin Yeniden Kurulması

Osmanlı Devleti'nin mültecileri iâde etmemekteki kararlı tutumu ve Avrupa'da Rusya aleyhine oluşan kamuoyunu gören Çar Nikola, meselenin çözümlenmesi için Nesselrod'a talimat vermişti. Bu talimat üzerine Nesselrod, hazırladığı çözüm taslağının bir nüshasını yazılı olarak Fuad Efendi'ye sunarken, diğer bir nüshasını da Bâbıâli'ye takdim edilmek üzere Titof'a gönderdi. Nesselrod'un formülleştirdiği ve kabul edilmesi halinde siyasi münasebetlerin yeniden başlatılmasını öngören şartlar, 24 Ekim 1849'da Titof tarafından bir notayla Âlî Paşa'ya sunuldu[947]. Notada, Çar'ın Osmanlı Devleti'ne beslediği iyi niyet ve Sultan'ın samimi dostluk çağrısına karşılık

---

[945] BOA., DUİT., 75-1/42-4; Ahmed Refik, *Aynı eser*, s.96-97 Fuad Efendi'nin Sadâret'e takdîm ettiği 8 Z 65/25 Ekim 1849 tarihli tahrîrât.

[946] BOA., DUİT., 75-1/42-4; Ahmed Refik, *Aynı eser*, s.96-97.

[947] BOA.,DUİT., 75-1/46-4; Ahmed Refik, *Aynı eser*. S.122; Ahmed Refik, *Aynı makale*, s.1-2; Hajnal, *Aynı eser*, belge no:156, s.774 Titof'un Hariciye Nazâreti'ne takdim ettiği 24 Ekim 1849 tarihli takrir.

verme arzusundan söz ediliyor ve sunulan önerilerin kabul edilmesi halinde diplomatik ilişkilerin yeniden başlayabileceği ifade ediliyordu[948].

Nesselrod tarafından kaleme alınan ve kabul edilmesi halinde iki ülke arasındaki diplomatik münasebetlerin yeniden başlamasını öngören şartlar şunlardı:

1-. Çar'ın vatandaşı olan bütün Polonyalıların, hangi devletin pasaportunu taşırsa taşısınlar, Rusya elçisinin bilgisi dahilinde sınır dışı edilmeleri,

2. Rusya vatandaşı olup Çar'ın rızası dışında başka bir ülkenin vatandaşlığına girdikten sonra Osmanlı Devleti'ne gelen Polonyalıların, Rusya'ya karşı faaliyete girişmeleri halinde, bunların sınır dışı edilmeleri için Bâbıâli'nin bu kişilerin sonradan vatandaşlığına geçtikleri devletlerle anlaşmayı taahhüt etmesi.

3. İslamiyet'i kabul eden Polonyalıların Diyarbakır'da tutulmasının Bâbıâli tarafından taahhüt edilmesi[949].

Reşid Paşa, Rusya'nın mültecilerin iâde talebinden vazgeçmesini ve onların sınır dışı edilmelerini istemekle yetinmesini, diplomatik bir zafer olarak değerlendirdi. Paşa, Abdülmecid'e takdîm ettiği arz tezkiresinde uzun zamandan beri Rusya'nın haklı ve haksız her istediğini Osmanlı Devleti'ne kabul ettirdiğini, ancak bu kez bunu başaramadığını ifade ediyordu. Ayrıca Paşa, bu meselede İngiltere ve Fransa'nın Osmanlı Devleti ile *"kavlen ve fi'len"* müttefik olarak hareket etmelerini de büyük bir başarı olarak görüyordu[950].

Bununla birlikte, diplomatik ilişkilerin yeniden kurulması için ortaya konulan şartlardan ikincisine Bâbıâli'nin itirazı vardı. Zira ikinci maddede belirtilen hususun kabul edilmesi halinde uygulamada pek çok müşkülat yaşanacaktı. Gelecekte bu tür müşkülatlarla

---

[948] BOA.,DUİT., 75-1/46-4; Ahmed Refik, *Aynı eser.* S.122; Ahmed Refik, *Aynı makale*, s.2; Hajnal, *Aynı eser*, belge no:156, s.774.

[949] BOA., DUİT., 75-1/46-4; Ahmed Refik, *Aynı eser*, s.123; Ahmed Refik, *Aynı makale*, s.2-3; Bapst, *Aynı eser*, s.116; Hajnal, *Aynı eser*, belge no:156, s.775.

[950] BOA., DUİT., 75-1/46-1; Ahmed Refik, *Aynı eser*, s.126; Ahmed Refik, *Aynı makale*, s.5.

karşılaşmak istemeyen Bâbıâli, Nesselrod'un tekliflerine karşı alternatif teklifler hazırlama düşüncesindeydi. Nitekim konu, 11-12 Kasım tarihlerinde iki kez toplanan Meclis-i Mahsûs'da ele alındı. Meclis'te Nesselrod tarafından ortaya konan şartların kabul edilmesi halinde doğacak mahzurlar dile getirildi. Meclis üyeleri, Rusya vatandaşı olup başka devletlerin pasaportu ile Osmanlı ülkesinde bulunan bütün Polonyalıların sınır dışı edilmesinin kabul edilemez bir teklif olduğu konusunda görüş birliğine vardılar. Zira, sınır dışı edilmesi söz konusu olanlar, Macar İhtilali'ne katılan Polonyalılardı. Oysa, maddenin bu haliyle kabulü ihtilale katılmayan Polonyalıların da sınır dışı edilmeleri anlamına da geliyordu. Bu sebeple, Rusya elçisine verilecek cevapta Bâbıâli'nin böyle bir taahhüde giremeyeceği, ancak söz konusu maddenin Macar İhtilali'ne katılan Polonyalı mültecilere münhasır kılınması şeklinde değiştirilmesi kararlaştırıldı[951].

Diğer taraftan, önce Rusya vatandaşı olan, fakat daha sonra başka bir devletin vatandaşlığına geçerek Osmanlı Devleti'ne iltica eden Polonyalıların hangi devletin vatandaşı olduğunu araştırma görevinin Bâbıâli'ye ait olmadığı belirtildi. Dolayısıyla bunların sınır dışı edilmesi söz konusu olamazdı. Ancak bunlar, Osmanlı Devleti'nde vatandaşı oldukları ülke aleyhinde fitne ve fesat çıkarmaya çalışırsalar Bâbıâli, ilgili devletlerin sefaretleri nezdinde girişimde bulunacağının Rusya elçisine bildirilmesine karar verildi. Din değiştiren mültecilerin ise, şimdilik İstanbul ve Rumeli'de yerleştirilmeleri uygun olmayacağından, geçici olarak Halep'e gönderilmeleri uygun görüldü[952].

Alınan bu kararlar doğrultusunda Titof'a cevabî bir nota yazıldı. Titof, Bâbıâli'nin cevabından memnun kalmadı. Âlî Paşa'ya Bâbıâli'nin cevabını Petersburg'a ileteceğini söylemekle birlikte, yeni isteklerde de bulundu. Bu istekler şunlardı:

---

[951] BOA., DUİT., 75-1/46-1; Ahmed Refik, *Aynı eser*, s.127; Ahmed Refik, *Aynı makale*, s.3 Sadâret'in Mâbeyn'e takdim ettiği Gurre M 66/17 Kasım 1849 tarihli arz tezkiresi.

[952] BAO., DUİT., 75-1/46-1; Ahmed Refik, *Aynı eser*, s.128; Ahmed Refik, *Aynı makale*, s.6.

1-Bâbıâli'nin Polonyalı mültecileri sınır dışı edeceği zaman, sıradan yolcular gibi kendi istekleriyle değil de, *"kovmak"* kelimesinde ifadesini bulan kınamayla sınır dışı edildikleri hususunda resmi bir açıklama yapması,

2- Din değiştiren mültecilerin sıkı bir şekilde gözetim altında tutulmaları[953].

Âlî Paşa, Titof'un bu önerilerini İngiliz ve Fransız elçilerine götürdü. Ancak, her iki elçi de teklifleri kabul edilemez buldular. Elçilere göre, İngiltere ya da Fransa himayesindeki bir Polonyalının sahip olduğu haklar konusunda Bâbıâli tarafsız kalmalıydı. Bu konudaki bir tartışmanın ancak kendileriyle Rus elçisi arasında olabileceğini açıkladılar[954]. Âlî Paşa, elçilerle yaptığı görüşmeden sonra Titof ile konu üzerinde başka bir görüşme yapmadı. Daha sonra Nesselrod tarafından kaleme alınan çözüm projesine Bâbıâli'nin verdiği cevap, Petersburg'ta bulunan Fuad Efendi'ye gönderildi[955]. Bâbıâli'nin alternatif çözüm önerileri Fuad Efendi tarafından Fransızca'ya tercüme edilerek Nesselrod'a takdim edildi[956]. Nesselrod, önerilerinin Bâbıâli tarafından kabul edileceğini bekliyordu. Fakat, başka devletlerin pasaportlarını taşıyan Polonyalı mültecilerin sınır dışı edilemeyeceği cevabı onu sinirlendirdi. Nitekim Nesselrod, Bâbıâli'nin tekliflerini aldıktan iki gün sonra dışişleri müsteşarını Fuad Efendi'ye gönderdi. Fuad Efendi, müsteşara Osmanlı Devleti'nden sınır dışı edilecek Polonyalı mültecilerin kovulduklarının ilan edilmesinin kabul edilemez bir teklif olduğunu söyledi. Başka devletlerin himayesinde olan ve bu devletlerin pasaportlarını taşıyan mülteciler hakkında Fuad Efendi ile müsteşar arasında uzun tartışmalar olduysa da bir uzlaşma sağlanamadı. Müsteşar, bu hususta Rusya'nın fikir değiştirmesinin imkânsız olduğunu söyleyerek Fuad Efendi'nin yanından ayrıldı[957].

---

[953] Bapst, *Aynı eser*, 123.
[954] Bapst, *Aynı eser*, s.123.
[955] Bapst, *Aynı eser*, s.123-124.
[956] BOA., DUİT., 75-1/57-2; Ahmed Refik, *Aynı eser*, s.138; Ahmed Refik, *Aynı makale*, s.17 Fuad Efendi'nin Sadâret'e gönderdiği 25 M 66/11 Aralık 1849 tarihli tahriratı.
[957] BOA., DUİT., 75-1/57-2 Ahmed Refik, *Aynı eser*, s.138; Ahmed Refik, *Aynı makale*, s.17.

282 Osmanlı'ya Sığınanlar

İki ülke arasında normale dönmeye başlayan ilişkiler, bu mesele yüzünden yeniden tartışmaya dönüştü. Halbuki, daha önce de değinildiği gibi Çar, Fuad Efendi ile görüştükten sonra meselenin en kısa zamanda çözümlenmesi için Nesselrod'a emir vermişti. Bu emrin üzerinden uzun zaman geçmesine rağmen, diplomatik münasebetlerin kurulması için fazla bir mesafe alınamamıştı. Nesselrod, çözüm projesinin Bâbıâlice kabul edilmemesinin yanı sıra, Çar'ın emrini yerine getirememekten dolayı zor durumdaydı. Bu yüzden, mutlaka bir çıkış yolu bulması gerekiyordu. Bu şartlar altında, Nesselrod'un Bâbıâli'nin aldığı kararları kabul etmekten başka seçeneği kalmıyordu. Bu sebeple Nesselrod, Babıâli'nin çözüm önerilerini kabul ettiklerini Fuad Efendi'ye bildirmeğe karar verdi[958]. Ancak Fuad Efendi, sağlık sorunları yüzünden onunla bir araya gelemiyordu. Çünkü, Rusya'nın aşırı soğukları, Fuad Efendi'yi eklem romatizmasına müptela etmişti[959]. Doktorlar, ciddi bir soğuk algınlığı nedeniyle onun Pont-des-Chantres otelinden dışarı çıkmasını yasaklamışlardı[960]. Hatta Fuad Efendi, Âlî Paşa'ya gönderdiği özel bir mektupta Çar'ın soğuk yüzü ile Rusya'nın sert kışını şöyle dile getirmişti:

"Fülk-i dil çıkmadan kenâra dahî
Rûzigâr atdı bir diyâre dahî"[961].

Fuad Efendi hasta olduğundan, Nesselrod onun kaldığı otele gitti. Nesselrod, meselenin bu şekilde sürüncemede kalmasının Bâbıâli'nin İngiliz ve Fransız elçilerinin etkisi altına girmesinden kaynaklandığını ve buna da Çar'ın üzdüğünü söyledi. Daha sonra, yaklaşık üç aydır çözüme kavuşturulamayan sorunun, iki ülkenin karşılıklı menfaatleri gözetilerek bir an önce çözümlenmesini istediğini ve bu yüzden de Bâbıâli'nin tekliflerinin kabul edildiğini ifade etti. Ayrıca Nesselrod, bu şartların kabul edildiğini Titof'a yazacağını ve diplo-

---

[958] Bapst, *Aynı eser*, s.124-125.
[959] BOA., DUİT., 75-/57-2; Ahmed Refik, *Aynı eser*, s.138; Ahmed Refik, *Aynı makale*, s.17;
Ahmed Cevdet, *Aynı eser*, s.29.
[960] Papst, *Aynı eser*, s.125.
[961] Ali Fuad, *Aynı eser*, s.144.

matik ilişkilerin yeniden başlatılacağını da söyledi. Fuad Efendi'nin belirttiğine göre, Nesselrod vaktinin az olduğunu belirtip kendi açıklamalarını almadan otelden ayrıldı[962].

Çok geçmeden Nesselrod, Bâbıâli'nin isteklerine uygun olarak hazırladığı çözüm projesini Titof'a gönderdi. Titof da 25 Aralık 1849'da Çar'ın dostane ve güven verici politikalarına uygun olarak, Bâbıâli ile Rusya arasında ortaya çıkan ihtilafları aşmak için yeni kolaylıklar sağlandığını Âlî Paşa'ya yazılı olarak iletti. Titof tarafından iki ülke arasında diplomatik münasebetlerin yeniden başlatılması için Bâbıâli'ye sunduğu öneriler şöyleydi:

1-Rusya vatandaşı iken Macaristan'daki olaylardan sonra Osmanlı topraklarına sığınan ve isimleri Rusya elçisi tarafından verilecek defterdeki Polonyalıların, bir daha geri dönmemek üzere Osmanlı Devleti'nden sınır dışı edilmesi,

2- İslamiyet'i kabul edenlerin Halep veya Konya'ya yerleştirilmesi,

3-Bundan böyle başka bir devletin vatandaşlığına girerek Osmanlı Devleti'ne gelebilecek ve Rusya aleyhine entrikalar kurabilecek kişilerin sınır dışı edilmesi için pasaportlarının ait olduğu ülke elçisine başvuruda bulunulması[963].

Titof, notanın sonunda yukarıda belirtilen hususların hayata geçirilmesinden sonra diplomatik ilişkileri yeniden başlatmaya yetkili olduğunu da belirtiyordu[964].

Titof'un bu notayı Bâbıâli'ye sunduğu gün, mülteciler meselesinde Osmanlı Devleti ile Rusya'yı ortak bir noktada buluşturan bir protokol imzalandı. Mustafa Reşid, Âlî Paşa ve Titof'un altına imza koydukları protokol şöyleydi:

---

[962] BOA., DUİT., 75-/57-2; Ahmed Refik, *Aynı eser*, s.139; Ahmed Refik, *Aynı makale*, s.18

[963] BOA., DUİT., 75-1/59-5; Ahmed Refik, *Aynı eser*, s.147; Ahmed Refik, *Aynı makale*, s.25; Hajnal, *Aynı eser*, belge no:164, s.787.

[964] BOA., DUİT., 75-1/59-5; Ahmed Refik, *Aynı eser*, s.147; Ahmed Refik, *Aynı makale*, s.25: Hajnal, *Aynı eser*, belge no:164, s.788.

"İş bu bin ikiyüz altmış altı sene-i hicriyyesi şehr-i saferinin onuncu ve bin sekizyüz kırk dokuz sene-i miladiyyesi kânûn-ı evvelinin onüçüncü günü zîrde muharrerü'l-imzâ Devlet-i Aliyye Umûr-ı Hâriciyyesi Nâzırı ile Rusya Devleti fahîmesinin fevka'l-'âde murahhas orta elçisi Sadâret konağında lede'l-ictimâ' elçi-i mûmâileyh taraf-ı Devlet-i Aliyye'den fi 9 Muharrem Sene 66 (25 Kasım 1849) târîhiyle müverrahan Macaristan vukû'âtından nâşî Memâlik-i Devlet-i Aliyye'ye ilticâ etmiş olan Lehlülere dâir i'tâ olunan takrîr-i resmîde muharrer olan mevâdd ve temînâtı Devlet-i İmparatoriyye'nin temâmiyle kabûl eylediğini bâ-takrîr-i resmî ifâde ve ilân eylemiş ve Devlet-i 'Aliyye tarafından dahî takrîr-i mezkûrun icrâ-yı ahkâm-ı mündericesinin şifâhen şerh ve îzâh olunan sûrete tatbîkan hemân bilâ-ifâte-i vakt teşebbüs olunacağı beyân olunmuş ve bu cihetle Bâbıâli ile Rusya sefâreti beyninde münkati' olan münâsebât-ı resmiyye tecdîd kılınmış olduğundan nâzır ve elçi tarafından ve hâzır-ı bi'l-meclis bulunmaları cihetiyle cânib-i sadâretden dahî iş bu mazbata temhîr ve imzâ kılındı"[965].

Bu protokole göre Rusya, Osmanlı Devleti tarafından 9 Muharrem 1266/25 Kasım 1849'da öne sürülün bütün şartları kabul etti. Buna mukabil, Osmanlı Hükümeti de protokol metninin ihtiva ettiği hükümlere bağlı kalıp, onları uygulamaya koyacağını açıkladı[966]. Tarafların protokolü imzalamasıyla Osmanlı Devleti ile Rusya arasında siyasi münasebetler yeniden başladı.

Titof'un Bâbıâli'ye sunduğu notanın ekinde, Macar İhtilali'nden sonra Osmanlı ülkesine sığınan Polonyalıların isim listesi de vardı. Bu liste, 13 Polonyalı mülteci şefinin ismini içeriyordu. Listede Müslüman olup Murad Paşa ismini alan General Bem'in de adının olması dikkat çekmektedir. Diğer dikkat çeken bir husus da, başlangıçta dört Polonyalı mülteci şefini, daha sonra da bütün mültecilerin iâdesini isteyen Rusya'nın, sadece 13 mülteci liderini sınır dışı edilmesini istemekle yetinmesiydi[967]. Bu listede şu isimler vardı: Bem, Wysocki, Zamoyski, Severin Korserski, Main Sazinsky, Stanislaus

---

965 BOA., DUİT., 75-1/59-3; Ahmed Refik, *Aynı eser*, s.147-148; Ahmed Refik, *Aynı makale*, s.25; Gasztowtt, *Aynı eser*, s.196-197; Hajnal, *Aynı eser*, belge no:164, s.789.

966 BOA., DUİT., 75-1/59-3; Ahmed Refik, *Aynı eser*, s.147-148; Ahmed Refik, *Aynı makale*, s.25; Gasztowtt, *Aynı eser*, s.194-195; Hajnal, *Aynı eser*, belge no:164, s.789.

967 Bapst, *Aynı eser*, s.117.

Schihnansky, Eduard Demarsky, Stanislas Hondzesky, Adam Donatschosky, Jules Zabadinsky, Jacques Miastianovitch, Stanislas Grigensky, François Daschkevitch[968]. Daha sonra da değinileceği gibi mülteci liderleri ve maiyetindekilerle Osmanlı Devleti'nden sınır dışı edilen Polonyalı mültecilerin toplam sayısı 130 idi.

Yine iki devlet arasında varılan anlaşma gereğince, Şumnu'daki Polonyalı mültecilerden Rusya vatandaşı olanların isimlerini tespit amacıyla, Bâbıâli Şumnu'ya bir komiser gönderecekti. İsim tespiti yapıldıktan sonra bu kişiler, Osmanlı Devleti'ne ait bir gemiye bindirilmek üzere Varna'ya getirilecek ve buradan Malta Adası'na gönderilecektiler. Bâbıâli tarafından Şumnu'ya gönderilen komiser, aynı zamanda Rus elçisi tarafından verilen listede adı geçen Müslüman mültecileri de seçecekti.

Bunlar da diğerleri gibi Varna'ya getirilecek ve buradan gemiye bindirilerek Halep'e gönderilmek üzere İskenderun İskelesi'ne sevk edilecektiler. Halep'e gönderilecek mültecilerin Rusya'ya karşı faaliyette bulunmamaları için, Bâbıâli gereken dikkat ve özeni gösterecekti. Malta ve Halep'e gönderilecek mültecileri tespit etmekle görevlendirilen komiser, bu işlemi tamamladıktan sonra, adı geçen yerlere gönderileceklerin isimlerini Rus yetkililere bildirecekti[969].

Osmanlı Devleti ile Rusya arasındaki diplomatik ilişkiler 25 Aralık 1849'da yeniden başladıktan sonra Fuad Efendi, Çar Nikola ile vedalaşmak için randevu talep etti[970]. Fuad Efendi'nin Çar ve diğer devlet erkânıyla vedalaşması on gün sürdü[971]. Bu süre içerisinde Fuad Efendi, Nesselrod, General Duhamel ve Umûr-ı Şarkiyye Müdürü Mösyö Vaşkof ile Eflak ve Boğdan meselesine dair görüşmeler yaptı. Bu görüşmelerden sonra Fuad Efendi, Rusya'nın Eflak ve

---

[968] Österreichisches Staatsarchiv Huas Hof und Staatsarchiv; PA XII: Türkei, fol 27; Hajnal, *Aynı eser*, belge no.164, s.789.

[969] Hajnal, *Aynı eser*, belge no.164, s.789.

[970] BOA., DUİT., 75-2/12 Fuad Efendi'nin Sadâret'e gönderdiği Gurre RA 66/15 Ocak 1850 tarihli tahrîrât.

[971] BOA., DUİT., 75-2/18 Fuad Efendi'nin Sadâret'e takdim ettiği 4 R 66/17 Şubat 1850 tarihli tahrîrât.

Boğdan'daki asker sayısını 10.000'e indirmeye karar verdiğini Sadâret'e yazdı[972].

Fuad Efendi, Çar ile vedalaştıktan sonra 19 Ocak 1850'de Petersburg'tan ayrıldı. Çar, Sultan'ın gönderdiği mektuba yazdığı cevabı Fuad Efendi ile gönderdi. Ayrıca, Fuad Efendi'ye elmaslı bir kutu, Miralay Tevfik Bey, Remzi Efendi ve Binbaşı Latif Ağa'ya da birer yüzük hediye etti.[973] Şiddetli kıştan dolayı Fuad Efendi, Petersburg'tan hareketinden on dört gün sonra 4 Şubat'ta Yaş'a gelebildi. Fuad Efendi, Duhamel ile Eflak ve Boğdan'a ait meseleleri görüşmek üzere bir hafta kadar Yaş'ta kaldıktan sonra Bükreş'e hareket etti[974]. Bükreş'te de bir süre kaldıktan sonra İstanbul'a doğru yola çıktı. İstanbul'a gelirken Şumnu'ya uğrayan Fuad Efendi, mültecilerle görüşerek onların sıkıntılarını dinlemiş ve İstanbul'a vardığında bu sıkıntıların giderilmesi için çalışacağına dair onlara söz vermişti[975]. Rusya'daki aşırı soğuklardan dolayı hastalığı nükseden Fuad Efendi, İstanbul'a geldikten sonra dinlenmek amacıyla Bursa'daki kaplıcalara gönderildi. Bursa'ya giderken Ahmed Cevdet Paşa'yı da beraberinde götürdü ve burada *Kavâid-i Osmaniyye*'nin telifini yaptılar[976].

Yukarıda da değinildiği gibi Çar, Sultan Abdülmecid'e gönderdiği mektubu Fuad Efendi'ye vermişti. Bu mektubun bir suretini de Titof'a göndermişti. Fransızca olarak kaleme alınan mektup Titof tarafından Âlî Paşa'ya takdim edildi. Mektup Türkçe'ye çevrilerek Abdülmecid'e sunuldu[977].

Çar, mektubunda iki ülke arasındaki meselelerde kendi tarafından ortaya konan iyi niyet ve dostluğa istinaden, Sultan'ın gönderdiği mektuptan duyduğu memnuniyeti dile getiriyordu. Yine Çar, Osmanlı Devleti'ne gösterdiği iyi niyet ve dostluğun, iki ülke arasındaki işbirliğinin gelişmesine mani olan sıkıntıların ortadan kaldırılmasına vesile olduğunu öğrenmekten mutluluk duyduğunu

---

[972] BOA., DUİT., 75-2/12.
[973] BOA., DUİT., 75-2/18-2; Ahmed Refik, *Aynı eser*, s.175.
[974] BOA., DUİT., 75-2/18-2; Ahmed Refik, *Aynı eser*, s.175.
[975] Hutter, *Aynı eser*, s.190; Philipp, *aynı eser,*, s.204.
[976] Cevdet Paşa, *Tezakir*, I, Ankara 1986, (Haz.Cavid Baysun), s.12.
[977] Ahmed Refik, *Aynı eser*, s.171.

söylüyordu. Çar'a göre, iki ülke arasındaki ilişkilerin daha da geliştirilmesi için ihtilaflı konulara yabancı devletlerin müdahalesinin önlenmesi gerekmekteydi. Çar, Osmanlı Devleti'nin bağımsızlık ve bütünlüğünün devamının en büyük arzusu olduğunu ifade ediyor ve Osmanlı Devleti hakkında beslediği iyi niyete, Sultan'ın itimat göstermeye devam ettiği müddetçe kendisinin de buna karşılık vereceğinden hiç şüphe duyulmamasını istiyordu. Ayrıca o, Macaristan İhtilali'nden sonra Osmanlı ülkesine iltica eden mültecilerin iâdesi hususunda ısrarcı olmasının, bu fesatçıların çıkaracağı fitne ve karışıklıklardan Osmanlı Devleti'nin korunması arzusundan kaynaklandığını söylüyordu. Ona göre, Rumeli'nin ihtilallerin odak noktası haline gelmesinin hem Rusya hem de Osmanlı Devleti'ne zararları olacaktı. Bu nedenle, Rumeli'de bu tür hadiselerin yaşanmaması için Sultan'ın bir takım tedbirler almasını da istiyordu. Çar, bölgede alınacak tedbirler hakkında Rus devlet erkânının Fuad Efendi ile konuştuklarını ayrıca, Titof'un da konuya Bâbıâli'nin dikkatine sunacağını belirtiyordu. Son olarak Çar, ihtilalcilerin Rumeli'de uzun yıllardan beri fesat tohumları ekerek bağımsızlık konusunda halkı tahrik ettiklerinden, Fuad Efendi'nin halkın huzurunu bozacak bu tür hadiselerin önlenmesinin ne kadar önemli olduğunu Sultan'a ileteceğini ifade ediyordu[978].

b.Avusturya İle Siyasi Münasebetlerin Yeniden Kurulması

Avusturya Elçisi Stürmer'in 14 Eylül 1849'da Bâbıâli'ye sunduğu notadan sonra iki ülke arasındaki siyasi ilişkiler kesilmişti. Osmanlı Devleti ile Rusya arasında diplomatik ilişkilerin yeniden kurulmasından sonra, Avusturya Elçisi Stürmer, Titof ile eş zamanlı hareket ederek 5 Kasım 1849'da Hâriciye Nâzırı Âlî Paşa'ya bir nota sunarak iki devlet arasında siyasi ilişkilerin yeniden başlaması için girişimde bulunmuştu. Bu notada, iki ülke arasındaki ilişkilerin dostça devam ettirilmesi için, Viyana Elçisi Kostaki Mussurus'un Avusturya Hükümeti'ne sunduğu önerilerinin kabul edildiği ve Macar mültecileri-

---

[978] BOA., DUİT., 75-2/15-2; Mehmed Galib, "Leh ve Macar Mültecileri" *Yeni Tasvir-i Efkâr*, Nr. 47, 28 C 1327/16 Temmuz 1909, s.4-5; Ahmed Refik, *Aynı eser*, s.173-174; A.F.T.G.S.A.E. 1-41; Mehmed Memduh, *Aynı eser*, s.122-124.

nin iâdesi talebinden vazgeçildiği ifade ediliyordu. Stürmer, gözetim altında tutulacak mültecilerin isim listesini de notanın ekinde Âlî Paşa'ya takdim etmişti[979]. Elçi'ye göre, kesin olmayan isim listesine sonradan isim eklemesi ve çıkartılması yapılabilecekti. Ayrıca Stürmer, Bâbıâli'den mültecilerin sonsuza kadar gözetim altında tutulmalarını da istiyordu[980].

Burada asıl üzerinde durulması gereken husus, Stürmer'in notasında da ifade ettiği Mussurus Paşa'nın Avusturya Hükümeti'ne sunduğu önerilerdir. Zira, Osmanlı Devleti ile Avusturya arasında mülteciler hakkında yapılan tartışmalarda çok kere bu önerilerde yer alan bir cümleye atıfta bulunulmuştur. Mussurus Paşa, Osmanlı Devleti'nin mültecileri Avusturya'nın iç güvenliğini tehdit etmeyecek bir yere yerleştirileceğini ve ancak iki tarafın anlaşması halinde mültecilerin serbest bırakılacağını garanti ettiğini yazılı olarak Avusturya Hükümeti'ne sunmuştu. Özellikle Avusturya ve Osmanlı Devleti'nin anlaşması halinde mültecilerin serbest bırakılacağı ifadesi iki ülke arasında ileride yoğun tartışmaların yaşanmasına neden olacaktır.

Diğer taraftan, elçinin notası, 11-12 Kasım 1849'da toplanan Meclis-i Mahsûs'da ele alındı. Yapılan görüşmelerde, Macaristan'da barış ve iç güvenlik sağlanıncaya kadar mültecilerin gözetim altında tutulması kabul edildi. Ayrıca, Stürmer'in verdiği listede isimleri yer alanların, vakit kaybedilmeden Kütahya'ya gönderilmelerine karar verildi[981].

Ancak, asıl problem mültecilerin nereye yerleştirileceği değil, bunların Osmanlı Devleti'nde ne kadar süre muhafaza edilecekleriy-

---

[979] Bu listede şu mültecilerin isimleri bulunmaktaydı: Kossuth, Istvan Batthyany, Kazmer Batthyany, Meszaros, Mor Perczel, Miklos Perczel, Laszlo Madarasz, Jozsef Madaras, Gyurman, Somsich, Grimm, Baroty, Zamoyski, Dembinski, Chojecki, Fedro, Matczynski, Briganti, Woroniecki, Latkowsky, Przyenski, Bertalon Szemere, Constantin Szemere, Horvath, Mihaly, Stein, Kmety, Szöllösy, Lazslo Ullmann, Berbat Ulmann, Zerfi Gusztav, Balog Janos, Hajnik, Wisoczky, Beöthy, Tancsics Mihaly. BOA., DUİT., 75-1/46-3; Ahmed Refik, *Aynı eser*, s.125; Hajnal, *Aynı eser*, belge no:155, s.773.
[980] BOA., DUİT., 75-1/46-2; Ahmed Refik, *Aynı eser*, s.124; Hajnal, *Aynı eser*, belge no: s.773.
[981] BOA., DUİT., 75-1/46-1; Ahmed Refik, *Aynı eser*, s.128.

di. Avusturya Hükümeti, mültecilerin ilelebet Osmanlı Devleti'nde gözetim altında tutulmasını istiyordu. Viyana Elçisi Kostaki Bey, Avusturya'nın bu isteğini yumuşatmak için, Osmanlı Devleti ile A-vusturya'nın anlaşması halinde mültecilerin serbest bırakılmalarını teklif etmişti. Bu teklif, Avusturya Hükümetince de kabul edilmişti. Ancak, Meclis'te Kostaki Bey'in teklifinde görünürde bir mahzur olmasa da, sonradan Bâbıâli'yi sıkıntıya sokacak hususların olduğu dile getirildi. Çünkü, bu teklif kabul edilirse mülteciler serbest bıra-kılmak istendiğinde Avusturya'nın onayını almak zorunlu olacak ve mültecilerin Kütahya'da ne kadar kalacakları belirsiz bir hale gele-cekti[982].

Ayrıca, bu şart kabul edilirse Bâbıâli, Avusturya'da ihtilal tehli-kesi kalmadığına ve bu ülkeye barış ve huzurun geldiğine tek başına karar verme yetkisine sahip olamayacaktı. Dolayısıyla, mültecilerin Osmanlı Devleti'nde sürekli gözetim altında tutulmalarını isteyen Avusturya için, bu durum büyük bir avantaj sağlıyordu. Böylece Avusturya iç barış ortamının sağlanmadığını ileri sürebilecek ve mültecilerin mümkün olduğu kadar Osmanlı Devleti'nde kalmasını sağlayabilecekti. Gerçekten de Avusturya Hükümeti, ileride de deği-nileceği gibi, bu şartı ileri sürerek mültecilerin Kütahya'dan serbest bırakılmalarına uzun süre itiraz edecektir.

Diğer taraftan, mecliste isimleri sonradan tespit edilecek mülte-cilerin de Kütahya'ya gönderilip muhafaza edilmelerinin mümkün olmayacağına karar verildi. Çünkü, uygulanmada bazı sıkıntılar yaşanabileceği gibi, süresinin belli olmamasından kaynaklanan zor-luklar da vardı. Bu sebeple, Avusturya elçisine verilecek takrirde söz konusu isteklerin kabul edilmesi halinde ileride doğacak mahzurlara dikkat çekilecekti. Yukarda bahsedilen hususlar doğrultusunda A-vusturya elçisine bir takrir yazıldı. Ayrıca, takririn bir müsveddesi Canning ve Aupick'e verilerek onların da bu konudaki görüşleri soruldu. İki elçi de bu konuda Bâbıâli'nin girişimini destekler tarzda görüş beyan ettiler. Ayrıca hazırlanan takrir, Stürmer'e resmi olarak

---

[982]   BOA., DUİT., 75-1/46-1; Ahmed Refik, *Aynı eser*, s.128.

290 Osmanlı'ya Sığınanlar

verilmeden önce, müsveddesinin kendisine gösterilerek şahsi görüşünün sorulmasına karar verildi[983].

Hazırlanan takrir, 13 Kasım 1849'da Stürmer'e takdim edildi. Takrirde, diplomatik münasebetlerin yeniden kurulması için atılan adımlardan duyulan memnuniyet dile getiriliyordu. Bâbıâli'nin vaad ettiği tedbirleri süratle uygulamaya koyarak, mülteci liderlerini Kütahya'ya göndermeye karar verdiği belirtiliyordu. Ayrıca, mülteci şeflerinin Avusturya'ya karşı bir ihtilal girişiminde bulunamayacak şekilde muhafaza edilecekleri de taahhüt ediliyordu.

Bu iş için, özel bir memur tayin edildiği ifade ediliyordu. Yine takrirde, Macar mültecilerinin Avusturya için bir tehdit unsuru olmaktan çıktıkları anlaşılıncaya kadar, Kütahya'da gözetim altında tutulacakları belirtiliyordu. Listede ismi olmayan, fakat Avusturya'nın sonradan isimlerini tespit edeceği şahısların, Osmanlı Devleti tarafından yakalanıp diğer mültecilerin yanına gönderilmesinin kabul edilemez bir teklif olduğu ifade ediliyordu[984]. Stürmer, takririn içeriğiyle ilgili Bâbıâli ile hiçbir tartışmaya girmedi ve Schwarzenberg'e gönderdi.

Bu takrirde dikkat çeken husus, Avusturya'da iç güvenlik ve barış ortamı sağlandıktan sonra, mültecilerin serbest bırakılmaları için Avusturya'nın onayının alınacağı hususuna hiç değinilmemesiydi. Oysa, mültecilerin serbest bırakılmadan önce Avusturya'nın onayının alınacak olması, Osmanlı Devleti için büyük bir sorundu. Takrirde bu hususla ilgili herhangi bir ifadenin yer almaması Schwarzenberg'in dikkatini çekmişti.

Nitekim o, Stürmer'e gönderdiği talimatta bu hususun açıklığa kavuşturulmasını istemişti. Schwarzenberg'in üzerinde durduğu bir diğer önemli nokta da mültecilerin muhafazası için Kütahya'ya kendileri tarafından bir komiser gönderilmesiydi. Ayrıca Schwarzenberg, listede adları yer almayan, fakat isimleri sonradan tespit edile-

---

983 BOA., DUİT., 75-1/46-1; Ahmed Refik, Aynı eser, s.129.
984 BOA., DUİT., 75-1/46-1; BEO. A. DVN. DVE. 14-89. 1265; Ahmed Refik, Aynı eser, s.131-Hajnal, Aynı eser, belge no:158, s.776-778. Âlî Paşa'nın Avusturya Elçisi Stürmer'e verdiği 13 Kasım 1849 tarihli takrir.

cek mültecilerin de yakalanarak Kütahya'ya gönderilmesini isti-yordu[985].

Stürmer, bu talimatı aldıktan sonra Aralık 1849'da iki ülke ara-sında diplomatik münasebetlerin yeniden kurulması için altı madde-den oluşan istekler paketini Bâbıâli'ye sundu. Bu istekler şunlardı:

1- Kostaki Mussurus tarafından Avusturya Hükümeti'ne verilen takririn iki hükümet arasında geçerli anlaşma metni olarak kabul edilmesi ve Kütahya'ya gönderilecek mültecilerin isimlerini ihtiva eden defterin Osmanlı Devletince kabul edilmesi,

2- Söz konusu defterin iki ay kadar açık kalması ve bu müddet zarfında ortaya çıkacak mültecilerin isimlerinin de deftere eklenmesi,

3- Diplomatik münasebetlerin yeniden başlama şartı olarak, iki devletin onayı olmadan mültecilerin serbest bırakılamayacağının kabul edilmesi[986],

4- Mültecilerin Kütahya'ya nakli sırasında Avusturya elçisinin görevlendireceği bir memurun da bulunması ve bu memurun mül-teciler Kütahya'ya varıp Osmanlı Devleti görevlilerine teslim edildik-ten sonra geri dönmesi,

5- Mültecilerin Kütahya'daki ikametleri sırasında layıkıyla mu-hafaza olunup olunmadıklarını kontrol etmek üzere Avusturya elçi-since bir memur gönderilmesi ve bu memura iyi davranılması husu-sunda mültecilerin muhafazasıyla görevli kişiler ve Kütahya'daki kaymakama hitaben Bâbıâli tarafından tavsiyelerde bulunulması,

6- Müslüman mültecilerin korunmalarına azami derecede dikkat gösterilmesi[987].

---

[985] Hajnal, *Aynı eser*, belge no: 160, s.780-781 Schwarzenberg'in Stürmer'e gönderdiği 27 Kasım 1849 tarihli talimat.

[986] "Takrîre Mültecîlerin salıverilmesi iki devlet beyninde evvelce karârlaşdırılmağa muhtâç olacağı şartının dercî elzem olub başka sûretle hitâm-ı maslahat uyamaya-cağı" (BOA., DUÎT., 75-1/59-4; Ahmed Refik, *Aynı eser*, s.140).

[987] BOA., DUÎT., 75-1/59-4; Ahmed Refik, *Aynı eser*, s.140, Ahmed Refik, *Aynı makale*, s.18-19. Ayrıca Osmanlı Devleti ile Avusturya arasında Kütahya'ya yerleştirilen mültecilerin kamp biçimi hakkında yapılan müzakereler için bkz. Hajnal, *Aynı e-ser*, belge no:162, s.783-785.

292 Osmanlı'ya Sığınanlar

Stürmer'in diplomatik münasebetlerin başlaması için formüle ettiği bu istekler 19 Aralık 1849'da toplanan Meclis-i Mahsûs'da görüşüldü. Görüşmelerde elçinin öne sürdüğü birinci maddenin itirazsız kabulüne karar verildi. Avusturya Devleti başlangıçta Kütahya'ya gönderilecek mültecilerin isimlerini ihtiva eden defterin sürekli açık tutulmasını istiyordu. Oysa Stürmer, Bâbıâli'ye sunduğu yeni önerilerde bu süreyi iki ayla sınırlandırıyordu. Meclis'te, iki aylık sürenin Avusturya'nın başlangıçtaki isteklerine oranla daha makul olduğu kanaatine varıldı. Dolayısıyla, kabul edilmesinde bir sakınca görülmedi. Üçüncü maddede belirtilen, iki devletin onayı olmadan mültecilerin serbest bırakılamayacağı talebinin kabul edilemez olduğu belirtildi. Çünkü, bu maddenin kabul edilmesi halinde Osmanlı Devleti, bu konuda tek başına karar verme yetkisini kaybediyordu. Bir bakıma Avusturya, mültecilerin sürekli olarak Osmanlı Devleti'nde gözetim altında tutulmaları isteğini bu maddeye gizlemişti. Bâbıâli her ne kadar bu insanların Avusturya için zararsız hale geldiğini iddia etse de, Avusturya Hükümeti ikna olmadıkça, sözü edilen maddenin uygulamaya konulması imkânsızdı. Bâbıâli ise böyle bir taahhütte bulunmak istemiyordu. Bu sebeple Avusturya Hükümetinden bu maddenin makul bir şekilde değiştirilmesinin talep edilmesine karar verildi[988].

Dördüncü ve beşinci maddelerde belirtilen, mültecilerin Kütahya'ya nakli sırasında bir memurun görevlendirilmesi ve Avusturya elçiliğince Kütahya'ya görevliler gönderilip, mültecilerin nasıl muhafaza edildiklerinin kontrol edilmesinin kabul edilmez bir teklif olduğu görüşüne varıldı. Ayrıca, din değiştiren mültecilere anlaşmalar gereğince ne Avusturya ne de Rusya'nın müdahale hakları olmadığı dile getirildi. Müslüman mültecilerin Halep'e gönderilerek muhafaza edilecekleri, ancak bunların Halep'te yerleştirilmelerinin geçici olacağı ve ileride lüzum görüldükçe istihdam edileceklerinin her iki elçiye söylenmesine karar verildi. Diğer taraftan, Avusturya elçisinin alınan bu kararları kabul etmeme ihtimali de düşünülerek, bu durumda izlenecek strateji de belirlendi. Eğer elçi, sunulan önerileri

---

988 BOA., DUİT., 75-1/59-1; Ahmed Refik, *Aynı eser*, s.144; Ahmed Refik, *Aynı makale*, s.22.

kabul etmez ise, mültecilerin firar etmesinden Osmanlı Devleti'nin sorumlu olmayacağı söylenecekti[989].

Bu arada, Avusturya'nın isteklerinin kabul edilmemesi bazı riskleri de beraberinde getiriyordu. Çünkü Avusturya, Kütahya'da konsolosluk açmak isteyebilirdi. Üstelik iki ülke arasındaki mevcut anlaşmalara göre, Avusturya ticarî açıdan uygun gördüğü yerlerde konsolosluk açma hakkına sahipti. Eğer Avusturya böyle bir istekte bulunursa, Kütahya'da hiçbir ticari faaliyetinin olmadığı hatırlatılacak ve orada bir konsolosluk açmasının yegane gayesinin mültecilere nezaret etmek isteği olduğu söylenecekti. Ayrıca, her ülkenin mülkünde bazı bölgeleri müstesna tutma hakkı olduğu belirtilerek, gelebilecek böyle bir teklif de kabul edilmeyecekti[990].

Rusya ile diplomatik ilişkiler 25 Aralık 1849'da kurulmasına rağmen, Avusturya'nın isteklerinden taviz vermemesi yüzünden, bu devletle diplomatik ilişkiler bir türlü kurulamıyordu. Bâbıâli nezdinde yapılan girişimlerde Rusya elçisiyle sürekli eş zamanlı hareket eden Stürmer, şimdi yalnız hareket etmek zorundaydı. Aslında, Bâbıâli ile diplomatik ilişkilerin kurulamaması Avusturya Hükümeti'ni de rahatsız ediyordu. Nitekim 14 Ocak 1850'de kabine konuşmasında Schwarzenberg diplomatik münasebetlerin kesilmesinden dolayı Avusturya'nın maddi zarara uğradığını ve bu nedenle Osmanlı Devleti ile diplomatik ilişkilerin bir an önce başlatılması gerektiğini dile getirmişti[991].

Schwarzenberg'in bu beyanına rağmen, iki ülke arasındaki sorunlar hâlâ devam ediyordu. Hatta, mevcut sorunlara zamanla yenileri ekleniyordu. Zira, Şubat ayında Stürmer, Bâbıâli'den mültecilerin beş yıl süreyle Osmanlı Devleti'nde kalmalarını istemişti[992]. Bâbıâli ise bu isteğe karşılık, sürenin bir yılla sınırlı tutulmasını teklif etmiş-

---

[989] BOA., DUİT., 75-1/59-1; Ahmed Refik, *Aynı eser*, s.144-145; Ahmed Refik, *Aynı makale*, s.22-23.
[990] BOA., DUİT., 75-1/49-1; Ahmed Refik, *Aynı eser*, s.144-145; Ahmed Refik, *Aynı makale*, s.22-23.
[991] Hajnal, *Aynı eser*, belge no:166, s.792 Schwarzenberg'in mülteciler meselesinin hızla sona erdirilmesi gerektiği hakkında kabinede yaptığı 14 Ocak 1849 tarihli konuşma.
[992] İmrefi, *Aynı eser*, s.223.

ti[993]. Osmanlı Hükümeti'ne göre, Avusturya'da düzenin tekrar sağlanabilmesi için bir yıl yeterliydi. Mülteciler, bu süreden sonra Osmanlı ülkesinin herhangi bir yerinde serbestçe gezebilecek, ikamet edebilecek ve ülke dışına çıkabileceklerdi[994]. Ancak, Avusturya bu isteğinden vazgeçmediği gibi, diplomatik ilişkilerin yeniden başlatılmasını da bu şarta bağladı. Bunun üzerine mesele iki defa Meclis-i Mahsûs'ta bir defa da Meclis-i Vâlâ'da görüşüldü. Mültecilerin beş sene Kütahya'da gözetim altında tutulmalarının devlete büyük bir maddi külfet getireceği ve bu süre zarfında mülteciler yüzünden iki ülke arasında başka sorunlar da yaşanabileceği ifade edildi. Görüşmelerde bu hususlar dikkate alınarak, beş yıllık sürenin kabul edilmesinin mümkün olmadığına karar verildi. Diğer taraftan, Bâbıâli de Avusturya ile diplomatik münasebetlerin bir an önce kurulmasını istiyordu. Bu nedenle, daha önce ısrarcı olduğu bazı hususlarda taviz verdi ve mültecilerin Osmanlı Devleti'nde bir sene kaldıktan sonra ve Avusturya'nın onayı alınarak serbest bırakılabilecekleri fikri kabul gördü. Bu talebinin kabul edilmesi, Avusturya'nın beş yıllık sürede ısrar etmesinden kaynaklanıyordu. İngiltere ve Fransa elçileri, mültecilerin Osmanlı Devleti'nde kalış sürelerinin altı ayı geçmemesi gerektiği kanaatinde idiler. Bu yüzden onlar, bir senelik süreye bile sıcak bakmıyorlardı. Hal böyle olunca, Osmanlı Devleti beş seneyi kabul etmek yerine, bir sene sonra mültecileri serbest bırakmayı ve bunu yaparken de Avusturya'nın muvafakatini almayı kabul etti. Alınan kararlar doğrultusunda Avusturya Elçisi Stürmer'e bir takrir verilmesi kararlaştırıldı[995].

Takrirde, Avusturya aleyhine bir ihtilal hareketine girişemeyecekleri anlaşılıncaya kadar mültecilerin gözetim altında tutulacakları garanti ediliyordu. Takrirde Bâbıâli'nin mültecileri serbest bırakma hakkına sahip olduğu özellikle vurgulanıyordu. Ancak bir sonraki ifade, bu hakkı bir bakıma Bâbıâli'nin elinden alıyordu. Bu ifadede, "mültecilerin serbest bırakılma vakti geldiğinde, Osmanlı Devleti

[993] BOA., DUİT., 75-2/24-1 Sadâret'in Mâbeyn'e takdim ettiği 4 CA 66/18 Mart 1850 tarihli arz tezkiresi, Imrefi, *Aynı eser*, s.234; Ahmed Refik, *Aynı eser*, s.187.
[994] Imrefi, *Aynı eser*, s.224.
[995] BOA., DUİT., 75-2/26-1; Ahmed Refik, *Aynı eser*, s.187-188.

bunları serbest bırakmadan evvel durumu Avusturya Devleti'ne bildirecek ve onayını alacaktı" deniyordu[996]. Takrire böyle bir cümlenin konulmasıyla mültecilerin ne zaman serbest bırakılacakları hususunda Avusturya, önemli bir inisiyatifi ele geçirmiş oluyordu.

Diğer taraftan, din değiştiren mültecilerin Mazhar Bey gözetiminde Halep'e gönderilecekleri belirtiliyordu. Eski vatanları için tehlike oluşturmayacak bu insanların, bir müddet gözetim altında tutulacakları ifade ediliyordu. Ancak Osmanlı Devleti'nin, ileride söz konusu mültecileri İstanbul ve Avusturya sınırına yakın yerlerin dışında istihdam edebileceği vurgulanıyordu. İsimleri Avusturya Sefareti tarafından tanzim edilen defterde olmayıp da sonradan tespit edilen mültecilerin de bu takrirn verilmesinden sonraki iki ay zarfında diğer mülteciler gibi kabul edileceği belirtiliyordu[997]. Hazırlanan takrir Padişah'ın onayından geçtikten sonra Avusturya elçisine verildi[998].

Takrirde belirtilen hususların Avusturya elçisi tarafından kabul edilmesiyle iki ülke arasında diplomatik ilişkiler yeniden kuruldu. Âlî Paşa, Stürmer'e Bâbıâli'nin Avusturya ile diplomatik ilişkileri başlatma kararından memnun kaldığını bildiren bir nota verdi. No-

---

[996] "...rüesâ-yı merkûmenin ihlâl-i âsâyişi-i Memâlik-i İmparatorîyeye muktedir olamayacakları tebeyyün edinceğe değin ber-vech-i karâr Devlet-i 'Aliyye cânibinden muhâfaza olunacakları derkâr ise de 'âsâyiş-i matlûbe hâsıl olunduğu gibi artık her nerde olsalar ihlâle muktedir olamayacaklarından ol hâlde kendülerinin Saltanat-ı Seniyye Memâlikinde kalmalarına hâcet görünmeyeceği müsellemâtdan yani bu husûs Memâlik-i İmparatorîyye'nin âsâyiş-i dâhiliyyesine râci' olduğu münker olmadığı ve Saltanat-ı Seniyye'nin ber-vech-i meşrûh devlet-i müşârünileyhânın ihlâl-i istirâhat-ı mülkiyyesini mûcib olacak mevâddı tecvîz etmeyeceği derkâr olduğu misillü Devlet-i Aliyye'nin bu adamları ilel'l-ebed muhâfaza edemeyeceği dahi umûr-ı bedîhiyyedendir. Binâenaleyh Macaristan'ın âsâyişi takarrur etmiş olubda lüzûm-ı hakîkî görünmediği hâlde kendülerini Memâlik-i Mahrûsadan ihrâc etmeğe Devlet-i Aliyye'nin istihkâkî olacaktır. Şu kadarki Devlet-i Aliyye bu vakit geldikde merkûmları mülkünden teb'îd etmezden evvel muvâfık-ı hüsn-i hemcivârî ve dostî olduğu üzere Avusturya Devletiyle uyuşmak arzusunda olduğundan ol hâlde bu niyetini devlet-i müşâruileyhâya bi'l-ihbâr istihsâl-i muvâfakatına sa'y ve ihtimâm eyleyecekdir..". (BOA., DUİT., 75-2/33-2, Ahmed Refik, *Aynı* eser, s.175. Avusturya Stürmer'e 23 CA 66/6 Nisan 1850 tarihli iradeyle onaylanıp verilen takrir.

[997] BOA., DUİT., 75-2/33-2; Ahmed Refik, *Aynı eser*, s.184-185.

[998] BOA., DUİT., 75-2/33-1; Ahmed Refik, *Aynı eser*, s.180-182 Sadâret'in Mâbeyn'e takdim ettiği 22 CA 66/5 Nisan 1850 tarihli arz tezkiresi üzerine 23 CA 66/6 Nisan 1849'da sâdır olan irâde.

tada Paşa, Avusturya'da iç huzur ve güvenliğin bir an önce sağlanması temennisinde bulunuyor ve bunun gerçekleşmesi ile de mültecilerin gözetim altında tutulmalarına gerek kalmayacağı ve bu insanlara istedikleri yere gitmeleri için izin verileceği ümidini taşıdığını ifade ediyordu[999].

Diplomatik ilişkilerin kurulmasından sonra, Avusturya İmparatoru'nun 23 Nisan 1850 tarihli mektubu, Stürmer tarafından Sultan Abdülmecid'e takdim edildi[1000]. İmparator, mektubunda Sultan'ın gönderdiği 14 Eylül 1849 tarihli mektuptan duyduğu memnuniyeti ve ülkesinde barış ve huzur ortamının tesis edilmesi için gösterdiği dostane teveccühün samimiyetinden şüphesi olmadığını belirtiyordu. Yine İmparator, Osmanlı topraklarına sığınan mülteci şeflerinin Avusturya aleyhinde herhangi bir fitne ve fesada kalkışma imkânları ellerinden alınarak, gözetim altında tutulmalarına dair verilen teminatı, bu samimi dostluğun bir göstergesi olarak kabul ediyordu. Bu teminata dayanarak mültecilerin iâdesi talebinden vazgeçildiğini ifade eden İmparator, iki devlet arasında varılan anlaşma gereğince, mültecilerin gözetim altına alınmaları ve Avusturya sınırından uzak bölgelere yerleştirilmeleri hususunda Sultan'ın niyetine tam bir itimat duyduğunu belirtiyordu. İmparator'un mektubu, mülteciler meselenin iki ülke arasındaki dostane ilişkileri zahiren kısa bir süre için zedelemiş olsa da, aslında daha da kuvvetlendirdiği kanaatiyle bitiyordu[1001].

---

[999] Imrefi, *Aynı eser*, s.224.

[1000] Ahmed Refik, *Aynı eser*, s. 175.

[1001] BOA., DUİT., 75-5/41-2; Ahmet Refik, *Aynı eser*, s.175.

BEŞİNCİ BÖLÜM

ŞUMNU KAMPININ DAĞITILMASI ve MÜLTECİLERİN YENİ YERLEŞİM YERLERİ

A.Kütahya'ya Gönderilen Mülteciler

1-Yapılan Hazırlıklar

1850 Şubatı'nda Şumnu'daki mülteci kampı dağıtıldığında dört değişik durum ortaya çıkmıştı.

1- Kossuth ile Kütahya'ya gönderilen Hıristiyan mülteciler,

2- Bem ile Halep'e gönderilen Müslüman mülteciler,

3- Rusya ile varılan anlaşma gereği Malta Adası'na gönderilenler,

4- Osmanlı Devleti yönetiminde görev almak veya daha sonra bazı Avrupa ülkelerine gitmek üzere Şumnu'da kalan mülteciler.

Kütahya kafilesi, Halep'e gönderilenlerden sonra, sayıca en az olan gruptu. Sayıca az olmasına rağmen, Macar Özgürlük Savaşı'nın önde gelen isimleri bu grup içerisinde yer aldığından, bütün dünyanın gözü onların üzerindeydi[1002]. Bu sebeple Osmanlı Devleti, Kütahya grubunu özenle korumuş ve onlara mümkün olduğunca misafirperver davranmıştı.

[1002] Kemal Karpat H., "Kossuth in Turkey: The Impact of Hungarian Refugees in the Ottoman Empire 1849-1851" *Osmanlı Öncesi ve Osmanlı Araştırmaları Uluslararası Komitesi VII. Sempozyumu Bildirileri*, (Ankara, 1994), s.112.

Mültecilerin Şumnu'dan Kütahya'ya gönderilmelerine karar verildikten sonra, onları Varna'dan Gemlik İskelesi'ne getirmek üzere, büyük bir vapurun gönderilmesi için Sadâret'ten Kaptan Paşa'ya emir yazılmıştı. Kütahya'ya gönderilecek mültecilerin sayısı 57 olmasına rağmen onların rahat yolculuk yapmaları için en büyük ve en iyi vapurun Varna'ya gönderilmesi istenmişti. Bu isteğe uygun olarak, başlangıçta Eser-i Cedîd Vapuru'nun gönderilmesi düşünüldü. Ancak, bu sırada Sisam Adası'nda çıkan isyan üzerine, adı geçen vapur oraya gönderilmişti. Kaptan Paşa, Sisam Adası'nda bulunan Eser-i Cedîd Vapuru'nun geri çağrılarak Varna'ya gönderilmesine karar verdi. Sisam Adası'na da, Eser-i Hayr Vapuru gönderilecekti. Kaptan Paşa, alınan bu kararı Sadârete iletmiş[1003], hatta bu karar Padişah'ın onayından bile geçmişti[1004].

Ancak bu karar, mültecilerin Vidin'den Şumnu'ya yolculukları devam ederken, yani 19 Kasım 1849'da alınmıştı. Hatırlanacağı üzere mülteciler, Şumnu'da uzun bir süre daha kalmışlardı. Mültecilerin Şumnu'dan Kütahya'ya nakilleri için Avusturya Hükümeti ile Bâbıâli arasındaki pürüzler henüz tam olarak giderilememişti. Bu pürüzlerin giderilmesinden sonra, alınan karar gereği Varna'ya Eser-i Cedîd Vapuru gönderilecekti. Ancak, bir müddet sonra Eser-i Cedîd Vapuru'ndan vazgeçildi. Sadâret, Kaptan Paşa'dan mültecileri Varna'dan Gemlik İskelesi'ne taşımak için, Tersane-i Âmire'den uygun bir vapurun görevlendirilmesini ikinci defa istedi. Kaptan Paşa, Sadâret'in bu isteğini Serasker Paşa ile değerlendirdikten sonra, Kütahya ve Halep'e gönderilecek mültecileri, Gemlik ve İskenderun İskelelerine götürmek üzere, Tâir-i Bahrî Vapuru'nu tahsis etti[1005]. Diğer taraftan Malta Adası'na gönderilecek mülteciler için de Tâif-ı Bahrî Vapuru Varna'ya hareket edecekti[1006].

[1003] BOA., DUİT., 75-1/48-2 Kaptan Paşa'nın Sadâret'e takdim ettiği 27 Z 65/13 Kasım 1849 tarihli tezkire.

[1004] BOA., DUİT., 75-1/48-1 Sadâret'in Mâbeyn'e takdim ettiği 2 M 66/18 Kasım 1849 tarihli arz tezkiresi üzerine 3 M 66/19 Kasım 1849 tarihinde sâdır olan irade.

[1005] BOA., DUİT., 75-1/60-2 Kaptan Paşa'nın Sadâret'e takdim ettiği 10 S 66/26 Aralık 1849 tarihli tezkire.

[1006] BOA., DUİT., 75-1/60-2.

Varna İskelesi'ne hareket etmeden önce, Tâir-ı Bahrî Vapuru kaptanına bir de talimat verildi. Bu talimatta, vapur kaptanından şu hususları yerine getirmesi isteniyordu:

1- Tâir-i Bahrî Vapuru, Varna'ya gidecek ve Şumnu'dan oraya gelecek mültecileri ve eşyalarını alarak Gemlik İskelesi'ne götürecekti. Gemlik İskelesi'ne varıldığında mülteciler, Miralay Süleyman Refik Bey'e teslim edilecektir.

2- Vapur, bu işlemden sonra vakit kaybetmeden, tekrar Varna'ya dönecekti. Bu defa, Halep'e gönderilecek olan Müslüman mültecileri Varna'dan alıp İskenderun İskelesi'ne çıkaracak ve orada bekleyen görevlilere teslim edecektir.

3- Vapur, mültecileri gerek Gemlik gerekse İskenderun İskelesine götürürken, İstanbul Boğazı'na girdikten sonra Boğaz'ın hiçbir yerinde, özellikle de Haliç ve İstanbul'da beklemeyecektir. İskenderun İskelesi, Gemlik İskelesi'ne göre daha uzak olduğundan, yolda vapurun yakıtı tükenebilirdi. Bu durumda yakıt için gerekli olan kömür, Akdeniz Boğazı veya Rodos Adası'ndan alınacaktır. Tâir-i Bahrî Vapuru güneş batarken Boğaz'a girecek ve Marmara Denizi'ni gece geçecekti. Bu sebeple kaptan, Varna'dan hareketini buna göre ayarlayacaktır.

4- Mültecilerden hiçbirinin firar etmemelerine azamî dikkat gösterilecektir.

5- Gerek Kütahya ve gerekse Halep'e gönderilen mülteciler, Macar Özgürlük Savaşı'nın önde gelen isimleri olduklarından bunlara hürmet ve saygıda kusur edilmeyecektir. Ayrıca vapur personeli, yolculuk boyunca mülteci liderlerine ve maiyetlerinde bulunanlara güzel yemeklerden ikramda bulunacaktır.

6- Mültecilerin hayvanları da gemiye alınacak, ancak bunların sayısı 20-25'i geçmeyecektir [1007].

Kütahya'ya gönderilecek mülteciler, Macar Özgürlük Savaşı'nın önde gelen isimleriydi. Bu sebeple, Kütahya grubunun muhafızlığını

[1007] BOA., DUİT., 75-1/63-2, 24 S 66/8 Ocak 1850 tarihli iradeyle Tâir-i Bahrî Vapuru kaptanına verilen talimat.

yapacak şahsın dirayetli ve onları iyi tanıyan birisi olması gerekiyordu. Süleyman Refik Bey, hem Vidin hem de Şumnu'da mültecilerle birlikte bulunmuştu. Sadâret, bu hususu göz önüne alarak yolculukları boyunca onlara refakat etmek ve Kütahya'da kaldıkları süre içerisinde muhafızlığını yapmak üzere Süleyman Refik Bey'i görevlendirdi[1008].

Kütahya'ya gönderilecek mültecilerin nezaret ve muhafazasına tayin edilen Süleyman Refik Bey'e de kapsamlı bir talimat verildi. Bu talimat, şu hususları içeriyordu:

1- Süleyman Refik Bey, Şumnu'da bulunan ve Avusturya elçisinin verdiği defterde isimleri yer alan Macar ve Polonyalı mülteci liderlerini, Şumnu'dan alıp Varna'ya götürecektir. Mülteciler, burada kendilerini bekleyen Tâir-i Bahrî Vapuru'na bindirilecekti. Vapur, Gemlik İskelesi'ne çıktıktan sonra mülteciler, Süleyman Refik Bey'in refakatinde buradan Kütahya'ya götürülecektir. Süleyman Refik Bey, mültecilerin Kütahya'daki ikametleri sırasında onların muhafazalarına dikkat edecek ve ihtiyaçlarını temine çalışacaktır.

2- Ahmed Vefik Efendi, Avusturya elçisi tarafından Bâbıâli'ye verilen defterde hangi mülteci liderinin isminin bulunduğunu bilmektedir. Ayrıca, kendisine verilen talimatta bu mültecilerin Şumnu'dan Varna'ya nakilleri ile onları Kütahya ve Halep'e götürecek vapurlara nasıl bindirilecekleri belirtilmişti. Söz konusu talimatta nelerin istendiğinin bilinmesi için, talimatın bir sureti de Süleyman Refik Bey'e gönderilmişti. Dolayısıyla Süleyman Refik Bey, bu talimata göre de hareket edecekti. Süleyman Refik Bey, refakatinde bulunduğu mültecileri Gemlik İskelesi'ne çıkardıktan sonra, burada kendilerini bekleyen bir grup asker ile Kütahya'ya götürecektir. Mültecilerin, Gemlik'ten Kütahya'ya yapacakları yolculuk, kış mevsimine tesadüf etmektedir. Kış sebebiyle yollar çamur olacağından ve mültecilerin maiyetinde çocukları da bulunduğundan yolda hızlı gidilmeyecektir. Yolculuğun yorucu geçmemesi için, uzun mesafeli konaklar ikiye üçe bölünecektir. Ayrıca, konaklama yerlerinde bakımlı ve soğuğa dayanıklı evlerde ikamet edilecektir. Mültecilerin

---

[1008] BOA., DUİT., 75-1/59-1; Ahmed Refik, *Aynı eser*, s.145.

yolculuk boyunca incinmemelerine ve rahat yolculuk yapmalarına dikkat edilecektir.

3- Mülteciler, Kütahya'ya ulaştıklarında kendileri için hazırlanan dairelere yerleştirilecektir. Mültecilerin Şumnu'da olduğu gibi yiyecek ve giyecek ihtiyaçları karşılanacaktı.

4- Süleyman Refik Bey'in en fazla dikkat edeceği husus, mültecilerin serbest bırakılacakları zamana kadar firar etmemeleridir. Kendisine duyulan güvenden dolayı bu göreve getirilen Süleyman Refik Bey, görevinin bilincinde olarak, gece-gündüz mültecilerin işleriyle ilgilenecek ve onların korunmalarına dikkat edecektir. Mültecilerden birinin firar etmesi Osmanlı Devleti'ni zor durumda bırakacağından, böyle bir firarın sorumluluğu tamamen Süleyman Refik Bey'e ait olacaktır. Böyle bir hadisenin yaşanması halinde Süleyman Refik Bey, sorumluluğunun olmadığını söylese bile mazereti kesinlikle kabul edilmeyecektir.

5- Mülteciler, uzun zamandan beri vatanları ve ailelerinden ayrı kalmanın üzüntüsünü çektiklerinden onları rencide ve tahkir edecek en küçük bir hareketten kaçınılacaktır. Mültecilerin, mesire yerlerine ve sokağa çıkmak isteyenlere izin verilecektir. Fakat, rahatlarını sağlamak ve bir şey almak istediklerinde ihtiyaçlarını gidermek gibi bahanelerle yanlarına bir ya da iki zâbit verilecektir.

6- Mültecilerin Avusturya Devleti aleyhinde faaliyette bulunmamalarına dikkat edilecektir. Bunların İstanbul veya başka mahallere gönderecekleri mektuplar, Süleyman Refik Bey tarafından alınıp bir zarf içine konulduktan sonra, Bâbıâli'ye gönderilecektir. Ayrıca, mültecilerin Kütahya'daki yaşantıları Bâbıâli ve Seraskerliğe rapor edilecektir.

7- Şumnu'dan Varna'ya ve Gemlik'ten Kütahya'ya kadar yol boyunca mülteciler için yapılacak masraflar, Saltanat-ı Seniyyece karşılanacaktır. Bu sebeple Süleyman Refik Bey, bu masraflar için fatura tanzim edecektir[1009].

[1009] BOA., DUİT., 75-1/63 24 S 66/8 Ocak 1849 tarihli iradeyle Yaver-i Harb-i Seraskeri Mîralây Süleyman Refik Bey'e verilen talimat müsveddesi; Nejat Göyünç, "1849 Macar Mültecileri ve Bunların Kütahya ve Halep'te Yerleştirilmeleri ile İlgili Tali-

Ahmed Vefik Efendi, 6 Şubat 1850'de Şumnu'ya vardığında ilk iş olarak, mülteci lideriyle görüşmüş ve onları Kütahya'ya gitmeye ikna etmişti. Daha sonra, Avusturya Konsolosu Rössler ile de bir araya gelerek Kütahya'ya gönderileceklerin kimler olduğuna dair bir görüşme yapmıştı[1010].

Aslında bu isimler, Avusturya Elçisi Stürmer'in Bâbıâli'ye takdim ettiği defterde kayıtlıydı. Bu defterde, on üç mülteci liderinin ismi bulunuyordu. Bunlardan 8'i Macar ve 5'i Polonyalı idi[1011]. Ayrıca bu 13 mülteci liderinin maiyetinde toplam 44 kişi bulunuyordu. Böylece Kütahya'ya gönderilen toplam mülteci sayısı 57 kişi idi[1012]. Ancak, Kütahya'ya gönderilen mültecilerin sayısı 57 kişiyle sınırlı kalmamıştır.

Aşağıda da değinileceği üzere, daha sonra Şumnu'dan Kütahya'ya başka bir mülteci kafilesi daha gönderildiği gibi, arkadaşlarını ziyaret maksadıyla da buraya gelen mülteciler olmuştur.

Aşağıdaki tabloda, Kütahya'ya gönderilen mülteci liderleri ve onların maiyetlerinde götürdükleri mültecilerin isimleri verilmiştir.

Defterde İsimleri Kayıtlı Bulunanlar	Beraberinde Götürdükleri
Macar	
Kossuth	Eşi Theresa, Daniel İhasz[1013], Binbaşı Ede Biro, Yüzbaşı Frater, Klapka, Grechenek, Hazman, Berzenczey, Veigli, Koszta, Szerenyi, Török, Laszlo[1014], Lori, Kinizsi, Kappner, Acs, Cseh[1015], üç hizmetçisi, Wagner, Timari, Szpaczek[1016].

matlar", *Türk-Macar Kültür Münasebetleri Işığı Altında II. Rakoczi Ferenc ve Macar Mültecileri Sempozyumu*, (31 Mayıs-3 Haziran 1976), İstanbul Üniversitesi Edebiyat Fakültesi, (İstanbul 1976), s.177-178.

1010 BOA., DUİT., 75-2/14-4 Ahmed Vefik Efendi'nin Sadâret'e takdim ettiği 2 R 66/15 Şubat 1850 tarihli tahrirat.
1011 BOA., DUİT., 75-2/14-12.
1012 BOA., DUİT., 75-2/19-4; Österreichisches Staatsarchiv Haus Hof und Staatsarchiv, PA XII: Türkei, fol. 38-39; Ahmed Refik, *Aynı eser*, s.171.
1013 Kossuth'un hizmetçisi (BOA., DUİT., 75-2/14-12; Ahmed Refik, *Aynı eser*, s.171).
1014 Kossuth'un sekreteri (Korn, *Aynı eser*, s.184).
1015 Kossuth'un tercümanı (BOA., DUİT., 75-2/14-12; Ahmed Refik, *Aynı eser*, s.171).

Batthyany	Eşi, Mihaloviç, Üç hizmetçisi, ve üç at bakıcısı
Meszaros	İki yaveri
Perczel Mor	Katibi ve yaveri
Perczel Miklos	Bir hizmetçisi
Szöllösy	Bir hizmetçisi
Asboth	İki hizmetçisi
Gyurman	Eşi ve bir hizmetçisi
	Toplam:47
Polonyalı	
Wysocki	İki yaveri ve bir hizmetçisi
Przmienski	Bir hizmetçisi
Macseinski	Bir arkadaşı
Halasz	-
Briganeti	-
	Toplam:10
	Genel Toplam:57

2-Mültecilerin Şumnu'dan Ayrılması

Macar Özgürlük Savaşı'nda kader birliği yapan mültecilerin, liderleriyle olan birliktelikleri Şumnu'da son buluyordu. Bu sebeple, Kossuth'un Şumnu'dan ayrılacağı günler yaklaştıkça, onun ve arkadaşlarının morali bozuluyordu. Çünkü, mülteciler için Kossuth'un değeri çok büyüktü. O, mültecilerin vatansız kalmalarından dolayı çektikleri acıları azaltmaya çalışıyor ve onları teselli ediyordu. Hatta, Osmanlı Devleti tarafından kendisine verilen maaşı mültecilerle bölüşerek onların maddi sıkıntılarını hafifletmeye gayret ediyordu. Onun *"Ben sizin dert ortağınızım"* sözü, şaşkın mültecilerin aklını başına getiriyor ve güçsüzleri güçlendiriyordu[1017]. Hutter, hatıratında Kossuth için *"O, kimsenin nefret etmediği, ağzından bir iki kelime duyan herkesin önünde eğilmek zorunda kaldığı tek adamdır[1018]"* diye yazar. Kossuth, Şumnu'da yaklaşık üç ay kalmıştı. Bu kısa zaman içerisinde Kossuth'u tanıma fırsatı bulan Türkler bile, ona dahi gözüyle bakıyorlardı. Şumnu halkı, Kossuth'un milleti tarafından çok sevildiğini ve el üstünde tutulduğunu görmüştü. Resmi bir görevi olmadığın-

---

[1016] Kossuth'un doktoru (BOA., DUİT., 75-2/14-12; Ahmed Refik, *Aynı eser*, s.171).

[1017] Joseph Hutter, *Von Orsova bis Kiutahia*, Braunschweig 1851, s.147.

[1018] Hutter, *Aynı eser*, s.147.

dan Türk halkı, Kossuth'a *"Bey"* diye hitap ediyordu. Şehrin bütün sakinleri, Kossuth'un Kütahya'ya gidişinden büyük üzüntü duydular[1019]. Bu sebeple, onun Şumnu'dan ayrılışı çok dramatik olmuştur.

Mülteciler hatıratlarında, Kossuth'un Şumnu'ya veda ettiği sahneyi hayatlarının en acıklı olayı olarak kabul ederler. Ayrılış gününün sabahında mülteciler ve çok sayıda Türk toplanarak sessiz bir şekilde Kossuth'un gelmesini beklediler[1020]. Nihayet Kossuth, ikamet ettiği evden ayrılarak, kendisini bekleyen toplulukla vedalaşmak üzere onların karşısına geçti ve onlara şu konuşmayı yaptı[1021]:

"Kardeşlerim! Hayatımda ilk zor adımı anavatanımın topraklarını ve asil ulusumu terk etmek zorunda kaldığımda atmıştım. İkincisini de cesur ordumdan artakalan sizlerden ayrılıp, Avrupa'dan atılıp mezarımın beni beklediği bir yere sürülmek zorunda kaldığım bugün atıyorum. Siz hâlâ güçlü ve dayanıklısınız. Siz hâlâ anavatan için silah tutmak gerektiğinde sırada iken ben, gücümün biraz daha azaldığını hissediyorum. Ben kaderin kaçınılmaz emrine uyuyor ve benden önce aynı kaderi yaşamış olan Rakoczy'yi takip ediyorum. Atalarımız Asya'dan gelmişlerdi. Onların torunları biz, şimdi onların geldikleri yere geri dönmek zorundayız. Bu, kaderin acımasız emridir. Eğer anavatana dönebilme şansına sahip olabilirseniz kemiklerimin yabancı bir ülkede çürümesine izin vermeyiniz. Bunu, bana söz verdiğinizi ve sözünüzü kesinlikle tutacağınızı biliyorum ve bundan eminim"[1022].

[1019] Hutter, *Aynı eser*, s.148.

[1020] Hutter, Kossuth'un beklenmesi sırasında bir idam mahkumunun, idam edileceği yere geç gelmesinde oluşan uğultular gibi bir uğultunun oluştuğundan bahseder (Hutter, *Aynı eser*, s.148).

[1021] Philipp Korn, *Kossuth und die Ungarn in der Türkei*, Hamburg und New-York 1851, s.187; Vahot Imrefi, , *Die Ungarischen Flüchtlinge in der Türkei*, Leipzig 1851, s.231; Hutter, *Aynı eser*, s.149. Kossuth'un mültecilere veda konuşması yapmak için kendisini bekleyenlerin karşısına geçtiği andaki durumunu Hutter şu şekilde anlatır: Bir kaç gece sürekli çalıştığından yüzü solmuştu. Fakat gözlerinin içindeki ışıltı hâlâ parlıyordu. Gururlu ifadesi eski ihtişamını gösteriyor ve kıyafeti şimdiye kadar açık seçik söylenmeyen ayrılışını ilan ediyordu. Şapkasının ucundaki siyah uzun tüy, üzgün bir şekilde sarkıyordu. Ayaklarında, kalçalarına kadar uzanan uzun çizmeler vardı. Bastonuna yaslanarak ona en zor durumda can yoldaşlığı yapanlara son bir defa bakıyordu. Bu bakış kalpleri parçaladı. Bu sahne tarif edilemeyecek kadar duygulu bir sahneydi (Hutter, *Aynı eser*, s.149).

[1022] Korn, *Aynı eser*, s.187; Imrefi, *Aynı eser*, s.231; Hutter, *Aynı eser*, s.148-149. Kossuth'un mültecilere hitaben yaptığı bu konuşma, mültecilerin hatıratlarında

Kossuth'un bu duygu yüklü konuşması üzerine, onu dinleyen kalabalık arasından Graf Ladislaus adında bir mülteci subay öne çıkıp, şunları söyledi:

"Büyük adam! Sen dünyanın gözü önünde temiz ve paksın. Macar u-lusunun indinde, seçildiğin ilk günkü saygıyı hâlâ elinde tutuyorsun. Sen, yaşamak zorundasın ve yaşamalısın. Biz, kemiklerini değil, seni canlı olarak anavatana geri götüreceğiz. Buna Tanrı'nın adına yemin ediyoruz"[1023]. Ladislaus'un bu konuşmasından sonra bütün mülteciler *"Yemin ederiz"* diye bağırdılar[1024].

Korn'un yazdıklarına göre Kossuth, konuşmasını bitirdikten sonra yanında duranlara sarıldı. Herkes onun elini tutup göz yaşlarıyla ıslanabilmek için uğraşıyordu. Mülteciler, ona son bir kez dokunabilmek için büyük çaba sarf ediyorlardı. Kossuth ile vedalaşmak için toplanan mültecilerin durumu içler acısıydı. Bu ayrılışı izlemek üzere gelen Türkler bile göz yaşlarını tutamamışlardı. Kossuth, mültecilerle vedalaştıktan sonra atına bindi ve Kütahya'ya gitmek üzere Varna'ya doğru yolculuğa başladı. Şumnu'da kalan mülteciler daha sonra vedalaşmak üzere Batthyany'nin yanına gittiler. Batthyany, onlara birçok tavsiyede bulundu[1025] ve daha sonra o da Kossuth'u takip etti.

Kossuth, Vidin'den Şumnu'ya hareketinden önce de mültecilere hitaben bir konuşma yapmıştı. O konuşmasında her şeyin henüz bitmediğini ve güneş ışıklarının hâlâ kendilerini aydınlattığını söylemişti. Ayrıca Macarların rollerini sonuna kadar oynamadığını ve gelecekte Macar mültecilerinin Avrupa'nın siyasi yapılanmasında etkin rol alacaklarını iddia etmişti.

Hatta Kossuth, bu inanç ve ümidini Kütahya'ya gönderilecekleri haberini aldığı Şumnu'da bile kaybetmemişti. Çünkü o, bu kararın uygulanabileceğine inanmıyordu. Onun, Şumnu'dan yaptığı yazışmalarda, Macaristan'ın bağımsızlığına kavuşacağına dair inancını

---

değişik ifadelerle yer almaktadır. Biz, burada Korn'un hatıratında geçen konuşma metnini esas aldık.

[1023] Hutter, *Aynı eser*, s.150; Korn, *Aynı eser*, s.188; Imrefi, *Aynı eser*, s.231.
[1024] Korn, *Aynı eser*, s.188.
[1025] Korn, *Aynı eser*, s.188.

kaybetmediği bariz bir şekilde görülmektedir. Ona göre, bu inancı yok edecek tek şey, mültecilerin Kütahya'ya gönderilmeleriydi. Ne var ki Ahmed Vefik Efendi'nin Şumnu'ya gelmesiyle, İngiliz ve Fransızların yardımıyla ertelenebileceğini zannettiği yer değiştirmenin imkânsız olduğunu kesin bir şekilde anladı. Zoraki kabul ettiği bu karar, onun bütün planlarını alt üst etmişti. Çünkü Kossuth, bu zamana kadar Macarların özlemle bekledikleri ve vatanlarını esaretin zincirinden kurtaracak olan savaşın kaçınılmaz ve sadece bir an meselesi olduğuna inanıyordu. Fakat, Şumnu konuşmasında onun Macaristan'ın bağımsızlığa kavuşması bir yana, vatanını tekrar görebilme ümidini bile kaybettiği anlaşılmaktadır.

3-Mültecilerin İzlediği Güzergah

Macar ve Polonyalı mülteci liderleri, 15 Şubat 1850'de Kütahya'ya gitmek üzere Şumnu'dan yola çıktılar[1026]. Avusturya Elçisi Stürmer, mülteci taifesinin Şumnu'dan ayrılmasından sonra, yolculukları süresince kendilerine iyi davranılmaması ve yabancılarla iletişim kurmalarının yasaklamasını Bâbıâli'den istemişti[1027]. Ancak, onun bu isteği kabul edilmemiş, aksine Kütahya'ya yolculukları boyunca mültecilere gerekli her türlü kolaylık sağlanmıştı[1028]. Öte yandan Avusturya ajanı Jasmagy de maiyetindekilerle beraber mültecileri sıkı bir şekilde takip ediyordu. Mülteciler, Kütahya'ya hareket ettiklerinde Jasmagy ve ekibi de Şumnu'dan ayrılarak onları takibe koyulmuştu. Türk görevlileri, mültecilerin onun tarafından rahatsız edileceğini bildiklerinden gerekli bütün önlemleri almışlardı. Mültecilerin muhafazasından sorumlu olan kişiler, Jasmagy'nin yaptıklarından zaman zaman şikayetçi olmuşlardı.[1029]

Mülteciler, üç gün süren yolculuktan sonra Miralay Süleyman Refik Bey refakatinde 18 Şubat'ta Varna'ya ulaştılar[1030] ve Varna Muhâ-

---

[1026] BOA., DUİT., 75-2/14- Ahmed Vefik Efendi'nin Sadâret'e takdim ettiği 2 R 66/15 Şubat 1850 tarihli tahrîrât; Ahmed Refik, *Aynı eser*, s.171; Korn, *Aynı eser*, s.182; Hutter, *Aynı eser*, s.147; Imrefi, *Aynı eser*, s.232.

[1027] Imrefi, *Aynı eser*, s.268.

[1028] Imrefi, *Aynı eser*, s.268.

[1029] Imrefi, *Aynı eser*, s.271.

[1030] BOA., DUİT., 75-2/14-10, Varna Muhâfızı Mehmed'in Sadâret'e takdim ettiği 6 R 66/19 Şubat 1850 tarihli tahrîrât; Ahmed Refik, *Aynı eser*, s.171.

fızı Mehmed Paşa tarafından karşılandılar. Kütahya grubu, Varna'da bir gece kaldıktan sonra 19 Şubat'ta, kendilerini Gemlik İskelesi'ne götürecek Tâir-i Bahrî Vapuru'na binerek, Varna'dan ayrıldılar[1031]. 7'si Kossuth'un, 3'ü Batthyany'nin ve 1'i Perczel'in olmak üzere toplam 11 at, vapura alınmayarak Varna Muhafızı Mehmed Paşa'ya teslim edildi. Ayrıca, bu atlara bakmak üzere 1'i Kossuth'un ve 2'si Batthyany'nin üç at bakıcısı da Varna'da kaldı[1032]. Mehmed Paşa, mültecilerin Varna'dan ayrılmasından kısa bir süre sonra maiyetlerine bir kavvas[1033] tayin ederek, atları ve bakıcıları İstanbul'a gönderdi[1034]. Atlar ve bakıcıları 4 Mart'ta İstanbul'a geldiler[1035].

Tâir-i Bahrî Vapuru, 23 buçuk saatlik bir yolculuktan sonra 20 Şubat 1850'de Gemlik İskelesi'ne ulaştı[1036]. Mülteci kafilesi, burada 2 gün kaldıktan sonra Bursa'ya hareket edecekti[1037]. Ancak, Gemlik'teki kötü hava şartları yüzünden burada planlanandan iki gün fazla kalındı[1038]. Bu arada Kossuth, Batthyany ve Perczel'in Varna'da kalan atları İstanbul'a ulaşmıştı. Mülteciler, bu sırada Gemlik'ten Bursa'ya hareket ettiklerinden İstanbul'a getirilen atlar, kendilerine teslim edilmek üzere Bursa'ya doğru yola çıkarıldı[1039].

Gemlik'te havalar düzeldikten sonra 24 Şubat'ta yola çıkılarak Bursa'ya 2 saat uzaklıktaki Timurtaş Köyü'ne varıldı. Burada bir gece kalan mülteci kafilesi, ertesi gün Bursa'ya ulaştı[1040]. Mülteciler, gerek

---

[1031] BOA., DUİT., 75-2/14-10; Ahmed Refik, *Aynı eser*, s.171.
[1032] BOA., DUİT, 75-1/19-3 Süleyman Refik'in Sadâret'e takdim ettiği 14 R 66/27 Şubat 1850 tarihli tahriratı.
[1033] Kavvas oklu asker veya ok yapan kimseye verilen isimdir. Osmanlı Devleti'nde kavaslar ve kavas teşkilatı için bkz. Mehmet Canatar, "Osmanlı Devleti'nde Kavvaslar ve Kavvas Teşkilatı", *İlmi Araştırmalar*, (İstanbul,1997), IV, s.67-88.
[1034] BOA., DUİT., 75-1/19-6 Serasker Paşa'nın Sadâret'e takdim ettiği 20 R 66/5 Mart 1850 tarihli tezkire.
[1035] BOA., DUİT., 75-1/19-6.
[1036] BOA., DUİT., 75-2/14 Miralay Süleyman Refik Bey'in Sadâret'e takdim ettiği 8 R 66/21 Şubat 1850 tarihli tahrîrât; Göyünç, *Aynı makale*, s.176.
[1037] BOA., DUİT., 75-2/14-11 Miralay Süleyman Refik Bey'in Sadâret'e takdim ettiği 7 R 66/20 Şubat 1850 tarihli tahriratı.
[1038] BOA., DUİT., 75-2/19-4 Miralay Süleyman Refik Bey'in Sadâret'e takdim ettiği 14 R 66/27 Şubat 1850 tarihli tahrîrât.
[1039] BOA., DUİT., 75-2/19-6.
[1040] BOA., DUİT., 75-2/19-4.

Gemlik'te gerekse Bursa'da iyi şekilde karşılandılar. Kafilenin kumandanı Süleyman Refik Bey, daha evvel Bursa'ya gidip onların nerede kalabileceklerini araştırdı. Bu konuda, Bursa Valisi ile de bir görüşme yaptı. Esasında, mültecilerin Kütahya'ya giderken Bursa'dan geçeceğini bilen Vali, önceden hazırlık yapmış ve ikametleri için bir otel hazırlatmıştı. Ancak, hazırlanan oteli gören Süleyman Refik Bey, mültecilerin burada ikamet etmelerinin mümkün olmayacağına kanaat getirdi. Bunun yerine, şehirde askerler için inşa edilen kışlaya yerleştirilmelerinin uygun olacağına karar verdi[1041].

Mülteciler, Bursa'ya geldiklerinde kış mevsimi bütün şiddetiyle devam ediyordu. Bu nedenle havalar düzelinceye kadar Bursa'da kalınması uygun görüldü[1042]. Esasen Süleyman Refik Bey, Bursa'da altı gün kalmayı tasarlıyordu. Ancak, soğukların devam etmesi üzerine Bursa'da kalma süresini on iki güne çıkardı[1043]. Havaların bir türlü düzelmemesi ve kış mevsiminin beklenenden uzun sürmesi, Bursa'daki ikamet süresini giderek uzatıyordu. Neticede, ilk baharın gelmesi ve havaların açılmasıyla birlikte kafile Bursa'ya vardıktan ancak bir ay sonra 25 Mart 1850'de buradan ayrılabildi. Altı gün süren bir yolculuktan sonra mülteciler, Vidin ve Şumnu'dan sonra kendileri için tayin edilen üçüncü ikametgahları olan Kütahya'ya 31 Mart 1850'de vardılar[1044].

4- Mültecilerin Kütahya'ya Yerleştirilmesi

Mülteciler, Vidin ve özellikle de Şumnu'da kalacakları yerleri beğenmeyip tepki göstermişlerdi. Benzer tepkilerin Kütahya'da da gösterileceğini hesaplayan Bâbıâli, bu şehirde onlar için uygun şartları araştırmak üzere çalışmalara başlamıştı. Üstelik Kütahya'ya gelecekler lider pozisyonunda olduklarından, bütün dünyanın gözü on-

---

[1041] BOA., DUİT., 75-2/19-4.

[1042] BOA., DUİT., 75-2/19-4.

[1043] BOA., DUİT., 75-2/19-5 Miralay Süleyman Refik Bey'in Sadârete takdim ettiği 14 R 66/27 Şubat 1850 tarihli tahrîrât.

[1044] BOA., DUİT., 75-2/39-2 Miralay Süleyman Refik Bey'in Sadâret'e takdim ettiği Gurre C 66/14 Nisan 1850 tarihli tahrîrât; Imrefi, *Aynı eser*, s.268; İsmail Hakkı Uzunçarşılı, *Kütahya Şehri*, İstanbul 1932, s.277.

ların üzerinde olacaktı. Dolayısıyla, yapacakları en küçük bir itiraz, Osmanlı Devleti'ni zor durumda bırakabilecekti.

Böylesi nahoş bir durumla karşılaşmamak için Seraskerlik, mülteciler Kütahya'ya varmadan önce Binbaşı Hafız Ağa'yı Kütahya'ya gönderme kararı almıştı. Hafız Ağa, Kütahya'daki kışla, hastane ve ahırların ne kadar asker ve hayvan alacağını yerinde görüp inceleyecekti. Ayrıca, söz konusu binaların tamire ihtiyacı olup olmadığını da araştıracaktı. Eğer tamire ihtiyaç varsa, ne kadar sürede tamir edilebileceğini ve masrafının ne kadar olacağını Bâbıâli'ye bildirecekti[1045].

Hafız Ağa, Kütahya'ya vardıktan sonra Kütahya Muhassılı Mehmed Reşid, Kütahya nâibi ve meclis azalarını da yanına alarak, mültecilerin ve hayvanlarının kalacakları kışla ve ahırlarda incelemelerde bulundu. Hafız Ağa, maiyetinde bulunanlarla kısa sürede keşif ve tahkik işlemlerini tamamladıktan sonra, İstanbul'a dönmüş ve bu incelemeler hakkında Seraskerliğe bilgi sunmuştu. Hafız Ağa'nın verdiği bilgiye göre, bazı ufak tefek tamirattan sonra mülteciler ve hayvanlarının kışlada barınabilmeleri mümkündü. Ayrıca, mülteci liderleri için kışlada elverişli odaların bulunduğu da tespit edildi. Hafız Ağa'nın tespitine göre, kışlanın tamiri için gereken paranın miktarı da 10.000 kuruş kadardı[1046].

Seraskerlik, meseleyi Meclis-i Vâlâ'ya havale etmiş ve tamirat için gerekli olan 10.000 kuruşun hazinece ödenmesini istemişti[1047]. Meclis-i Vâlâ, kışlanın tamiri için gereken paranın cüziyat kabilinden olduğunu, ancak kış girmeden evvel tamiratın bir an önce yapılması gerektiğini Sadârete bildirmişti[1048]. Sadâret, konuyu Padişah'a arz etmiş, Sultan da tamirat için gereken harcamanın yapılabilmesi için onay vermişti[1049]. Ayrıca hazinenin bu harcamayı yapması için Ma-

---

[1045] BOA., İra. Mec. Vâl. Nr.4463 Kütahya Muhassılı Mehmed Reşid'in Seraskerliğe takdim ettiği 3 M 66/17 Kasım 1849 tarihli şukkası.

[1046] BOA., İ.Mec. Vâl. Nr.4463 Serasker Paşa'nın Meclis-i Vâlâ'ya sunduğu 6 M 66/22 Kasım 1849 tarihli tezkire.

[1047] BOA., İ. Mec. Vâl. Nr.4463.

[1048] BOA., İ.Mec. Vâl. Nr.4463 Meclis-i Vala'dan Sadârete yazılan 17 M 66/3 Aralık 1849 tarihli mazbata.

[1049] BOA., İ.Mec. Vâl. Nr.4463 Sadâret'in 19 M 66/5 Aralık 1849 tarihli arzı üzerine 20 M 66/6 Aralık 1849'da sâdır olan irade.

liye Nazırı'na bir de buyruldu yazıldı[1050]. Böylece mülteciler, daha Kütahya'ya gelmeden burada rahat yaşayabilmeleri için tüm önlemler alınmıştı.

Bir buçuk ay süren yolculuktan sonra Kütahya'ya varan mülteciler, burada temiz ve bakımlı evlere yerleştirildiler[1051]. Kossuth'un maiyetinde 25 kişi bulunuyordu. Bu sebeple o, kışlada bulunan en büyük daireye yerleştirildi. Alınan bütün önlemlere rağmen Süleyman Refik Bey, ilk günlerde mültecilerin ikamet edecekleri yerlere ilişkin itirazlarla karşılaştı.

Eşi ve maiyetinde bulunan dokuz kişi ile Kütahya'ya gelen Batthyany, kışladaki bir dairede bu kadar kişinin toplu olarak kalamayacağını söyleyerek şikayetçi oldu. Hatta daha da ileri giderek idam edilmesine razı olup, kendisine ikamet için tahsis edilen yerde kalmayacağını söyledi. Süleyman Refik Bey, Batthyany'yi ikna etmek için çaba sarf ettiyse de, bir sonuç alamadı.

Bunun üzerine daha fazla ısrar etmeyip mültecilerin kaldıkları kışlanın yakınında aylık 220 kuruşa bir konak kiralayarak Batthyany'yi bu konağa yerleştirdi[1052]. Süleyman Refik Bey, diğer mültecilerin benzer isteklerde bulunmamaları için Batthyany ile bir de mukavele imzaladı[1053]. Diğer taraftan Sadâret, Batthyany için ayrı bir konak tahsis edilmesinde bir sakınca görmedi, ancak onun buradan kaçması diğerlerine nazaran daha kolay olacağından bu hususa dikkat edilmesini Süleyman Refik Bey'den istedi[1054].

Süleyman Refik Bey, Kütahya'ya geldikten kısa bir süre sonra hastalandı ve yatağa düştü. Bu yüzden mültecilerin işleriyle yeterince ilgilenemeyen Süleyman Refik Bey, Seraskerliğe bir yazı göndererek mültecilere nasıl davranılması gerektiği hususundaki talimatı ve

---

[1050] Kışlanın tamiri için gerekli olan 10.000 kuruşun Hazineden ödenmesine dair Mâliye Nezaretine yazılan buyrultu için bkz. BOA., BEO., A.MKT.NZD. Dosya no:1, Sıra no:64. 1266.1.25.

[1051] Imrefi, *Aynı eser*, s.269.

[1052] Karpat, *Aynı makale*, s.113; Göyünç, *Aynı makale*, s.176.

[1053] BOA., DUİT., 75-2/39-2.

[1054] BOA., DUİT., 75-2/39-1 Sadâret'in Mâbeyn'e takdim ettiği 12 C 66/25 Nisan 1850 tarihli arz tezkiresi.

onların sorumluluğunu Mirliva Ahmed Bey'e bırakıp İstanbul'a gelmek istediğini bildirdi[1055]. Seraskerlik, Ahmed Bey'in *"okur yazar"* bir kişi olmasından dolayı Süleyman Refik Bey'in görevinden ayrılma isteğini olumlu karşılama eğilimindeydi. Ancak Süleyman Refik Bey, Vidin'den Kütahya'ya kadar mültecilerle birlikte olmuş ve onları yakınen tanıma imkânı bulmuştu.

Yerine getirilmesi düşünülen Ahmed Bey ise mültecileri yeterince tanımıyordu. Diğer taraftan Kütahya ile Gemlik arasındaki mesafe uzak olduğundan Süleyman Refik Bey'in hasta halde yola çıkması onun rahatsızlığını daha da artırabilirdi. Bu sebeplerden dolayı Seraskerlik, başlangıçtaki tutumunu değiştirerek Süleyman Refik Bey'in görevinde kalmasının daha uygun olacağı yolunda Sadâret'e görüş bildirdiği gibi, kendisinden de tedavisine dikkat edip görevinde kalmasını istedi [1056].

Süleyman Refik Bey'in görevinden ayrılma isteği, sadece hastalığına bağlanamaz. Onun maddi sıkıntı içerisinde olması ve İstanbul'daki eşine yetecek kadar harçlık gönderememesi gibi sebeplerle de istifayı düşünmüş olabileceği ihtimali gözden uzak tutulmamalıdır. Zira Süleyman Refik Bey, miralay rütbesinde bulunuyor ve maaşını da bu rütbeye göre alıyordu.

Kütahya'daki mültecilerin muhafızlığına tayin edilmesinden sonra da hazinece kendisine ek bir ödeme yapılmıyordu. Halbuki, Kütahya'da karşılaştığı bazı sıkıntıları aşmak için cebinden para harcamak zorunda bile kalıyordu. Seraskerlik, bu durumu göz önüne alarak kendisine Kütahya emvalinden 12.500 kuruş atıyye-i seniyye vermeği kararlaştırdığı gibi, bundan böyle yapacağı harcamaların tümünün Kütahya emvalinden karşılanacağını da kendisine bildirdi[1057].

[1055] BOA., İra. Dah., Nr. 12566 Seraskerliğin Sadâret'e takdim ettiği 12 CA 66/25 Nisan 1849 tarihli tahrirat.
[1056] BOA., İra. Dah., Nr. 12566.
[1057] BOA., İra. Dah., Nr. 12566.

a.Kütahya'ya Sonradan Gelen Mülteci Grubu

Yukarıda bahsi geçtiği gibi Kütahya'ya gidecek mülteci kafilesi, 15 Şubat 1850'de Şumnu'dan hareket etmişti. Ahmed Vefik Efendi'nin Şumnu'ya gelmesinden birkaç gün sonra Kossuth, Kütahya'ya gitmeye ikna olunca mültecilerden gelmek isteyenlerin isimlerini kendisine bildirmelerini istemişti.

Mültecilerin büyük çoğunluğu Kossuth ile birlikte Kütahya'ya gitmek istiyordu. Fakat bu sayı, birkaç ekleme ve çıkarmanın dışında, Avusturya Elçisi Stürmer'in Bâbıâli'ye sunduğu listeyle sınırlı kalmıştı. Avusturya Hükümeti'nin isteğine bağlı olarak, başlangıçta Kütahya'ya 57 mülteci gönderilmişti. Fakat bir müddet sonra Avusturya ve Osmanlı Devleti, Şumnu'da kalan mültecilerden bir grubun daha Kütahya'ya gönderilmesi üzerinde mutabık kalmışlardı[1058]. Bu mutabakata bağlı olarak Kossuth ve diğer mülteci liderlerinin Kütahya'ya yerleştirilmelerinden birkaç ay sonra, ikinci bir mülteci kafilesi Şumnu'dan Kütahya'ya doğru yola çıkarıldı. Bu kafile, 26 kişiden oluşuyordu.

Bunların da Kütahya'ya gidecekleri güzergâh, Kossuth ve arkadaşlarının gittikleri güzergâhtan geçiyordu. Yani, bu mülteci grubu da önce Varna'ya indirilecek ve buraya gönderilecek bir gemiyle Gemlik İskelesi'ne çıkarılacaklardı. Gemlik'ten de Bursa üzerinden Kütahya'ya gönderileceklerdi.

Söz konusu mültecileri Gemlik İskelesi'ne çıkarmak üzere Mısır-ı Bahrî Vapuru görevlendirildi[1059]. Varna'dan Gemlik İskelesi'ne çıkarılan mülteciler, Binbaşı Hasan Ağa'nın gözetiminde Kütahya'ya getirildi. Bunların tamamı, Kütahya'da arkadaşlarının kaldığı kışlaya yerleştirildiler[1060].

[1058] BOA., DUİT., 72-2/51-2.

[1059] Ahmed Refik, *Aynı eser*, s.191.

[1060] BOA., DUİT., 75-2/51-2 Süleyman Refik Bey'in Seraskerliğe takdîm ettiği 3 N 66/13 Temmuz 1850 tarihli şukka. Kütahya'ya sonradan gönderilen mültecilerden biri firar etti. Fakat, bu firar eden mülteci, Galata'da yakalanarak Kütahya'ya gönderildi (BOA., DUİT., 75-2/51-4 Seraskerliğin Sadâret'e takdîm ettiği 9 N 66/19 Temmuz 1850 tarihli tezkire).

Kütahya'ya sonradan gelen mültecilerin isimleri şunlardı:

Gelenlerin İsimleri	Maiyetinde Bulunanlar	Kişi Sayısı
General Bulharin	Yüzbaşı Chosak, iki mülâzım ve İki hizmetçisi	6
Turzanski	Bir mülâzım ve bir hizmetçisi	3
Idjikovski	Bir hizmetçisi	2
Fokner	Eşi ve bir hizmetçisi	3
Niyadovski	Bir hizmetçisi	2
Chojecki	Bir hizmetçisi	2
Lüllei	Eşi ve bir hizmetçisi	3
Kovacs	Eşi, bir hizmetçisi, arkadaşı Szabo ve Szabo'nun eşi	5
		Toplam:26

Gelen bu grup ile, Kütahya'daki mültecilerin sayısı 83'e ulaşmıştı. Ancak bu sayı, Temmuz 1850 Kütahya'daki mültecileri göstermektedir. Kuşkusuz, sonraki aylarda bu sayı daha da artmıştır. Nitekim Süleyman Refik Bey, Eylül 1850'de Seraskerliğe sunduğu bir yazısında Kütahya'daki mültecilerin sayısını, eşleri hariç 84 olarak vermektedir[1061]. Süleyman Refik Bey'in verdiği bu rakamdan, söz konusu tarihte Kütahya'daki mültecilerin eşleriyle birlikte 100 civarında oldukları anlaşılmaktadır. Ayrıca Kossuth, Kütahya'da İstanbul'daki mültecilerce de ziyaret ediliyordu. Dolayısıyla, Kütahya'daki mülteci sayısı sürekli değişiyordu. Örneğin, hatıratlarından Hutter ve Korn'un da Kütahya'ya arkadaşlarını ziyarete gittiklerini öğrenmekteyiz. Yine Imrefi, hatıratında Kütahya'ya gittiğini yazmasa da, onun Kütahya şehri hakkında kısa da olsa bilgi vermesi, oraya gittiği ihtimalini kuvvetlendirmektedir[1062].

[1061] BOA., DUİT., 75-2/59.

[1062] Imrefi'nin verdiği bilgiye göre o tarihlerde, Kütahya Anadolu'nun önemli şehirlerinden biridir. Birçok hamam ve kervansaraya sahip olan şehir, 5.000 Ermeni, 1.000 Rum ve geri kalan halkın tamamı Türk olmak üzere 50.000 nüfusa sahipti (Imrefi, *Aynı eser*, s.268). Hutter de Imrefi gibi, hatıratında Kütahya şehri hakkında kısa bir malumat verir. O da Imrefi gibi, şehrin nüfusunun 50.000 civarında olduğunu ve bu nüfusun büyük çoğunluğunun Türklerden oluştuğunu yazar. Hutter'in verdiği bilgiye göre, şehrin gelir kaynakları pamuk ve ipek işlemeciliği ile halıcılıktan ibarettir. Ürünlerine liman şehirleri tarafından yoğun talepler olduğundan, şehrin içinde çok sayıda kervansaraylar vardır (Hutter, *Aynı eser*, s.248).

b.General Dembinski'nin Kütahya'ya Gelişi

Avusturya Elçisi Stürmer'in Bâbıâli'ye takdim ettiği ve Kütahya'ya gönderilecek mültecilerin isimlerini ihtiva eden defterde General Dembinski'nin de adı vardı. Ahmed Vefik Efendi, mültecileri Kütahya, Halep ve Malta'ya gönderme göreviyle Şumnu'ya geldiğinde başta Kossuth olmak üzere diğer mülteci liderlerini özel olarak ziyaret etmişti. Onun ziyaret ettiği kişiler arasında Dembinski de vardı. Bu ziyarette Ahmed Vefik Efendi, Dembinski'ye Kütahya'ya gönderileceğini söylediyse de o, bu karara itiraz etti. Dembinski, kendisinin Fransız vatandaşı olduğunu dolayısıyla da, Avusturya'yı kastederek, hiçbir yabancı gücün kendisi hakkında karar verme yetkisine sahip olmadığını ifade etti[1063]. Aynı zamanda o, hastalığını ileri sürerek Anadolu'ya gitse bile Kütahya'ya gitmeyeceğini, tercihinin Bursa olduğunu Ahmed Vefik Efendi'ye iletti[1064]. Ahmed Vefik Efendi, Dembinski'nin itirazı üzerine onun bir müddet daha Şumnu'da kalmasına izin vermiş ve durumu Sadâret'e bildirmişti[1065]. Bâbıâli, Dembinski'yi Kütahya'ya gönderme konusunda ısrarlı değildi. Ancak, yine de onun Fransız vatandaşı olduğunu ispatlayana kadar, Şumnu yerine Kütahya'da ikamet etmesinin daha uygun olacağının Ahmed Vefik Efendi'ye bildirilmesi yönünde karar alındı[1066]. Ahmed Vefik Efendi, Sadâretin isteği üzerine Dembinski ile bir kez daha görüşerek onu Kütahya'ya gitmeye ikna etti.

Kütahya ve Halep'e gidecek mülteci taifesi Şumnu'dan çoktan ayrılmıştı. Malta'ya gidecek olanlar ise henüz Şumnu'da bulunuyorlardı. Dembinski, Malta'ya giden Rus vatandaşı Polonyalı mültecileri taşıyacak olan Taif Vapuru ile gönderilecekti. Taif Vapuru, Çardak veya Lapseki İskelelerinden birine vardığında, Dembinski buradan alınarak karayolu ile Kütahya'ya götürülecekti[1067]. Sadâret, Taif

---

[1063] Korn, *Aynı eser*, s.182.

[1064] BOA:, DUİT., 75-2/14-4; Korn, *Aynı eser*, s.182; Imrefi, *Aynı eser*, s.230.

[1065] BOA., DUİT., 75-2/14-4.

[1066] BOA., DUİT., 75-2/14-1 Sadâretin Mâbeyn'e takdim ettiği 12 R 66/25 Şubat 1850 tarihli arz tezkiresi.

[1067] BOA., DUİT., 75-2/23-3 Ahmed Vefik Efendi'nin Sadârete takdîm ettiği 23 R 66/8 Mart 1850 tarihli tahrîrât.

Vapuru adı geçen iskelelerden birisine yanaştığında, Dembinski'yi almak üzere, zâbıtan-ı askeriyeden birisinin görevlendirilmesini Seraskerlikten istedi. Serakserlik, bu göreve Ahmed Ağa'yı tayin etti. Ancak, Lapseki veya Çardak'tan Kütahya'ya kadar yolların taşlık olması ve Dembinski'nin yaşlılığı da göz önüne alınarak, Ahmed Vefik Efendi'nin tavsiye ettiği güzergahın uygun olmayacağı Sadârete iletildi. Seraskerliğe göre, Taif Vapuru İstanbul'dan geçerken Yeni Kapı açıklarında biraz bekleyeceğinden, bu sırada Tersane-i Âmire'den görevlendirilecek bir posta vapuru ile Dembinski alınıp Gemlik'e, oradan da Bursa'ya götürülmeliydi[1068].

Seraskerliğin bu tavsiyesi Sadâretçe de uygun bulunarak Dembinski'nin Çardak veya Lapseki yerine, Gemlik ve Bursa üzerinden Kütahya'ya gönderilmesi kabul edildi[1069]. Malta'ya gidecek mültecileri taşıyan vapur, İstanbul'a geldiğinde Dembinski vapurdan alınarak Gemlik İskelesine, oradan da Bursa'ya götürüldü. Ancak, Süleyman Refik Bey refakatinde Kütahya'ya giden mülteci liderleri, Dembinski'nin Bursa'ya varmasından önce buradan ayrılmışlardı. Diğer taraftan, Dembinski'nin hastalığı iyice nüksetmişti. Bu sebeple o, Bursa'da bir müddet kalarak dinlenmek istiyordu. Bu isteği, Bâbıâlice kabul edildi. Dembinski, Bursa'da yaklaşık iki buçuk ay kaldıktan ve hastalığı tamamen geçtikten sonra, Mustafa Efendi'nin refakatiyle Kütahya'ya geldi[1070].

[1068] *"...muktezâ-yı irâde-i 'aliyyeleri üzere husûs-i mezkûr için Yâver-i Harb-i çâkeri Kolağası Ahmed Ağa bendeleri ta'yîn kılınarak hemân i'zâm olunacak ise de Lapseki'den Kütahya'ya kadar yollar dağlık ve taşlık pek uygunsuz olmak hasebiyle bu tarîkden gönderildiği hâlde hem su'ûbeti ve hem de Ceneral-i mûmâileyh ihtiyâr adam olarak kendüsüne meşakkati müstelzim olacağından zikr olunan Tâif Vapuru buradan geçerken mukaddemki karâr vechile bazı tahrîrât almak üzere Yenikapu ağzında biraz tevakkuf eyleyeceğinden Lapseki tarafından gönderilmektense memûr-ı mûmâileyh bendeleri Tersâne-i Âmire'den bir posta vapuruyla varup Yenikapu açığında vapur-ı mezkûrun tevakkuf edeceği müddetce ceneral-i mûmâileyhi yanında bulunan eşyâsını bilâ-istishâb Gemlik tarîkiyle Bursa'ya götürüp orada Mîralây Süleyman Bey bendelerine teslîm etmek ve mîr-ı mûmâileyhe Bursa'da yetişmediği takdîrde oradan doğru Kütahya'ya îsâl eylemek sûret-i suhûleti müstelzim olur gibi mütedâbir-i hâtır-ı 'âcizi olmağla..."* (BOA:, DUİT., 75-2/23-2 Sadâretin Seraskerliğe 29 R 66/14 Mart 1850 tarihli tezkire-i samiyyesi üzerine aynı tarihte Seraskerin söz konusu tezkire üzerine hamîşine cevabı).

[1069] BOA., DUİT., 75-2/23-1 Sadâretin Mâbeyn'e takdîm ettiği 2 CA 66/16 Mart 1850 tarihli arz tezkiresi.

[1070] BOA., DUİT., 75-2/51-2.

Yukarıda da değinildiği gibi, Dembinski, vatandaşlık sorunu çözülene kadar Kütahya'da kalacaktı. Onun ismi başlangıçta Rusya Elçisi Titof'un Bâbıâli'ye sunduğu defterde, Malta Adası'na gönderilecek mültecilerin arasında yer alıyordu. Ancak Rusya vatandaşı olmadığı anlaşılınca, Avusturya tebaasından olduğu iddia edildi[1071]. Kendisi ise Fransız vatandaşı olduğunu söylüyordu. Bu sebeple Osmanlı Devleti, bu karışıklığın çözümüne kadar onu Kütahya'ya gönderdi. Bâbıâli, birçok kere meseleyi Avusturya elçisine sordu ise de, uzun süre kesin bir yanıt alamadı[1072]. Nihayet, Avusturya Hükümeti, 12 Şubat 1851'de Bâbıâli'ye Dembinski'nin Avusturya vatandaşı olmadığını bildirdi[1073]. Böylece, vatandaşlık sorunu Dembinski'nin lehine çözüldü ve kendisi 19 Şubat 1851'de serbest bırakıldı[1074]. Kütahya'dan İstanbul'a rahat yolculuk yapması için de Süleyman Refik Bey, Yüzbaşı Mehmed Ağa'yı onun refakatine tayin etti. Ayrıca yolculuğu sırasında yapacağı tüm masrafları da üstlendi[1075]. 19 Şubat 1851'de Kütahya'dan ayrılan Dembinski, Nisan ayının başında Paris'e ulaştı[1076]

c. Kossuth'un Çocuklarının Kütahya'ya Gelişi

Kossuth, Osmanlı Devleti'ne iltica ettiği sırada yanında ne eşi ne de çocukları bulunuyordu. Vatansız kalmanın yanı sıra, eşi ve çocuklarından ayrı kalmak Kossuth'a çok acı geliyordu. Onun özellikle Şumnu'da bulunduğu sırada yazdığı mektuplarda, eşinden ve çocuklarından haber alamamanın üzüntüsünü çektiği görülmektedir. Hatta kendi ifadesine göre, bu durum onun bütün sinir sistemini alt üst etmişti[1077]. Kossuth, Şumnu'dan ayrılmaya az bir vakit kala eşi Theresa'ya kavuşmuştu. Fakat, en büyüğü sekiz yaşında olan üç

[1071] Ahmed Refik, *Aynı eser*, s.198.

[1072] Ahmed Refik, *Aynı eser*, s.198.

[1073] BOA., BEO. A.MKT.UM Seraskerliğin Süleyman Refik Bey'e gönderdiği 10 R 1267/12 Şubat 1851'de şukka.

[1074] BOA., BEO. A.MKT.UM. 49-32,1267.R.17; Ahmed Refik, *Aynı eser*, s.198; Imrefi, *Aynı eser*, s.268. Imrefi, hatıratında Dembinski'nin Kütahya'dan ayrılış tarihini Mart 1851 olarak vermektedir.

[1075] BOA., BEO. A.MKT.UM. 49-32,1267.R.17.

[1076] Imrefi, *Aynı eser*, s.268.

[1077] Hajnal, *Aynı eser*, belge no:60, s.561.

çocuğu ise Macaristan'da kalmıştı[1078]. Kütahya'ya vardıktan sonra Ferenc, Lajos ve Julia adlarını taşıyan[1079], çocuklarından uzun süre haber alamadı. Bu süre içinde onlar Macaristan'da mahkumdular[1080]. Avusturya Hükümeti, çocukların babalarının yanına gitmelerine izin verdi. Bu izinden sonra, Kossuth'un üç çocuğu ile kız kardeşi Lujza Ruttkay, Kütahya'ya gitmek üzere 26 Mayıs'ta Peşte'den ayrıldılar. Çocuklar teyzeleriyle birlikte, 7 Haziran 1850'de Türk yöneticiler ve Macarlar tarafından iyi karşılandıkları İstanbul'a geldiler[1081]. Kossuth'un çocuklarına İstanbul'da İngilizler tarafından çok kıymetli hediyeler verildi[1082].

Ancak, İstanbul'dan Kütahya'ya gidecek kadar yol harçlıkları olmadığından kendilerine para verilmesini istediler. Bu istek üzerine Bâbıâli, onlara 5.000 kuruş yol harçlığı vererek Kütahya'ya doğru yola çıkardı[1083]. İstanbul'dan Kütahya'ya kadar güven içinde yolculuk edebilmeleri için de yanlarına asker verildi[1084]. Ayrıca, Gemlik liman müdürüne bir buyrultu gönderilerek, Kossuth'un çocukları Gemlik'e vardığında kendilerine her türlü kolaylığın gösterilmesi ve Bursa'ya kadar olan yolculuklarında gerekli olan binek hayvanlarının hazırlanması istendi.

Bursa müşirine gönderilen buyrultuda da, bunların Kütahya'ya değin bütün ihtiyaçlarının karşılanması hususunda titiz davranılması emredildi. Diğer taraftan Süleyman Refik Bey'e de Kossuth'un çocuklarının Kütahya'ya doğru yola çıkarıldıkları haberi gönderildi[1085]. İstanbul'dan Bursa'ya gelen Kossuth'un çocukları ve kız kardeşini almak üzere, Kütahya'dan Mülâzim Mestan Ağa, Ali Çavuş, Ali Onbaşı ve üç nefer süvari Bursa'ya gönderildi[1086]. Nihayet Kossuth'un

[1078] Hajnal, *Aynı eser*, belge no:102, s.660.
[1079] Imrefi, *Aynı eser*, s.269.
[1080] Korn, *Aynı eser*, s.318.
[1081] Imrefi, *Aynı eser*, s.269.
[1082] Korn, *Aynı eser*, s.318.
[1083] BO:, DUİT., 75-2/46-1 Sadâret'in Mâbeyn'e takdîm ettiği 5 Ş 66/16 Haziran 1850 tarihli arz tezkiresi; Ahmed Refik, *Aynı eser*, s.189.
[1084] Imrefi, *Aynı eser*, s.269.
[1085] BOA., HR. MKT., 34-65 Bursa Müşîri, Gemlik Müdürü ve Süleyman Refik Bey'e 27 B 66/8 Haziran 1850 tarihinde gönderilen buyrultular.
[1086] BO:, DUİT., 75-2/47-5.

çocukları, 18 Haziran 1850 günü babalarının yanına geldiler. Kossuth, çocuklarına kavuştuğu için çok mutluydu. Nitekim, Süleyman Refik Bey'in bildirdiğine göre, çocuklarından uzun süre ayrı kalan Kossuth, onlara kavuştuğu sırada şu konuşmayı yaptı: *"Bu bîçâre çocuklarımın zâlimler ellerinden kurtarub melce-i penâh ve merhâmet-i 'adâletlerine iltica etmiş fukâra baba ve analarına böyle mu'azzezen ve mükerremen gönderilmesi ve Der-'aliyye'den hîn-i müfârakatlarında dahî 'atiyye-i seniyye ihsân buyurulması ve bâb-ı merhametlerine iltica edeliden berü bi'l-cümle Macar fukarâlarına olan merhamet ve inâyâtı bir vechile îfâsı teşekkür olunur hâlât değildir ve ahâli-i Macaristan bütün bütün esîr olsalar yine bir zerresinin edâ-yı teşekkürü değildir ve Cenâb-ı Allah rûy-ı arzı halk edeli böyle bir pâdışâh-ı ma'den-i 'adâlet gelmemişdir ve aşinâ-yı tevârîh olanların malûmudur. Rabbim 'ömr ü şevket-i şâhânesini müzdâd ve firâvân ve düşmanlarını makhûr ve perîşân buyursun. Değil Türkistan 'umûm üzere bütün dünyada olan bîkes fukarâyı bağışlasun ve Sultan Abdulmecîd Efendimizin ve Sadrazam Devletlü Übbehetlü Reşîd Paşa Hazretlerinin bir mûyine ahâli-i Macaristan ve 'umûm üzere ahâlî-i Avrupa kurbân olsun deyü ağlayarak du'â eyledi ve sâir rüfekâları dahî bülend-âvâz ile Türkçe -âmîn deyü feryâd eylemiş oldukları..."*[1087]

Kossuth'un kız kardeşi Ruttkay, Kütahya'da 15 gün kaldıktan sonra tekrar geri döndü. Ruttkay, Bursa üzerinden Gemlik'e ve oradan da vapurla İstanbul'a gidecekti. Kossuth, çocuklarına kavuşmasında büyük emeği geçen kız kardeşini Gemlik'e götürmek üzere kendi tercümanı ve bir Macar yüzbaşısını görevlendirdi. Süleyman Refik Bey de, hem Ruttkay'a refakat etmek hem de tercüman ve yüzbaşıyı Gemlik'ten Kütahya'ya getirmek için bir mülazım, bir çavuş bir onbaşı ve iki de nefer tayin etti[1088].

Bu arada Eylül 1850'de Perczel'in eşi de Kütahya'ya geldi. O, Avrupa'daki gelişmeleri anlatan kitap ve broşürleri getirerek bütün mültecileri sevindirdi[1089].

[1087] BOA., DUİT., 75-2/49-2, Süleyman Refik'in Seraskerliğe takdîm ettiği 11 Ş 66/22 Haziran 1850 tarihli arîza; Ahmed Refik, *Aynı eser*, s.190.
[1088] Ahmed Refik, *Aynı eser*, s.192.
[1089] Imrefi, *Aynı eser*, s.270.

d.Kossuth'u Kaçırma Girişimleri ve Alınan Tedbirler

Daha önce de değinildiği gibi Henningsen, Thomson takma a-dıyla Vidin'e gelmiş ve Kossuth ile bir çok kere görüşmüştü. Hatta, Batthyany ve Kossuth'u Vidin'den kaçırmak için girişimde bulunmuş, fakat bu girişimi başarısızlıkla sonuçlanmıştı. Yine Avrupa'da büyük yankı yapan Kossuth'un Lord Palmerston'a yazdığı mektubu İngiltere'ye götürmüş ve cevabını da Kossuth'a getirmişti. Aynı zamanda, mülteciler için casusluk göreviyle Vidin'den Macaristan'a birkaç defa gidip gelmişti[1090]. Henningsen, Kossuth'un çok güvendiği bir İngilizdi. Bu güven, Kossuth'un ona yazdığı mektuplarda belirgin bir şekilde görülmektedir. Kossuth, Henningsen ile mektuplaşmakla yetinmiyor, aynı zamanda başka mercilere yazdığı mektupların bir kopyasını da ona gönderiyordu[1091]. Kossuth'un Vidin'den ayrılmasından sonra Henningsen, bir daha onunla görüşme imkânı bulamamıştı.

Kossuth'un Kütahya'ya gelmesinden üç ay sonra Henningsen'i burada da görüyoruz. O, İzmir Valisi Halil Paşa'dan yol buyrultusu alarak 27 Temmuz 1850'de İzmir'den Kütahya'ya geldi[1092]. Henningsen, Kossuth ile görüşüp ona çeşitli makamlardan yazılan mektupları ulaştırdı. Daha sonra Süleyman Refik Bey ile de bir görüşme yaparak, Kütahya ve Karahisar taraflarında av yapmak istediğini söyledi. Fakat, Henningsen'in Vidin'de Kossuth ile sık sık görüştüğünü bilen Süleyman Refik Bey, onun Kütahya'ya gelişine şüpheyle bakıyordu. Bu şüphe üzerine Süleyman Refik Bey, Henningsen'in ne amaçla Kütahya'ya geldiğini araştırdı. Yapılan araştırma sonucunda, gerçekten de onun Kütahya'ya boş bir amaçla gelmediği ortaya çıktı. Süleyman Refik Bey'in bazı mültecilerden aldığı bilgilere göre, Henningsen'in asıl amacı mültecileri serbest bırakmak için girişimlerde bulunmaktı. Eğer amacına ulaşamaz ise onları kaçırmayı deneyecekti[1093].

[1090] Ahmed Refik, *Aynı eser*, s.193.
[1091] Hajnal, *Aynı eser*, belge no:60, s.560.
[1092] Ahmed Refik, *Aynı eser*, s.193.
[1093] Ahmed Refik, *Aynı eser*, s.193.

Şumnu bahsinde de izah edildiği gibi Jasmagy, Kossuth'a karşı başarısızlıkla sonuçlanan bir suikast girişiminde bulunmuştu. Ancak buna rağmen, Kossuth ve diğer mülteci liderlerinin peşini bırakmamıştı. Jasmagy, mültecileri gittikleri her yerde adeta gölge gibi takip ediyordu. Mülteciler, Şumnu'dan ayrıldıktan sonra, Jasmagy de yanındakilerle beraber, Kütahya'ya gitmek üzere yola çıkmıştı[1094]. Mültecilerin rahatsız olmamaları için büyük bir gayret ve dikkat gösteren Türk görevlileri, Jasmagy'i yakın takibe almıştı.

İstanbul'daki Avusturya elçiliğinin üçüncü tercümanlığı görevini de yürüten[1095] Jasmagy, Eylül 1850'de Kütahya'ya gelmişti[1096]. Onun Kütahya'ya geldiğini haber alan Bâbıâli, bu kişinin Kossuth'a karşı daha önce düzenlediği suikastları da bildiğinden, Süleyman Refik Bey'i dikkatli olması hususunda uyarmıştı[1097].

Jasmagy, Kütahya'ya ayak basar basmaz mültecilere liderlerini bırakıp, Avusturya Hükümeti'nin sunduğu korumayı kabul etmelerini teklif etti. Ayrıca Kossuth ve General Meszaros'u da ayrı ayrı ziyaret ederek, Avusturya Devleti aleyhinde bir harekette bulunmayacakları ve af isteklerini içeren bir yazıyı Avusturya elçisine göndermeleri hususunda iknaya çalıştı[1098]. Fakat bu girişimi sonuçsuz kaldı. Çünkü, gerek Kossuth gerekse Batthyany onun isteklerine olumsuz cevap vermişlerdi[1099]. Diğer taraftan Jasmagy'nin Kütahya'ya gelmesinden rahatsız olan mülteciler, Kossuth'a gidip onu şikayet ettiler. Kossuth da durumu Süleyman Refik Bey'e bildirdi[1100]. Mültecilerin bu şikayeti üzerine Süleyman Refik Bey, Jasmagy'e 30

[1094] Imrefi, *Aynı eser*, s.270-271.
[1095] BOA., DUİT., 75-2/59; Ahmed Refik, *Aynı eser*, s.196.
[1096] Imrefi, *Aynı eser*, s.171.
[1097] BAO., DUİT., 75-2/59, Seraskerliğin Süleyman Refik Bey'e gönderdiği Gurre ZA 66/8 Eylül 1849 tarihli tahrirat.
[1098] BOA., DUİT., 75-2/59; Süleyman Refik Bey'in Sadâret'e takdim ettiği 9 ZA 66/16 Eylül 1849 tarihli tezkire; Ahmed Refik, *Aynı eser*, s.196; Imrefi, *Aynı eser*, s.271.
[1099] "...Merkûmlar bu husûsa asla rızâ göstermeyüb şimdiki halde biz Devlet-i Aliyye'nin elindeyiz bu sûretce bizim istid'âmız uyamaz ve sizin dahî bu memûriyete dâir ihticâca sâlih yedinizde bir kağıt olmadıkça bu teklîfâta hakkızın yokdur deyüb cevâb-ı kat'î vermiş oldukları..." (BOA., DUİT., 75-2/59; Ahmed Refik, *Aynı eser*, s.179).
[1100] Imrefi, *Aynı eser*, s.271.

saat içerisinde Kütahya'yı terk etmesini söyledi[1101]. Ancak, verilen sürenin dolmasına rağmen Jasmagy şehri terk etmedi. Hatta, Süleyman Refik Bey'e müracaatta bulunarak birkaç gün daha Kütahya'da kalabilmek için izin istedi. Onun hangi maksatla Kütahya'da bulunduğunu bilen Süleyman Refik Bey, bu isteğine olumsuz cevap verdi. Bunun üzerine Jasmagy, şehri terk etmek zorunda kaldı[1102]. Bu arada Avusturya basını, Jasmagy'nin Kütahya'dan ayrılmak zorunda kalmasını Kossuth'a bağladı. Onun ülkesinden çok uzaklarda hâlâ bir devlet başkanı gibi istediğini yaptırmasına tepki gösterdi[1103].

Kossuth'u Kütahya'dan kaçırma planlarından bir başkasını da bizzat kendi adamları organize etmek istemişlerdi. Yapılan plana göre, Rumlardan birkaç kişi kiralanacak ve bunlar Kütahya şehrini ateşe vereceklerdi. Şehirde meydana gelen yangında oluşacak panik havasından istifade edilerek Kossuth kaçırılacaktı. Fakat bu plan da diğerleri gibi başarısızlıkla sonuçlandı. Zira Bâbıâli, Kossuth'u kaçırmak için yapılan bu planları önceden haber aldığından gerekli önlemleri almıştı[1104]. Gerek Sadâret gerekse Seraskerlikten Süleyman Refik Bey'e yazılan yazılarda, başta Kossuth olmak üzere mültecilere karşı düzenlenecek kaçırma operasyonlarına karşı dikkatli olunması istenmiştir.

Süleyman Refik Bey'in Bâbıâli'ye gönderdiği yazılardan, Kossuth'un kaçmak için Kütahya'ya gelen yabancılarla zaman zaman işbirliği yaptığını öğrenmekteyiz. Nitekim Kossuth, Kütahya'ya gelen İngiltere Parlamento üyesi Evergor ile yaptığı görüşmede ona çocuklarını ve eşini eğitim için İngiltere'ye göndereceğini ve daha sonra kendisinin de kaçarak bu ülkeye gideceğini söyledi[1105].

Yine Süleyman Refik Bey ile görüşmek üzere Kütahya'ya gelen Macar Yüzbaşısı Szent Görgei, Kossuth'u kaçırmak isteği anlaşılınca,

---

[1101] BOA., DUİT., 75-2/59; Ahmed Refik, *Aynı eser*, s.196; Imrefi, *Aynı eser*, s.271. Imrefi hatıratında, Süleyman Refik Bey'in Jasmagy'e Kütahya'yı terk etmek için verdiği sürenin 24 saat olduğunu yazar.

[1102] BOA., DUİT., 75-2/59; Ahmed Refik, *Aynı eser*, s.196.

[1103] Imrefi, *Aynı eser*, s.271.

[1104] BOA., BEO., A.MKT.UM. 55-91. 1267.C.13.

[1105] Ahmed Refik, *Aynı eser*, s.197.

onunla görüştürülmedi. Görgei, birkaç arkadaşıyla birlikte Kütahya'ya gelmişti. Kütahya'da dört gün kaldıktan sonra, kendilerine şehri terk etmeleri bildirildi. Ancak, yol harçlıklarının olmadığını bu yüzden de kış mevsimini Kütahya'da geçirmek zorunda olduklarını söylediler. Oysa bu kişiler, casustu ve asıl amaçları Kossuth'u kaçırmaktı. Bu sebeple bunların Kütahya'yı bir an önce terk etmeleri gerekiyordu. Süleyman Refik Bey, yol paralarının olmadığını söyleyen bu casusların Bursa'ya kadar olan menzil ücretlerini bizzat kendisi karşıladı ve yol harçlığı olarak da yüz kuruş verdi[1106]. Görgei ve arkadaşlarının Kütahya'ya geliş ve gidişinden hem Kossuth'un hem de diğer mültecilerin haberi olmadı. Kossuth, onların gelişini daha sonra öğrenmişti. Kossuth, Görgei'in kendisiyle görüştürülmemesine sert tepki gösterdi, hatta Süleyman Refik'e hakarete varacak sözler sarf etti[1107].

Kütahya'da mültecilerin huzurunu bozacak başka gelişmeler de yaşanıyordu. Kütahya halkından birkaç kişi zehirlenerek ölmüştü. Ölenler arasında mültecilerden kimse yoktu. Yine de bu olay, onlar arasında korku ve paniğe sebep oldu. Yapılan araştırmada, zehirlenme hadisesinin sebebi ortaya konulamadı. Kütahya'daki zehirlenme olayını haber alan İstanbul'daki mülteciler, Bâbıâli'ye müracaatta bulunarak arkadaşları için önlem alınmasını istediler. Bunun üzerine, Kütahya'da başka zehirlenme hadiselerinin yaşanmaması için, attarlarda zehir satışı yasaklandı[1108].

Mülteciler, alınan bütün önlemlere rağmen Avusturyalı ajanlarca sıkı bir şekilde takip ediliyordu. Onlardan birinin firar etmesi veya söz konusu ajanlarca kaçırılması Bâbıâli'yi oldukça güç durumda bırakacaktı. Diğer taraftan, mültecilerin Kütahya'dan firar edeceklerine dair söylentiler de artarak devam ediyordu. Gerçekten de Süleyman Refik Bey'den gelen haberler, bu söylentileri doğruluyordu. Yukarıda da değinildiği üzere, Vidin ve Şumnu'da mültecileri sürekli izleyip rahatsız eden Jasmagy, Kütahya'ya da gelmişti. Henningsen

[1106] Ahmed Refik, Aynı eser, s.198.
[1107] Ahmed Refik, Aynı eser, s.197.
[1107] Ahmed Refik, Aynı eser, s.198.
[1108] BOA., A.MKT.UM. 55-91.

ise av yapmak bahanesiyle Kütahya yöresinde dolaşıyor ve Kossuth'u kaçırmak için fırsat kolluyordu.

Mültecilerin firar edebilecekleri veya kaçırılabilecekleri haberleri üzerine Bâbıâli, yeni önlemler alma gereği duymuştur. Esasında Bâbıâli, mültecilerin serbest bırakılmalarını istiyordu. İngiltere ve Amerika elçilerinin görüş ve istekleri de bu doğrultudaydı. Mülteciler serbest bırakıldığında mesele tümüyle halledilmiş olacaktı. Ancak Avusturya Devleti, mültecilerin Kütahya'da kalmaları için baskı yapıyordu. Bu nedenle Bâbıâli onların serbest bırakılmaları konusunda kararsız davranıyordu. Adı geçen devletlerin farklı istekleri karşısında yeni bir krize meydan vermemek için mültecilerin serbest bırakılmalarını şimdilik gündeme getirmiyordu.

Sadâret, 8 Eylül 1850'de Süleyman Refik Bey'e gönderdiği yazıda, ondan mültecilerin korunmasına daha fazla itina göstermesini istedi. Jasmagy'nin daha önceki faaliyetleri hakkında bilgi sahibi olan Sadâret, özellikle bu şahsın Kossuth'a düzenleyebileceği suikast teşebbüsüne karşı dikkatli olunmasını istemişti. Bu yazıda ayrıca, Süleyman Refik Bey'den mültecilerin Bursa'ya nakledilmelerinin uygun olup olmayacağı soruldu.

Süleyman Refik Bey, mültecileri Kütahya'ya götürürken, bir ay burada kalmıştı. Dolayısıyla Bursa'nın mülteciler için uygunluğu hakkında en sağlıklı bilgiye o sahipti[1109]. Mültecilerin Kütahya'dan Bursa'ya nakledilmek istenmesi temelde iki nedene dayanıyordu. Birincisi, Avusturya ajanlarının buraya sık sık uğramaları; ikincisi ise kış mevsiminin yaklaşmış olmasıydı. Zira kış, Kütahya'da Bursa'ya göre daha şiddetli geçiyordu. Bu da, bu tür iklim koşullarına alışık olmayan mültecileri huzursuz ediyordu[1110].

Süleyman Refik Bey, mültecilerin muhafazasına gerekli özenin gösterildiğini ve Avusturya ajanı Jasmagy'nin, gerekli uyarılardan sonra Kütahya'yı terk ettiğini Sadâret'e bildirdi. Mültecilerin Kütahya'dan Bursa'ya nakledilmelerinin uygun olmayacağını gerekçeleriy-

---

[1109] BOA., DUİT., 75-2/59, Sadâret'in Süleyman Bey'e gönderdiği Gurre ZA 66/8 Eylül 1850 tarihli mektup; Ahmed Refik, *Aynı eser*, s.195.
[1110] BOA., BEO. A. AMD. BOA., DUİT., 75-2/59.

324 *Osmanlı'ya Sığınanlar*

le birlikte arz etti. O, şu sebeplerle Kütahya'yı Bursa'ya tercih etmekteydi:

1- Her nerede olursa olsunlar, mültecilerin firar etmeleri mümkün değildir. Çünkü, alınan tedbirler sayesinde böyle bir teşebbüse girişmeleri neredeyse imkânsızdır. Ancak, Bursa'ya nakledilmeleri halinde mülteciler, orada bulunan çeşitli devletlerin elçi ve vatandaşlarıyla dostluk kurabilirler. Bunun sonucunda da hiçbir dayanağı olmayan asılsız haber ve spekülasyonlara kapılarak sorun çıkarabilirler.

2- Mülteciler beş-on kişi olmayıp, eşleri hariç, hizmetçileriyle birlikte toplam 84 kişidir. Osmanlı Devleti, misafirperverliğine yakışır bir şekilde her birine bir oda tahsis etmiştir. Ne var ki, bunlar Bursa'ya nakl edildiklerinde ister istemez Kütahya'daki gibi ayrı ayrı odalarda oturmak isteyeceklerdir. Oysa, Bursa'da bu kadar mülteci için yeterli miktarda oda bulunmamaktadır. Mültecilere Bursa'da böylesi bir imkânı sağlamak, ancak askerlerin kaldıkları yerden toplu olarak hanlara çıkarılmasıyla mümkün olabilir. Bu durumda, mültecilerin korunmasında zorluklarla karşılaşılabilir.

3- Eğer mültecilerin sayısı az olsaydı, Bursa'da kalacakları uygun bir yer bulunabilirdi. Yukarıda belirtilen olumsuzluklar dikkate alınırsa, mülteciler için Kütahya'dan daha uygun bir yer yoktur.

4- Ancak, Kütahya'nın soğuğu hayli sert ve kışı uzun geçmektedir. Bu sebeple mülteci liderlerini soğuktan daha iyi koruyabilmek için, odalarında keçe olmayanlara birer keçe verilmesi ve diğerlerinin odalarına da birbirine dikilmiş bir kar keçesi yapılması gerekmektedir.

5- Kütahya'nın rayici son derece düşük olup mültecilere verilen odun ve kömür bedelleri Kütahya rayicine göre verilmektedir. Eğer mülteciler Bursa'ya nakledilip rayiçleri Kütahya bedelinden ödenirse, bazı sıkıntılar çıkacaktır.

6- Mültecilerin Kütahya'da bulundukları müddetçe, av yapmalarına izin verilmemektedir. Zira, av bahanesiyle Kütahya'dan ayrılarak firar edebilirler. Ancak, hangi maksatla olursa olsun gezmeleri için fırsat verilmektedir[1111].

1111 BOA., DUİT., 75-2/59.

Süleyman Refik Bey'in mültecilerin Bursa'ya nakledilmelerinin mümkün olmayacağına dair öne sürdüğü gerekçeler, Sadâretçe de kabul edildi. Böylece mülteciler Kütahya'da kalmaya devam edecek-lerdi. Tayinat bedellerinin Bursa fiyatına göre verilmesi de uygun görüldü ve bunun için de Maliye Nezâreti'ne emir yazıldı[1112]. Kış mevsimini rahat geçirebilmeleri için, Süleyman Refik Bey'in tavsiyesi üzerine, mültecilere kışlık elbise satın alınmasına karar verildi. Elbi-seler için yapılacak masraflar, Kütahya mal sandığından karşılana-caktı. Mültecilerin firar etmemeleri için de gerekli tüm önlemler alınacaktı[1113].

e. Kossuth'un Şumnu'daki Mültecilerle İlişkisi

Mülteci liderleri, Şumnu'dan ayrıldıktan sonra geride kalan ar-kadaşlarından çok az haber alabiliyorlardı. Aynı şekilde, Şumnu'daki mülteciler de Kütahya'daki liderlerinden haber alamıyorlardı. Özel-likle Şumnu grubu, anavatanlarında bulunan aileleriyle iletişim kurmakta güçlük çekiyordu. İşin kötüsü, Avusturya ajanlarınca sıkı bir şekilde takip edildiklerinden, kendilerine gönderilen mektupların bir kısmı söz konusu ajanların eline geçiyordu. Şumnu'daki mülteci-ler, mektup ve gazetelere daha çok Fransa'dan gelen posta sayesinde ulaşıyorlardı. Çünkü, buradan gelen mektuplar, Varna'daki İngiliz Konsolosluğuna gönderiliyor, oradan da acele posta ile Şumnu'ya ulaştırılıyordu[1114].

Şumnu'daki mültecilere, yukarıda sözü edilen posta güzergahı üzerinden, 8 Haziran 1850'de Kossuth'tan bir mektup ulaşmıştı. Bu mektupta Kossuth, arkadaşlarından uzak kalmanın ne kadar acı ol-duğunu yazıyor ve kendilerinden bilgi alamamasının bu acıyı daha da büyüttüğünü belirtiyordu. Kossuth mektubunda, kendilerinden ayrı kalan vatandaşlarına yardım yapılması için Bâbıâli nezdinde girişimlerde bulunduğunu da ifade ediyordu[1115].

[1112] BOA., HR.MKT., 37-29 Sadâret'in Süleyman Refik Bey'e gönderdiği 15 Z 66/22 Ekim 1850 tarihli şukka.
[1113] BOA., DUİT., 75-2/59 Sadâret'in Mâbeyn'e takdim ettiği 5 Z 66/12 Ekim 150 tarihli arz tezkiresi; BOA., HR. MKT., 37-29.
[1114] Korn, *Aynı eser*, s.224.
[1115] Korn, *Aynı eser*, s.224-225.

Bu arada, Şumnu'daki mültecilerin çeşitli Avrupa ülkelerine gönderileceği haberi Kütahya'ya da ulaşmıştı. Kossuth, mültecilerin nerede olursa olsunlar, dağılmadan bir arada kalmaları gerektiğine inanıyor ve bunun için de büyük çaba gösteriyordu. Sırbistan Kralı, Macar subaylarını ve askerlerini ordusuna alabileceğini ayrıca, bütün Macarları ülkesine davet ettiğini Kossuth'a bildirmişti[1116]. Kossuth, bu davetiye mektubunu Şumnu'daki mültecilere gönderdi. Her ne kadar Sırbistan Kralı, mültecileri ülkesinde misafir edeceğini Kossuth'a bildirmişse de Sırp halkı, Kralla aynı fikri taşımıyor ve Macarlara karşı düşmanlıklarını devam ettiriyordu. Bu yüzden, Kralın daveti mülteciler arasında kabul görmedi. Bu arada, Şumnu'da bulunan Rössler, Kossuth'un mültecilere gönderdiği mektuptan haberdar olmuştu. Rössler bu mektubu, Kossuth'un Macar halkını Avusturya Hükümeti'ne karşı isyana teşvik ettiğine dair bir delil olarak kabul ediyordu. Bu sebeple, Kütahya'daki mültecilerin Osmanlı Devleti tarafından iyi korunamadığını düşünmüş olmalı ki, Kossuth'un gözetiminin kendilerine verilmesini istedi. Fakat, Rössler'in bu talebi sonuçsuz kaldı. Zira o, bu isteğinden kısa bir süre sonra görevinden alınarak yerine Hazua tayin edildi[1117].

Sırbistan Kralı'nın teklifine, mülteciler gibi Kossuth da sıcak bakmıyordu. Nitekim o, bu teklife rağmen Şumnu'daki mülteciler için başka girişimlerde bulundu. Kossuth, mültecilerin özellikle Amerika'ya gitmelerine taraftardı. Bu devletin önde gelen politikacılarına mektuplar göndererek, onlardan mültecilerin Amerika'ya kabul edilmelerini istemişti[1118]. Birleşik Devletler, onun başvurusuna olumlu cevap verdi. Böylece Kossuth, Şumnu'daki mültecilere iki

---

[1116] Korn, *Aynı eser*, s.225.

[1117] Korn, *Aynı eser*, s.228.

[1118] Kossuth, bu amaçla, 25 Mayıs 1850'de Macaristan davasına sempati gösteren General Coss'a bir mektup göndermişti. Mektubunda mültecilerin Amerika'ya kabulünü istiyor ve Kütahya'daki günlerinin çok sıkıntı geçtiğini ifade ediyordu. Vatanından ayrı kalmasından dolayı, büyük bir çaresizlik ve tarif edilmez acı çektiğini yazıyordu. Kossuth, Macaristan için gösterdiği sempati ve yardımseverlikten dolayı Coss'u kutluyordu. Ayrıca, Coss'dan Amerika'da bulunan ve Macarlar için kamuoyu oluşturmaya çalışan Ujhazy'a yardımcı olmasını da istiyordu (Korn, *Aynı eser*, s.226-227).

seçenek sunuyordu. Fakat, gönlü mültecilerin Amerika tercihini kullanmalarından yanaydı.[1119]

f. Mültecilere Yapılan Nakdî Yardımlar

İstanbul'dan Şumnu'ya hareket etmeden önce Ahmed Vefik Efendi'ye verilen talimatta, Sultan Abdülmecid tarafından gönderilen 150.000 kuruşun mültecilere dağıtılması istenmişti. Padişah'ın gönderdiği 150.000 kuruştan başka, Silistre valisince Şumnu'daki mültecilere verilmek üzere 50.000 kuruş ayrılmıştı[1120]. Böylece, bir anda mülteci kafilesine 200.000 kuruş ödenecekti. Bu paranın dağıtımında mültecilerin rütbe ve meslekleri göz önünde bulundurulacaktı. Söz konusu paranın Kütahya'ya gönderilenler hariç, nasıl dağıtıldığı tespit edilememiştir. Fakat, Kütahya kafilesi içerisinde bulunan mülteci liderlerine dağıtılan paranın miktarı, Süleyman Refik Bey'in Seraskerliğe gönderdiği tahrirattan tespit edilebilmektedir. Süleyman Refik Bey, bu tahriratını hangi mülteciye ne kadar para verildiğinden ziyade, Batthyany ile maiyetinde bulunanlara hiç para verilmediğini Seraskerliğe bildirmek için yazmıştı. Onun verdiği bilgiye göre, Kütahya'ya gönderilen mültecilere verilen paranın miktarı 18.650 kuruştu[1121]. Ancak, bu rakamın dışında yukarıda sözü edilen 200.000 kuruşun mültecilere nasıl dağıtıldığına dair herhangi bir belge ve bilgi mevcut değildir.

Süleyman Refik Bey'in verdiği bilgiye göre 18.650 kuruş Kütahya'ya gönderilen mültecilere şu şekilde dağıtılmıştı:

Kime Verildiği	Verilen Paranın Miktarı (Kuruş)
Macar	
Kossuth	7.000
Batthyany	Para verilmemiştir
Meszaros	4.000
Mor Perczel	2.500
Miklos Perczel	500

[1119] Korn, *Aynı eser*, s.225.
[1120] BOA:, DUİT., 75-2/19-2 Süleyman Refik'in Seraskerliğe takdim ettiği 14 R 66/27 Şubat 1850 tarihli tahriratı.
[1121] BOA:, DUİT., 75-2/19-2.

Szöllöszy	500
Asboth	300[1122]
Gyurman	750
	Toplam:15.250
Polonyalı	
Wysocki	2.000
Przmienski	500
Macseinski	500
Halasz	200
Briganati	200
	Toplam:3.400
	Genel Toplam: 18.650[1123]

B. Mültecilerin Serbest Bırakılması

1- Mültecilerin Serbest Bırakılmaları İçin İlk Girişimler

Daha önce de değinildiği gibi, Osmanlı Devleti ile Avusturya arasında yapılan atlaşma ile Kütahya'daki mültecilerin serbest bırakılması, Avusturya'da asayişin yeniden sağlanması şartına bağlanmıştı. Yani, Kossuth ve arkadaşları serbest bırakıldığında, Avusturya'nın iç güvenliğini tehdit edecek güçten uzak olmaları gerekiyordu. Bu şartların sağlanıp sağlanmadığına iki devlet birlikte karar verecekti. Anlaşma, Avusturya'ya belirgin avantajlar sağlıyordu. Çünkü Avusturya Hükümeti, Macaristan'da asayiş ve istikrarın sağlanmadığını öne sürebilme hakkına sahip oluyordu. Dolayısıyla Osmanlı Devleti, Avusturya'nın onayını almadan mültecileri serbest bırakamayacaktı.

Gerçekten de Bâbıâli, anlaşma maddesindeki mahzuru kısa zaman sonra anladı. 19 Aralık 1849 tarihli Meclis-i Mahsûs toplantısında, eğer söz konusu madde bu şekliyle kabul edilecek olursa, Avusturya Devleti kabul etmedikçe mültecilerin serbest bırakılamayacaklarının sakıncası dile getirildi. Bu durumda Osmanlı Devleti, Avusturya istediği sürece mültecileri muhafaza etmek zorunda kalacaktı.

[1122] Asboth'a verilen 300 kuruş, Kossuth'a verilen 7.000 kuruştan ödenmiştir.
[1123] BOA., DUİT., 75-2/19-2.

Diğer taraftan, İngiliz ve Fransız elçileri Canning ve Aupick, söz konusu anlaşma maddesinin bu haliyle kabul edilmesindeki sakıncaları dile getirmişler ve uygulamada bazı sıkıntılar yaşanabileceği hususunda Bâbıâli'yi uyarmışlardı. Elçilerin uyarılarını da dikkate alan Meclis-i Mahsus üyeleri, bu maddenin tamamen kaldırılması ya da en azından hafifletilmesi yolunda görüş birliğine varmışlardı. Fakat Bâbıâli, isteğini Avusturya Hükümeti'ne kabul ettirememişti. Bu yüzden, mültecilerin serbest bırakılması meselesinde Osmanlı Devleti ile Avusturya arasında uzun tartışmalar yaşandı.

Bu arada, Kütahya'daki mülteciler arasındaki huzursuzluk gün geçtikçe artıyordu. Bu küçük, fakat önemli mülteci grubunu rahatsız edecek olaylar yeterince yaşanıyordu. Başta Kossuth olmak üzere, mülteci liderlerinin Avusturyalı ajanlarca sıkıca takip edilmesi hem mültecileri hem de Bâbıâli'yi rahatsız ediyordu. Öte yandan, Avrupa basın organlarında Kossuth'un Kütahya'dan kaçmak istediğine dair haberler çıkıyordu. Hatta, Avrupa basınında Kossuth'u kaçırma planlayıcıları arasında, bizzat Kütahya Paşası'nın bile olduğu iddia ediliyordu[1124]. Bu asılsız haberler, Osmanlı Devleti'nin mülteciler meselesinde gösterdiği fedakarlık sonucunda Avrupa kamuoyunda oluşan imajının yavaş yavaş kaybolmasına neden oluyordu.

Diğer taraftan, Kossuth ile Süleyman Refik arasında zaman zaman tartışmalar da yaşanıyordu. Kossuth, Osmanlı ülkesine iltica ettiği sırada, yaklaşık 5.000 mülteci onunla birlikte gelmişti. Ancak, mültecilerin sayısı giderek azalmış, Kütahya'da sayıları 100'ün altına düşmüştü. Üstelik, Kossuth'un Osmanlı Devleti ve çeşitli Avrupa ülkelerinde bulunan mültecilerle ilişkisi son derece sınırlıydı. Onlardan sağlıklı haber de alamıyordu. Bu yüzden Kossuth, Kütahya'dan Avrupa'ya gidip, arkadaşlarıyla temas kurmak istiyordu. Fakat, mültecilerin Kütahya'dan ne zaman ayrılacağına dair kesin bir açıklama yapılmaması, zaman zaman Kossuth'u da bir takım uygunsuz hareketler yapmaya yöneltiyordu. Bir keresinde bir Macar subay, yanında bir kaç asker olduğu halde hiç kimsenin haberi olmadan Kossuth'u kaçırmak için Kütahya'ya gelmişti. Ancak Süleyman Re-

---

[1124] İmrefi, *Aynı eser*, s.269.

fik Bey, subayın niyetini anladığından kısa sürede o ve beraberinde-
kileri Kütahya'dan çıkarmıştı. Kossuth, Süleyman Refik Bey'in Macar
subayına karşı sergilediği bu tavra çok kızmış ve ona hakaretlerde
bulunmuştu. Hatta, şiddete başvurmayı bile denemişti[1125]. Halbuki,
Osmanlı Devleti, bu mağdur insanları kabul edip hayatlarını güven-
ce altına almıştı.

Mültecilerin bu tür davranışları Osmanlı devlet adamlarında da
huzursuzluk yaratıyordu. Osmanlı ülkesine ayak bastıkları andan
itibaren onlara üstün bir misafirperverlik örneği gösteren Mustafa
Reşid Paşa bile, Kossuth'un yaptıkları karşısında sessizliğini bozdu
ve onun hakkında Abdülmecid'e şu bilgiyi sundu: "...*Kossuth gâyet
ateşli ve mu'annid bir adam olmağla bir vechile tek durmayub ya firâr ede-
ceği veyâhûd bir 'arbede çıkarub hodân-gerde maslahatı kan dökmek derece-
sine kadar götüreceği geçenlerde meşhûd olan harekât-ı mecnûnâneleri ve
ba'zı mesmû'ât ve tahkîkât delâletiyle muhakkak olub halbuki merkûmun
firâra yol bulması lâzım gelse Avusturya Devleti mutlakâ Devlet-i Aliyye
kaçırdı diyerek yine fenâ güceneceğinden ve böyle bir zann Devlet-i Aliyyece
züllü mûcib olacağından başka bu herif dâhî artık gezdiği yerlerde ağzına
geleni söyleyerek Devlet-i 'Aliyye bizi salıvereceğine söz vermiş iken
va'dinde hilâf etdi diyerek bunlara sarf olunan bunca akçeler ve imkânların
hâsıl olan semere-i ma'neviyyesi külliyen hebâ olacağı ve bi'l-farz firâr
edemeyüb de hâl-i ye'se bir 'arbede îkâ eyledikleri sûretde netîce ve şâyı'ası
fenâ geleceği müsellemâtdan olub...*"[1126].

Kısacası Kütahya'daki huzursuzluk iyice ayyuka çıkmıştı. Bu
şartlar altında alınacak önlem, mültecilerin bir an önce serbest bıra-
kılmasıydı. Ancak, yukarıda da değinildiği gibi onların serbest bıra-
kılmalarını sadece Bâbıâli'nin istemesi yeterli değildi. Bu konuda
Avusturya'nın onayı da gerekiyordu.

Yaşanan bunca sıkıntıya rağmen, mültecilerin serbest bırakılma-
larını ilk olarak Osmanlı Devleti gündeme getirmedi. Konuyu ilk
olarak gündeme getiren kişi, İngiltere Dışişleri Bakanı Lord

[1125] Ahmed Refik, *Aynı eser*, s.198.
[1126] Ahmed Refik, *Aynı eser*, s.224-225; Mehmed Galib, "Leh ve Macar Mültecilerine
Ait Vesâik", *Yeni Tasvir-i Efkâr*, Nr. 60, 13 B 1327/30 Temmuz 1908, s.5.

Palmerston idi. Nitekim, Londra Sefiri Mehmed Emin Paşa, 27 Temmuz 1850'de Bâbıâli'ye gönderdiği tahriratta, Palmerston'un mültecilerin ne zaman serbest bırakılacağının parlamentoda kendisine sorulacağını söyleyerek konu hakkında bilgi istediğini yazmıştı. Palmerston, elçiye mültecilerin Osmanlı Devleti'nde ikamet süresini bir yıl olarak bildiğini, ancak söz konusu sürenin onların Vidin'e mi yoksa Kütahya'ya mı gelişlerinden itibaren hesaplanacağını bilmediğini söylemişti[1127]. Palmerston'a göre, mültecilerin Osmanlı Devleti'nde kalış süreleri bir seneyle sınırlıydı ve Macaristan'da asayiş yeniden temin edilinceye kadar mülteciler serbest bırakılmayacaktı. Ancak, ona göre asıl problem bu sürenin ne zaman başlatılması gerektiği idi. Çünkü mülteciler, Vidin'e geldikten yaklaşık yedi ay sonra Kütahya'ya yerleştirilmişlerdi. Ayrıca Palmerston, Avusturya ve Osmanlı Devleti arasındaki anlaşmada, söz konusu sürenin Vidin'den mi yoksa Kütahya'dan mı başlatılacağına dair hiçbir açıklık olmadığı görüşündeydi. Bu yüzden Palmerston, görüşmede Mehmed Emin Paşa'dan bu konuya açıklık getirmesini de istedi[1128]. Ancak, elçinin de bu konuda bilgisi yoktu. Dolayısıyla, görüşme sırasında Palmerston'a konu ile ilgili bir izahatta bulunamamıştı. Yeni yasama yılında İngiliz parlamenterlerin bu husustaki sualleriyle karşılaşacağını tahmin eden Palmerston, konu hakkında Canning'in görüşüne de başvurmuştu[1129].

Mehmed Emin Paşa, Palmerston'un gündeme getirdiği bu konuyu, Bâbıâli'ye yazmış ve bilgi istemişti. Aslında Bâbıâli, mültecilerin Kütahya'ya yerleştirilmelerinden kısa bir süre sonra böyle bir soruyla karşılaşacağını beklemiyordu. Ancak, mültecilerin serbest bırakılmalarının tartışılmaya açılmasından memnundu. Zira Bâbıâli de, mültecileri bir an önce serbest bırakmak istiyordu. Fakat, henüz vaktin erken olduğu düşüncesiyle bu meseleyi gündeme getirmiyordu. Kütahya'daki mültecilerin ikâmet müddetinin ne za-

---

[1127] BOA., DUİT., 75-2/53-2, Londra Sefiri Mehmed Emin Paşa'nın Sadârete takdim ettiği 17 N 66/27 Temmuz 1850 tarihli tahrîrâtı; Ahmed Refik, *Aynı eser*, s.193; Saydam, *Aynı makale*, s.378.

[1128] BOA., DUİT., 75-2/53-2; Ahmed Refik, *Aynı eser*, s.193; Saydam, *Aynı makale*, s.378.

[1129] BOA., DUİT., 75-2/53-2; Ahmed Refik, *Aynı eser*, s.193; Saydam, *Aynı makale*, s.378.

man başlatılacağının İngiltere Devleti tarafından gündeme getirilmesi, Reşid Paşa tarafından bu devletin mültecileri bir an önce serbest bırakılmalarını istediği şeklinde yorumlandı[1130].

Diğer taraftan Mehmed Emin Paşa, Palmerston'un sualine muhatap olduğu sıralarda, Canning de mültecilerin artık serbest bırakılmaları gerektiğini ve İngiliz Hükümeti'nin görüş ve isteklerinin bu doğrultuda olduğunu Bâbıâli'ye iletmişti[1131]. İngiltere, mültecilerin serbest bırakılmalarında Osmanlı Devleti'ne tam destek veriyordu. Ancak, bu desteğe rağmen Reşid Paşa kararsızdı. Paşa'ya göre, mültecilerin serbest bırakılmaları, Macaristan'da huzur ortamının yeniden tesis edilmesi şartına bağlıydı. Üstelik, adı geçen ülkede asayiş ve düzenin yeniden sağlanmasına Osmanlı Devleti tek başına karar verme yetkisine sahip değildi. Bu konuda Avusturya'nın da onayının alınması gerekiyordu. Bu yüzden Reşid Paşa, mültecileri serbest bırakma hususunda Avusturya Hükümeti'ni ikna etmenin zor olacağını düşünüyordu. Böylece, Palmerston'un gündeme getirdiği bu konu, daha sonra görüşülmek üzere başka bir zamana bırakıldığı gibi Mehmed Emin Paşa'ya da bu yönde cevap yazılmasına karar verildi[1132]. Lord Palmerston'un girişiminden sonra bu mesele, uzun süre bir daha gündeme gelmedi.

Bu arada, Avrupa basınında mültecilerin serbest bırakılmalarının yakın olduğu yönünde haberler çıkıyordu. Bu yüzden, mültecilerin serbest bırakılmaları Macaristan'da huzur ve asayişin yeniden tesis edilmesi şartına bağlı olsa da Avusturya Hükümeti, baskılara dayanamayıp bir gün mutlaka mültecilerin serbest bırakılmasını istemek zorunda kalacaktı. Hatta Amerika Hükümeti, 4 Mart 1851'de Senato'dan mültecilerle ilgili bir karar çıkarmıştı. Senato'nun aldığı kararda, Amerika halkının Kossuth ve arkadaşlarına beslediği sempatiden ve Türk yönetiminin bu insanlara kucak açmasından övgüyle bahsediliyordu. Ayrıca Senato'da Birleşik Devletlerin Akdeniz'de

---

[1130] BOA., DUİT., 75-2/53-1 Sadâret'in Mâbeyn'e takdim ettiği 11 L 66/20 Ağustos 1850 tarihli arz tezkiresi.
[1131] BOA., DUİT., 75-2/53-1.
[1132] BOA., DUİT., 75-2/53-2; Ahmed Refik, Aynı eser, s.194.

bulunan gemilerinden birine Kossuth ve arkadaşlarını taşıması için talimat verilmesi de kararlaştırıldı[1133].

Mültecilerin salıverilmesi için oluşan kamuoyu karşısında fazla direnemeyeceğini anlayan Avusturya Hükümeti, geri adım atmak zorunda kaldı. Nitekim, Avusturya Maslahatgüzarı Klatschel, 9 Şubat 1851 tarihinde Hariciye Nezâreti'ne sunduğu takrirde, Avusturya Hükümeti'nin aldığı yeni bir karardan söz ediyordu. Bu karara göre, Kütahya'da bulunan mültecilerin bir kısmı bir daha geri dönmemek şartıyla serbest bırakılacaktı[1134]. Ayrıca Klatschel, Hariciye Nezareti'ne iki de defter sunmuştu. Bu defterlerden ilkinde Kütahya'daki mültecilerin tamamının, ikincisinde ise gözetim altında kalmaya devam edeceklerin isimleri vardı. Kütahya'da kalacaklar ise, 8 mülteci lideri ile bunların hizmetçileri olan 9 kişi, yani toplam 17 kişiden oluşuyordu. Maslahatgüzar'ın Kütahya'da kalmasını istediği 8 mülteci lideri şunlardı:

1-Kossuth

2-Batthyany

3-Mor Perczel

4-Miklos Perczel

5-Wysocki

6- Sandor Asboth

7-Adolf Gyurman

8- Lüllei Emanuel[1135].

Klatschel'e göre, Kütahya'daki mülteci sayısının azalmasıyla, Osmanlı Devleti'nin bunları koruması kolay ve masrafları daha az olacaktı. Dolayısıyla, isimleri Avusturya tarafından belirlenen mültecilerin serbest bırakılmasına Bâbıâli'nin bir itirazının olması söz konusu olamazdı.[1136]

1133 İmrefi, *Aynı eser*, s.272.
1134 Ahmed Refik, *Aynı eser*, s.199 Avusturya Maslahatgüzarı Klatschel'in Hariciye Nezareti'ne takdim ettiği 9 Şubat 1851 tarihli takriri.
1135 Ahmed Refik, *Aynı eser*, s.202. Avusturya Maslahatgüzarı Klatschel'in Hariciye Nezareti'ne takdim ettiği 2 numaralı defter.
1136 Ahmed Refik, *Aynı eser*, s.200.

Başta Kossuth olmak üzere diğer önemli mülteci liderlerinin, Kütahya'da kalmasını isteyen Avusturya'nın amacı gayet açıktı. Avusturya, daha mülteciler Vidin'de iken, kısmi bir af çıkararak onların büyük bir kısmını Kossuth'tan ayırmıştı. Şumnu'da ise mültecilerin bütün muhalefetlerine rağmen, liderler Kütahya'ya gitmek zorunda kalırken, diğerleri Şumnu'da kalmışlardı. Liderlerinden ayrı kalan mültecilerin bir kısmı çeşitli Avrupa ülkeleri ve Amerika'ya giderken, bir kısmı da Osmanlı Devleti'nde kalmıştı. Gittikleri ülkelerde çeşitli meslekler edinen bu insanlar, artık Avusturya için tehlike unsuru olmaktan çıkmışlardı. Ancak, Kütahya'da bulunan mülteci liderleri Avusturya için hâlâ korkulması gereken bir gruptu. Zira, mülteci liderlerinin en önemlileri burada bulunuyordu. Bunların hepsi serbest bırakıldıklarında, çeşitli ülkelere dağılan mültecileri yeniden organize edebilirlerdi. Bu nedenle Avusturya, ajanları vasıtasıyla Kütahya'daki mültecileri yakın takibe alırken, Şumnu'dakiler için hiçbir girişimde bulunmamıştı. Bütün bunlar göz önünde bulundurulduğunda, Avusturya Hükümeti'nin Kütahya'daki mültecilerin bir kısmını serbest bırakmak istemesi daha iyi anlaşılmaktadır. Bu şekilde, mülteci liderlerinden bir kısmı daha etkisiz hale getirilecekti.

Osmanlı Devleti, Macar İhtilali'nin tesirleri tamamen ortadan kalkıncaya kadar mültecileri korumayı taahhüt etmişti. İhtilal'in üzerinden uzun zaman geçtiğinden, Avusturya'yı tehdit edecek ciddi bir durum söz konusu değildi. Diğer taraftan, mülteciler Kütahya'da kalmaya devam edecek olurlarsa meselenin başlangıcından itibaren Osmanlı Devleti'ne destek veren ve şimdi de onların serbest bırakılmasını isteyen İngiltere ve Fransa gücenebilirlerdi. Dikkat edilmesi gereken önemli noktalardan birisi de, mültecilerin serbest bırakılmalarından dolayı Avusturya'nın küstürülmemesiydi. Bu sebepledir ki Bâbıâli, Avusturya Hükümeti'nin mültecilerin bir kısmının serbest bırakılmalarıyla ilgili isteklerine hemen cevap vermemişti. Söz konusu istekler, yaklaşık bir ay sonra, 17 Mart 1851'de toplanan Meclis-i Mahsûs'ta görüşüldü[1137].

[1137] Ahmed, Refik, *Aynı eser*, s.202.

Yapılan görüşmede, Macaristan'da Avusturya'yı tehdit edecek bir durumun mevcut olmadığına, dolayısıyla bütün mültecilerin serbest bırakılması gerektiğinin Avusturya Maslahatgüzarına bildirilmesine karar verildi. Alınan bu karar, Avusturya'nın tepkisine sebep olsa bile, bu tepkiyi savaş açma derecesine kadar götüremeyeceğinden, Bâbıâli geri adım atmayacaktı. Ancak, bu devletle ilişkilerin gerginleşmemesine de dikkat edilecekti. Meclis'te, mülteciler Kütahya'da kaldıkça İngiltere ve Fransa halkının onlara olan sevgilerinin daha da artacağı belirtildi. Halbuki mülteciler, tamamen serbest bırakılırlarsa Avrupa kamuoyu onlarla ilgilenmeyecekti. Ayrıca, mültecilerin Kütahya'dan ayrıldıktan sonra tekrar Macaristan'a dönmelerinin mümkün olmayacağı görüşü dile getirildi. Avusturya Hükümeti, bütün mülteciler serbest bırakıldıklarında gittikleri ülkelerde yeniden ihtilal hareketlerine girişeceklerini iddia etse bile, bu görüşün ciddiye alınır bir yönünün olmadığı belirtildi. Zira, mülteci liderlerinin böyle bir düşüncesi olsa, Kütahya'da iken bu düşüncelerini uygulamaya kolayca koyabilirlerdi. Üstelik, Kütahya'da yapılan bu tür girişimlerin tesiri daha fazla olacaktı. Bu sebeple, Avusturya'nın mültecilerin bir kısmının bir süre daha Kütahya'da kalmasına yönelik talebi bütün üyeler tarafından reddedildi. Meclis üyelerine göre, Avusturya'nın böyle bir teklifte bulunması mülteci liderlerine mümkün olduğu kadar hapis hayatı yaşatmak istemesinden kaynaklanıyordu[1138].

Meclis'te görüşülen bu hususlar, Reşid Paşa tarafından 20 Mart 1851'de Sultan Abdülmecid'e bir arz tezkiresiyle takdim edildi[1139].

Meclis-i Mahsûs'ta bütün mültecilerin serbest bırakılması yönünde karar alınmasına rağmen, Abdülmecid'in çekimser olduğu bazı hususlar da vardı. Padişaha göre, Avusturya Hükümeti'nin Kütahya'da kalmasını istediği şahsiyetler, Macar İhtilali'nin önde gelen isimleri olduğundan, bunların serbest bırakılmasını istemek, iki devlet arasına soğukluk girmesine sebep olacaktı. Her ne kadar Avusturya, mültecilerin serbest bırakılması hususundaki görüş ayrılığı

1138 Ahmed Refik, *Aynı eser*, s.203-204 Mustafa Reşid Paşa'nın Mâbeyn'e takdim ettiği 17 Ca 67/20 Mart 1851 tarihli arz tezkiresi.
1139 Ahmed Refik, *Aynı eser*, s.205.

yüzünden Osmanlı Devleti'ne karşı savaş açacak durumda değilse
de, bu meseleyi bahane ederek tartışmalı konularda sorun çıkarabi-
lirdi. Örneğin, Bosna-Hersek'teki hudut meselesi ve yeni bastırılan
Vidin isyanında birtakım müşkilatlar çıkarabileceği gözden uzak
tutulmamalıdır. Sultan'a göre Osmanlı Devleti, doğal olarak öncelik-
le kendi çıkarlarını düşünmek zorundaydı. Dolayısıyla yapılması
gereken, mültecilerin tamamının serbest bırakılmasından dolayı, iki
devlet arasında meydana gelebilecek bir krizde İngiltere ve Fransa
Hükümetleri'nin Osmanlı Devleti'ne destek verip vermeyeceklerinin
ortaya konmasıydı. Bunun için de Sultan, Canning ile gizli bir gö-
rüşme yapılarak, konu hakkındaki düşüncelerinin öğrenilmesini
istiyordu. Ayrıca Abdülmecid, mesele hakkında karar verilebilmesi
için zaman tayin edilmesini de istiyordu. Sultan'ın mültecilerin ser-
best bırakılması için ön gördüğü zaman ise Kasım 1851'di[1140].

[1140] Mabeyn'den Sadâret'e yazılan Abdülmecid'in şifahi emrinde şöyle deniliyordu:
"...Avusturya Devleti'nin Kütahya'da gerü bırakmak istediği mültecîlerin dahî bir an ak-
dem salıverilmesi hakkında İngiltere ve Fransa Sefâretlerinin ihtârâtı ve Meclis-i Vüke-
lâ'nın mütâla'âtı temâm mesele-i mergûbe-i insaniyete muvâfık olarak bu kaziyyenin 'ind-i
'âlî-i hazret-i hilâfet-penâhîde dahî pek muhterem ve mültezem tutulduğu ve bu maslaha-
tın bidâyet-i zuhûrunda Fransa Hükümeti ve 'ale'l-husûs İngiltere Devleti taraflarından
görülen mu'âvenet ve himmet dâima takdîr buyurulmakda olduğundan onların husûl-i ar-
zularının dahî samîmî temennî buyurulduğu cümlenin müsellemi olub fakat Avusturya
Devleti tarafından gerü kalması dermeyân olunan adamlar Macaristan vukû'âtında mey-
dana çıkanların en meşhûrları demek olarak ez-cümle Mösyö Kossuth 'âdetâ da'vâ-yı
hâkimiyyet etmiş bir adam olduğundan bizât Avusturya İmparatoru Hazretlerinin bunun
asl-ı müdde'îsi bulunması umûr-ı tabî'iyyeden olduğu hâlde şimdi öte tarafın bütün bütün
marzîsinin hilâfına olarak bunların Avrupa'ya i'zâmı İmparator-ı müşârunileyhe pek mü-
essir olacağı hükümdârân beyinlerinde bi't-tabi' ceryânı lâzım gelen vezâyıf-ı muhteremeye
bu bâbda ri'âyet olunmamış olacağından başka Avusturya Devleti bu mâddeden dolayı
darılubda bi'l-farz açıkdan açığa husûmet derecesine kadar gitmeyecek olsa bile bazı sûretle
eser-i nâ-hoşnûdîsini hiss etdirmek isteyeceğinde şübhe olmadığına göre beyne'd-devleteyn
münâza'alı bulunub tesviyesi der-dest olan Bosna ve Hersek hudûdları ve Süterinya ve Kı-
lık limanları mâddelerinde öte tarafdan dürlü müşkilât îkâ olunacağı ve 'ahd-i karîbde ya-
tıştırılan Vidin Eyâletiyle henüz nizâmâtı icra olunmakda olan Bosna Eyâletinde semere-i
tahrîkât olmak üzere bazı gâileler çıkarılacağı mutâla'âtı hâtır-hirâş olacak şeyler olub Dev-
let-i 'Aliyye'nin kendü menâfî' ve asâyişine dâir husûsâtı gözetmesi dahî emr-i tabî'î oldu-
ğundan acaba bu mültecî meselesinin Avusturya Devletiyle Devlet-i 'Aliyye'nin
mu'âmelâtına halel vermek derecesine gitmeyeceği ve mehâzîr-i meşrûhayı intâc etmeyece-
ği mâddesinde İngiltere Devleti ve Fransa Hükûmeti Sefâretleri cânibinden temînât ve
ta'ahhüdât-ı kaviyye gösterilecekmidir burası peşince anlaşılub ve hususuyla Mösyö
Canning cenâbları Devlet-i Aliyye'nin hakîkî hayırhâhî olduğundan bu hususun zîr ve bâ-
lâsı mahramâne kendüsüyle müzâkere olunub birde çünkü bu gerü kalacak adamlar hak-

Abdülmecid'in Sadârete bu yönde fikir beyan etmesi üzerine Reşid Paşa, Sultan'ın öne sürdüğü konularda İngiltere ve Fransa elçilerine cevaplamalarını rica ettiği bir dizi soru gönderdi[1141]. Reşid Paşa'nın elçilerden cevaplamasını istediği hususlar, üç nokta üzerinde yoğunlaşıyordu. Birincisi, Macar İhtilali'nin lideri Kossuth'un serbest bırakılmasını Avusturya İmparatoru'nun nasıl değerlendireceğiydi. İkincisi, mültecilerin tümünün serbest bırakılmasına karar verildikten sonra, iki devlet arasında tartışmalı olan Bosna-Hersek hudut meselesinde Avusturya Hükümeti'nin nasıl bir tutum izleyeceği ve nihayet üçüncü ise, Avusturya'nın Bulgaristan ve özellikle Vidin'de halkı isyana teşvik etmek amacıyla girişimde bulunup bulunmayacağıydı[1142].

İngiliz elçisi, mültecilerin serbest bırakılmaları hususunda, devletinin görüşüne başvurulmasından hoşnut kalmıştı. Elçiye göre Bâbıâli, dostlarının görüşüne başvurmakla isabetli bir karar vermişti Canning, bütün mültecilerin artık serbest bırakılmaları görüşündeydi. Zira ona göre, Osmanlı Devleti Klatschel'in görüşlerini kabul ederse, Avusturya kendi eliyle yapamadığını Osmanlı Devleti'ne yaptırmış olacaktı. İngiliz elçisi, mültecilerin serbest bırakılmaları için tek şartın Macaristan'da huzur ve asayişin yeniden tesis edilmesi olduğunu ve bu şart da sağlandığına göre artık, bütün mültecilerin serbest bırakılması için ortada hiçbir engel kalmadığı görüşündeydi[1143]. Canning, bu değerlendirmelerden sonra Reşid Paşa'nın kendisine yönelttiği sorulara da şöyle cevap vermişti:

Avusturya, sırf insanlık sorunu haline gelen bu meselede mültecilerin tamamının serbest bırakılmasını bahane ederek, Bulgar halkı

---

kında yalnız gidecek takrîrin cevâbı gelecek kadar vakt ve meydan verileceği karârına göre Avusturya Devleti ziyâdece tazyîk olunmuş gibi anlaşılacağı mülâhazasına nazaran bu müddet bari biraz vus'atlîce olubda Avusturya Devleti'ne hiç sebeb-i şikâyet verilmemek için gelecek rûz-ı kasıma kadar bu adamların Memâlik-i Devlet-i 'Aliyye'de tutulub ondan ilerüsüne varılamayacağı îrâd olunsa maslahatca daha ehven olacağı keyfiyet-i vârid-i hâtır-ı 'âlî olmağla bu kaziyye dahî sefîr-i mûmâileyh cenâblarıyla söyleşilerek ondan sonra Meclis-i Meşveret'de dahî bu mâddenin tedkîk ve müzâkeresiyle karârının 'arz ve istîzân buyurulması..." (Ahmed Refik, *Aynı eser*, s.205-206 Abdülmecid'in Sadârete yazdığı 27 Ca 67/30 Mart 1851 tarihli hamîşine irade).

[1141] Ahmed Refik, *Aynı eser*, s.208.

[1142] Ahmed Refik, *Aynı eser*, s.208-209.

[1143] Ahmed Refik, *Aynı eser*, s.209.

338 Osmanlı'ya Sığınanlar

arasına fitne sokacak veya Bosna-Hersek hudut meselesinde krize yol açacak bir harekete girişemez. Ancak, eğer böyle bir harekete cesaret edecek olur ise Osmanlı Devleti'nin buna karşı koymak için elinde haklı bir gerekçesi olacaktır. Bu durumda tüm Avrupa ve özellikle İngiltere'de Avusturya'ya karşı olan kamuoyu, daha şiddetli bir şekilde onun karşısında yer alacaktır[1144]. Canning, Reşid Paşa'nın sorularına verdiği cevaplarda bütün mültecilerin serbest bırakılması hususunda tereddütlü olan Bâbıâli'nin kaygılarını gidermeyi hedeflediği anlaşılmaktadır.

Fransa elçisinin Reşid Paşa'nın sorularına verdiği cevaplar, Bâbıâli için tatmin edici değildi. Elçi, Fransa'nın bütün mültecilerin serbest bırakılmalarından memnun kalacağını, ancak bir kısmının serbest bırakılmalarına da fazla tepki göstermeyeceğini bildirdi[1145].

Bâbıâli'nin bu girişimlerinden haberdar olmayan Avusturya Hükümeti, teklifinde ısrarlıydı. Reşid Paşa ise, mültecilerin tamamının serbest bırakılması için İngiltere ve Fransa'nın desteğini almaya çalışırken Schwarzenberg'in Kossuth ve diğer mülteci liderlerinin Kütahya'da kalmalarını isteyen talimatı İstanbul Maslahatgüzar'ına ulaşmıştı[1146].

Bâbıâli, mültecilerin tamamının serbest bırakılması hususunda İngiltere'den tam, Fransa'dan da üstü kapalı bir destek almıştı. Amerika Birleşik Devletleri ise mültecilerin serbest bırakılmasını çoktan beri arzuluyordu. Fakat, bu sırada Birleşik Devletlerin Avrupa siyasetine yön verecek bir ağırlığı yoktu. Mültecilerin serbest bırakılmasını isteyen bu devletlere karşı Avusturya, mutlaka bir gün isteklerinden vazgeçmek zorunda kalacaktı. Mülteciler meselesinin başlangıcından beri Avrupa devletlerinin desteğini sağlayan Bâbıâli, yine

---

[1144] Ahmed Refik, *Aynı eser*, s.209.
[1145] Ahmed Refik, *Aynı eser*, s.211 Mustafa Reşid Paşa'nın Mâbeyn'e takdim ettiği 19 C 67/14 Ekim 1851 tarihli arztezkiresi.
[1146] *Devlet-i Aliyye ta'ahhüdât-ı vâkı'asını hâlisâne ve sâdıkâne îfâ buyuracağına Avusturya Devleti muntazır bulunmaktadır ve Saltanat-ı Seniyye'nin bu vechile hareketi nezd-i devlet-i müşârunileyhâda lâyıkıyla rehîn-i takdîr olarak berü tarafdan dahî hâlisâne mukâbeleye ibtidâr olunacağında devleteyn beyninde resmen cârî olan münâsebat-ı dostî bir kat daha kesb-i tevessü' ederek iki tarafın menâfi'î hakkında netâyic-i haseneyi müstelzim olacağı memûldur* (Ahmed Refik, *Aynı eser*, s.210).

de Avusturya ile bir problem yaşamak istemiyordu. Bu nedenle kesin kararını Avusturya Hükümeti'ne bildirmeden önce, mültecilerin tamamının serbest bırakılması kararını bir kez daha gözden geçirme gereksinimi duydu.

Konu, 16 Nisan 1851'de toplanan Meclis-i Mahsûs'da tekrar görüşüldü. Meclis'te önce Abdülmecid'in 30 Mart 1851 tarihli iradesi ile Schwarzenberg'in Maslahatgüzar'a gönderdiği nota okundu. Daha sonra İngiliz ve Fransız elçilerine sorulan sorular ve alınan cevaplar hakkında üyelere bilgi verildi[1147].

Yapılan görüşmelerde, Avusturya'ya haber vermeden bütün mültecilerin serbest bırakılmaları halinde, bunun Avusturya'nın tepkisine neden olacağı görüşü dile getirildi. Bu sebeple, mültecilerin tamamının serbest bırakılmasıyla ilgili Bâbıâli'nin aldığı kararı Avusturya Hükümeti'ne bildirip, gelecek cevabı beklemenin daha uygun olacağı karara bağlandı. Diğer taraftan, mülteciler yaz mevsiminde serbest bırakılılarsa Avrupa'ya gittiklerinde boş durmayıp, Avusturya ve İtalya'daki ihtilalcilerle birleşerek, yeniden organize bir güç haline gelebilirlerdi. Böylesi bir gelişme ise, Avusturya'nın bütün mültecilerin serbest bırakılmaması için öne sürdüğü gerekçeleri haklı çıkaracağı gibi, iki devlet arasında normale dönüşen ilişkileri olumsuz yönde etkileyebilirdi. Halbuki, mülteciler Eylül ayında serbest bırakılırlarsa, yaz mevsimi bitmiş olacağından böyle bir harekete girişmeleri zor olacaktı. Bu sebeplerden dolayı mültecilerin Eylül 1851'de serbest bırakılmalarının uygun olacağı karara bağlandı. Böylece, Avusturya, hem yaz hem de kış mevsimini kazanmış olacaktı[1148].

Meclis-i Mahsûs'ta böyle bir politika geliştirilmesindeki temel amaç, mültecilerin serbest bırakılmasını bir takvime bağlamaktı. Aksi halde, Avusturya'nın iddia ettiği gibi mültecilerin serbest bırakılması için Macaristan'daki insanların kafasındaki ihtilal fikirlerinin yok olmasını beklemek, şu anki mevcut durumu görmemezlikten gelmek demekti. Böylesi bir durumun Osmanlı Devletince kabulü ise, mülte-

---

1147 Ahmed Refik, *Aynı eser*, s. 210-211.
1148 Ahmed Refik , *Aynı eser*, s.211-213.

cilerin uzun yıllar daha Kütahya'da kalması anlamına geliyordu. Dolayısıyla Meclis-i Mahsûs üyeleri, Avusturya Hükümeti'ne mültecilerin beş ay sonra serbest bırakılacaklarının teklif edilmesi ile bu devletten gelebilecek itirazları önlemeyi amaçlıyorlardı[1149].

Meclis-i Mahsûs'ta karara bağlanan diğer önemli bir konu ise, Avusturya'nın teklifinin kabul edilip, serbest bırakılmasını istediği mültecilerin bir an önce Kütahya'dan gönderilmesiydi. Böylece, bunların hem masraflarından kurtarılacak, hem de Kütahya'dan ayrılmak isteyen mültecilere iyi bir haber olacaktı. Ancak, serbest bırakılmasına karar verilen mülteciler, gelişi güzel Kütahya'dan ayrılmayacaktı. Çünkü bunlar, kontrolsüz bir şekilde serbest bırakılırlarsa Avrupa'ya gitmeyip Osmanlı Devleti'nin çeşitli bölgelerine dağılabilirlerdi. Böylesi bir gelişme ise, Batı dünyasında Osmanlı Devleti'nin kazanmış olduğu prestijin üç-beş adam yüzünden kaybedilmesine sebep olabilirdi. Bu sebeple, mültecilerin Kütahya'dan Gemlik İskelesi'ne indirilerek, hazırlanacak bir vapur ile Avrupa'ya gönderilmeleri kararı alındı[1150].

Bu arada, İstanbul'da bulunan ve sayıları 70-80 kadar olan mülteci de Avrupa'ya gitmek için Bâbıâli'ye başvurmuşlardı. Meclis-i Mahsûs, İstanbul'daki mültecilerin de Gemlik'e götürülerek, Kütahya'dan geleceklerle beraber Avrupa'ya gönderilmelerinin uygun olacağını kararlaştırdı. Ayrıca, bunların yolculukları boyunca yapacakları masraflar hazinece karşılanacaktı. Meclis-i Mahsûs'da yapılan uzun görüşmelerden sonra Reşid Paşa, meseleyi tekrar Padişah'a arz etti. Paşa, Meclis-i Mahsûs'un aldığı kararların yanı sıra, Fransız ve özellikle İngiliz elçisinin bütün mültecilerin serbest bırakılmasını istediklerini, ancak Avusturya'nın mültecilerin sadece bir kısmının serbest bırakılabileceği kararında ısrarcı olduğunu Abdülmecid'e bildirdi[1151].

Mültecilerin bir kısmının serbest bırakılıp, bir kısmının da Kütahya'da gözetim altında tutulmaya devam edilmeleri kararı, Kütah-

---

[1149] Ahmed Refik , *Aynı eser*, s.212.
[1150] Ahmed Refik , *Aynı eser*, s.212.
[1151] Ahmed Refik, *Aynı eser*, s.212-213.

ya'da duyulunca mülteciler buna sert tepki gösterdiler. Hatta, işi Süleyman Refik Bey'e hakaret etme derecesine kadar götürdüler. Süleyman Refik Bey, onların bu beklenmedik tepkilerini Bâbıâli'ye bildirdi ve arkasından görevinden istifa etti[1152]. Fakat, onun istifası kabul edilmediği gibi yaptığı hizmetlerden dolayı taltifî kararlaştırıldı. Bu olay, İstanbul'da derin bir üzüntü yarattı. Ancak Bâbıâli, mültecilerin yaptıklarına karşılık onlara bir ceza vermeyi düşünmüyordu. Reşid Paşa, bu fiili işleyenlerin cezalandırılmaları durumunda, bütün Avrupa kamuoyunun ayağa kalkacağını ve bu nedenle herhangi bir cezanın verilmeyeceğini belirtmişti. Öte yandan Avusturya'nın bilinen muhalefeti ortada iken, mültecilerin cezalandırılmaları halinde serbest bırakılmaları için Avrupa devletlerinin baskıları daha da artacaktı. Bu sebeple, Bâbıâli kötü söz sahibine aittir, felsefesiyle hareket ederek bu olaylar karşısında sessiz kalmıştı[1153].

Osmanlı Devleti'nin gösterdiği bunca fedakarlık ve üstün misafirperverlikten sonra, mülteci liderlerinin bu tür saldırılarına muhatap olması anlaşılır şey değildi. Sadârete göre, mültecilerin Süleyman Refik Bey'e saldırmaktaki amacı, onu tahrik ederek benzer hareketleri onun da kendilerine yapmalarını sağlamaktı. Böylece mülteciler, durumlarının çok kötü olduğunu dünya kamuoyuna gösterip, Bâbıâli üzerinde baskının artmasını hedefliyorlardı. Bu sebeple Reşid Paşa, mülteci liderlerinin oyununa gelmeyerek, onlara karşılık vermeyen Süleyman Refik Bey'in bu hareketini takdirle karşıladı. Paşa'ya göre Bâbıâli, yaptığı diplomatik girişimlerle mültecilerin serbest bırakılmaları yönünde büyük adımlar atmış ve Avusturya Hükümeti'nin bu konudaki katı tutumunu bir dereceye kadar yumuşatmıştı. Dolayısıyla, şu anda mültecilere ceza verilecek olursa gelinen noktadan geri dönülmüş olunacaktı. Bu sebeple, yapılması gereken mültecileri cezalandırmak değil affetmekti[1154]. Mültecilerin bu davranışlarına karşı Bâbıâli'nin sessiz kalması, hiçbir devleti kırmadan bunlardan bir an önce kurtulmak istemesinin bir göstergesi olarak kabul edilebilir.

[1152] Ahmed Refik, *Aynı eser*, s. 213.

[1153] *"...her ne demişler ise kendilerine râci olacağı..."* Ahmed, Refik, *Aynı eser*, s.214. Sadâret'in Mâbeyn'e takdîm ettiği 23 C 67/25 Nisan 1851 tarihli arz tezkiresi.

[1154] Ahmed Refik, *Aynı eser*, s.213-214.

Sonuç olarak, bu olay karşısında sessiz kalmayı tercih eden Bâbıâli, Süleyman Refik Bey'den, başarıyla yürüttüğü görevinde biraz daha sabır göstermesini istemişti. Ayrıca Süleyman Refik Bey, mülteci liderlerine yaptıkları bu hareketlerin Bâbıâlice kendilerine hiç yakıştırılamadığını söyleyecekti. Yine, Osmanlı Devleti'ne iltica edemeyip Avusturya Devleti'nin eline geçmiş olsalardı, şimdi hallerinin ne durumda olacağını kendilerine hatırlatıp sabır ve teenni göstermelerini tavsiye edecekti[1155].

2- Serbest Bırakılan İlk Mülteci Grubu

Yukarıda da değinildiği gibi Bâbıâli, önceden karşı çıkmasına rağmen, daha sonra karar değiştirerek, Kütahya'daki mültecilerin bir kısmının serbest bırakılmasını kabul etmişti. Serbest bırakılacak mülteciler, 9 Şubat 1851'de Avusturya Maslahatgüzarı tarafından Bâbıâli'ye sunulun listede isimleri geçenlerdi. Bâbıâli, Avusturya Hükümetinin serbest bırakılmasını istediği mültecilerin Kütahya'dan gönderileceğini, 29 Nisan 1851'de Süleyman Refik Bey'e bildirmişti[1156]. Avusturya Hükümeti, Bâbıâli'nin bu kararını memnuniyetle karşıladı. İstanbul'daki Avusturya Maslahatgüzarı, zaman kaybetmeden Tercüman Eder ve Jasmagy'yi Kütahya'ya gönderdi. Eder ve Jasmagy, 3 Mayıs 1851'de Kütahya'ya geldiler[1157]. Daha önce, Kossuth'a suikast girişiminde bulunan Jasmagy, şimdi devletinin resmi görevlisi olarak serbest bırakılacak mültecilerin isimlerini tespit etmek için Kütahya'da idi.

Kossuth ve arkadaşlarının, mültecilerin bir kısmının serbest bırakılmasına gösterdikleri tepkiye yukarıda değinilmişti. Fakat, onların bütün karşı çıkmalarına rağmen kararın uygulanmasından vazgeçilmedi. Böylece Kossuth, Şumnu'da mültecilerden ayrılmamak için gösterdiği muhalefette olduğu gibi, Kütahya'da da arkadaşlarının kendisinden ayrılmalarına engel olamamıştı. Yine de o, serbest bırakılacakların sayısını en aza indirmek için büyük çaba sarf edi-

---

1155 Ahmed Refik, *Aynı eser*, s.213-214.
1156 BOA., BEO. A.MKT. UM. 58-77 Süleyman Bey'in Seraskerliğe takdim ettiği 7 B 67/7 Mayıs 1851 tarihli tahrîrât.
1157 BOA., BEO. A.MKT. UM. 58-77.

yordu. Ona göre, mülteciler, birlikte geldikleri Kütahya'dan yine birlikte ayrılmalıydılar[1158]. Nitekim Kossuth ve diğer mülteci liderleri, Kütahya'yı hep birlikte terk etmelerine izin verilmesi için Jasmagy ile bir görüşme yaptılar. Görüşmede Kossuth, Jasmagy'e *"biz beraber geldik beraber gitmek isteriz; aksi halde hepimiz Kütahya'da kalacağız"* demişse de, kabul ettirememişti[1159]. Jasmagy'den istediği cevabı alamayan Kossuth, Süleyman Refik Bey'e başvurmuş, ancak bu girişimi de sonuçsuz kalmıştı[1160].

Serbest bırakılacak mültecilerin sayısı 69 idi. Kossuth, Kütahya'daki arkadaşlarının serbest bırakılmalarını engelleyemeyeceğini anlayınca, aile doktoru Spaczek'ten başkasına canını emanet edemeyeceğini söyleyerek, onun Kütahya'da kalmasını istedi. Ayrıca en fazla ihtiyaç duyduğu kişiler arasında yer alan, tercümanı Cseh'in de Kütahya'da kalmasını Jasmagy'e söyledi. Yine Kossut, serbest bırakılacak mülteciler arasında isimleri geçen ve onun korumasını sağlayan sekiz kişinin 'de isimlerinin defterden çıkarılmasını istedi. Kossuth, bu mültecilerin gitmesi durumunda can güvenliğinin kalmayacağına inanıyordu. Bu sebeple o, adı geçen kişileri hiçbir gücün elinden alamayacağını söyledi. Jasmagy ve Eder, Kossuth'un doktor ve tercümanın Kütahya'da kalmalarına müsaade ettiler. Ancak, Kossuth'un yanında başka adamları kalacağı gerekçesiyle sekiz koruma görevlisinin Kütahya'da kalmasına izin vermediler. Kossuth, maiyetinde bulunan ve onun korumalığını yapan bu kişilerin gitmelerini engellemek için, Süleyman Refik Bey'e müracaatta bulundu. Süleyman Refik Bey, Kossuth'un bu isteklerini Jasmagy ve Eder'e iletmiş ve onların serbest bırakılmamaları yönünde görüş beyan etmişti. Bunun üzerine, Kossuth'un kalmasında ısrar ettiği tercüman ve doktor dahil, toplam on kişinin Kütahya'da kalmasına izin verildi[1161].

Diğer taraftan Wysocki, kendisi hariç, Kütahya'daki bütün Polonyalı mültecilerin serbest bırakıldığını söyleyerek, iki Polonyalı

[1158] BOA., BEO. A.MKT. UM. 58-77.
[1159] BOA., BEO. A.MKT. UM. 58-77.
[1160] BOA., BEO. A.MKT. UM. 58-77.
[1161] BOA., BEO. A.MKT. UM. 58-77.

mültecinin kendisine arkadaş olarak kalmasını istedi. Yine, Macar mültecilerinden Kovacs, Avusturya memurlarına eşinin hamile olması sebebiyle yola çıkmasının sakıncalı olacağını söyleyerek, Kütahya'da kalmak istediğini iletti. Onların bu istekleri de kabul edildi. Böylece, başlangıçta serbest bırakılması kararlaştırılan 69 kişiden 13'ü Kossuth'un girişimleri sonucunda Kütahya'da kalmış ve geriye kalan 56 kişinin Kütahya'dan ayrılması kesinleşmişti[1162].

Mültecilerden serbest bırakılacaklar tespit edildikten sonra, Jasmagy ve Eder tarafından defterde ismi kayıtlı olanların yerine başkasının gitmemesi için tek tek isim kontrolü yapıldı. Daha sonra Kütahya'da kalacak olanlar ile serbest bırakılacak mültecilerin ayrı ayrı defterleri tutuldu. Süleyman Refik Bey, 56 kişilik bu mülteci taifesini, Gemlik İskelesi'ne götürmek üzere Miralay Ahmed Bey ve süvariden Hasan Ağa'yı görevlendirdi. Yanlarına 150 kişilik kalabalık bir süvari grubu verilen bu mülteci taifesi, 9 Mayıs 1851'de Kütahya'dan ayrıldı. Ahmed Bey ve Hasan Ağa, kendilerine verilen emir gereği 14 Mayıs'ta mültecileri Gemlik İskelesi'ne indireceklerdi. Öte yandan Süleyman Refik Bey, mültecilerin 14 Mayıs'ta Gemlik'te olacaklarını Bâbıâli'ye bildirerek, mültecilerin burada bekletilmemesi için, onları Avrupa'ya götürecek vapurun aynı tarihte oraya gönderilmesini istedi[1163]. Mültecilerin Bursa'dan ayrılmalarından bir gün sonra da Tercüman Eder ve Jasmagy'i Bursa üzerinden İstanbul'a geri döndüler[1164].

Kütahya'dan Gemlik İskelesi'ne ve oradan da Avrupa'ya gönderilecek mülteciler, Macar Özgürlük Savaşı'nın önde gelen isimleriydi. Bu sebeple, bunların firar etmeden Gemlik İskelesi'ne götürülmeleri son derece önemliydi. Süleyman Refik Bey, yolculuk sırasında sıkıntı yaşanmaması için, 150 kadar süvari görevlendirdiği gibi, Ahmed Bey'e de yolculuk sırasında nasıl hareket edeceğini belirleyen mufassal bir talimat verdi. Bu talimatta, mültecilerin Osmanlı Devleti'nde bulundukları müddetçe, rahat ve huzur içerisinde yaşamaları için devlet tarafından ortaya konulan fedakarlıklar hatırlatılıyordu. Yapı-

---

1162 BOA., BEO. A.MKT. UM. 58-77.
1163 BOA., BEO. A.MKT. UM. 58-77.
1164 BOA., BEO. A.MKT. UM. 58-77.

lacak en küçük bir hata ile çekilen bunca meşakkatin boşa gideceği, bu sebeple de Ahmed Bey'in son derece dikkatli olması isteniyordu. Ayrıca Ahmed Bey, yol boyunca mültecilerin rahatı için bütün imkânları seferber edecek ve mültecilere konak yerlerinde mümkün mertebe temiz ve bakımlı haneler hazırlayacaktı. Yine, yol boyunca mültecilerin isteklerini Osmanlı Devleti'ni zor durumda bırakmamak şartıyla yerine getirilecekti. Diğer taraftan, Akşam konaklanan yerlerden sabah erkenden hareket edileceğinden, kahvaltı için gerekli olan pişmiş tavuk ve diğer yiyeceklerin akşamdan hazırlanmasına dikkat edecekti[1165].

Mülteciler, uzun zamandır vatan ve ailelerinden uzak kaldıklarından Gemlik'ten kendilerini İngiltere'ye götürecek gemiye binmek istemeyip kaçmayı düşünebilirlerdi. Bu sebeple, Ahmed Bey'in en fazla dikkat edeceği husus, onların firarına meydan vermemekti. Talimatta, yolculuk sırasında bazı mültecilerin dik başlılık gösterip, kendilerini Gemlik'e götüren Osmanlı memurlarını zor duruma düşürebilecekleri belirtiliyor ve bu türden hareketleri Ahmed Bey'in ciddiye almaması tavsiye ediliyordu[1166].

Süleyman Refik Bey, Kütahya'dan Gemlik İskelesi'ne kadar mültecilerin hangi konaklarda kalacaklarını ve bu konaklar arasındaki mesafenin kaç saat olduğunu bile belirtmişti. Buna göre, mültecilerin ilk konaklayacakları yer, Kütahya'ya dört saatlik mesafede bulunan Seyyid Ömer Konağıydı. İkinci konaklayacakları yer ise, bir önceki konağa beş saat uzaklıkta olan Dodurga köyü idi. Üçüncü konak yeri, yedi saat mesafe ile Pazarcık kasabasıydı. Dördüncü konak beş saat mesafede Kurşunlu köyü idi. Beşinci konak üç saat mesafede İnegöl kasabası, altıncı konak beş saat mesafede Aksu, yedinci konak yine beş saat mesafede Timurtaş köyü ve nihayet sekizinci konak ise dört buçuk saat mesafede Gemlik İskelesi'ydi. Mültecilerin 14 Mayıs'ta Gemlik'e varacakları Bâbıâli'ye bildirildiğinden Ahmed Bey, söz konusu konakları tam zamanında geçerek Gemlik İskelesi'ne varacaktı. Yukarıda belirtilen güzergahın dışına kesinlikle çıkılmaya-

1165 BOA., BEO. A.MKT. UM. 58-77.
1166 BOA., BEO. A.MKT. UM. 58-77.

346 *Osmanlı'ya Sığınanlar*

caktı. Zira, Gemlik'e giden başka bir yol daha vardı ve bu yol Bursa üzerinden geçiyordu. Eğer mülteciler Bursa'ya varırlarsa buradan onları çıkarmak mümkün olmayabilirdi. Çünkü Bursa, Kütahya'ya göre daha güzel bir şehirdi. Ayrıca, burada bulunan çeşitli devletlerin konsolosları, mültecilere *"siz Amerika'ya gittikten sonra, bir daha Avrupa'ya geri dönemeyeceksiniz"* şeklinde sözler söyleyerek onları tahrik edebilirlerdi. Öte yandan Bursa, Kütahya'ya göre büyük bir şehir olduğundan, mültecilerin buradan firar etmesi daha kolay olabilecekti. Bu sebeple, bu tür sıkıntılarla karşılaşmamak için, kesinlikle Bursa'ya uğranılmayacaktı. Ayrıca, Bursa'ya yakın Timurtaş köyüne gelindiğinde mülteciler, Ahmed Bey'den Bursa'ya gitmek için izin isteyebilirlerdi. Fakat onların bu isteklerine kesinlikle olumsuz cevap verilecekti[1167].

Mülteciler Gemlik'e vardıkları zaman burada birkaç gün kalmayı isteyebilirlerdi. Ancak, onların Gemlik'te kalmalarının birçok mahzurları olduğundan bu istekleri kabul edilmeyecekti. Ahmed Bey, vakit kaybetmeden Gemlik Tersanesi önüne demir atacak vapura mültecileri bindirecekti. Mültecileri eksiksiz olarak vapur kaptanına teslim edecek, kaptan da onları teslim aldığına dair Ahmed Bey'e bir senet verecekti. Gerek yolda gerekse Gemlik İskelesi'nde mültecilerden birinin firar etmesi, Bâbıâli için sıkıntı çıkaracağından Ahmed Bey ve sayıları 150 kadar olan süvari birliği büyük bir dikkat gösterecekti. Mülteciler, Ahmed Bey ve diğer görevlilere hediye vermek isterlerse, bu hediyeler kesinlikle kabul edilmeyecekti. Yolculuk sırasında yapılacak masrafların az ya da çokluğuna bakılmayarak, mültecilerin yiyecek ve içecek hususunda bütün istekleri yerine getirilecekti. Kütahya'dan Gemlik'e kadarki bütün konaklarda yapılacak masraflar, o mahallin maliye memurlarınca düzenlenecek faturalarda gösterilecekti. Bu faturalar, Gemlik İskelesi'ne varıldıktan sonra Ahmed Bey tarafından Kütahya'ya gönderilecekti[1168].

Diğer taraftan Sadâret, Gemlik İskelesi'ne gelecek mültecilerin buradan alınıp Boğaz'a kadar götürülmeleri için hangi geminin uy-

---

1167 BOA., BEO. A.MKT. UM. 58-77.
1168 BOA., BEO. A.MKT. UM. 58-77.

gun olacağını Kaptan Paşa'ya sordu. Kaptan Paşa, Tersane-i Âmire'de Müncer-i Sürûr ve Sâik-i Şâdî vapurlarından başka, bu amaca uygun bir geminin bulunmadığını Sadâret'e bildirdi[1169].

Serbest bırakılan mülteciler ve maiyetinde bulunanlar şöyleydi:

Serbest Bırakılan Mülteciler		
Macarlardan Serbest Bırakılanlar	Maiyetinde Gidenler	Sayısı
Biro	-	1
Török	-	1
Frater	-	1
Koszta	-	1
Nemet	-	1
Kinizsi	-	1
Tımari	-	1
Sofer	-	1
Kappner	-	1
Horsi	-	1
Szatmari[1170]	-	1
General Meszaros	İki hizmetçisi	3
Szölösy	Bir hizmetçisi	2
Mihaloviç[1171]	Bir hizmetçisi	2
Halasz	-	1
Fokner	Eşi	2
Dimitri Janos	-	1
Szabo	-	2[1172]
Ignac	Eşi	2
		Toplam:26
Polonyalılardan serbest bırakılanlar		
General Bulharin	Zaborski ve bir hizmetçisi	3
Turzansy	-	1

[1169] BOA., BEO. A.AMD. 31-63.

[1170] Tabloda yer alan ilk 11 isim Kossuth'un maiyetinde gönderilenlerdir (BOA., BEO. A.MKT. UM. 58-77).

[1171] Mihaloviç Batthyany'nin maiyetinde Kütahya'ya gelmişti.

[1172] Serbest bırakılan mülteciler için tutulan defterde Szabo'nun maiyetinde herhangi bir isim yer almamasına karşılık iki kişi ile Kütahya'dan ayrıldığı kayıtlıdır (BOA., BEO. A.MKT. UM. 58-77).

Turzanski	Bilanski ve bir hizmetçisi	3
İdjikovski	Bir hizmetçi	2
Marczynski	Bir çocuk, bir bakıcı, Szczepanski	5
Niyadovski	-	1
Grochowolski	Bir hizmetçisi	2
Bilanski	Eşi	2
Chojecki	-	1
Briganeti	-	1
Dembinski'nin maiyetinde bulunan üç kişi		3
Chojecky	-	1
Briganety	1	1
Dört Polonyalı çocuk	-	4
		Toplam:30
		Genel Toplam:56

Ancak, Gemlik İskelesi'ne giden mültecilerden Dimitri Yanos ve Przyimski yurt dışına gitmekten vazgeçip tekrar Kütahya'ya geri döndüler. Süleyman Refik Bey, adı geçen iki mülteciyi yine kışlaya yerleştirdi[1173].

3- *Kütahya'da Kalan Mülteciler ve Bunların Serbest Bırakılması*

Ahmed Bey'in refakatinde 56 mülteci Kütahya'dan ayrıldıktan sonra geride 51 mülteci kalmıştı[1174]. Kütahya'da kalan mülteciler şunlardı:

Kütahya'da Kalan Mülteciler		
İsimleri	Maiyetinde bulunanlar	Sayısı
Lajos Kossuth	Eşi, üç çocuğu, çocuklarının hocası, üç hizmetçisi	9
Hazman	-	1

[1173] BOA., BEO., A.MKT.UM 65-28 Süleyman Refik Bey'in Sadâret'e gönderdiği 28 Ş 67/28 Haziran 1850 tarihli tahriratı.
[1174] BOA., BEO. A.MKT. UM. 58-77.

Kütahya'da Kalan Mülteciler		
Berzenczci	-	1
İhasz	Bir hizmetçisi	2
Lorodi	-	1
Wagner	-	1
Kalapsza Janos	-	1
Nemeth	-	1
Veigli	-	1
Laszlo	-	1
Grehanek	-	1
Török	-	1
Szerenyi	-	1
Frater	-	1
Rahip Acs	-	1
Hekim Spaczek	-	1
Cseh	-	1
Batthyany	Eşi ve dört hizmetçisi	6
Wysocki	Liyakowski,	3
General Perczel	Eşi, iki çocuğu, bir hizmetçi ve bir bakıcısı	6
Miralay Perczel	Eşi	2
Gyurman	Eşi ve bir çocuğu	3
Asboth	Bir hizmetçisi	2
Lüllei	-	1
Kovacs	Eşi	2
		Toplam:51[1175]

İlk mülteci kafilesi Kütahya'dan ayrıldıktan sonra Bâbıâli, geride kalanların da Eylül 1851'de serbest bırakılacaklarını Avusturya'ya iletti. Kütahya'daki mültecilerin bir kısmının serbest bırakılmasıyla yumuşamaya başlayan Osmanlı-Avusturya ilişkileri, Bâbıâli'nin bu kararıyla yeniden gerginleşmeye başladı.

Avusturya Başbakanı Schwarzenberg, Viyana Elçisi Ârif Efendi'ye[1176], *"Osmanlı Devleti Tarihi"* adlı kitabın yazarı Hammer'i gön-

---

1175 BOA., BEO. A.MKT. UM. 58-77.

1176 Ârif Mehmed Efendi'nin gençliği hakkında fazla bilgi yoktur. Şubat 1841'de Tophane Müdürü olan Ârif Efendi, Temmuz 1843'te ûlâ rütbesiyle Hassa Müsteşarı ve ardından da Serasker Müsteşarı oldu. Şubat 1846'da Meclis-i Vâlâ azası ve Zilkade 1266/Eylül 1850'de Kostaki Mussurus Bey'in yerine Viyana elçisi tayin edildi. (BOA., İra. Har. 3323, Sadâret'in Mâbeyn'e takdîm ettiği 2 ZA 66/ 9 Eylül 1850 ta-

350 Osmanlı'ya Sığınanlar

dererek bu meseleyi görüşmek için randevu vermişti. Görüşme, 7
Temmuz 1851'de gerçekleşti. Schwarzenberg, Ârif Efendi'ye Bâbıâ-
li'nin mültecileri Eylül başında serbest bırakmaya karar vermesi üze-
rine, İstanbul'daki Maslahatgüzarına gönderilen talimatın metnini
okudu. Bu talimatta, Bâbıâli'nin aldığı kararın kabul edilmeyeceği
kesin bir dille ifade ediliyordu. Avusturya'nın asıl amacının Bâbıâli
ile ilişkilerini dostane bir şekilde devam ettirmek olduğunu söyleyen
Schwarzenberg, Ârif Efendi'ye bu dostluğun bir göstergesi olarak da
İmparator'un İstanbul'a büyükelçi atadığını ifade etmişti. Ancak
İmparator'un, Bâbıâli'nin Eylül ayında mültecileri serbest bırakaca-
ğına karar vermesi üzerine, alınan bu kararı protesto etmek için elçi-
sini İstanbul'a göndermeyeceğini söylemişti[1177]. Zira, Schwarzen-
berg'e göre, İmparator büyükelçiyi İstanbul'a gönderse bile mülteci-
lerin serbest bırakılmaları kararından dolayı onu geri çağırmak zo-
runda kalacaktır[1178].

Avusturya Hükümeti'nin katı tutumunda hâlâ bir değişiklik ol-
madığını gören Ârif Efendi, Bâbıâli'nin mültecilerin serbest bırakıl-
maları için ileri sürdüğü gerekçeleri, bir kez daha Schwarzenberg'e
ifade etti. Ârif Efendi, Bâbıâli'nin Macaristan'da asayiş sağlanıncaya
kadar mültecileri korumayı kabul ettiğini, ancak adı geçen ülkede
asayiş ve emniyet çoktan sağlandığından, artık bu maddenin hiçbir
hükmü kalmadığını belirtti. Yine o, Osmanlı Devleti mültecileri daha
önce serbest bırakması gerekirken, Avusturya ile arasındaki dostlu-
ğun bir göstergesi olarak şimdiye kadar bunları koruduğunu söyledi.
Elçi, Schwarzenberg'e mültecilerin Eylül ayında serbest bırakılması-
nın Avusturya açısından büyük faydası olacağını da ifade etti. Çün-
kü mülteciler sonbaharda serbest bırakıldıklarında yaz mevsimi bit-

---

rihli arz tezkiresi; Mehmed Süreyya, Sicill-i Osmanî, III, İstanbul, 1311, s.278). Vi-
yana elçisi olarak tayin edilen Ârif Efendi'ye mufassal bir de talimat verildi. Bu sı-
rada iki ülke arasındaki en önemli sorun, mültecilerin serbest bırakılması mesele-
siydi. Bu sebeple söz konusu talimatın içeriği tamamen onun Viyana'da mültecile-
rin serbest bırakılmaları için izleyeceği politikasıyla ilgiliydi. Bu talimat için bkz.
İra. Har. 3394 Mabeyn'den 15 Z 66/22 Ekim 1850 tarihiyle sadır olan irade ile Ârif
Efendi'ye verilen talimat.

[1177] Ahmed Refik, Aynı eser, s.215-216.
[1178] Ahmed Refik, Aynı eser, s.215 Viyana Elçisi Mehmed Arif Efendi'nin Hâriciye
Nezâreti'ne takdim ettiği 9 N 67/8 Temmuz 1851tarihli takrîr.

miş olacak ve bunlar ihtilal girişiminde bulunamayacaklardı. Böylece Avusturya, hem yaz hem de kışın mülteci liderlerinin yeni bir ihtilal girişiminden korunmuş olacaktı[1179].

Ârif Efendi'nin ortaya koyduğu bu gerekçelere rağmen Schwarzenberg, kararını değiştirmedi. Ona göre, Avusturya Hükümeti'nin istediği şey, Kostaki Mussurus tarafından kendilerine verilen takrîrde yazılı olduğu üzere; *"Saltanat-ı Seniyye Macaristan'ın i'âde-i âsâyişine kadar merkûmları hıfz ve tevkîf edeceğini ve tahliye-i sebîlleri mevsimi geldikde dahî Avusturya Devleti'nin muvâfakatını istihsâl eyleyeceği.."* sözünün yerine getirilmesidir. Schwarzenberg'e göre, Bâbıâli her ne kadar Macaristan'da huzur ve asayişin sağlandığını iddia ediyorsa da buna ancak Avusturya Devleti karar verebilecektir. Dolayısıyla, Bâbıâli'nin Macaristan'da eski düzenin yeniden kurulduğuna dair karar verme yetkisi yoktur. Avusturya Başbakanı'na göre Bâbıâli, sadece Macaristan'da huzur ve asayişin yeniden oluştuğunu Avusturya Hükümeti'ne bildirecekti. Bundan sonrasına karar vermek Avusturya'nın tasarrufundaydı. Bu sebeple, Bâbıâli'nin bu konuda girişimde bulunmasına gerek yoktur. Zaten Avusturya, Macaristan üzerinde tam bir hakimiyet tesis ettiğinde, bunu Bâbıâli'ye bildirecek ve mültecilerin serbest bırakılmasını isteyecekti[1180]. Görüşmede, taraflar isteklerini birbirlerine kabul ettiremediler.

Viyana'da yapılan bu görüşmenin üzerinden çok geçmeden, Avusturya Maslahatgüzarı Klatschel, 29 Temmuz 1851'de Sadrâzam Reşid ve Hariciye Nazırı Âlî Paşa'ya ayrı ayrı birer nota vererek, devletinin bu meselede geri adım atmayacağını bildirdi. Notada, Bâbıâli'nin Eylül başında mültecileri serbest bırakma kararının Avusturya Hükümeti'ni derinden üzdüğü ifade ediliyordu. Belgrat Anlaşması'nın XVIII. maddesi hükmünce, Osmanlı Devleti'nin mültecileri Avusturya'ya iâde etmesi gerektiği halde, Abdülmecid'in özel isteği üzerine Avusturya Hükümeti'nin onları talep etmekten vazgeçtiği belirtiliyordu. Yine, söz konusu anlaşmanın aynı maddesine göre, Bâbıâli'nin Osmanlı Devleti'ne iltica edip memleketin herhangi

---

1179 Ahmed Refik, *Aynı eser*, s. 216.
1180 Ahmed Refik, *Aynı eser*, s.215-216.

bir yerinde saklanan asileri bulup cezalandırmak zorunda olduğu dile getiriliyordu. Asiler yaptıklarına pişman olduklarını beyan etseler bile Osmanlı Devleti, bunların pişmanlıklarına itimat etmeyerek, geldikleri devletin sınırlarından çok uzak bir bölgeye göndermeliydi. Maslahatgüzar, hiçbir yoruma gerek olmayacak kadar açık olan anlaşmanın, Avusturya Hükümeti'ne verdiği haktan sadece iki devlet arasındaki dostluğun devamı için vazgeçildiğini belirtiyordu. Ona göre Avusturya, Belgrat Anlaşması'nın ilgili maddesinin kendilerine verdiği hakları bir kenara bırakarak, Bâbıâli'den sadece mültecilerin makul bir süre gözetim altında tutulmasını istiyordu[1181]. Klatschel, Sultan Abdülmecid'in Avusturya İmparatoru'na gönderdiği mektup ve Viyana Elçisi Kostaki Mussurus Bey'in Schwarzenberg ile yaptığı görüşmede verilen taahhütlere de atıfta bulunuyordu. Ona göre, hem Sultan hem de elçi Macaristan'da asayiş sağlanıncaya kadar mültecileri gözetim altında tutmayı garanti etmişlerdi. Ayrıca notada, Bâbıâli'nin 23 Ca 66/5 Nisan 1850'de Avusturya Devleti'ne verdiği takrîrde *"...Bâbıâli dahî Macaristan'ın asâyişi takarrür eylediği hâlde Saltanat-ı Seniyye eşhâs-ı mezkûrenin sebîllerini tahliye etmezden evvel bu niyetini muvâfık-ı usûl ve hüsn-i hem-civârî ve dostû olduğu üzere Avusturya Devleti'ne ihbâr ve istihsâl-ı muvâfakatına sa'y ü ihtimâm..."*[1182] edeceği de hatırlatılıyordu. Klatschel, objektif olarak meseleye bakan herkesin, verilen bu taahhütten iki devletin onayı olmadan mültecilerin serbest bırakılamayacağı yorumunu yapabileceğini iddia ediyordu. Yine o, Avusturya'nın onayını almadan mültecilerden birinin bile serbest bırakılması halinde, bunun iki ülke arasındaki ilişkilere büyük zarar vereceğini belirtiyordu. Ayrıca notada, Avusturya Hükümeti'nin İstanbul'a büyükelçi atadığı bir sırada, Bâbıâli'nin böyle bir karar alması talihsizlik olarak değerlendiriliyordu. Sonuç olarak maslahatgüzar, hükümetinin bu kararı tanımadığını ifade ediyordu[1183].

Maslahatgüzar, Bâbıâli'nin aldığı kararla ilgili olarak Reşid Paşa ile de bir görüşme yaptı ve Kütahya'daki mültecilerin Eylül ayında serbest bırakılmalarının hatalı olacağını söyleyerek kararın düzeltil-

---

[1181] Ahmed Refik, *Aynı eser*, s.218-220.
[1182] Ahmed Refik, *Aynı eser*, s.220.
[1183] Ahmed Refik, *Aynı eser*, s.221.

mesini istedi. Özellikle Kossuth'un serbest bırakılmasının kabul edilemez olduğunu Paşa'ya söyledi. Klatschel'e göre Kossuth, Kütahya'dan ayrıldıktan sonra boş durmayacak ve Avusturya'nın aleyhine çalışacaktı. Yine maslahatgüzara göre, Bâbıâli, mültecileri serbest bırakmaya karar vermekle, Avusturya Hükümeti'ne verdiği sözde durmamış oluyordu. Reşid Paşa ise, meselenin Meclis-i Vükelâ'da görüşülmesinden sonra maslahatgüzara cevap verileceğini söyledi[1184].

İngiltere ve Fransa, mültecilerin serbest bırakılması için Bâbıâli'ye baskılarını giderek arttırıyordu. Amerika Birleşik Devletleri de mültecileri kabul edeceğini kamuoyuna ilan etmişti. Hatta Amerika Maslahatgüzarı Bâbıâli'ye müracaatta bulunarak mültecilerin Eylül ayı başında serbest bırakılmaları halinde onları ülkesine götürmeye hazır olduğunu bildirdi. Maslahatgüzar, alınan karar kesinse Amerika'dan bir vapur çağıracağını da Bâbıâli'ye iletmişti. Kendisine, Bâbıâli'nin mültecilerin hangi ülkeyi tercih ettikleriyle ilgilenmediği, ancak Amerika'ya gitmek isterlerse hiçbir zorluk çıkarılmayacağı söylendi[1185].

En dikkate değer olan da, mülteciler meselesinin başlangıcından beri Avusturya ile ortak hareket eden Rusya, açıktan olmasa bile zımnen mültecilerin serbest bırakılmalarını istiyordu. Dolayısıyla, mültecilerin serbest bırakılmalarına itiraz eden tek devlet Avusturya idi[1186].

Gerek Viyana Elçisi Ârif Efendi'nin tahriratı gerekse Avusturya Maslahatgüzar'ının notası üzerine, Meclis-i Mahsûs 6 Ağustos 1851'de toplanarak konuyu müzakere etti. Toplantıya katılan üyelerin tamamının görüşü, mültecilerin serbest bırakılması yönündeydi. Eylül başında mültecilerin serbest bırakılmaları kararından taviz

---

[1184] Mehmed Galib, "Leh ve Macar Mültecileri", *Yeni Tasvir-i Efkâr*, Nr.60, 13 B 1327/30 Temmuz 1909, s.4; Ahmed Refik, *Aynı eser*, s.221-222. Sadâret'in Mâbeyn'e takdim ettiği 14 L 67/12 Ağustos 1851 tarihli arz tezkiresi.

[1185] Mehmed Galib, "Leh ve Macar Mültecileri", *Yeni Tasvir-i Efkâr*, Nr.60, 13 B 1327/30 Temmuz 1909, s.4; Ahmed Refik, *Aynı eser*, s.223.

[1186] Mehmed Galib, "Leh ve Macar Mültecileri", *Yeni Tasvir-i Efkâr*, Nr.61, 14 B 1327/31 Temmuz 1909, s.5; Ahmed Refik, *Aynı eser*, s.228.

vermeyen üyeler, şu gerekçelerle onların serbest bırakılmalarını savunmuşlardı: Mültecilerin Kütahya'da kalış süreleri, Avusturya'nın istediği şekilde uzatılacak olursa, İngiltere ve Fransa, Osmanlı Devleti'ne gücenebilirlerdi. Mültecilerin korunmaları gittikçe zorlaşmaktaydı. Özellikle Kossuth, fırsat bulduğu anda Kütahya'dan firar edecekti. Böyle bir hadise yaşanırsa, Avusturya Hükümeti bunu Osmanlı Devleti'nin tertiplediğini ileri sürerek Bâbıâli'yi zan altında bırakabilecekti. Ayrıca Kossuth, kendisini ziyarete gelenlere; *"Bâbıâli, bizi serbest bırakacağına söz vermesine rağmen, hâlâ bizi Kütahya'da tutmaktadır"* diye şikayete devam ediyordu[1187].

Ayrıca, Bâbıâli'nin kararından vazgeçmesi için Avusturya'nın öne sürdüğü gerekçeler Meclis'te tartışıldı ve bu gerekçeler yetersiz bulundu. Osmanlı Devleti'nin, komşusu ve dostu olan bir ülkede ihtilal çıkmasını asla arzu etmeyeceği dile getirildi. Avusturya Hükümeti, mültecilerin serbest bırakıldıktan sonra Macaristan'da yeniden ihtilal çıkaracaklarını savunuyorsa da, bunun mümkün olmayacağı belirtildi. Zira, İmparator'un Macaristan üzerindeki nüfuz ve etkisi eskisine oranla çok daha fazlaydı. Diğer taraftan, Kossuth ve arkadaşlarının serbest bırakıldıklarında Macaristan'a gitme ihtimalleri çok düşüktü.

Bunların Avusturya Hükümeti'nin iddia ettiği gibi, İngiltere veya Amerika'ya gittikten sonra adı geçen ülkelerde, gazeteler ve mektuplar vasıtasıyla Macaristan'daki huzur ortamını bozmaya çalışmaları söz konusu olsa da, bunu Kütahya'da yapmalarının daha kolay olacağı görüşü ağırlık kazandı. Çünkü bunlar, gözetim altında bulundukça Avrupa kamuoyunun dikkati üzerlerinde olacağından, Kütahya'dan verecekleri mesajlar daha etkili olacaktı. Meclis üyelerine göre, Avusturya Hükümeti'nin kararında bu kadar ısrar etmesindeki önemli sebep, Schwarzenberg'in mülteci liderlerine olan düşmanlığını onların gözetim altında kalma sürelerini uzatarak ortaya koymak istemesiydi. Ayrıca, mültecilerin Kütahya'da kalma süresi uzadıkça, Avrupa devletleri bunların serbest bırakılmaları için tavas-

---

[1187] Mehmed Galib, "Leh ve Macar Mültecileri", *Yeni Tasvir-i Efkâr*, Nr.61, 14 B 1327/31 Temmuz 1909, s.4; Ahmed Refik, *Aynı eser*, s.222-225.

sutta bulunacak ve böylece Avusturya güçlü bir devlet imajına sahip olduğunu göstermiş olacaktı[1188].

Hatırlanacağı üzere Amerika Birleşik Devletleri Maslahatgüzarı, serbest bırakılacak mültecileri devletinin kabul edeceğini Bâbıâli'ye iletmişti. Klatschel, buna tepki göstererek, Avusturya'nın onayı alınmadan mültecilerin Amerika'ya gönderilmeleri hususunda bu devletle görüşme yapılmasının kabul edilemez bir davranış olduğunu Reşid Paşa'ya söyledi. Bu mesele Meclis-i Mahsûs'da da gündeme geldi. *"Bâbıâli, bu devletlerin yönlendirmelerine bakacak olsaydı şimdiye kadar mültecileri çoktan serbest bırakması gerekirdi"* denilerek, Maslahatgüzarın endişelerinin anlamsız olduğu ortaya konuldu. Ayrıca, Belgrat Anlaşması'nın mültecilerin serbest bırakılmasına şümulü olmadığı dile getirilerek, Maslahatgüzarın söz konusu anlaşmaya atıfta bulunarak, bu meseleye açıklık getirmesinin hukukî bir dayanağının olmadığı belirtildi[1189].

Sultan Abdülmecid tarafından 14 Eylül 1849'da Avusturya İmparatoru'na gönderilen mektup da Meclis'te okundu. Nâme-i hümâyunda, Maslahatgüzar'ın ileri sürdüğü gibi, mültecilerin serbest bırakılmasıyla ilgili bir ibare yer almayıp, sadece onların Avusturya'yı tekrar ihtilal ortamına sürüklememeleri için korunmalarına özenin gösterileceği ifadesi yer almaktaydı. Meclis üyelerine göre, asıl dikkate alınması gereken, Bâbıâli'nin 5 Nisan 1850 tarihinde Avusturya Sefâreti'ne sunduğu takrîrdir. Bu takrîre göre Bâbıâli, mültecileri ilelebet gözetim altında tutmayacak ve Macaristan'da asayiş sağlandığında, bunları başka ülkelere gönderebilecekti. Ancak, Osmanlı Devleti mültecileri serbest bırakmadan evvel, Avusturya Devleti'nin de onayını almaya çalışacaktı. Meclis-i Mahsûs üyeleri, artık Macaristan'da dahili asayişin sağlandığı düşüncesindeydiler. Böylece, takrirde belirtilen ilk şart yerine getirilmiş oluyordu. Ancak asıl problem ikinci şart, yani Avusturya'nın onayının alınması idi. Bu konuda Osmanlı Devleti, pek çok girişimde bulunduğundan, bu şartında da

---

1188 Mehmed Galib, "Leh ve Macar Mültecileri", *Yeni Tasvir-i Efkâr*, Nr.61, 14 B 1327/31 Temmuz 1909, s.4; Ahmed Refik, *Aynı eser*, s.225-226.

1189 Mehmed Galib, "Leh ve Macar Mültecileri", *Yeni Tasvir-i Efkâr*, Nr.61, 14 B 1327/31 Temmuz 1909, s.5; Ahmed Refik, *Aynı eser*, s. 226.

yerine getirildiği konusunda görüş birliğine varıldı. Dolayısıyla mültecilerin serbest bırakılmaları için hiçbir ciddi engelin kalmadığına karar verildi[1190].

Meclis'te alınan bu kararlara karşı, Avusturya'nın ne tür bir eylem içerisine girebileceği de tartışıldı. Üyeler, bu meseleden dolayı Avusturya'nın Osmanlı Devleti'ne savaş açmayacağı, sadece resmi münasebetleri kesmekle yetineceği görüşündeydiler. Siyasi münasebetlerin kesilmesinin bir sonucu olarak da Viyana Elçisi Ârif Efendi'yi sınır dışı edebileceği dile getirildi. Öte yandan, Osmanlı Devleti'nin hassas bölgelerinde ve özellikle de Bulgaristan'daki fesat ehlini tahrik ederek, intikam alma yoluna gidebileceği belirtildi. Meclis-i Mahsûs'da alınan kararlar doğrultusunda Avusturya Maslahatgüzarına bir takrir yazıldı. Alınan kararlar ve söz konusu takrir Sultan Abdülmecid'e arz edildi[1191].

Avusturya Maslahatgüzarına verilen takririn cevabı gelmeden, mültecilerin serbest bırakılması hazırlıklarına başlandı. Nitekim Süleyman Refik Bey, Bâbıâli'ye gönderdiği tahriratta Eylül başında mültecileri kendi refakatinde Gemlik İskelesi'ne götüreceğini yazmıştı. Diğer taraftan Süleyman Refik Bey, mültecilerle tek tek görüşerek onların Amerika veya İngiltere'den hangisine gitmeyi tercih edeceklerini sordu. Mülteciler Eylül başında serbest bırakılacaklarını öğrendiklerinde büyük bir sevinç duydular[1192]. Batthyany, Süley-

---

[1190] Mehmed Galib, "Leh ve Macar Mültecileri", *Yeni Tasvir-i Efkâr*, Nr.61, 14 B 1327/31 Temmuz 1909, s.5; Ahmed Refik, *Aynı eser*, s.226-227.

[1191] Mehmed Galib, "Leh ve Macar Mültecileri", *Yeni Tasvir-i Efkâr*, Nr.61, 14 B 1327/31 Temmuz 1909, s.5; Ahmed Refik, *Aynı eser*, s. 227-228.

[1192] Mülteciler bu sevinçlerini Süleyman Refik Bey'e şu ifadelerle dile getirmişlerdi: "...bizler vatan-ı 'azîzimizden münkesir ve mahcûr olduğumuz hâlde Saltanat-ı Seniyye'nin zîr-i cenâh-ı 'âtıfet ve merhametine sığınmış bir alay bîçâregân olarak şimdiye kadar haklarımızda şâyân buyurulan himâyet-i celîle ve bunca lutf u merhamet-i 'aliyye-i hazret-i padişâhî havsala-ı tasavvurât-ı 'âcizânelerimizden bâlâter ve bu rütbe lutf ve himâyet-i seniyyenin 'arz ve teşekküründe bi'l-vucûh 'acziyetimiz bedîhî ve izhâr olduğu ve bazı refîklerimizin Memâlik-i Ecnebiyye'ye gitmeleri ruhsatını hâvî mukaddemâ gelen irâde-i seniyyede eğerçi bizlerin alafranga eylülü ibtidâsında salıverilmekliğimizi Devlet-i Aliyye va'd buyurmalarıyla Saltanat-ı Seniyye'nin her bir hususda sâdıku'l-kavl oldukları âfâkın ma'lûmu ise de hâlâ nâşâdımız müktezâsınca 'akde-i ikâmetden beri olmaklığı hayâle bile almayarak imtidâd-ı ikâmet-i vâhimesi bir an zihinlerden çıkarılamadığı hâlde Saltanat-ı Seniyye'nin vakt-i merhûn-ı mezkûrdan evvelce böyle fevka'l-memûl mebzûl olan ruhsat-ı 'âlîsi bizlere cümleten sahâbet ve lütf u merhametden fâik gelmekle hepimiz yeni

man Refik Bey'e Fransa elçisi tarafından kendisine pasaport ve mektup gönderildiğini, mektupta 15 Eylül'de Marsilya'ya hareket edecek vapurla kendisinin bu ülkeye gönderileceğine söz verildiğini, dolayısıyla bu zamana kadar Çanakkale'de kalmayı istediğini söyledi. Kossuth ve General Wysocki, hangi ülkeye gitmeye henüz karar vermediklerini ve bu kararı Gemlik'te vereceklerini söylediler. General Perczel ise, Amerika'ya gitmeyi çok istediğini, ancak eşinin hamile ve doğumunun yakın olması sebebiyle, bunun imkânsız olduğunu ifade etti. Eşinin Gemlik'te doğum yapması halinde burada bir ay kalmak zorunda olduğunu Süleyman Refik Bey'e iletti. Eğer doğum Gemlik'te olmazsa, bu özel durum nedeniyle, Amerika yerine İngiltere'ye gideceğini söyledi. Eşinin yolda doğum yapması halinde ise Malta Adası'na çıkacaktı[1193]. Ancak, Perczel'in eşi Gemlik'e giderken yolda doğum yaptı. Eşinin doğumu üzerine Perczel, Süleyman Refik Bey'e arkadaşlarıyla beraber yolculuk yapamayacağını söyledi. Süleyman Refik Bey, bunun üzerine Perczel, eşi, çocukları ve maiyetinde bulunanların Bursa'ya gönderilmelerini uygun gördü[1194].

Süleyman Refik Bey, Kütahya'dan Gemlik'e varıldıktan sonra burada en fazla bir gece kalınacağını, dolayısıyla mültecilerin İngiltere veya Amerika vapurlarından hangisine bineceklerini kendisine önceden bildirilmesini istediyse de, kesin bir cevap alamadı[1195].

Mülteciler, Süleyman Refik Bey'e müracaatta bulunarak, Kütahya'da bir miktar borçları olduğunu söylediler ve bu nedenle kendilerine para verilmesini istediler. Ayrıca, Avrupa'da kendilerine firarî nazarıyla bakılmaması için de, Bâbıâlice birer mürûr tezkiresi verilmesi ricasında bulundular. Mültecilerin ricası üzerine Kossuth tarafından taksim edilmek üzere 40.000 kuruş gönderildi. Ancak, bu paranın zamanında Kütahya'ya ulaşması mümkün olmayacağından paranın Gemlik'e gönderilmesine karar verildi. Diğer taraftan, mül-

---

başdan hayat bulmuşa dönmüşüz ve kûşce-i cânımız kangı vâdî-i teşekküre imâle etmekde fi'l-hakîka 'âciz olmuşuzdur..." (Ahmed Refik, *Aynı eser*, s.232 Süleyman Refik Bey'in Sadâret'e takdim ettiği 26 L 67/24 Ağustos 1851 tarihli tahrirat.

1193 Ahmed Refik, *Aynı eser*, s.233.

1194 BOA., BEO. A.MKT.UM Süleyman Refik Bey'in Sadâret'e takdim ettiği 4 ZA 67/31 Ağustos 1851 tarihli tahrîrât.

1195 Ahmed Refik, *Aynı eser*, s.233.

tecilerin İngiltere ve Amerika arasında yaptıkları seçime göre Tersane-i Âmire'den Gemlik İskelesi'ne vapur gönderilmesi için Kaptan Paşa'ya emir yazıldı[1196].

Osmanlı Devleti mültecilerin sevkiyle meşgul olurken Avusturya tarafından Bâbıâli'ye bir nota verildi. Notada, Avusturya'nın onayı olmadan mültecilerin serbest bırakılmalarından çıkacak sorunların tüm mesuliyetinin Bâbıâli'ye ait olduğu belirtiliyordu. Reşid Paşa, notayı okuduktan sonra belirtilen hususların *"hükümlü bir şey"* olmadığına karar verdi[1197]. Bundan sonra da mültecilerin Kütahya'dan serbest bırakılma işlemleri başlatıldı. Mülteciler Kütahya'dan Gemlik'e getirildiler. Mültecileri Gemlik'ten alıp Akdeniz Boğazı'nda bekleyen Mississipi Vapuruna bindirmek üzere Muhbir-ı Surur Vapur-ı Hümayunu görevlendirildi. Gemi kaptanına bir talimat verildi. Bu talimatta, mültecilerin çocukları ve eşleri yanlarında olduklarından, güvertede bulundurulmamaları ve kamaralara yerleştirilmeleri isteniyordu[1198].

Mültecilere dağıtılmak üzere dört torba içinde 40.000 kuruş gemi kaptanıyla Süleyman Bey'e gönderildi[1199].

Kütahya'dan son olarak serbest bırakılan mülteciler şu isimlerden oluşuyordu:

İsimleri	Beraberinde Bulunanlar	Sayısı
Lajos Kossuth	Eşi, üç çocuğu, çocuklarının hocası ve üç hizmetçisi	9
Kont Batthyany	Eşi ve dört hizmetçisi	6
General Perczel	Eşi, iki çocuğu ve bir bakıcısı	5
Miralay Perczel	Eşi	2
Hazman	-	1
Berzenczey	-	1

[1196] Ahmed Refik, *Aynı eser*, s.233-234.
[1197] Ahmed Refik, *Aynı eser*, s.239-240.
[1198] BOA., HR.SYS., dosya no:206, gömlek no;35/21
[1199] BOA., HR.SYS., dosya no:206, gömlek no;35/21

Lorody	-	1
Asboth	Bir hizmetçisi	2
Gyurman	Eşi ve bir çocuğu	3
Kovacs	Eşi ve bir çocuğu	3
Wagner	-	1
Janos Dimitri	Eşi	2
Lüllei	-	1
Szereny	-	1
Papas Acs	-	1
İhasz	Bir hizmetçisi	2
Hekim Spaczek		1
Cseh	Bir hizmetçisi	2
Török	-	1
Frater	-	1
Veigili	-	1
Klapka	-	1
Nemeth	-	1
Laszlo	-	1
Grehanek	-	1
General Wysocki	Yaverleri Liyakowski ve Kosak	3
Przyimski	-	1
		Toplam:55

C. Halep'e Gönderilen Mülteciler

1-Yapılan Hazırlıklar

Mültecilerin din değiştirmeleri hususuna daha önceki bölümlerde değinilmişti. Bu bölümde de Müslüman olan mültecilerin Halep'e gönderilmeleri ve oradaki yaşamları hakkında bilgi verilecektir. Ancak, Halep'teki mültecilerle ilgili elimizde fazla belge ve bilgi yoktur. Mültecilere ait hatıratlarda da onlarla ilgili Murad Paşa'nın ölümü dışında bilgi bulunmamaktadır. Keza, Istvan Hajnal'ın belgesel eserinde ise, Halep'e gönderilen grupla ilgili olarak hiç bir belge yer almaz. Diğer taraftan, Osmanlı belgeleri de bu hususta doyurucu olmaktan uzaktır.

Müslüman olan Macar ve Polonyalı mülteciler, Halep'te bir süre kaldıktan sonra, Osmanlı Devleti'nin çeşitli kurumlarında istihdam edilmiş ve ileriki yıllarda devletin çeşitli kademelerinde önemli hizmetlerde bulunmuşlardır. Hatta, bu konuyla ilgili belgeler, onların Halep'teki yaşantılarıyla alakalı belgelerden daha fazladır. Fakat, bu bölümde din değiştirenlerin Osmanlı Devleti'nde yaptıkları hizmetlere girilmeyecektir. Zira, bu konu çalışmanın sınırları dışında kalmaktadır.

2- Mültecilerin Halep'e Gönderilmesine Karar Verilmesi

Daha önce de değinildiği gibi, Küçük Kaynarca Anlaşması'nın II. maddesinde bir ülkeden diğerine sığınanlardan Rusya'da Hıristiyanlığı, Osmanlı Devleti'nde de İslamiyet'i kabul edenlerin iâde edilmemesi hükmü yer almaktaydı. Bu bağlayıcı hükümden dolayı, din değiştiren Polonyalı mülteciler iki ülke arasında bir sorun oluşturmamıştı. Babıâli, Müslüman olan mültecilerin bir komiser gözetiminde Konya veya Diyarbakır'da muhafaza etmek niyetindeydi. Rusya ise, onların sınırlarından daha uzak bölgelere gönderilmelerini istiyordu. Nitekim Nesselrod, Fuad Efendi'yle yaptığı görüşmede İslamiyet'i kabul eden mültecilerin, Rusya aleyhinde faaliyette bulunamayacakları bir yere yerleştirilmeleri durumunda, Çar'ın bunların iâde talebinden vazgeçeceğini söylemişti[1200]. Ayrıca, Rusya'ya karşı girişebilecekleri muhtemel bir komploya seyirci kalınmayacağının Bâbıâlice taahhüt edilmesini de istemişti. Fuad Efendi ise, bu isteklerin kolaylıkla yerine getirilebileceğini söylemişti[1201].

Hatırlanacağı üzere, iki ülke arasındaki diplomatik münasebetlerin yeniden kurulması amacıyla, Nesselrod tarafından kaleme alınan üç maddelik çözüm projesinin üçüncü maddesi din değiştirenlerin Diyarbakır'da gözetim altında tutulmalarıyla ilgiliydi. Bu çözüm

---

[1200] BOA., DUİT., 75-1/42-2, Fuad Efendi'nin Sadâret'e gönderdiği 3 Z 65/20 Ekim 1849 tarihli tahrirat; Ahmed Refik, *Türkiye'de Mülteciler Meselesi*, İstanbul 1926, s.88; Ahmed Refik, "Mülteciler Meselesine Dair Fuad Efendi'nin Çar Birinci Nikola ile Mülâkâtı", *Türk Tarih Encümeni Mecmûası*, (1 Teşrîn-i Sâni 1341), Nr.12, s,278; Mehmed Galib, "Leh ve Macar Mültecilerine Ait Vesâik", *Yeni Tasvîr-i Efkâr*, Nr.45, 26 C 1327/14 Temmuz 1909, s.5; Mehmed Memduh, *Mirât-ı Şuûnât*, İzmir 1328, s.116.

[1201] Istvan Hajnal, *A Kossuth-Emigracio Törökorszagban*, Budapest 1927, belge no:164, s.788; Thadée Gasztowtt, *La Pologne et L'Islam*, Paris 1907, s.195.

projesinin ilk iki maddesine Bâbıâli ciddi itirazda bulunmuştu. Ü-
çüncü madde üzerinde ise, iki ülke arasında görüş birliği vardı. Ni-
tekim Rusya Elçisi Titof, Hariciye Nezareti'ne sunduğu 5 Kasım 1849
tarihli notasında, İslamiyet'i kabul eden Polonyalıların, Bâbıâli'nin
isteğine uygun olarak Diyarbakır'da muhafaza edilmelerinin Rusya
tarafından kabul edildiğini belirtiyordu[1202].

Din değiştirenlerin Anadolu'ya yerleştirilmeleri hususunda baş-
langıçta Konya ve Diyarbakır'ın ismi geçiyordu. Ancak Bâbıâli, bun-
ların hangi vilayete yerleştirileceklerine henüz karar vermemişti.
Nitekim, Âlî Paşa'nın Sultan Abdülmecid'e takdim edilmek üzere
Sadârete sunduğu takrirde mültecilerin Diyarbakır'a gönderilecekleri
yazılıydı[1203]. Oysa, Rusya Elçisi Titof'a verilmek üzere kaleme alınan
aynı tarihli Fransızca takrîrde ise; *"Müslüman olan mültecilerin Asya'da
İmparatorluğun uzak bir bölgesine yerleştirilmeleri hususunda Çar'ın tale-
bini Sultan Hazretleri makul bularak bunların ... gönderilmesini emret-
ti."*[1204] ibaresi yer alıyordu. Elçiye verilen takrirde mültecilerin yer-
leştirileceği yerin belirtilmemiş olması, Bâbıâli'nin henüz bu konuda
kesin bir karara varmadığı düşüncesini akla getirmektedir.

Bu kararsızlık, kısa bir süre daha devam etti. Ancak Bâbıâli, ani
bir kararla mültecilerin Diyarbakır veya Konya yerine Halep'e gön-
derilmelerini uygun buldu. Esasen, böyle bir kararın alınmasında asıl
rolü Mustafa Reşid Paşa oynamıştı. Paşa'ya göre, Diyarbakır'ın etra-
fının surlarla çevrili olması sebebiyle, şehir kaleyi andırıyordu. Dola-
yısıyla buraya gönderilecek mülteciler, bir kaleye mahpûs edildikleri
düşüncesine kapılabilirlerdi. Dahası, iklim şartları mülteciler için pek
uygun değildi. Paşa, bu olumsuz şartları göz önünde bulundurarak
onların Halep'e gönderilmelerinin daha uygun olacağı kanaatine
varmıştı. Reşid Paşa, bu düşüncesini Abdülmecid'e arz etmiş, Sultan
da bu öneriyi kabul etmişti[1205]. Böylece, din değiştiren mültecilerin
Halep'e yerleştirilmeleri kesinlik kazandı.

1202 BOA., DUİT., 75-1/46-4; Hajnal, *Aynı eser*, belge no:156, s.775.
1203 BOA., DUİT., 75-1/46-5, Hâriciye Nazırı Ali Paşa'nın Rusya Sefâretine takdîm
edilmek üzere Sadârete sunduğu 13 Kasım 1849 tarihli takrîri.
1204 Hajnal, *Aynı eser*, belge no:159, s.779 Âlî Paşa'nın Rusya Elçisi Titof'a sunduğu 13
Kasım 1849 tarihli Fransızca takrir.
1205 BOA. DUİT, 75-1/46-1, Sadâret'in Mabeyn'e takdim ettiği Gurre-i Muharrem
66/17 Kasım 1849 tarihli arz tezkiresi; Nejat Göyünç, "1849 Macar Mültecileri ve

Şumnu'daki mültecilerin Kütahya, Halep ve Malta Adası'na gönderilmeleri kesinlik kazandıktan sonra, Ahmed Vefik Efendi'nin Şumnu'ya gönderilmesine karar verilmişti. Ahmed Vefik Efendi'ye, hem mültecilerin Kütahya, Halep ve Malta'ya nakilleriyle ilgili hem de din değiştiren mültecilerden Osmanlı ordusu ve diğer kurumlarda istihdam olmak isteyenlere nasıl bir muamele yapılacağına dair bir talimat verilmişti. Adı geçen yerlere mültecilerin nasıl nakledileceğine dair talimata daha önce değinilmişti. Osmanlı kurumlarında görev almak isteyen İslamiyet'i kabul eden mültecilerle ilgili talimatta şu hususlara dikkat çekiliyordu:

Aklı başında bir Hıristiyan, hiçbir tesir ve baskı altında kalmadan, kendi özgür iradesiyle, bir Müslüman'a baş vurup İslamiyet'i kabul edeceğini beyan ederse, bu isteğe kesinlikle olumsuz cevap verilmeyecekti. Ancak, din değiştirmek isteyenler hakkında araştırma yapılacak ve bunlara İslâmiyet'i kabul etmeleri yönünde baskı yapılmayacaktı. Bükreş'teki Rus ve Avusturya konsolosları, mültecilerin İslâmiyet'i kabul etmeleri için Osmanlı Devleti'nin akçeler ödendiği ve Müslüman olacak mültecilere Murad Paşa'nın maiyetinde istihdam olunacaklarına dair bazı vaatler yapıldığı düşüncesine sahiptirler. Bu yüzden, onları haklı çıkaracak hareketlerden kaçınılacaktı. Murad Paşa'nın emrinde çalışmak ümidiyle din değiştirmek isteyenlere, bu düşüncelerini terk etmeleri gerektiği ve hemşerileriyle birlikte olamayacakları söylenecekti. Müslüman olmak isteyen mülteciler hangi devletin vatandaşı iseler, o devletin Bükreş'teki konsolos veya görevlendireceği memur ile bu kişiler hakkında araştırma yapılacaktı. Mesele bütün yönleriyle ortaya konulduktan sonra, İslam'a kabul edileceklerdi. Yukarıdaki şartlara haiz olanlardan din değiştirenler Rusçuk'a gönderilecekti. Bunların kaç kişi oldukları ve meslekleri zaman kaybedilmeden Bâbıâli'ye bildirilecekti. Din değiştirenlerin ekseriyeti fakir ve bir mesleğe sahip olmadıklarından durumlarının düzeltilmesi için gereken yapılacaktı[1206].

Bunların Kütahya' ve Halep'e Yerleştirilmeleri ile İlgili Talimatlar",*Türk Macar Kültür Münasebetleri Işığı Altında II. Rakoczi Ferenc ve Macar Mültecileri Sempozyumu,* (İstanbul 1976), s.175.

[1206] BOA., DUİT., 75-2/8-2; 20 RA 66/ 3 Şubat 1850 tarihli iradeyle Ahmed Vefik Efendi'ye verilen talimat; Refik, *Aynı eser*, s.159.

Gerek Polonyalı, gerekse Macar mültecilerinden din değiştirenler sadece Vidin'dekilerle sınırlı değildi. Özellikle Bükreş'te bulunan Macar mültecileri din değiştirmek ve Osmanlı ordusunda istihdam edilmek üzere Ömer Paşa'ya sürekli müracaatlarda bulunuyorlardı. Bunların sayısının giderek artması, Rusya ve Avusturya'nın dikkatini çekiyordu. Bu nedenle adı geçen devletler, Bâbıâli'nin din değiştirmeleri için mültecilere baskı yaptığını iddia edebilirdi. Bu sebeple Ömer Paşa, bu tür mesnetsiz iddialara muhatap olmamak için nasıl bir yol takip edilmesi gerektiğini Sadâret'e sormuştu. Diğer taraftan Paşa, Eflak Voyvodası ile Avrupa devletlerinin Bükreş'teki konsoloslarını da bu gelişmelerden haberdar etmiş ve din değiştirmek isteyen mültecilerin ancak zaruri ihtiyaçlarının karşılandığını söylemişti. İnsanlık gereği yapılan bu yardımı, onların Müslüman olmaları için bir çeşit teşvik olarak yorumlayan Rus ve Avusturya konsolosları, durumu İstanbul'daki elçilerine iletmişlerdi. Bunun üzerine Titof ve Stürmer, Bâbıâli nezdinde ortak girişimde bulunarak, Ömer Paşa'ya görev ve yetkilerinin çerçevesini çizen bir talimat gönderilmesini istediler[1207].

Zaten, Ahmed Vefik Efendi'ye kendi istekleriyle din değiştiren mültecilere nasıl davranılacağına dair talimat verilmişti. Aslında, Ömer Paşa'nın bu meselede takip ettiği yol, Bâbıâli tarafından da tasvip ediliyordu. Ancak, gerek Paşa'nın Sadâret'e başvurusu ve gerekse Rus ve Avusturya elçilerinin istekleri üzerine, bir talimat gönderilmesine karar verildi. Bu sırada Şumnu'ya gidecek olan Ahmed Vefik Efendi henüz İstanbul'dan hareket etmemişti. Üstelik, ondan başka Bükreş tarafına gidecek bir görevli de bulunmuyordu. Bu sebeple, Paşa'ya yazılan talimatın Ahmed Vefik Efendi ile gönderilmesi uygun görüldü[1208].

Talimatta, din değiştirmek isteyen mültecilere karşı takınılan tavrın doğru olduğu ve bundan sonra da aynı şekilde davranılması isteniyordu. Din değiştirmek isteyenlerin hiçbir baskıyla karşılaşmadan, kendi rızâlarıyla Müslüman olmak için müracaatta bulundukla-

---

[1207] BOA., DUİT., 75-2/8-1 Sâdâret'in Mabeyn'e takdim ettiği 19 RA 66/2 Şubat 1850 tarihli arz tezkiresi.
[1208] BOA., DUİT., 75-2/8-1.

364 Osmanlı'ya Sığınanlar

rından, isteklerinin reddinin asla mümkün olmayacağı belirtiliyordu. Ayrıca, din değiştirenlerin sınır bölgesinden süratle uzaklaştırılarak iç bölgelere yerleştirilmeleri gerektiği de ifade ediliyordu[1209].

3- Mazhar Bey'in Mültecileri Halep'e Götürmekle Görevlendirilmesi

İskenderun İskelesi'nden Halep'e kadar yapacakları yolculuk sırasında din değiştiren mültecilere refakat etmek üzere, *"lisân-aşinâ"* bir subayın görevlendirilmesi için Sadâret'ten Seraskerliğe emir yazıldı[1210]. Bu emir üzerine Seraskerlik, mültecilere refakat etmek üzere bir bölük süvari ile Kaymakam Mazhar Bey'in Halep'te görevlendirilmesinin uygun olacağını Sadâret'e bildirdi. Bu görevlendirme Sadâretçe de uygun bulundu[1211]. Ancak Mazhar Bey'in görevi, mültecileri Halep'e götürmekle sona ermiyordu. Mülteciler, Halep'te kaldıkları sürece o da Halep'te kalacaktı. Mazhar Bey'in böyle önemli bir göreve getirilmesinin nedeni yabancı dil bilmesiydi. Mülteciler din değiştirmelerine rağmen, henüz Türkçe'yi öğrenememişlerdi. Bu sebeple, mültecilerin bir sıkıntıyla karşılaşmamaları için, yabancı dil bilen birisinin bu göreve getirilmesine özen gösterildiği anlaşılmaktadır. Diğer taraftan, Müslüman olan mültecilerin dil sorununu uzunca bir süre halledemedikleri anlaşılmaktadır. Hatta, onların Osmanlı ordusunda istihdam edilmeleri, bu gerekçe ile bir süre ertelenmişti. Halep'e gönderilecek mültecilerin refakatine tayin edilen Mazhar Bey, Ahmed Vefik Efendi ile 31 Ocak 1850'de İstanbul'dan ayrılarak 5 Şubat 1850'de Şumnu'ya varmıştı[1212]. Bu göreve getirildikten sonra kendisine kapsamlı bir talimatname verildi. Talimatta ondan şu hususları yerine getirmesi isteniyordu:

Mazhar Bey, Şumnu'daki mültecilerden Müslüman olanları Varna'ya getirecek ve orada bekleyen Tâir-i Bahrî Vapuru'na bindi-

---

[1209] BOA., DUİT., 75-2/8-3, 20 RA 66/3 Şubat 1849 tarihli irade ile onaylanıp Ömer Paşa'ya gönderilen talimat.

[1210] *"... zâbıtân-ı asâkir-i şâhâneden meselâ Şumnu'daki Fâik Bey bendeleri misillü lisân-aşinâ ve müste'îd bulunması fâideden hali olmayacağı..."* (Sadâret'in Seraskerliğe gönderdiği 23 S 66/8 Ocak 1850 tarihli tezkire. BOA., DUİT., 75-1/65-2).

[1211] BOA., DUİT., 75-1/65-1 Sadâret'in Mâbeyn'e takdîm ettiği 28 S 66/13 Ocak 1850 tarihli arz tezkiresi.

[1212] BOA., DUİT., 75-1/65-2.

recektir. Vapur, İskenderun İskelesi'ne vardıktan sonra mültecileri buradan Halep'e götürecektir. Mülteciler, Halep'te bulundukça Mazhar Bey de orada kalacak ve ihtiyaçlarının karşılanmasına azamî derecede dikkat edecektir. Ahmed Vefik Efendi, Halep'e gönderilecek mültecileri belirleyip kendisine teslim edecektir. Müslüman mültecilerin Varna'ya nasıl götürülecekleri, kendilerini bekleyen vapura nasıl bindirilecekleri ve sâir teferruat yine Ahmed Vefik Efendi tarafından kendisine bildirilecektir. Mazhar Bey, mültecilerle İskenderun'a vardığında, orada kendilerini bekleyen bir bölük askerle Halep'e hareket edecektir[1213]. Mevsim kış, yollar çamur olduğundan İskenderun'dan Halep'e kadar hızlı gidilmeyecektir. Ayrıca, konak yerlerinde mümkün olduğunca ve bulunabildiği ölçüde birbirlerine yakın hanlara inilecek ve bu suretle mültecilerin yorulmamalarına dikkat edilecektir. Mülteciler, Halep'e vardıklarında oradaki kışlanın uygun dairelerine yerleştirileceklerdir. Eğer uygun daire bulunamaz ise, başka konaklar hazırlanması önceden Halep Valisi'ne yazılmış olduğundan mülteciler, Mazhar Bey'in gözetiminde hazırlanmış olan mahallere yerleştirileceklerdir. Şumnu'da olduğu gibi, mültecilere rütbe ve mesleklerine göre tayinat verilecek ve sıkıntı çekmemeleri sağlanacaktır. Mültecilerin Şumnu'dan Varna'ya ve İskenderun'dan Halep'e kadar, yolculukları sırasındaki yiyecek ve sair harcamalarının miktarını belirten fatura düzenlenecek ve masraflar devlet tarafından karşılanacaktır. Mazhar Bey, gözetim altında bulundurulduktan süre zarfında, mültecilerin firar etmemelerine dikkat edecektir. Eğer içlerinden biri firar edecek olursa, bu durum Osmanlı Devleti'ni siyasi açıdan sıkıntıya sokacağından, bundan Mazhar Bey sorumlu tutulacaktır. Bu sebeple, mülteciler sıkı bir şekilde korunacaklardır. Mültecilerin incitilmemesine ve kendilerine iyi davranılmasına dikkat edilecektir. Mültecilerden kıra gitmek veya şehir merkezinde gezmek isteyenlere engel olunmayacak, fakat rahatlarını sağlamak ve bir şey alacakları zaman kendilerine yardımcı olmak gibi bahanelerle

---

[1213] Seraskerlik, Arabistan Ordu-yı Hümâyûnu Müşîrî Abdülkerim Paşa'dan Halep'e gitmesini ve İskenderun İskelesi'ne inecek mültecileri salimen Halep'e ulaşmaları için yeterli miktarda süvari askeri birliğinin İskenderun İskelesi'ne gönderilmesini istemişti. (BOA., DUİT. 75-1/65-2.

yanlarına subay verilerek kontrolleri sağlanacaktır. Mazhar Bey, Halep'e ulaştığında yolculuğu hakkında ve bundan sonra meydana gelecek gelişmelerden Bâbıali'yi haberdar edecektir. Mültecilerin sâir yerlere gönderecekleri mektuplar, açılmadan İstanbul'a gönderilecektir. Seraskerlik, Halep Valisi ve Abdülkerim Paşa'yı da bu talimatla sorumlu tutmuştu. Dolayısıyla Mazhar Bey, onlarla yapacağı görüşmede kendisine verilen bu talimatı gösterecek ve talimattaki bütün maddeleri aralarında müzakere edeceklerdir[1214].

Bâbıâli, mülteciler Şumnu'dan hareket etmeden önce Halep Valisi Mustafa Zarif Paşa'ya[1215] da bir dizi emir gönderdi. Bu emirlerde Paşa'nın şu hususları yerine getirmesi isteniyordu:

Halep'e gönderilecek mülteciler, 30-40 kişi kadardır. İskenderun İskelesi'nin pek işlek olmaması sebebiyle burada yük taşıyan hayvanlar yetersizdir. Bu sebeple Zarif Paşa, mülteciler ve eşyalarının Halep'e taşınmalarında bir müşkülat yaşanmaması için, gerekli olan hayvanları hazırlattırıp söz konu mahalle gönderecektir. Mültecilerin İskenderun'dan Halep'e varıncaya kadar, kiralanan hayvanların bedelleri, yiyecek ve sair masrafları için yapılacak harcamalar, yol

---

[1214] BOA., DUİT, 75-1 / 65-3.
[1215] Zarif Mustafa Paşa 1816 veya 1817 yılında İstanbul'da doğmuştur. Çocukluk devresine ait hiçbir malumat yoktur. 1831'de mülâzimlik ve yüzbaşı vekilliği görevinde bulunan Zarif Paşa, İşkodra Valisi Mustafa Paşa'nın isyanını bastırmak için görevlendirilen orduda yer almıştır. Mısır Valisi Mehmed Ali Paşa'nın isyanı ve oğlu İbrahim Paşa komutasındaki ordunun Anadolu'ya ilerlemesi üzerine, Zarif Paşa'nın bulunduğu alay, 1832 senesinde, Mısır Ordusu ile çarpışmak üzere Anadolu'ya gönderilmiştir. 1839'da Meclis-i Ahkâm-ı Adliye Kâtipliği görevinde bulunan Zarif Paşa, 1840'ta Kaymakamlığa terfi etmiştir. 1845 senesinde Dâr-ı Şurâ-yı Askeriye'ye reis olarak atanmıştır. 1847'de Kudüs Mutasarrıfı olan Zarif Paşa, 1848'de bu görevinden azledilerek, aynı yıl içerisinde Konya Valisi olarak atanmıştır. Fakat bu göreve başlamadan Temmuz 1848'de Halep Valisi tayin edilmiştir. Halep Valisi iken Tanzimat Fermanı'nın hükümlerini tatbik etmek isteyince Halep'te büyük bir isyan patlak vermişti. 1851'de Vidin ve 1852'de Erzurum Valisi olarak görev yapan Zarif Paşa, 1854'te Anadolu Ordusu Müşiri sıfatıyla Ruslara karşı yapılan savaşta yer almıştır. Kendi ifadesine göre İngiliz Elçisi'nin baskısıyla azl ve hapsedilmiştir. Hapis hayatından sonra 1857'de ikinci defa Dâr-ı Şurâ reisi olmuştur. Daha sonra 1859 ve 60 yıllarında Meclis-i Vâlâ azalığı yapan Zarif Paşa 1861 senesinde vefat etmiştir. (Mehmed Süreyya, *Sicill-i Osmânî*, III, İstanbul 1311, s.262; Enver Ziya Karal, "Zarif Paşa'nın Hatıratı 1816-1862", *Belleten*, IV/16, (Ankara 1940), s.443-445; Adulphus Slade, *Türkiye ve Kırım Harbi*, çev. Ali Rıza Seyfi, İstanbul 1943, s.242).

üzerinde bulunan mahallerin resmi görevlileri tarafından karşılana-
caktır. Yapılan harcamaların miktarını belirten bir fatura düzenlene-
cek ve bedeli sonradan Hazinece karşılanacaktır. Zarif Paşa, Mazhar
Bey ve beraberinde bulunan mültecilere yol boyunca her türlü yar-
dım ve kolaylığın gösterilmesi için görevli kişilere gerekli uyarıları
yapacaktır. Mülteciler, Halep'e vardıklarında oradaki kışlanın uygun
dairelerinde kalacak, eğer münasip daire yoksa başka konaklar hazır-
lanarak oralara yerleştirileceklerdir. Halep'e varmadan önce kanepe,
sandık, yatak takımı ve diğer gerekli eşyalar temiz bir şekilde hazır-
lanacak, fakat fazla masrafa girilmeyecektir. Halep'e gönderilen mül-
teciler, Macar Özgürlük Savaşı'nın önde gelenleri ve aynı zamanda
İslam dinini kabul etmeleri hasebiyle, bunlara hürmet ve saygıda
kusur edilmeyecektir. Haklarında yeni bir karar verilinceye kadar,
din değiştiren mültecilerin iyi korunmalarına ve her tülü ihtiyaçları-
nın karşılanmasına dikkat edilecektir[1216].

Rusya Elçisi Titof'un Bâbıali'ye sunduğu ve Osmanlı ülkesinden
sınır dışı edilecek mültecilerin isimlerini içeren defterde, İslam dinini
kabul edip Murad ismini alan Joseph Bem ile Mehmed ismini alan
Jules Zabadinsky'nin isimleri de vardı.[1217]. Rusya'nın bu istekleri
1774 Küçük Kaynarca Anlaşması'nın II. maddesinde yer alan
"...Devlet-i Aliyyemde dîn-i İslâmı kabûl ve Rusya Devletinde tanassur
edenlerden ma'âdası aslâ bir bahâne ile kabûl ve himâye olunmaya..." hük-
müne aykırıydı. Defterde Malta Adası'na gönderilecekler arasında
yer almasına rağmen, Bem ve Zabadinsky'nin Halep'e gönderilmesi
konusunda iki ülke arasında tartışma olmadı. Adı geçen bu iki mül-
teci lideri, Malta Adası'na gönderilecek Polonyalı mültecilerden ayrı-
larak, Halep'e gönderilecekler arasına dahil edilmiştir[1218]

Din değiştirmeyen mültecilerden Viktor Balogh, doğal olarak
Kütahya'ya gönderilecekti. Müslüman olan babası Janos Balogh ise

---

[1216] BOA., DUİT. 75-1 / 65-4, Halep Valisi'ne yazılacak tahrirat müsveddesi
[1217] Österreichisches Staatsarchiv Haus, Hof und Staatsarchiv; PA XII: Türkei, fol 27;
BOA,. İ. Har. Nr. 3051; DUİT., 75-2/20-2; Refik, *Aynı eser*, s.177; Hajnal, *Aynı eser*,
belge no:164, s, 789.
[1218] Österreichisches Staatsarchiv Huas Hof und Staatsarchiv; PA XII: Türkei, fol 27;
Korn, *Aynı eser*, s.185; BOA., İra. Har. Nr. 3051; Imrefi, *Aynı eser*, s.233.

Halep'e gönderilecek mülteciler arasındaydı[1219]. Ancak Janos Balogh, oğlunun kendisinden ayrı bırakılmasını Avrupa kamuoyunun tasvip etmeyeceğini Ahmed Vefik Efendi'ye söyleyerek, Kütahya'ya gönderilmesine karşı çıktı[1220]. Janos Balogh, Türk ve Müslüman olmaktan gurur duyduğunu, fakat oğluyla birlikte Halep'e gitmelerinin engellenmemesini istedi[1221]. Fakat, girişimlerinden bir sonuç alamayacağını anlayınca, Ahmed Vefik Efendi ve Rössler'e hakaret etti[1222]. Viktor Balogh'un zorla Kütahya'ya gönderilmesinin mümkün olmadığını anlayan Ahmed Vefik Efendi, Rössler ile görüşüp onun da onayını aldıktan sonra, baba-oğul birlikte Halep'e gönderilmelerine izin verdi[1223]. Böylece Viktor Balogh, Kütahya'ya gönderilecek mülteciler listesinden çıkarılarak, Halep'e gönderilecekler arasına dahil edilmiştir.[1224] Viktor Balogh, Hıristiyan olarak Halep'e giden, ilk ve son mülteci olmuştur.

Diğer taraftan, Kmety ve Baron Stein'in isimleri, Avusturya Elçisi Stürmer tarafından Bâbıâli'ye sunulan defterde Kütahya'ya gönderilecek mülteciler arasında yer alıyordu[1225]. Ancak, bu iki mülteci Müslüman olup Kmety, "İsmail Paşa", Stein da "Ferhad Paşa" isim ve rütbelerini almışlardı. Dolayısıyla bunlar da Halep'e gönderildiler[1226].

Din değiştiren mülteciler, yanlarında kendilerini korumak için görevli güçlü bir süvari birliği olduğu halde, 24 Şubat 1850'de, Halep'e doğru hareket ettiler[1227]. Kütahya bahsinde de değinildiği gibi, Halep'e gönderilecek mülteciler için Tâir-i Bahrî Vapuru tahsis edil-

---

[1219] BOA., DUİT. 75-2 / 14-4, Ahmed Vefik'in Efendi'nin 2 R 66/15 Şubat 1850 tarihinde Sadâret'e gönderdiği tahrirat; Korn, *Aynı eser*, s.182.
[1220] Korn, *Aynı eser*, s.182.
[1221] Korn, *Aynı eser*, s.182.
[1222] BOA., DUİT. 75-2 / 14-4.
[1223] BOA., DUİT. 75-2 / 14-4; Korn; *Aynı eser*, s.182.
[1224] Österreichisches Staatsarchiv Haus, Hof und Staatsarchiv; PA XII: Türkei, fol 38; BOA., DUİT. 75-2 / 20-2; Refik, *Aynı eser*, s.177; Korn, *Aynı eser*, s. 185; Imrefi, *Aynı eser*, s, 234.
[1225] BOA., DUİT., 75-1/46-1; Hajnal, *Aynı eser*, belge no:155, s.773.
[1226] BOA., DUİT., 75-2/ 20; Imrefi, *Aynı eser*, s.233-234; Korn, *Aynı eser*, s.182.
[1227] DUİT., 75-2/20-5, Ahmed Vefik Efendi'nin Sadâret'e gönderdiği 11 R 66/24 Şubat 1850 tarihli tahrirat; Refik, *Aynı eser*, s.176; Korn, *Aynı eser*, s.182; Hutter, *Aynı eser*, s.147; Imrefi, *Aynı eser*, s.233.

mişti. Bu vapur Kütahya'ya gönderilen mültecileri Gemlik İskelesi'ne çıkardıktan sonra, Halep'e gidecekleri almak üzere Varna'ya dönmüştü. Mazhar Bey'in gözetiminde, Tâir-i Bahrî Vapuru ile Halep'e gönderilen mülteciler 32 kişilik bir gruptu[1228].

Mültecilerin Müslüman olmadan önce ve Müslüman olduktan sonraki isimleriyle maiyetlerinde Halep'e götürdükleri kişiler aşağıdaki tabloda gösterilmiştir.

HALEP'E GÖNDERİLEN MÜLTECİLER		
Önceki İsmi	Müslüman Olduktan Sonra Aldığı İsim	Maiyetinde Bulunanlar
General Bem[1229]	Murad Paşa	2 yakını
General Kmety	İsmail Paşa	2 yakını
General Stein	Ferhad Paşa	1 hizmetçisi
Zarzeczky	Osman	1 hizmetçisi
Woronieczky	Yusuf	1
Grimm	Mustafa	-
Baroti	Osman	1eşi
Toult	İbrahim	1eşi
Fiala	Ömer	-
Hollan	İskender	1 hizmetçisi
Nemegyei[1230]	Ömer	-
Albert	Selim	-
Orosdy	Ömer	-
Schınberk	Tahir	1 hizmetçisi

[1228] Österreichisches Staatsarchiv Haus, Hof und Staatsarchiv; PA XII: Türkei, fol 38; BOA., DUİT, 75-2 / 20-2; Refik, *Aynı eser*, s.177; İmrefi, *Aynı eser*, s. 234; Korn, *Aynı eser*, s.185; Korn, Halep'e gönderilen mülteci liderlerinin sayısını 16 olarak göstermektedir (Korn, *Aynı eser*, s.185).
[1229] Halep'te ölmüştür.
[1230] Halep'te ölmüştür.

Schneider	Hüseyin	-
Schöft	İsmi tespit edileme-miştir	-
Janos Balogh	İsmi tespit edileme-miştir	1 hizmetçisi
Viktor Balogh	Hıristiyan olarak Halep'e gitmiştir	-
Zabadinsky	Mehmed	1 oğlu
Toplam:19		**Toplam:13**
		Genel Toplam: 32

Ahmed Vefik Efendi, Mazhar Bey'den uygunsuz davranışları görülen Zarzeczky ve Janos Balogh'a daha dikkatli davranmasını istemişti[1231]. Diğer taraftan Ferhad Paşa, üç atını satamadığı gibi Şumnu'da onlara bakacak birisini de bulamamıştı. Paşa, atlarını vaktiyle 3.000 Macar altınına satın aldığını, şimdi her ne verilse razı olacağını Ahmed Vefik Efendi'ye söylemişti. Bunun üzerine Ahmed Vefik Efendi, Ferhad Paşa'nın atlarını 15.000 kuruşa satın aldı[1232]. Zira, 3.000 Macar altını o dönemde 15.000 kuruşa karşılık geliyordu[1233].

4-Halep'e Yerleştirilen Mültecilere Rütbe ve Maaş Tahsisi

Halep'e yerleştirilen mültecilere başlangıçta sadece *"bedel-i tayinat"* yani, yiyecek ve giyecek ihtiyaçlarını karşılayabilecekleri miktarda para veriliyordu. Fakat, bu para ile ihtiyaçlarını karşılayamadıklarından mülteciler zaruret içerisinde bulunuyorlardı. Mülteci-

---

[1231] BOA.,DUİT., 75-2/20, Ahmed Vefik Efendi'nin Sadârete takdim ettiği 11 R 66/24 Şubat 1850 tarihli tezkire; Imrefi, *Aynı eser*, s.s.233-234; Korn, *Aynı eser*, s.185.

[1232] BOA, DUİT., 75-2/20-5, Ahmed Vefik Efendi'nin Sadârete gönderdiği 13 R 66/26 Şubat 1850 tarihli tahrirat. Ahmed Vefik Efendi, bu paranın 4.000 kuruşunu Halim Paşa'dan borç alarak İsmail Paşa'ya ödenmiştir (BOA, DUİT., 75-2/20-5).

[1233] BOA, DUİT., 75-2/20-1 Sadâret'in Mâbeyn'e takdim ettiği 27 R 66/12 mart 1850 tarihli arz tezkiresi.

ler tayinat bedeli yanında kendilerine ayrıca para verilmesini istiyor, bunun için de Bâbıâli'ye sürekli istidâlar gönderiyorlardı[1234]. Diğer taraftan General Richard Guyon'un 7.500 kuruş maaşla Arabistan Ordu-yı Hümayunu'nun merkezi Şam'da istihdam edildiği haberini alan mülteciler, kendilerinin İslamiyet'i kabul ettikleri halde, aynı muameleye layık görülmemelerinden dolayı üzüntü duyduklarını Serasker Paşa'ya bildirmişlerdi[1235]. Mazhar Bey, rütbelerine göre maaş verilmesi durumunda bir karışıklığa yol açmamak için, mültecilerin rütbelerini gösteren bir defter tanzim ederek Seraskerliğe gönderdi. Fakat, defterde sadece 19 mülteci liderinin ismi yer alıyordu. Ayrıca Osman Bey'in isminin karşısına rütbesi de yazılmamıştı[1236].

Söz konusu defterdeki mültecilerin isim ve rütbeleri aşağıdaki tabloda verilmiştir.

İsim	Rütbesi
Murad Paşa	Ferik
İsmail Bey	Mirliva
Ferhad Bey	Mirliva
Mustafa Ağa	Binbaşı
Osman Ağa	Binbaşı
Yusuf Bey	Kaymakam
İskender Bey	Kaymakam
Osman Bey	-
Ömer Ağa	Binbaşı
İskender Ağa	Binbaşı
Ömer Ağa	Binbaşı

[1234] BOA., DUİT., 75-1/43-2, Seraskerlik'ten Sadârete takdim edilen 3 B 66/15 Mayıs 1850 tarihli tezkire.
[1235] BOA., DUİT., 75-1/43-2.
[1236] BOA., DUİT., 75-1/43-3.

Selim Ağa	Binbaşı
Ömer Efendi	Binbaşı
İbrahim Ağa	Kolağası
Tahir Ağa	Binbaşı
Hüseyin Bey	Kaymakam
Yusuf	Yüzbaşı
Yusuf	Yüzbaşı
Mehmed Ağa	Yüzbaşı

Mültecilerin isteklerini değerlendiren Seraskerlik, mesleklerine göre istihdam olunacakları zamana kadar, Halep'te ikamete devam etmeleri ve rütbelerine göre maaş ve tayinat verilmesini kararlaştırdı. Ancak, mültecilere rütbelerine göre verilecek nişanların, bir süre daha ertelemenin uygun olacağına dair karar alındı. Seraskerlik, ayrıca Mazhar Bey tarafından gönderilen defteri, maaş ve tayinat miktarının ayarlanmasında kolaylık sağlaması amacıyla Sadârete yolladı[1237].

Sadâret, Murad Paşa'ya "ferik" rütbesi verilmesine rağmen fiilen istihdam edilmediğinden, Halep emvalinden ferik tayinatı ile 7.500 kuruş, İsmail ve Ferhad Beylere de mîrlivâ tayinatı ve 5.000'er kuruş maaş verilmesini kararlaştırdı[1238]. Diğer mültecilere de rütbelerine göre maaş ve tayinat verilmesi uygun görüldü[1239]. Henüz istihdam edilmediklerinden Seraskerliğin tavsiyesine uyularak, nişan verilme-

[1237] BOA., DUİT., 75-1/43-2, Mazhar Bey'in Halep'teki mültecilerin Müslüman olmadan önceki ve sonraki isimleri ile bunlara verilen rütbeleri gösteren defter (tarihsiz)
[1238] Bu sırada, Osmanlı Ordusu'nda ferik rütbesiyle görev yapanlara 10.000, mirliva rütbesinde olanlara 7.500 kuruş maaş veriliyordu. Ancak, Ferik Murad Paşa ile Mirliva İsmail ve Ferhad Beyler henüz Osmanlı askeriyesinde istihdam edilmediklerinden tam ferik ve mîrlivâ maaşı fazla olacağından ve asıl amacın ise bunların müşkülatlarını ortadan kaldırmak olduğundan şimdilik kendilerine bulundukları rütbelerden 2.500 kuruş noksan maaş verilmesi uygun görüldü. (BOA., DUİT., 75-1/43-1).
[1239] BOA., DUİT., 75-1/43-1 Sadâret'in Mâbeyn'e takdîm ettiği 9 B 66 21 Mayıs 1850 tarihli arz tezkiresi.

si doğru bulunmadı[1240]. Bu karardan hemen sonra, öngörülen maaş ve tayinat miktarları Halep Valiliğince mültecilere ödenmeye başlandı[1241].

5- Murad Paşa (Jozef Bem)'nın Ölümü (10 Aralık 1850)

Macar Özgürlük Savaşı'nda gösterdiği başarılardan dolayı efsanevî bir kahraman olarak görülen Murad Paşa, 10 Aralık 1850 Salı günü Halep'te öldü[1242]. Hatırlanacağı üzere Murad Paşa, Temeşvar savaşında atından düşmüş ve ciddi bir şekilde yaralanmıştı.

Osmanlı Devleti'ne iltica ettiği sırada yaraları hâlâ iyileşmemişti. Onun ölümünde bu yaraların ne kadar etkisi olduğu tespit edilememiştir. Ancak, Vidin'den Şumnu'ya gideceği sırada Ziya Paşa'ya hasta olduğunu söyleyerek, din değiştiren mültecilerden ayrı yolculuk yapmak istemesi, bu yaraların uzun süre iyileşmediği şeklinde yorumlanabilir. Korn ve Imrefi'nin hatıratlarında yer alan bir belgede, Murad Paşa'nın dört hafta önceden öleceğinin belli olduğu yazılıdır[1243]. Söz konusu belgedeki bu ifadeden, onun en az bir ay kadar ağır bir hastalık dönemi geçirdiği anlaşılmaktadır. Murad Paşa, geçirdiği ilk ateş nöbetini dikkate almamış ve ancak ölümünden üç dört gün önce ilaç almaya ikna edilebilmişti. Adı geçen iki mültecinin hatıratlarında yazdıklarına göre, nadide eşyalarla dolu evi, adeta küçük bir müze mahiyetinde olup, dere kenarındaki bahçelerin ortasında bulunuyordu[1244].

Doktorlar, yaptıkları konsültasyondan sonra evinin kendisi için sağlıksız olduğuna karar verdikleri halde Murad Paşa, buradan ay-

---

[1240] BOA., DUİT., 75-1/43-1.

[1241] Nitekim Halep Valisi Zarif Paşa Seraskerliğe sunduğu arîzasında, Sadâretçe öngörülen "...*Macarlu mülteciyândan Murâd Bey'e buranın emvâlinden beher şehr tam ferîk tayîniyle yedibinbeşyüz ve İsmail ve Ferhad Beylere mîrlivâ tayînâtı ve beşerbin guruş ve diğerlerine dahî bulundukları rütbelerin tam maâş ve tayîni ve tahsîsî ve itâ olunması...*" emrinin yerine getirildiği bildirmişti (BOA., DUİT., 75-1/48-4, Halep Vâlisi Zarif Paşa'nın 5 Ş 66/16 Haziran 1850 târihli Seraskerliğe gönderdiği arîza).

[1242] Refik, *Aynı eser*, s. 167; Korn, *Aynı eser*, s. 320; *Taha Toros, Geçmişte Türkiye Polonya İlişkileri / Turco-Polish Relations in History*, İstanbul 1983, s. 22.

[1243] Korn, *Aynı eser*, s.320; Imrefi, *Aynı eser*, s.264.

[1244] Korn, *Aynı eser*, s. 320; Taha Toros, *Aynı eser*, s. 23.

rılmaya bir türlü yanaşmamıştı. Ölümünden bir gün önce kendisini ziyaret edenlere sağlık durumunun iyi olduğunu ve ertesi gün yataktan kalkacağını söylemişti. Ancak, 9 Aralık günü öğlen saat ikiye doğru, Halep'teki bütün doktorların tedaviye gelmesi için Fransız Konsolosluğu'na haber gönderildi. Yanına varan doktorlar onu ölmek üzereyken bulmuşlardı. Doktorların söylediğine göre, vücudu aldığı yaralardan yorgun düşmüştü. Akşama doğru bel altındaki ağrılardan şikayet etmiş ve nihayet gece saat 2'de ölmüştü[1245].

Murad Paşa öldüğünde 56 yaşında idi. İslamiyet'e geçtikten sonra tek amacı yeni vatanına ve çok değer verdiği sultanına yararlı olabilmekti. Katı bir Rus aleyhtarı olan Murad Paşa, bu devlete karşı büyük bir kin ve nefret duyuyordu. Özellikle Fransız diline her yönüyle hakimdi. Korn'un yazdıklarına göre hiç bir hatırat bırakmamıştı[1246]. Kendisi ile ilgili belgeler de isteği üzerine yakılmıştı[1247].

Murad Paşa'nın ölümü Avrupa basınında geniş yankı buldu. Özellikle Alman basınında, Murad Paşa'nın Osmanlı Devleti tarafından zehirlendiğine dair haberler çıktı. Bu haberleri, Bâbıâli tekzip ettirdi[1248].

Murad Paşa için görkemli bir cenaze merasimi düzenlendi. Törene Abdülkerim Paşa'nın yanı sıra, Fransa ve İngiltere'nin Halep Konsolosları da katıldı[1249].

[1245] Korn, *Aynı eser*, s. 321; İmrefi, *Aynı eser*, s.264.

[1246] Korn, *Aynı eser*, s. 322-323.

[1247] Murad Paşa ölümünden önce biri General Wysocki'ye, değeri de Kossuth'a verilmek üzere iki mektup yazdırmıştı. Birinci mektubunda anavatanı Polonya'nın özgürlüğüne kavuşmasını göremeden öleceği için çektiği acıları ifade etmiş; ikincisinde ise şimdiye kadar pek görüşme fırsatı bulamadığı Kossuth'u teselli etmiş ve onun Macaristan'ın bağımsızlığını tekrar göreceği kehanetinde bulunmuştu (Korn, *Aynı eser*, s. 323-324).

[1248] BOA., DUİT., 75-2/21-2, Brüksel Maslahatgüzârı Eugene de Kerckhove'nin Hariciye Nezareti'ne 6 Şubat 1850 tarihinde sunduğu tahrirat. Refik, *Aynı eser*, s.177. Osmanlı Devleti'nin Belçika Maslahatgüzârı Eugene de Kerckhove, bu ülkede yayımlanan *"L' İndependence"* gazetesinde, Murad Paşa'nın zehirlendiğine dair haberleri tekzip eden uzun bir yazı yayımlatmış ve gazetenin bir nüshasını da Bâbıâli'ye göndermiştir (BOA., DUİT., 75-2/21-2).

[1249] Korn, *Aynı eser*, s. 321.

Korn ve Imrefi, Murad Paşa için düzenlenen cenaze merasimini bir görgü tanığının ağzından anlatmaktadırlar. Adı açıklanmayan bu tanığı cenaze merasimine Kmety (İsmail Paşa) davet etmişti. Görgü tanığı, saat 10'da oraya vardığında Murat Paşa teneşir üzerinde yatmaktaydı. Bir çok insan cenazesini yıkamak için elbiselerini çıkarmakta ve mollalar da etrafını sarmış dua etmekteydiler. Ceset yıkandıktan sonra bir çarşafa sarıldı, belinden ve ayaklarından bağlanarak tabuta yatırıldı. Tabutun alt ucunda fesinin asılı bulunduğu bir sopa uzanmaktaydı. Tabutun üzerine renkli bir şal örtüldü ve altına da iki çubuk konuldu.

Cenaze merasiminde Kumandan Abdülkerim Paşa, Fransız ve İngiliz Konsolosları ve sayısı tam olarak kestirilemeyen düzensiz bir askeri grup hazır bulunmaktaydı. Bunlar tek tonlu ve yüksek bir sesle *"lailahe illallah"* diye nida etmekteydiler. Görgü tanığı, onu kapıya kadar taşıyanlar arasındaydı. Cenazeyi kısacık bir süre için dahi olsa taşıyabilmek için herkes itişip kakışmaktaydı. Hatta, ihtiyar Abdülkerim Paşa bile cesedi bir süre taşımıştı. Önemli bir zatın mezarına yakın bir yerde tabut omuzlardan indirildi ve dua edilmeye başlandı. Mezara gelindiğinde naaş tabuttan çıkarıldı ve cenaze, başı Mekke'ye dönük olarak 5-6 ayak derinliğindeki mezara konuldu. Çarşafın bağlandığı ipler burada kesildi ve mezar büyük düz taşlarla kapatıldı[1250].

Osmanlı Devleti'nde Murad Paşa adıyla ün yapan Bem, Macar ve Polonya milletleri tarafından her zaman milli bir kahraman olarak anılmıştır. Halep'te yaşadığı süre içerisinde, bir taraftan yeni vatanına hizmet ederken, diğer taraftan da Polonya'nın geleceği ve bağımsızlık mücadelesi düşüncesini aklından çıkarmamıştır[1251].

[1250] Korn, *Aynı eser*, s.321-322; Imrefi, *Aynı eser*, s.264-265.

[1251] Gasztowtt, *Aynı eser*, s.204 Murad Paşa, Osmanlı Devleti ile Rusya arasında yakın gelecekte bir çarpışmanın kaçınılmaz olduğunu düşünüyordu. İki devlet arasında çıkacak muhtemel bir savaşta, Polonya subaylarının Osmanlıların safında yer alacaklarından hiç endişe etmiyordu. Böyle bir savaşta Türk kuvvetlerinin Rusları yeneceğini ve bunun sonucunda Polonya'nın bağımsızlığına kavuşacağına inanıyordu (Gasztowtt, *Aynı eser*, Murad Paşa'nın 8 Mayıs 1850 tarihinde Christien Ostrowski'ye Halep'ten gönderdiği mektup, s.204-205).

Macar Özgürlük Savaşı'nın efsanevi askeri Murad Paşa'nın ölümü, Sultan Abdülmecid'i hüzünlendirdi. Padişah, ona Halep'te şanına yakışır bir mezar yaptırdı[1252]. Ayrıca, Murad Paşa'nın Avrupa'da ünlü bir komutan olarak tanınması ve Osmanlı Devleti topraklarında ölmesi sebebiyle, masrafı mal sandığından karşılanmak üzere kabrine süslü bir taş konulması kararlaştırıldı[1253].

Murad Paşa, kurmaya karar verdiği güherçile fabrikasının temellerini atmış, planlarını da İstanbul'a göndermişti. Bâbıâli, devlet bütçesinden kendisine destek olunacağı sözünü vermiş ve bu fabrikayı en iyi şekilde kurmasını istemişti[1254].

Öldüğünde Murad Paşa'nın Halep esnafına kabarık borcu vardı[1255]. Terekesinin bir kısmı satılarak borçları kapatılmaya çalışıldı[1256]. Ancak, terekesinden elde edilen para borcunu kapatmağa yetmiyordu[1257]. Arta kalan borcun cüziyat kabilinden olması hasebiyle Sadâret, bunun Halep Emvali'nden karşılanmasını uygun gördü[1258]. İsmail Paşa (Kmety), bu tip şöhretli insanların ölümünden sonra bırakmış oldukları eşyaya, Avrupalıların büyük değer verdiğini ileri sürerek, Murad Paşa'nın eşyalarının müzâyede usulüyle satılmasını önerdi[1259].

Murad Paşa'nın naaşı ölümünden 79 yıl sonra 1929 yılında yapılan bir devlet töreniyle Polonya'ya gönderilmiştir[1260].

1252 BOA. İrade Har. Nr.3677, 11 Cemâziyelahir 1267/ 13 Nisan 1851 tarihli Padişahın iradesi, Taha Toros, *Aynı eser*,s.24.

1253 BOA., İ. Har. Nr. 3677.

1254 Korn, *Aynı eser*, s. 323; Jerzys S. Latka, *Polonezköy*, çev. Nalan ve Antony Sarkady, s.24.

1255 Murad Paşa'nın Halep esnafına toplam 26.486 kuruş borcu vardı. (BOA., İ.Har. Nr. 3677). Bu borcun Halep esnafından kimlere olduğuna dair bkz. (*Aynı belge*)

1256 Murad Paşa'nın terekesinin bir kısmının satılmasıyla 16.963 kuruş elde edilmişti. Murad Paşa'nın terekesi ve kimlere satıldığına dair bkz. (BOA., İ.Har. Nr. 3677).

1257 Terekesinin satılmasıyla elde edilen 16.963 kuruş borcu ödendikten sonra geriye 9.523 kuruş burcu kalmıştı.

1258 BOA., İ. Har. Nr. 3677. Sadâret makamından Mâbeyn başkitâbetine sunulan 10 C 267/13 Mart 1851 tarihli arz tezkiresi.

1259 BOA. İ.Har. Nr. 3677.

1260 Murad Paşa'nın kemikleri Polonya, Türkiye ve Fransa Cumhurbaşkanlarının girişimiyle Halep'ten alınarak İstanbul'a götürülmüştür. 20 Haziran 1929 tarihinde, Murat Paşa'nın Türk ve Polonya bayraklarına sarılı tabutu Sirkeci İstasyo-

6- Halep'teki Mültecilerin İstihdamı

Halep'teki mülteciler başlangıçta orduda istihdam edilmemiş ve kendilerine sadece tayinat bedeli verilmişti. Ancak, bir süre sonra rütbelerine göre maaş verilmeye başlanmıştı. Bâbıâli, mesleklerinde kabiliyet sahibi olan bu insanları fazla vakit kaybetmeden istihdam etmeyi planlıyordu. Nitekim Sadâret, bu hususta gereğinin yapılması için Seraskerliğe bir yazı gönderdi.

Yazıda, bunların Rumeli ve İstanbul'da istihdamlarının uygun olmayacağı belirtiliyordu. Çünkü, Osmanlı Devleti ile Rusya arasındaki anlaşma gereği, din değiştiren mültecilerin bir süre Rusya sınırlarından uzak yerlerde muhafaza edilmeleri gerekiyordu. Sadâretin isteği üzerine, Seraskerlik konuyu, Dar-ı Şura-yı Askerî'ye havale etti. Dar-ı Şura'da yapılan müzakerelerin ardından, bunların *"fünûn-ı harbiyyede ma'lûmatları"* olduğundan, Ordu-yı Hümayunlara dağıtılması yolunda karar alındı[1261].

Ayrıca, bunların Rumeli ve İstanbul'da değil de Arabistan, Hicaz , Irak, Harput, Diyarbakır ve Anadolu Ordu-yı Hümayunları'nın boş kadrolarında istihdam edilmeleri uygun görüldü[1262]. Fakat, bunların hepsinin birden orduda istihdam edilmeleri Hazine'ye yeni bir yük getirecekti. Ayrıca, din değiştiren mülteciler Türkçe'yi tam olarak bilmedikleri gibi, Osmanlı Devleti'nin askeri teşkilatı hakkında da yeterince bilgi sahibi değillerdi.

Bu sebeple de, adı geçen ordularda kadro açıklığı oldukça, rütbelerine göre birer ikişer yerleştirilmeleri kararlaştırıldı[1263]. Ancak bu kişiler, bir kadro tahsis edilene kadar Halep'te kalmayacaklardı. Bu süre içerisinde hem lisan öğrenmeleri, hem de Osmanlı askeri teşkilatının işleyişi hakkında bilgilerini arttırmaları düşüncesiyle,

---

nu'nda Türk Devlet adamları, Polonya ve Macaristan elçilerinin de katıldığı bir törenle Polonya'ya gönderildi ve Tarnov'da toprağa verildi. Burada ona çok görkemli ve abidevî, bir mezar yaptırıldı. (Toros, *Aynı eser*, s. 24).

[1261] BOA., İ.Har. Nr. 3803 Seraskerliğin Sadâret'e takdîm ettiği Gurre-i Ramazan 67/21 Haziran 1851 tarihli tezkire.

[1262] BOA., İ.Har. Nr. 3803.

[1263] BOA., İ.Har. Nr. 3803.

Ordu-yı Hümayunlar maiyetine misafir olarak gönderilmelerinin daha uygun ve akılcı olacağı kanaatine varıldı[1264].

Diğer taraftan, Ferhad ve İsmail Bey livâ rütbesinde bulunup 5.000'er kuruş maaş ile tam liva tayinatı alıyorlardı. Oysa, bunlar Osmanlı ordusunda istihdam edilmeleri halinde, emsallerinin 7.500 kuruş maaş aldıklarını görüp kendilerine aynı oranda maaş verilmediğinden üzüntü duyabilirlerdi. Bu sebeple Seraskerlik, adı geçen iki kişinin maaşlarına zam yapılmasını önerdi ancak Sadâret, miktarı yeterli bularak maaş zammı teklifini kabul etmedi[1265].

Halep'teki mülteciler arasında mesleği askerlik olmayanların orduda istihdam edilmeleri mümkün değildi. Örneğin, Tabip Hüseyin, Kaymakam Hüseyin Bey ve başıbozuk takımından Lui, bunlar arasındaydı[1266]. Fakat, her ne kadar asker olmasalar da, başka hizmetlerde kullanıldıkları takdirde kendilerinden istifade edilebilecek kabiliyetli insanlar olduklarından, Halep, Şam veya bölgedeki diğer valilerin maiyetlerinde kendilerine bir iş bulunması kararlaştırıldı[1267].

Osmanlı Devleti'nde istihdam edilen mültecilerin, devletçe tutulmuş bir listesine tesadüf edilememiştir. Ancak, Avusturya Devleti, 1854 yılında Osmanlı Devleti'nde istihdam edilmiş, çeşitli meslek guruplarına mensup yaklaşık 120 kişilik Macar'ın listesini hazırlamıştı[1268]. Fakat bu listede Müslüman olan mültecilerin aldıkları yeni isimler mevcut değildir.

Hazırlanan listeye göre, Osmanlı Devleti'nde bulunan Macarların meslekleri, nerede ve hangi orduda istihdam edildikleri şöyleydi:

1264 BOA., İ.Har. Nr. 3803.
1265 BOA., İ. Har. 3803.
1266 BOA., İ. Har. 3803, Osmanlı Ordusu'nda doktora ihtiyaç duyulduğunda, Mekteb-i Tıbbiye'de vasıflı doktorların gözetiminde yapılan sınavda başarılı olanlar, tayin olunurlardı. (BOA., İ. Har. 3803).
1267 BOA., İ. Har. 3803.
1268 Denes Janossy, *Die Ungarische Emigration und der Krieg im Orient*, Budapest 1939, s.260-263.

İstihdam Edildiği Yer	İsim	Önceki Mesleği	Sonraki Mesleği
İstanbul	Asztalfi Christof	Yüzbaşı	Saraç
"	Argai Johann	Yüzbaşı	Boş
"	Asoth Johann	Başçavuş	At uşağı
"	Balogh Ludwig	Teğmen	Hizmetçi
"	Balogh Stefan	İtfaiyeci	Değirmenci
"	Balogh Franz	Teğmen	Berber
"	Balogh Stefan	Er	Arabacı
"	Birkus Josef	Er	Arabacı
"	Biro Emerich	Teğmen	At uşağı
"	Bonsay Alexander	Çavuş	Türkiye'de Hizmetçi
"	Cilinger Ludwig	Yüzbaşı	Ayakkabıcı
"	Csia Wolfgang	Çavuş	At uşağı
"	Csia Ignaz	Çavuş	Hizmetçi
"	Csekei Franz	Çavuş	Hizmetçi
"	Csiszar Johann	Çavuş	Terzi
"	Csabai Andreas	Çavuş	Kadın Berber
"	Dobokai Stefan	Şehirli	Boş
"	Czetz Jojann	General	Boş
"	Czirjek Adolf	Üsteğmen	Boş
"	Forrai Josef	Er	Hizmetçi
"	Fircsa Johann	Çavuş	Hizmetçi
"	Gerzsenyi	Çavuş	Garson
"	Györke Peter	Teğmen	Mücellit
"	Hagen Ignaz	Teğmen	Eczacı

"	Jelenits	Teğmen	Duvar Kağıdı Ustası
"	Karacsay Graf	Şehirli	Boş
"	Klapka Georg	General	Boş
"	Karpi Alexander	Başçavuş	Boş
"	Kemendi Josef	Çavuş	Aşçı
"	Khun Albert	Çavuş	Terzi
"	Kohn Albert	Çavuş	Tüccar
"	Lorody Stefan	Şehirli	Dil öğretmeni
"	Matta Eduard	Yüzbaşı	Boş
"	Nikits Josef	Tüfekçi	Usta
"	Örhalmy Josef		Bahçıvan yardımcısı
"	Dulf	Yüzbaşı	Piyano öğretmeni
"	Piszarovits	Astsubay	At uşağı
"	Puska Josef	Teğmen	Mücellit
"	Poe Franz	Teğman	Eğitimci
"	Reinhard Martin	Avcı rehberi	Arabacı
"	Dudas Johann	Boş	Arabacı
"	Szalanci Alex	Teğmen	Garson
"	Nagy Stefan	Teğmen	Saraç
"	Szabo Josef	Piyade üstçavuş	
"	Kovats Johann	Piyade üstçavuş	Terzi
"	Spios Georg	Piyade üstçavuş	Bahçıvan
"	Kertesz	Onbaşı	Hizmetçi
"	Kölcsey Peter	Başçavuş	Hizmetçi
"	Kiraly Franz	Gerilla Komutanı	Boş

"	Dempoof	Teğmen	Tıp öğrencisi
"	Püspöki Karl	Astsubay	Aşçı
"	Türr Stefan	Albay	Boş
"	Takats Stefan	Astsubay	Makinist
"	Tatar Johann	Astsubay	Boş
"	Schenk Alois	Astsubay	Boş
"	Szekely Johann	Astsubay	Türk Ordusunda istihdam edildi
"	Szekely Karl	Astsubay	Boş
"	Vavrek Johann	Mühendis	Boş
"	Kress Alexander	Teğmen	Terzi
"	Vagner Karl	Astsubay	Kahveci
"	Kaszap Johann	Er	Hizmetçi
"	Seres Ludwig	Er	Hizmetçi
"	Silberleitner	Dağcı	Boş
"	Velits Karl	Binbaşı	Eczacı
"	Varga Stefan	Er	Hizmetçi
"	Lihko Johann	Astsubay	At uşağı
"	Kezse	Astsubay	Hizmetçi
"	Szasz	Dağcı	Boş
"	Szilagyi Josef	Başçavuş	
"	Csonka Andreas	Astsubay	-
"	Kollin Emerich	Binbaşı	Aşçı
Rumeli Ordusunda	Biro Nikolaus	Binbaşı	Askeriyede hizmetçi
"	Hajnal Ladislaus	Şehirli	Orduda cerrah
"	Horvath Paul	Eczacı	Orduda cerrah

"	Hetneki Michael	Yüzbaşı	Orduda doktor
"	Jasits Paul	Binbaşı	Türk ordusunda subay
"	Kiss Josef	Teğmen	Türk ordusunda subay
"	Harczy	Yüzbaşı	
"	Meszaros	Sahra doktoru	
"	Papp Paul	Teğmen	Türk ordusunda asker
"	Derecskey Joh	Yüzbaşı	Askeri hizmetçi
"	Scheitenberg	Arazi doktoru	Ömer Paşa'nın doktoru
"	Divitsek	Binbaşı	Türk ordusunda görevli
"	Udvarnoki	Yüzbaşı	Türk ordusunda görevli
"	Farkas Salamon	Yüzbaşı	Türk ordusunda hizmet verdi
"	Tüköry Ludwig	Yüzbaşı	Türk ordusunda görevli
"	Papp Philipp	Yüzbaşı	Türk ordusunda görevli
"	Kamlar	Yüzbaşı	Türk ordusunda görevli
"	Knau	Yüzbaşı	Türk ordusunda görevli
"	Gojnar Paul	Teğmen	Ordu bakkalcısı (Kantinci)
Asya Ordusunda	Kmety	General	Türk ordusunda istihdam edildi

"	Kalozdy	Başhekim	Türk ordusunda istihdam edildi
"	Papp Johann	Teğmen	Türk ordusunda istihdam edildi
"	Pech	Doktor	Türk ordusunda istihdam edildi
"	Frits	Üsteğmen	Türk ordusunda istihdam edildi
"	Weppler	Üsteğmen	Türk ordusunda istihdam edildi
"	Guyon Richard	General	Türk ordusunda istihdam edildi
"	Stein	General	Türk ordusunda istihdam edildi
"	Kollmann	Albay	Türk ordusunda istihdam edildi
"	Taschler	Binbaşı	Türk ordusunda istihdam edildi
Varna	Munylyan Johann	Başçavuş	Türk ordusunda istihdam edildi
"	Ottyan Peter		Türk ordusunda istihdam edildi
"	Szarka Ladislaus	Üsteğmen	Kunduracı
"	Csaszar Franz	Astsubay	Hizmetçi
Bursa	Czenki Emerich	Astsubay	Arabacı
"	Eisenberger Ignaz	Astsubay	Marangoz
"	Hajdu Gabriel	Başçavuş	Marangoz
"	Renyi Karl	İtfaiyeci	Dil öğretmeni

"	Vesselenyi Josef	Teğmen	Terzi
Asya	Hamory Eduard	Teğmen	Veteriner
"	Dercsenyi Stefan	Baron	Ekonomist
"	Gergely Elek	Astsubay	Çiftçi
"	Sovari Adolf	Astsubay	Çiftçi
"	Tiszai Daniel	Teğman	Çiftçi
"	Kesmarki	İtafiyeci	Boş
Afrika	Babai Josef	Er	Lokantacı
"	Donath Mathias	Yüzbaşı	Tatlıcı
"	Körfi Josef	Teğmen	Duvar kağıdı ustası
Burgas	Barko Emerich	Teğmen	Ticaret memuru

D. Malta Adası'na Gönderilen Mülteciler

1-Yapılan Hazırlıklar

Rusya vatandaşı olan Şumnu'daki Polonyalı mültecileri Varna'dan Malta'ya götürmek için Tersâne-i Amire'den münasip bir vapur hazırlanması için Kaptan Paşa'ya emir yazılmıştı[1269]. Kaptan Paşa, Serasker Paşa'nın da onayını alarak Malta Adası'na gönderilecek mülteci takımının Tâif Vapuru ile[1270] gönderilmesine karar verdi[1271]. Mültecileri, Varna'dan Malta Adası'na götürecek Tâif Vapuru'nun kaptanına hangi hususlara dikkat edeceğine dair bir de tali-

---

[1269] BOA., DUİT., 75-1/60-1, Sadâretin Mâbeyn'e takdîm ettiği 10 S 66/26 Aralık 1849 tarihli arz tezkiresi.

[1270] Tâif Vapuru, Kırım Savaşı'nın önemli bir safhasını teşkil eden ve Rus donanmasının Osmanlı donanmasını batırdığı, Sinop baskınından kurtularak İstanbul'a gelmiş ve Türk filosunun maruz kaldığı akıbeti haber vermiştir. (Rusların Sinop baskını için geniş bilgi için bkz. Besim Özcan, *Rus Donanmasının Sinop Baskını*, basılmamış doktora tezi, Erzurum 1990, s.117-118.

[1271] BOA., DUİT., 75-1/60-1.

mat verildi. Talimatta, gemi kaptanının şu hususlara dikkat etmesi isteniyordu:

Tâif Vapuru, Şumnu'dan Varna'ya indirilecek olan Polonyalı mültecileri ve eşyalarını alarak Malta Adası'na götürecektir. Vapur, Karadeniz Boğazı'na girdikten sonra, Boğaz'ın hiçbir yerinde özellikle Haliç ve İstanbul'da bir dakika bile beklemeyecektir.

Eğer yakıt ikmaline ihtiyaç hasıl olursa, kaptan bu işlemi Akdeniz Boğazı'nda gerçekleştirecektir. Kaptan, vapurun Varna'dan hareketini Karadeniz Boğazı'na girildiği anda güneşin batışına denk gelecek şekilde ayarlayacaktır. Mülteciler sıkı bir şekilde gözetim altında bulundurulacak ve hiçbir tarafa firar etmelerine izin verilmeyecektir. Bunlar mülteci taifesinin önde gelen isimleri olduklarından, kendileri ve yanlarında bulunan hizmetçilerinin, Malta Adası'na varıncaya kadar her türlü istek ve ihtiyaçlarının karşılanmasına özen gösterilecektir. Malta Adası'na vardıktan sonra, mültecilerin memnun olduklarına dair kendilerinden mektup alınarak geri dönülecektir. Mültecilerin kendilerine ait hayvanları gemiye alınacak, fakat bu hayvanların sayısı 20-25'i geçmeyecektir[1272].

2- Şakir Bey'in Mültecileri Malta'ya Götürmekle Görevlendirilmesi ve Adaya Yolculuk

Gerek Şumnu'dan Varna'ya, gerekse Varna'dan Taif Vapuru ile Malta Adası'na gönderilecek mültecilerin yolculukları esnasında, her türlü ihtiyaç ve isteklerini karşılamak ve onların huzur içerisinde yolculuk yapmalarını sağlamak amacıyla Ahmed Vefik Efendi, Seyyid Şakir Bey'i görevlendirdi[1273]. Rusya ile yapılan anlaşma gereğince Osmanlı topraklarını terk etmek zorunda kalan bu insanlara, Malta Adası'na varıncaya kadar, iyi muamele yapılması için Ahmed Vefik Efendi, Şakir Bey'e nelere dikkat etmesi gerektiğini tafsilatlı bir şekilde tembih etti:

[1272] BOA., DUİT., 75-1/63-5, Taif Vapur-ı Hümâyûnu Süvarisine verilen talimat (tarihsiz)

[1273] BOA., İ. Har. 3051.

Şakir Bey, Malta Adası'na gönderilmelerine karar verilen mültecileri Şumnu'dan alıp Varna'ya götürecektir. Yol boyunca yapılacak harcamaların miktarını gösteren bir fatura düzenleyecektir. Mültecilerin Şumnu'dan Varna'ya nakilleri sırasında, kendileri için hazırlanan konak yerlerinde dinlenilecek, gerekirse konaklar ikiye bölünerek, mültecilerin huzur ve rahat içerisinde olmalarına dikkat edilecektir. Mültecilerin Şumnu'dan hareketi, Varna'ya öğlen saatlerinde inilecek şekilde ayarlanacaktır.

Bu mülteci taifesi içerisinde büyük zâbit rütbesinde 8-9 kişi bulunduğundan, bunlar Varna'ya indikten sonra zaman kaybetmeden, Malta Adası'na gidecek olan Tâif Vapuru'na bindirilecektir. Eğer bu zâbitlerden birisi, Varna'yı gezmek ve dinlenmek için bir konak tahsis edilmesini isterse, başlangıçta bu isteklere olumsuz cevap verilecek, ancak bu isteklerinde ısrar ederlerse Varna'yı gezmelerine izin verilecektir.

Vapur, İstanbul Boğazı'na girdiği anda, mültecilerin karaya çıkmasına müsaade edilmeyecektir. General Dembinski ile maiyetinde bulunan adamları, Çardak veya Lapseki İskelesi'ne çıkarılacaktır. Hasta olan Kont Zamoyski, hastalığını bahane edip Osmanlı Devleti sınırlarının dışında herhangi bir yerde kalmayı isterse, Malta'ya gönderilecek mültecilerin kendisine ihtiyaçları olacağı hatırlatılarak, mülteci taifesinden ayrılması önlenecektir[1274]. Malta Adası'na varmadan karaya çıkıp kalmak isteyenler olur ise, burada kendilerini kimsenin kabul etmeyeceği söylenip, doğrudan Malta'ya gidilecektir. Vapur, mültecileri Malta'ya indirdikten sonra hemen geri dönecektir[1275].

Rusya vatandaşı olduğu tespit edilen Polonyalı mültecilerin isimlerinin yer aldığı ve Rusya Elçisi Titof tarafından, 13 Aralık 1849 tarihinde Babıâli'ye sunulan listede Malta Adası'na gönderileceği

---

[1274] Kont Zamoyski'nin çiçek çıkarması ve General Dembinski'nin yatağa düşecek kadar hasta olmasından başka Malta'ya gidecek mültecileri Şumnu'dan Varna'ya taşıyacak arabaların vaktinde temin edilememesi gibi sebeplerle bunların Şumnu'dan hareketleri 5-6 gün gecikmişti. (BOA., DUİT., 75-1/45.

[1275] BOA., İ.Har. 3051; Ahmed Vefik Efendi tarafından 27 R 66/12 Mart 1850 tarihinde Seyyid Şakir Bey'e verilen varaka.

belirtilen mülteci liderleri şunlardı: Bem[1276], Wysocki[1277], Zamoski, Main Sazinsky[1278], Stanislaus Schihnansky, Eduard Demarsky[1279], Stanislaus Hondzesky, Adam Donatschosky, Jules Zabadinsky[1280], Jasgues Miastianovitch[1281], François Daschkevitch, Stanislaus Grigensky [1282].

Defterde isimleri geçen birkaç mülteci lideri, Rusya ile yapılan anlaşmaya aykırı olarak listede yer almıştı. Ahmed Vefik Efendi, Rusya Konsolosu ile bu yanlışlığı tashih etmiştir[1283]. Listede ismi geçenler dışında, Osmanlı ülkesinde Macar İhtilali'ne katılan ve Rusya vatandaşı olan Polonyalı tespit edilirse bunlar da sınır dışı edilecekti[1284].

Sayıları 130[1285] olan Polonyalı mülteci taifesi, 12 Mart 1850 tarihinde Şumnu'dan hareket etti. Mülteciler Varna'ya vardıktan sonra,

---

[1276] Halep'e gönderilmiştir (BOA., İ.Har. 3051; Österreichisches Staatsarchiv Huas Hof und Staatsarchiv; PA XII: Türkei, fol 27; Korn, *Aynı eser*, s.184; Imrefi, *Aynı eser*, s.233).

[1277] Kütahya'ya gönderilmiştir (BOA., İ.Har.3051).

[1278] Rusya Sefareti tarafından verilen defterde Malta Adası'na gönderilecek mülteci liderleri arasında ismi geçen Sazinsky, musahhah defterde ismi Halep'e gönderilen mülteciler arasında zikrediliyorsa da Halep'e gönderilen mülteciler listesinde onun ismine tesadüf edilememiştir. (bkz. BOA., DUİT, 75-2 / 20-2; DUİT., 75-2 / 45, Mazhar Bey tarafından Bâbıâli'ye gönderilen ve Halep'teki Müslüman olan mültecilerin sayısını gösteren defter; Ahmed Refik, *Aynı eser*, s.177; Österreichisches Staatsarchiv Huas Hof und Staatsarchiv; PA XII: Türkei, fol 38; Imrefi, *Aynı eser*, s. 234; Philipp, *Aynı eser*, s.185).

[1279] Demarsky, Avusturya vatandaşı olduğunu iddia etmişse de, bu iddiasını ispatlayamamıştır (İ.Har.3051).

[1280] Diğer ismi Tabancsky olan Zabadinsky, Müslüman olduktan sonra Mehmed ismini almış Halep'e gönderilmiştir (Bkz. BOA., İ.Har. 3051; DUİT., 75-2 / 45; Refik, *Aynı eser*, s.177; Österreichisches Staatsarchiv Huas Hof und Staatsarchiv; PA XII: Türkei, fol 38; Imrefi, *Aynı eser*, s. 234; Philipp, *Aynı eser*, s.185). Böylece Rusya sefaretinin vermiş olduğu ve daha sonra Ahmed Vefik Efendi tarafından tashih edilen defter gereğince Malta Adası'na gönderilmesi gereken 13 Polonyalı mülteci liderinden 3'ü Halep'e biri de Kütahya'ya gönderilmiştir (BOA., İ.Har.3051).

[1281] Hangi devletin vatandaşı olduğu tespit edilememiştir (BOA., İ.Har.3051).

[1282] BOA., İ. Har. 3051; Österreichisches Staatsarchiv Huas Hof und Staatsarchiv; PA XII: Türkei, fol 27; Hajnal, *Aynı eser*, belge no:164, s.789.

[1283] Rusya Elçisi'nin Bâbıâli'ye sunduğu Malta Adası'na gönderilecek mültecilerin isimlerini ihtiva eden defter üzerinde yapılan tashîhler için bkz. BOA., İ. Har. 3051.

[1284] Hajnal, *Aynı eser*, belge no:164, s.789.

[1285] Korn, Malta Adası'na gönderilen mültecilerin sayısını 120 olarak verirken (Korn, *Aynı eser*, s.200), Ahmed Vefik Efendi tarafından 27 R 66/12 Mart 1850 tarihinde

burada kendilerini bekleyen Tâif Vapuru'na bindirildiler. Varna'dan ayrıldıktan sonra rotasını Malta Adası'na doğru çeviren vapur, Malta Valisi'nin izin vermemesi üzerine, 3 günlük bir rötardan sonra yolcularını karaya çıkarabilmişti. İmrefi'nin yazdıklarına göre, Malta'nın misafirperver halkı, mültecileri valilerinin yaptığı kabalığı unutturacak şekilde büyük bir sevecenlikle karşıladılar. Mülteciler Malta'ya ulaşmalarından 14 gün sonra tekrar gemiye binip son derece tehlikeli bir yolculuğa çıkmak zorunda kaldılar[1286]. Elverişsiz hava şartları, Sibraltor'a doğru olan rotalarından onları çevirip Afrika kıyılarına yönelmek zorunda bırakmıştı[1287]. Fırtınalı bir yolculuktan sonra mülteciler, Tunus limanına vardılar. Tunus Beyi'nin emriyle burada iyi karşılanmış ve başka bir gemi ile Malta Adası'na geri gönderilmişlerdi[1288]. Bu mülteci taifesi, Şumnu'dan ayrıldıktan 4 ay sonra İngiltere'ye ulaşmıştır[1289].

Babıâli'ye gönderilen defterde bunların sayısı 130 olarak görülmektedir (BOA., İ. Har. 3051).

[1286] Korn, *Aynı eser*, s. 200.

[1287] Korn'un anlattıklarına göre; burada deniz daha da fırtınalıdır. Dalgalar, mültecileri taşıyan gemiyi batırmakla tehdit etmektedir. Deniz suyu gemiye sızmaya ve gemi batmağa başlayınca, kaptan yanına birkaç denizciyi alıp, mültecileri kaderlerine terk ederek imdat gemisiyle kaçmıştı. Mülteciler, her an dev dalgalardan birinin kendilerini yutmasını ve denizin kendilerine mezar olmasını beklerken durumlarını uzaktan fark eden Tunus rotalı bir Afrika gemisi onların yardımına koşmuş ve hepsini kurtarmıştır. Mülteciler kendilerini kurtaran gemiye bindikten birkaç dakika sonra, gözlerinin önünde, kendi gemileri batmıştır. Bu manzaradan derinden etkilenen mülteciler, bir anda dizlerinin üzerine çökmüş ve Tanrı'ya kendilerini koruduğu için dua etmişlerdir (Korn, *Aynı eser*, s.201-202).

[1288] Korn, *Aynı eser*, s.202.

[1289] Korn, *Aynı eser*, s.202.

SONUÇ

Avusturya'ya karşı 1848-49 yıllarında yapılan Özgürlük Savaşı'nı kaybeden Macar ve Polonyalı ihtilalciler, eskiden Thököly ve Rakoczy'nin yaptıkları gibi, Osmanlı Devleti'ne iltica ettiler. Osmanlı hükümeti, mültecilere bir çok Avrupa ülkesinin gösteremeyeceği tolerans ve hoşgörü göstermiştir. Macar ve Polonyalı mültecilerin Osmanlı Devleti'nde misafirperverlikle karşılanmaları söz konusu ülkelerle Osmanlı Devleti arasında önemli dostluk ilişkilerin kurulmasına neden olmuştur.

Mültecilerin Osmanlı Devleti'ne ilticasıyla bu olay kapanmamış ve bu defa yoğun bir diploması trafiği başlamıştır. Osmanlı diplomasi literatürüne *"Mülteciler Meselesi"* olarak geçen bu hadisede, bir bakıma Tanzimat devlet ricali ve özellikle de Reşid, Âlî ve Fuad Paşalar başarılı bir sınav vermişlerdir. Başta Abdülmecid olmak üzere bütün devlet adamları, bir savaş riskini göze alarak Rusya ve Avusturya'nın mültecileri iâde isteğini reddetmişlerdir.

Macar ve Polonyalı ihtilalcilerin Osmanlı Devleti'ne ilticasıyla Avrupa'nın bütün dikkati yine Osmanlı üzerine odaklanmıştı. Osmanlı hariciyesinin önemli simalarından olan Fuad Efendi, Petersburg'da devletler arası diplomaside ne kadar yetenekli ve aynı zamanda ince ve pratik zekaya sahip olduğunu ispatlamıştır. Reşid Paşa ise, ileri görüşlülüğü, zekası ve almış olduğu eğitimle dönemin önde gelen simalarındandı. Paşa, Macar ve Polonyalıların Osmanlı ülkesine iltica etmek üzere sınıra geldikleri haberini aldığı zaman, bu gelişmeden memnun kalmıştı. Zira, mutlakıyet rejimine karşı mücadele veren bu kişileri kabul ve himaye etmek suretiyle, Avrupa'ya özgürlüğün koruyucusu imajı verilmiş olunacaktı. Daha Paris ve Londra elçilikleri sırasında Avrupa kamuoyunu Osmanlı Devleti lehine çevirmek için yoğun çaba göstermişti. Macar ve Polonyalı mültecileri kabul etmekle de, hem Avrupa'da Osmanlı Devleti için olumlu bir hava hem de ezeli düşman Rusya'ya karşı Avrupa'nın desteğini elde edebileceğini biliyordu. Bu sebepledir ki, Rusya ve Avusturya'nın her türlü tehdit ve istekleri karşısında değişmez bir tutum ortaya koydu. Öte yandan Sultan Abdülmecid, zikredilen devletlerin, mültecilerin kendilerine iâde edilmeleri için, Bâbıâli üzerinde yoğun baskı kurdukları dönemde şu deklarasyonu yayınladı: *"Tacımı veririm, tahtımı veririm fakat, devletime sığınanları asla geri vermem."* Bu deklarasyon, mültecilerin Sultan'a büyük sevgi duymalarını sağladığı gibi, Batı Avrupa'da da geniş yankı uyandırmıştı. Gerçekten de Tanzimat'ın genç Padişah'ı mültecilerin korunmasına büyük bir ihtimam göstermiştir. Kendisine mektup yazarak, izni olmadan Osmanlı topraklarına girmek istemediğini söyleyen Kossuth'a mültecilerin bizzat kendisinin misafirleri olduklarını, hatta onların saçının bir teline zarar gelmektense halkından 50.000 kişinin kurban edilmesini yeğleyeceğine dair güvence vermişti. Gerek Kossuth'un elimizdeki mektupları gerekse mültecilerin hatıralarından, Türklerin kendilerine gösterdiği misafirperverliğin onların üzerinde memnuniyet verici bir etki bıraktığı anlaşılmaktadır. Nitekim Kossuth Osmanlı Devleti'nden ayrıldıktan sonra İngiltere'ye gitmişti. İngiltere'de yaptığı konuşmada hayatını güvence altına alan ve kendisini düşmanlarına teslim etmeyen Türkleri şu şekilde övmüştü: *"Bugünkü hayatım ve hürriyetime sahipliğim Avusturya ile Rusya'nın tehditlerine, baskılarına rağmen beni ve arkadaşlarımı muhafaza eden Türkler sayesindedir. O Türkler ki, yüksek hislerle ve insan haklarına saygılı oluşları ile tüm tehditlere boyun eğmediler. Türk milleti bu yönüyle üstün bir güce sahiptir. Türkiye'nin bugün ve istikbalde mevcut olması Avrupa'nın ve insanlık aleminin yararınadır. Ben, Türklerden gördüğüm lütuf ve saygının hatıralarıyla yaşayacağım."*

Osmanlı Devleti'nin mültecilere bu sıcak yaklaşımı, hürriyet ve insan haklarının bu denli savunucusu rolünü üstlenmesi İngiltere, Fransa ve Amerika Birleşik Devletleri'nde geniş yankı uyandırmıştı. Nitekim Okyanus'un öteki kıyısında bulunan ve o sıralarda Avrupa'daki gelişmelere ilgi duymayan Amerika Hükümeti, Washington'a gönderilen Osmanlı elçisini sıcak bir şekilde karşılamıştı. ABD Başkanı Taylor, elçiyi kabulünde Sultan'ın mülteciler meselesinde ortaya koyduğu tavırla başta Amerikan halkı olmak üzere bütün aydın ülkelerin sempatisini kazandığını söylemişti. Aynı şekilde Avrupa basını, mülteciler meselesinden dolayı Osmanlı Devleti için sempati, Avusturya ve Rusya için de antipati oluşturmak amacıyla etkili yayınlar yapıyorlardı.

Bâbıâli'nin mültecileri iâde etmemedeki kararlı tutumu ve Avrupa kamuoyunda oluşan olumlu hava, Rusya ve Avusturya'yı geri adım atmaya zorlamıştır. Nitekim uluslararası konjonktürün tamamen aleyhlerine döndüğünü gören adı geçen devletler, başlangıçtaki tekliflerinden vazgeçmenin ve daha ılımlı tekliflerde bulunmanın mantıklı olacağını anlamışlardı. Bu devletlerin geri adım atması ve Osmanlı Devleti ile kestikleri siyasi münasebetleri yeniden kurmaları, Bâbıâli'nin kazandığı büyük diplomatik başarı olarak değerlendirilebilir. Çünkü o zamana kadar özellikle Rusya, haklı veya haksız her istediğini Osmanlı Devleti'ne kabul ettirmiş, ancak bu kez bunu başaramamıştı. Ayrıca bu meselede İngiltere ve Fransa'nın Osmanlı Devleti ile kavlen ve fiilen müttefik olarak hareket etmeleri Kırım Savaşı'nda bu üç devletin güç birliği edeceklerinin ilk işareti olarak da kabul edilebilir.

BİBLİYOGRAFYA

I. ARŞİV KAYNAKLARI

A. Başbakanlık Osmanlı Arşivi[1290]

1-Babıali Evrak Odası (BEO)

a)Sadaret Mektubi Kalemi (BEO, A.MKT)

b)Sadaret Mühimme Kalemi (BEO, A.MHM)

c)Saderet Amedi Kalemi (BEO, A.AMD)

d)Sadaret Divan-ı Hümayun Kalemi (BEO, A.DVN)

e)Sadaret Divan-ı Hümayun Kalami Düvel-i Ecnebiyye (BEO, A.DVN.DVN)

f)Sadaret Mektubi Kalemi, Nezâret ve Devâir (BEO, A.MKT.NZD)

g)Sadaret Mektubi Kalemi Umum Vilayet (BEO, A.MKT.UM)

2-İradeler Tasnifi

a)Dosya Usulü İradeler Kataloğu (DUİT)

b)İrade Hariciye (İra. Har)

c)İrade Dahiliye (İra. Dah)

d)İrade Meclis-i Vâlâ (İra. Mec. Vâlâ)

[1290] Kullanılan belgelerin numaraları metin içerisinde gösterildiğinden tekrar etmeğe gerek duyulmamıştır.

3-Hariciye Mektubi Kalemi (HR.MKT)

4-Maliye Masarıfat (ML.MSF)

5-Cevdet Dahiliye (C.D)

6-Ali Fuat Türkgeldi'den Satın Alınan Evrak

B. Österreichisches Staatsarchiv Huas, Hof und Staatsarchiv; PA XII: Türkei

II. KAYNAK ESERLER VE İNCELEMELER

Ahmed Cevdet Paşa, *Tezâkir*, yay. Cavid Baysun, Ankara 1986.

Ahmed Lütfi Efendi, *Târih-i Lütfî*, VIII, Dersaâdet 1328.

Ahmed Refik, *Türkiye'de Mülteciler Meselesi*, İstanbul 1926.

Ahmed Refik, "Mülteciler Meselesine Dair Fuad Efendi'nin Çar Birinci Nikola ile Mülâkâtı", *Türk Tarih Encümeni Mecmûası*, (1 Teşrîn-i Sâni 1341), Nr.12.

Ahmed Refik, *Lamartine Türkiye'ye Muhaceret Kararı İzmir'deki Çiftliği*, (1849-1853), İstanbul 1925.

Aktaş, Necati, Amedî, *DVİ*, III.

Akün, Ömer Faruk, "Ahmed Vefik Paşa" *DİA*.

Ali Fuad (Türkgeldi), *Ricâl-i Mühimme-i Siyasiyye*, İstanbul 1928.

Anafarta, Nigar, *Osmanlı İmparatorluğu ile Lehistan (Polonya) arasındaki münasebetlerle ilgili tarihi belgeler.*

Armaoğlu, Fahir, *Siyâsi Tarih 1789-1760*, Ankara 1997.

Bapst, Edmond, *Les Origenes de la Guerre de Crimee la France et la Russie de 1848 a 1854*, Paris 1912.

Canatar, Mehmet, "Osmanlı Devleti'nde Kavvaslar ve Kavvas Teşkilatı", *İlmi Araştırmalar*, (İstanbul,1997), IV.

Davison, Roderich H., *Osmanlı İmparatorluğu'nda Reform 1856-1875*, (çev. Osman Akınhay), I, Ankara 1997.

Deak, Istvan, *Die Rechtmässige Revolution*, Budapest 1989.

Eckhart, F., *Macaristân Tarihi,* (çev. İbrahim Kafesoğlu), Ankara 1949.

d'Eszlary, Charles, "L'émigration hongroise de Louis Kossuth en Turque entre 1849-1850", *Türk Tarih Kongresi,* IV, (20-26 Ekim 1961) Ankara 1967.

Gökbilgin, M. Tayyib, "Rakoczi Ferenc II. Ve Osmanlı Devleti Himayesinde Macar Mültecileri" *Türk-Macar Kültür Münasebetleri Işığı Altında II. Rakoczi Frenc ve Macar Mültecileri Sempozyomu,* (31 Mayıs-3 Haziran 1976), İstanbul 1976.

Gökbilgin, M. Tayyib, "XIX. Asır Sonlarında Türk Macar Münasebetleri ve Yakınlığı", *Nemeth Armağanı,* Ankara 1962, s.171-182.

Güray, Sevim, *Ahmed Vefik Paşa,* Ankara 1966.

Göyünç, Nejat, "1849 Macar Mültecileri ve Bunların Kütahya' ve Halep'e Yerleştirilmeleri ile İlgili Talimatlar", *Türk Macar Kültür Münasebetleri Işığı Altında II. Rakoczi Ferenc ve Macar Mültecileri Sempozyumu,* (İstanbul 1976).

Gasztowtt, Thadée, *La Pologne et L'Islam,* Paris 1907.

Hajnal, Istvan, *A Kossuth-emigracio Törökorszagban,* Budapest 1927.

Headley P.C., *The Life of Louis Kossuth,* 1852.

Hermann, Robert, *Lajos Kossuth ve 1848-49 yıllarında Macar özgürlük savaşı,* Budapest 2003.

Hikmet, İsmail, *Ahmed Vefik Paşa,* İstanbul, 1932.

Hutter, Joseph, *Von Orsova bis Kiutahia,* Braunschweig 1851.

Ioarga, N., *Osmanlı Tarihi,* (çev. Bekir Sıtkı Baykal), V, Ankara 1948.

Imrefi, Vahot, *Die Ungarischen Flüchtlinge in der Türkei,* Leipzig 1851.

İbnülemin Mahmut Kemal İnal, *Son Sadrazamlar,* İstanbul 1982.

İnalcık, Halil, Tanzimat ve Bulgar Meselesi, İstanbul 1992.

İnalcık, Halil, "*Tanzimatın Uygulanması ve Sosyal Tepkiler*", *Belleten,* XXVIII/112, 1962.

John, Rodwell, *Louis Kossuth and the Last Revolutions in Hungary and Transilvanya*, London 1850.

Janossy, Denes, *Die Ungarische Emigration und der Krieg im Orient*, Budapest 1939.

Karal, Enver Ziya, "Zarif Paşa'nın Hatıratı 1816-1862", *Belleten*, IV/16, (Ankara 1940).

Karpat, Kemal H., "Kossuth in Turkey: The Impact of Hungarian Refugees in the Ottoman Empire 1849-1851" *Osmanlı Öncesi ve Osmanlı Araştırmaları Uluslararası Komitesi VII. Sempozyumu Bildirileri*, (Ankara, 1994).

Kmety, George, *A Narrative of Defence of Kars*, London 1856.

Korn, Philipp, *Kossuth und die Ungarn in der Türkei*, Hamburg und New York 1851.

Krcsmark, J., "Bosna-Hersek", *İA*, II, s.732.

Kuneralp, Sinan, "Bir Osmanlı Diplomatı Kostaki Mussurus Paşa", *Belleten*, XXXIV, (Temmuz 1970).

Kurat, Yuluğ Tekin, "Osmanlı İmparatorluğu ve 1849 Macar Mültecileri Meselesi", *VI.Türk Tarih Kongresi*, (20-26 Ekim 1961), Ankara 1967.

Latka, Jerzys S., *Polonezköy*, (çev. Nalan ve Antony Sarkady).

Matei, Ion, "Ahmed Vefik Paşa'nın Rumenlerle Münasebeti", *Edebiyat Fakültesi Türk Dili ve Edebiyatı Dergisi*, (çev. Zeynep Kerman), Aralık 1972).

Matei, Ion, "Ahmed Vefik Paşa'nın Rumenlerle Olan Münasebetlerine Dair", *Türk Dünyası Araştırmaları*, Ekim 1982, s.20, (çev. Zeynep Kerman).

Mahmud Celaleddin Paşa, *Mirat-ı Hakîkat*, (Haz. İsmet Miroğlu), İstanbul 1983.

Mehmed Selahaddin, *Bir Türk Diplomatının Evrâk-ı Siyasiyesi*, İstanbul 1306.

Mehmed Süreyya, *Sicill-i Osmanî*, 1308.

Mehmed Memduh, *Mir'ât-ı Şu'ûnat*, İzmir 1328.

Muâhedât Mecmûası, I, İstanbul 1296.

Kolağası Mehmed Cemil, *1293 Senesi Rus Seferinde Gazi Ahmed Muhtar Paşa'nın Halyas ve Zivin Muhâberâtı,* İstanbul 1326 (1910).

Oliphant, Laurence, *The Trans Caucasion Campaign of the Turkish Army under Omer Pasha,* Edinburg 1856.

Ortaylı, İlber, *İmparatorluğun En Uzun Yüzyılı,* İstanbul 1983.

Özcan, Besim, *Rus Donanmasının Sinop Baskını,* basılmamış doktora tezi, Erzurum 1990.

Pakalın, Mehmet Zeki, *Ahmed Vefik Paşa,* İstanbul, 1942.

Pataky, K.M., *Bem in Siebenbürgen Zur Geschichte des Ungarischen Kriges 1848 und 1849,* Leipzig 1850.

Poole, Stanley Lane, *Lord Stratford Canning'in Türkiye Anıları,* (çev. Can Yücel) Ankara 1988.

Potyemkin, Vlademir, *Uluslararası İlişkiler Tarihi,* (çev.Atilla Tokatlı), İstanbul 1977.

Sax, Carl Ritter, *Geschichte des Machtverfalls der Türkei bis Ende des AIA. Jhs,* Wien 1913, s.313.

Saydam, Abdullah, "Osmanlıların Siyasî İlticalara Bakışı Ya da 1849 Macar-Leh Mültecileri Meselesi", *Belleten,* LXI/231, Ağustos 1997.

Slade, Adulphus, *Türkiye ve Kırım Harbi,* (çev.Ali Rıza Seyfi), İstanbul 1943.

Şemseddin Sami, *Kamusu'l-Alam,* c.V.

Şentürk, Hüdai, *Osmanlı Devleti'nde Bulgar Meselesi 1850-1875,* Ankara 1992.

Tanpınar, Ahmet Hamdi, "Ahmed Vefik Paşa", *İA.*

Tansel, F. Abdullah,"Ahmed Vefik Paşa", *Belleten,* nr.109, (1964).

Tansel, F. Abdullah, "Ahmed Vefik Paşa'nın Eserleri", *Belleten,* nr. 110, (1964).

Tansel, F. Abdullah, "Ahmed Vefik Paşa'nın Şahsiyetinin Teşekkülü-Hususi Hayati ve Muhtelif Karakterleri", *Belleten*, nr.113, (1965).

Temperley, Harold, *England end The Near East The Crimea*, London 1936.

Toros, Taha, *Geçmişte Türkiye Polonya İlişkileri / Turco-Polish Relations in History*, İstanbul 1983.

Uzunçarşılı, İsmail Hakkı, *Kütahya Şehri*, İstanbul 1932.

Üçarol, Rıfat, *Siyasi Tarih*, İstanbul 1985.

Ziolowski, Paul, *Adampol*, İstanbul 1922.

Der Große Brockhaus, Leipzig 1931.

Magyar Nagy Lexikon, III., Budapest 1994, s.579-580.

III. GAZETELER

Yeni Tasvir-i Efkar

Ceride-i Havadis

Takvim-i Vekâyi

EKLER

EK:1

Şumnu'daki Macar Mültecilerinin Listesi

	İsim	Meslek	Açıklama
1	Lajos Kossuth	Macar Kralı	Kütahya'ya gönderilmiştir
2	Kazmer Batthinayi	Dışişleri Bakanı	Kütahya'ya gönderilmiştir
3	Meszaros Lazar	Savunma Bakanı	Kütahya'ya gönderilmiştir
4	Perczel Mor	General	Kütahya'ya gönderilmiştir.
5	Perczel Miklos	Kaymakam	Kütahya'ya gönderilmiştir.
6	Szabo Istvan	Miralay	Kütahya'ya gönderilmiştir.
7	Thali Zsigmond	Kaymakam	
8	Hazman Ferenc	Dışişleri Bakanlığında görevli	Kütahya'ya gönderilmiştir.
9	Berzenczei Laszlo	Komiser	Kütahya'ya gönderilmiştir.
10	Biro Ignac	Yüzbaşı	Kütahya'ya gönderilmiştir.
11	Ihasz Daniel	Kaymakam	Kütahya'ya gönderilmiştir.
12	Kabos Karoly	Binbaşı	
13	Asboth Sandor	Kaymakam	Kütahya'ya gönderilmiştir.
14	Fokner Janos	Binbaşı	Kütahya'ya gönderilmiştir.
15	Wepler Agoston	Kaymakam	
16	Frits Gusztav	Binbaşı	
17	Lorodi Ede	İçişleri Bakanlığında Müsteşar	
18	Biro Ede	Binbaşı	Kütahya'ya gönderilmiştir.
19	Dembinski Todor	Binbaşı	Kütahya'ya gönderilmiştir.
20	Glosz Hugo	Binbaşı	Hizmet
21	Waagner Gusztav	Binbaşı	Kütahya'ya gönderilmiştir.
22	Kovacs Istvan	Binbaşı	İstanbul'da ikamete ruhsat
23	Rosti Istvan	Binbaşı	Hizmet
24	Fischer Andrass	Binbaşı	Mülteciler arasına kazaen düşmüş olduğundan Bükreş'e gönderilmiştir.
24	Jasics Pal	Binbaşı	İstanbul'da ikamete ruhsat
26	Halasz Jozsef	Binbaşı	
27	Bencze Ignac	Binbaşı	

28	Gyurman Adolf	Binbaşı	Kütahya'ya gönderilmiştir.
29	Bordan Elek	Binbaşı	
30	Egressy Gabor	Binbaşı	
31	Schuller Janos	Binbaşı	
32	Cseh Imre	Üstsubay	Kütahya'ya gönderilmiştir.
33	Frater Lajos	Üstsubay	Kütahya'ya gönderilmiştir.
34	Koszta Marton	Üstsubay	
35	Veigli Vilmos	Üstsubay	Kütahya'ya gönderilmiştir.
36	Török Lajos	Üstsubay	Kütahya'ya gönderilmiştir.
37	Gergely Ferenc	Üstsubay	Mekâtib-i Harbiyye'de hocalık
38	Czinzer Ferenc	Üstsubay	İstanbul'da ikamete ruhsat
39	Josza Daniel	Üstsubay	
40	Knall György	Üstsubay	Mimar mühendis
41	Dancs Andrass	Üstsubay	Serbest
42	Kosztolanyi Agoston	Üstsubay	Serbest
43	Matta Ede	Üstsubay	Serbest
44	Noszticzius Vilmos	Üstsubay	Serbest
45	Toth Robert	Üstsubay	Serbest
46	Cserna Pal	Üstsubay	
47	Borsai Sandor	Üstsubay	
48	Szakadati Pal	Üstsubay	İstabul'da ikamete Serbest
49	Kinizsi Istvan	Üstsubay	
50	Bukovics Pal	Üstsubay	İstanbul'da ikmate Serbest
51	Kappner Frenc	Üstsubay	
52	Rekassi Frenc	Üstsubay	
53	Nagy Imre	Üstsubay	Serbest
54	Vass Frenc	Üstsubay	Serbest
55	Pongracz Lajos	Üstsubay	Serbest
56	Decsi Janos	Üstsubay	
57	Sarosi Gyula	Üstsubay	Serbest
58	Katics Istvan	Üstsubay	Serbest
59	Hutter Jozsef	Üstsubay	Serbest
60	Fischback Herman	Üstsubay	Çiftçilik
61	Kapitanopolis Leonidas	Üstsubay	
62	Uecz Antal	Üstsubay	Serbest
63	Hellei Frenc	Üstsubay	Serbest
64	Ströbl Ferenc	Üstsubay	Serbest
65	Börczy Gyula	Üstsubay	Serbest
66	Balog Viktor	Üstsubay	
67	Bernat Albert	Üstsubay	
68	Vay Laszlo	Üstsubay	Serbest
69	Specht Lipot	Üstsubay	Serbest
70	Nyujto Matyas	Üstsubay	Serbest
71	Korn Philipp	Üstsubay	Serbest
72	Ersek Jozsef	Üstsubay	Serbest

		(Doktor)	
73	Fontana Fermo	Üstsubay (Doktor)	Hizmetçi
74	Mellesi Elek	Üstsubay	
75	Vavrek Janos	Üstsubay	Mimar ve mühendis
76	Varadi Albert	Üstsubay	İstanbul'da ikmate ruhsat
77	Fauer Janos	Üstsubay	İstanbul'da ikamete ruhsat
78	Szrenyi Antal	Üstsubay	
79	Mihalovics Anasztaz	Üstsubay	
80	Hatos Gusztav	Üstsubay	İstanbul'da iakmete ruhsat
81	Timari Imre	Üstsubay	
82	Virag Gusztav	Üstsubay	
83	Acs Gida	Üstsubay	
84	Prick Jozsef	Üstsubay	İstanbul'da ikamete ruhsat
85	Csermeli Bela	Üstsubay	İstanbul'da ikamete ruhsat
86	Ligetfi Matyas	Mülâzım	Serbest
87	Franciszci Kazmer	Mülâzım	Serbest
88	Kese Imre	Mülâzım	Serbest
89	Szarka Laszlo	Mülâzım	Serbest
90	Nagy Istvan	Mülâzım	Hizmetçi
91	Szabo Samu	Mülâzım	Hizmetçi
92	Kanizsai Endre	Mülâzım	Hizmetçi
93	Grechenek György	Mülâzım	
94	Lovaszi Mihaly	Mülâzım	Hizmetçi
95	Feleki Oszkar	Mülâzım	Hizmetçi
96	Grosinger Karoly	Mülâzım	Hizmetçi
97	Bodola Lajos	Mülâzım	Top fabrikası üstadı
98	Imredi Ferenc	Mülâzım	Hizmetçi
99	Tar Mihaly	Mülâzım	Baytar
100	Szeredi Jozsef	Mülâzım	Mimar mühendis
101	Glosz Karoly	Mülâzım	Serbest
102	Pili Miklos	Mülâzım	Serbest
103	Bruner Miklos	Mülâzım	Serbest
104	Robicsek Mihaly	Mülâzım	Serbest
105	Ruprecht Ede	Mülâzım	Serbest
106	Burman Zsigmond	Mülâzım	Hizmetçi
107	Schalkovszki Mihaly	Mülâzım	Serbest
108	Endrödi Laszlo	Mülâzım	Serbest
109	Kalapsza Janos	Mülâzım	
110	Kaszer Richard	Mülâzım	
111	Beszold Jakob	Mülâzım	Hizmetçi
112	Komaromi Kristof	Mülâzım	Serbest
113	Noiser Richard	Mülâzım	
114	Gerand Karoly	Mülâzım	Serbest
115	Boreczki Istvan	Mülâzım	

116	Bodraczki Lajos	Mülâzım	Serbest
117	Levai Janos	Mülâzım	Serbest
118	Bordan Pal	Mülâzım	Serbest
119	Lüllei Mona	Mülâzım	İstanbul'da ikamete ruhsat
120	Korszovics Janos	Mülâzım	
121	Völgyei Szilveszter	Mülâzım	
122	Neudenbach Ferenc	Mülâzım-ı Sânî	Serbest
123	Lönyi Albert	Mülâzım-ı Sânî	Serbest
124	Veres Sandor	Mülâzım-ı Sânî	Serbest
125	Bakacs Laszlo	Mülâzım-ı Sânî	Serbest
126	Majlath Ferenc	Mülâzım-ı Sânî	Serbest
127	Racz Istvan	Mülâzım-ı Sânî	Serbest
128	Anasztazi Görgy	Mülâzım-ı Sânî	Serbest
129	Boros Sandor	Mülâzım-ı Sânî	Hizmetçi
130	Szacsvai Sandor	Mülâzım-ı Sânî	Serbest
131	Tiszai Dani	Mülâzım-ı Sânî	Çiftçilik
132	Schmid Karoly	Mülâzım-ı Sânî	Çitçilik
133	Vass Sandor	Mülâzım-ı Sânî	Çiftçilik
134	Zoka Istvan	Mülâzım-ı Sânî	Serbest
135	Vazil Laszlo	Mülâzım-ı Sânî	
136	Sipos Pal	Mülâzım-ı Sânî	Serbest
137	Györfi Sandor	Mülâzım-ı Sânî	Madenci
138	Szathmari Karoly	Mülâzım-ı Sânî	Serbest
139	Varadi Lipot	Mülâzım-ı Sânî	Serbest
140	Szalancsi Dominik	Mülâzım-ı Sânî	Serbest
141	Ruszka Jozsef	Mülâzım-ı Sânî	Hizmetçi
142	Uranyi Sandor	Mülâzım-ı Sânî	Hizmetçi
143	Törlei Balint	Mülâzım-ı Sânî	Serbest
144	Polakovics Agost	Mülâzım-ı Sânî	Serbest
145	Hochholzer Hugo	Mülâzım-ı Sânî	Serbest
146	Földvary Agost	Mülâzım-ı Sânî	Serbest
147	Pocz Ferenc	Mülâzım-ı Sânî	Hizmetçi
148	Santa Jozsef	Mülâzım-ı Sânî	Hizmetçi
149	Laszlo Karoly	Mülâzım-ı Sânî	
150	Krisztian Ambrus	Mülâzım-ı Sânî	
151	Molnar Mihaly	Mülâzım-ı Sânî	Serbest
152	Toth Istvan	Mülâzım-ı Sânî	Serbest
153	Biro Imre	Mülâzım-ı Sânî	Serbest
154	Balog Ferenc	Mülâzım-ı Sânî	Serbest
155	Pasztori Andrass	Mülâzım-ı Sânî	Serbest
156	Donat Matyas	Mülâzım-ı Sânî	Serbest
157	Hugler Karoly	Mülâzım-ı Sânî	Serbest
158	Klovocsnik Jozsef	Mülâzım-ı Sânî	Serbest
159	Miklosi Ede	Mülâzım-ı Sânî	
160	Dusek Karoly	Mülâzım-ı Sânî	Serbest

161	Paulinyi Ödön	Mülâzım-ı Sânî	
162	Harczy Gyula	Mülâzım-ı Sânî	
163	Dombrovszky Ferenc	Mülâzım-ı Sânî	Baytar
164	Hagen Ignac	Mülâzım-ı Sânî	Hizmetçi
165	Orhalmi Jozsef	Mülâzım-ı Sânî	Hizmetçi
166	Balog Lajos	Mülâzım-ı Sânî	Hizmetçi
167	Oros Ferenc	Mülâzım-ı Sânî	Müzik öğretmeni
168	Veselenyi Jozsef	Mülâzım-ı Sânî	Hizmetçi
169	Onaga Peter	Mülâzım-ı Sânî	Çiftçi
170	Bako Imre	Mülâzım-ı Sânî	Çiftçi
171	Huszar Adam	Mülâzım-ı Sânî	Çiftçi
172	Körmendi Lajos	Mülâzım-ı Sânî	Çiftçi
173	Berecz Istvan	Mülâzım-ı Sânî	Serbest
174	Matisz Jozsef	Mülâzım-ı Sânî	İstanbul'da İkamete ruhsat
175	Mahotta Ferenc	Mülâzım-ı Sânî	Serbest
176	Lehman Fridrik	Mülâzım-ı Sânî	Serbest
177	Tot Ignac	Çavuş	Serbest
178	Kovacs Laszlo	Çavuş	Çiftçi
179	Incze Ferenc	Çavuş	Serbest
180	Szabo Vilmos	Çavuş	Çiftçi
181	Hrabovszki Lajos	Çavuş	Serbest
182	Grecsak Jozsef	Çavuş	
183	Herpai Jozsef	Çavuş	Çiftçi
184	Liszka Görgey	Çavuş	Çiftçi
185	Muntyan Istvan	Çavuş	Serbest
186	Fintai Ignac	Çavuş	Serbest
187	Hajdu Gabor	Çavuş	Sanat icrası için İstanbul'da ikamete izin
188	Fülöp Peter	Çavuş	
189	Mertay Jozsef	Çavuş	
190	Fircsa Janos	Çavuş	Sanat icrası için İstanbul'da ikamete izin
191	Szabo Karoly	Çavuş	Sanat icrası için İstanbul'da ikamete izin
192	Szabo Jozsef	Çavuş	Sanat icrası için İstanbul'da ikamete izin
193	Gergely Elek	Çavuş	Serbest
194	Laszlo Istvan	Çavuş	Serbest
195	Thaut Jozsef	Çavuş	
196	Dioszegi Geiza	Çavuş	Serbest
197	Dioszegi Arpad	Çavuş	Serbest
198	Purt Frigyes	Çavuş	Çiftçi
199	Kalinger Janos	Çavuş	Fabrika hizmetçisi
200	Major Imre	Çavuş	İstanbul'da ikamete ruhsat
201	Erdei Sandor	Çavuş	İstanbul'da ikamete ruhsat

202	Kölcsey Peter	Çavuş	İstanbul'da ikamete ruhsat
203	Gerzsenyi Mihaly	Çavuş	Hizmetçi
204	Nikelszki Mihaly	Çavuş	İstanbul'da ikamete ruhsat
205	Stall Lajos	Çavuş	İstanbul'da ikamete ruhsat
206	Erdös Gabor	Çavuş	İstanbul'da ikamete ruhsat
207	Virag Sandor	Çavuş	İstanbul'da ikamete ruhsat
208	Kolinszki Kalman	Çavuş	İstanbul'da ikamete ruhsat
209	Straller Ferdinand	Çavuş	İstanbul'da ikamete ruhsat
210	Dozsa Janos	Çavuş	İstanbul'da ikamete ruhsat
211	Sipos György	Çavuş	İstanbul'da ikamete ruhsat
212	Renyi Karoly	Çavuş	İstanbul'da ikamete ruhsat
213	Galli Pal	Çavuş	İstanbul'da ikamete ruhsat
214	Borza Aron	Çavuş	İstanbul'da ikamete ruhsat
215	Csiha Farkas	Çavuş	Çiftçi
216	Borbely Dani	Çavuş	Çiftçi
217	Szilagyi Dani	Çavuş	Çiftçi
218	Karpi Sandor	Çavuş	Çiftçi
219	Laszlo Miklos	Çavuş	Çiftçi
220	Csiha Ignac	Çavuş	Çiftçi
221	Vekony Istvan	Çavuş	Çiftçi
222	Aros Janos	Çavuş	Çiftçi
223	Cserna Pal	Çavuş	Çiftçi
224	Kiss Karoly	Çavuş	
225	Tot Janos	Çavuş	İstanbul'da ikamete ruhsat
226	Barcsai Matyas	Çavuş	İstanbul'da ikamete ruhsat
227	Szuzsian Janos	Çavuş	İstanbul'da ikamete ruhsat
228	Grün Lajos	Çavuş	İstanbul'da ikamete ruhsat
229	Slezinger Ferdinand	Çavuş	İstanbul'da ikamete ruhsat
230	Oroszkövi Soma	Çavuş	Türkçe'yi çok iyi bildiğinden Mekteb-i Harbiyye'ye girmek için istekte bulunmuştur
231	Bordas Matyas	Onbaşı	
232	Kertesz Albert	Onbaşı	İstanbul'da ikamete ruhsat
233	Wagner Karoly	Onbaşı	İstanbul'da ikamete ruhsat
234	Takacs Andras	Onbaşı	İstanbul'da ikamete ruhsat
235	Jenei Istvan	Onbaşı	
236	Fegyveresi Ferenc	Onbaşı	İstanbul'da ikamete ruhsat
237	Krenider Tamas	Onbaşı	İstanbul'da ikamete ruhsat
238	Tot Jozsef	Onbaşı	İstanbul'da ikamete ruhsat
239	Polgar Sandor	Onbaşı	Çiftçi
240	Szabo Peter	Onbaşı	Çiftçi
241	Illes Laszlo	Onbaşı	Çiftçi
242	Varga Istvan	Onbaşı	Çiftçi
243	Lorant Antal	Onbaşı	Çiftçi
244	Nemes Laszlo	Onbaşı	Çiftçi

245	Milkai Jozsef	Onbaşı	Çiftçi
246	Kovacs Ferenc	Onbaşı	Çiftçi
247	Aczel Ignac	Onbaşı	İstanbul'da ikamete ruhsat
248	Balog Imre	Onbaşı	
249	Fekete Sandor	Onbaşı	
250	Horvat Lajos	Onbaşı	Çiftçi
251	Bodonek György	Onbaşı	Çiftçi
252	Levai Sandor	Onbaşı	Çiftçi
253	Jakab Ferenc	Onbaşı	İstanbul'da ikamete ruhsat
254	Magdus Karoly	Onbaşı	İstanbul'da ikamete ruhsat
255	Steiner Janos	Onbaşı	İstanbul'da ikamete ruhsat
256	Karvari Sandor	Onbaşı	İstanbul'da ikamete ruhsat
257	Zsentek Janos	Onbaşı	İstanbul'da ikamete ruhsat
258	Haladi Jozsef	Onbaşı	İstanbul'da ikamete ruhsat
259	Balog Istvan	Onbaşı	Çiftçi
260	Huczai Janos	Onbaşı	İstanbul'da ikamete ruhsat
261	Reinhard Maron	Onbaşı	İstanbul'da ikamete ruhsat
262	Kovacs Ferenc	Onbaşı	İstanbul'da ikamete ruhsat
263	Kovacs Janos	Onbaşı	İstanbul'da ikamete ruhsat
264	Tüske Laszlo	Onbaşı	İstanbul'da ikamete ruhsat
265	Groger Karoly	Onbaşı	İstanbul'da ikamete ruhsat
266	Henczl Jozsef	Onbaşı	Eflak'a gitmeye ruhsat
267	Hencz Jozsef	Onbaşı	Eflak'a gitmeye ruhsat
268	Kemendi Janos	Onbaşı	Eflak'a gitmeye ruhsat
269	Jusztin Ignac	Onbaşı	Çiftçi
270	Reimond Janos	Onbaşı	Çiftçi
271	Majtinek Andras	Onbaşı	Çiftçi
272	Juhasz David	Onbaşı	Eflak'a gitmeye ruhsat
273	Banyas Görgy	Onbaşı	Çiftçi
274	Bozso Jozsef	Onbaşı	
275	Veres Sandor	Onbaşı	İstanbul'da ikamete ruhsat
276	Orban Imre	Onbaşı	İstanbul'da ikamete ruhsat
277	Kun Albert	Onbaşı	İstanbul'da ikamete ruhsat
278	Szabo Karoly	Onbaşı	
279	Tompos Ferenc	Onbaşı	İstanbul'da ikamete ruhsat
280	Geltner Ferenc	Onbaşı	İstanbul'da ikamete ruhsat
281	Romer Ferenc	Onbaşı	Çiftçi
282	Kotlik Jozsef	Onbaşı	Çiftçi
283	Gruber Jozsef	Onbaşı	Çiftçi
284	Müller Jozsef	Onbaşı	İstanbul'da ikamete ruhsat
285	Hasanbikler Ignac	Onbaşı	İstanbul'da ikamete ruhsat
286	Kun Sandor	Onbaşı	İstanbul'da ikamete ruhsat
287	Balog Miklos	Onbaşı	İstanbul'da ikamete ruhsat
288	Nagy Janos	Onbaşı	
289	Berenyi Mihaly	Onbaşı	

290	Cseke Mihaly	Onbaşı	Eflak'a gitmeğe ruhsat
291	Nagy Janos	Nefer	Çiftçi
292	Schön Moric	Nefer	Çiftçi
293	Boros Andras	Nefer	Çiftçi
294	Inokan Mihaly	Nefer	
295	Szoboszlai Istvan	Nefer	Çiftçi
296	Fülöp Jozsef	Nefer	Çiftçi
297	Bata Gabor	Nefer	Çiftçi
298	Vincze Janos	Nefer	
299	Nagy Janos	Nefer	
300	Grob Janos	Nefer	Çiftçi
301	Klaniseczko Atkin	Nefer	Çiftçi
302	Popovics György	Nefer	Çiftçi
303	Bedekovics Janos	Nefer	Çiftçi
304	Benzer Mihaly	Nefer	Çiftçi
305	Konyovics Miklos	Nefer	Çiftçi
306	Balog Janos	Nefer	Çiftçi
307	Kapusi Imre	Nefer	Çiftçi
308	Morovecz Janos	Nefer	Çiftçi
309	Barcsai Gergely	Nefer	Çiftçi
310	Morvai Janos	Nefer	İstanbul'da ikamete ruhsat
311	Lörincz Mihaly	Nefer	Çiftçi
312	Andrasi Janos	Nefer	
313	Nyiri Jozsef	Nefer	Çiftçi
314	Kovacs Peter	Nefer	Çiftçi
315	Juhasz Istvan	Nefer	Çiftçi
316	Magyar Jozsef	Nefer	İstanbul'da ikamete ruhsat
317	Dobos Janos	Nefer	Çiftçi
318	Hadadi Demeter	Nefer	Çiftçi
319	Balog Istvan	Nefer	Çiftçi
320	Pap György	Nefer	Çiftçi
321	Hepp Sebestyen	Nefer	Çiftçi
322	Kovacs Andras	Nefer	Çiftçi
323	Varga Ferenc	Nefer	Çiftçi
324	Lörincz Balint	Nefer	
325	Takacs David	Nefer	
326	Jakab Jozsef	Nefer	
327	Domokos Daniel	Nefer	
328	Varga György	Nefer	
329	Pap Jozsef	Nefer	Çiftçi
330	Soltesz Bernat	Nefer	Çiftçi
331	Tekecs Istvan	Nefer	İstanbul'da ikamete ruhsat
332	Illes Zsigmond	Nefer	
333	Ferencz Salamon	Nefer	İstanbul'da ikamete ruhsat
334	Tebes Györgey	Nefer	İstanbul'da ikamete ruhsat

335	Szabo Frenc	Nefer	İstanbul'da ikamete ruhsat
336	Magyar Sandor	Nefer	Çiftçi
337	Orosz Mihaly	Nefer	
338	Balasz Jozsef	Nefer	Çiftçi
339	Borka Istvan	Nefer	Çiftçi
340	Almasi Mihaly	Nefer	Çiftçi
341	Simon György	Nefer	Çiftçi
342	Szilagy Istvan	Nefer	
343	Alvinczi Janos	Nefer	
344	Straller Ferenc	Nefer	
345	Takacs Janos	Nefer	Çiftçi
346	Sipos Janos	Nefer	Çiftçi
347	Kis Mihaly	Nefer	Çiftçi
348	Szasz Marton	Nefer	Çiftçi
349	Szauer Jozsef	Nefer	İstanbul'da ikamete ruhsat
350	Török Ferenc	Nefer	İstanbul'da ikamete ruhsat
351	Salamon Janos	Nefer	Çiftçi
352	Oltyan Janos	Nefer	İstanbul'da ikamete ruhsat
353	Tökes Mihaly	Nefer	İstanbul'da ikamete ruhsat
354	Dobozi Mihaly	Nefer	İstanbul'da ikamete ruhsat
355	Bakosi Janos	Nefer	İstanbul'da ikamete ruhsat
356	Jakab Janos	Nefer	İstanbul'da ikamete ruhsat
357	Debreczeni Samu	Nefer	İstanbul'da ikamete ruhsat
358	Josza Jozsef	Nefer	İstanbul'da ikamte ruhsat
359	Tot Imre	Nefer	
360	Budai Mihaly	Nefer	İstanbul'da ikamte ruhsat
361	Szekely Janos	Nefer	İstanbul'da ikamte ruhsat
362	Szalkai Sandor	Nefer	
363	Kallai Janos	Nefer	İstanbul'da ikamte ruhsat
364	Tot Janos	Nefer	İstanbul'da ikamte ruhsat
365	Szel Jozsef	Nefer	İstanbul'da ikamte ruhsat
366	Veres Janos	Nefer	Çiftçi
367	Zomborcsevics Kostyan	Nefer	Askeriyeye istihdam edilmiştir
368	Reix Nathan	Nefer	İstanbul'da ikamte ruhsat
369	Rorsai Sandor	Nefer	
370	Illesi Denjamin	Nefer	İstanbul'da ikamte ruhsat
371	Dudas Istvan	Nefer	Çiftçi
372	Juracsek Mihaly	Nefer	
373	Dibusz Jozsef	Nefer	Çiftçi
374	Dobos Laszlo	Nefer	
375	Juracsek Jozsef	Nefer	
376	Olah Jozsef	Nefer	Çiftçi
377	Bak Pal	Nefer	Askeriyeye istihdam edilmiştir
378	Nyiri Jozsef	Nefer	
379	Nemes Sandor	Nefer	

380	Neves Jozsef	Nefer	
381	Hencz Jozsef	Nefer	
382	Klein Jozsef	Nefer	İstanbul'da ikamete ruhsat
383	Nagy Tamas	Nefer	
384	Kertesz Albert	Nefer	
385	Molnar Jozsef	Nefer	
386	Arva Jozsef	Nefer	
387	Barcsai Gergely	Nefer	
388	Nagy Janos	Nefer	
389	Lang Ferenc	Nefer	
390	Telek Janos	Nefer	
391	Nagy Gaspar	Nefer	
392	Tris Janos	Nefer	
393	Klein Abraham	Nefer	
394	Schwarz Samu	Nefer	
395	Szegedi Janos	Nefer	
396	Pap Istvan	Nefer	
397	Batai Jozsef	Nefer	
398	Kiss Jozsef	Nefer	
399	Spedl Ferenc	Nefer	
400	Rabai Andras	Nefer	
401	Nagy Elek	Nefer	
402	Nagy Tamas	Nefer	
403	Nagy Balint	Nefer	
404	Antal Ignac	Nefer	
405	Kiraly Balint	Nefer	
406	Baka Peter	Nefer	
407	Bartus Jozsef	Nefer	
408	Andras Jozsef	Nefer	
409	Lörincz Antal	Nefer	
410	Aloiz Jozsef	Nefer	
411	Varga Sandor	Nefer	
412	Kiss Jozsef	Nefer	
413	Balog Mihaly	Nefer	
414	Forrai Jozsef	Nefer	
415	Varga Janos	Nefer	
416	Froman Roman	Nefer	
417	Beretics Tamas	Nefer	
418	Szilagy Janos	Nefer	
419	Lukacs Gergely	Nefer	
420	Foczko Matyas	Nefer	
421	Racsa Tamas	Nefer	
422	Koszta Miklos	Nefer	
423	Püspöki Karoly	Nefer	
424	Bai Sandor	Nefer	

425	Szegedi Istvan	Nefer	
426	Nemes Jozsef	Nefer	
427	Ferenczi Janos	Nefer	
428	Fejer Jozsef	Nefer	
429	Orosz György	Nefer	
430	Danko Jozsef	Nefer	
431	Prager Izidor	Nefer	
432	Tompos Ferenc	Nefer	
433	Rokus Karoly	Nefer	
434	Sandor Karoly	Nefer	
435	Bakman Janos	Nefer	
436	Batthianyi Kazmerne	Bayan	
437	Foknerne	Bayan	
438	Dembinszkine	Bayan	
439	Jasicsne	Bayan	
440	Vuja Aurora	Bayan	
441	Gyurmanne	Bayan	
442	Varadine	Bayan	
443	Tarne	Bayan	
444	Kerteszne	Bayan	
445	Arvaine	Bayan	
446	Hajdu Sara	Bayan	
447	Muntyan Szali	Bayan	
448	Varga Mihalyne	Bayan	
449	Schönne	Bayan	
450	Balog Istvanne	Bayan	
451	Molnarne	Bayan	
452	Tochter Borbala	Bayan	
453	Dombrovszkine	Bayan	
454	Kreinmüller Jozefa	Bayan	
455	Görög Peterne	Bayan	
456	Reinhardtne	Bayan	
457	Szaszne	Bayan	
458	Kallai Anna	Bayan	
459	Laszlo Juli	Bayan	
460	Vekonyne	Bayan	
461	Eisenbicklerne	Bayan	
462	Bodonekne	Bayan	
463	Horvatne	Bayan	
464	Kissne	Bayan	
465	Levaine	Bayan	
466	Takacs Mari	Bayan	
467	Knallne	Bayan	
468	Csermelne	Bayan	
469	Pasztorine	Bayan	

470	Romancsek Mari	Bayan	
471	Lörincz Istvanne	Bayan	
472	Aczelne	Bayan	
473	Steiner Janosne	Bayan	
474	Vargane	Bayan	
475	Braner Terez	Bayan	
476	Papp Julia	Bayan	
477	Tamasi Mari	Bayan	
478	Jracsekne	Bayan	
479	Gloszne	Bayan	
480	Glos Karoly	Çocuk	
481	Szasz Marton		
482	Dombrovszki[1291]		

EK:2

Şumnu'daki Polonyalı Mültecilerin Listesi

	İsim	Sınıfı	Rütbe		İsim	Sınıfı	Rütbe
1	Wysocki Josef		General	57	Gorski Jan	Topçu	
2	Bulhary Jerzy		General	58	Kijowski Franciszek	Topçu	
3	Grochowalski Adolf	Mühendis	Binbaşı	59	Kocowski Jan	Topçu	
4	Abramowicz Hieronim	Mühendis	Binbaşı	60	Slotwinski Marcin	Topçu	
5	Sokulski Franciszek	Mühendis	Yüzbaşı	61	Czajkowski Jakub	Topçu	
6	Grabowiecki Jacenty	Topçu	Yarbay	62	Reinfuss Grzegorz	Topçu	
7	Lacki Jan	Topçu	Yarbay	63	Gozdziakiewicz Wincenty	Topçu	
8	Zarski Edward	Topçu	Yüzbaşı	64	Szporn Ferdynand	Topçu	
9	Dunowski Aleksander	Topçu	Üstteğmen	65	Toman Piotr	Topçu	
10	Sczcepanski	Topçu	Üsteğmen	66	Koterba	Topçu	

[1291] Şumnu'daki Macar ve Polonyalı mültecilerin listesi, Başbakanlık Osmanlı Arşivi İra. Har. Nr.3051; Österreichisches Staatsarchiv Huas, Hof und Staatsarchiv; PA XII: Türkei, fol 32-36 ile Istvan Hajnal'ın *A Kossuth-emigracio Törökorszgban*, ve Istvan Kovacs'ın hazırladığı *Wysocki Tabornok Emlekıratı* adlı kitaplardaki listeler karşılaştırılmak suretiyle hazırlanmıştır.

	Kornel				Stanislaw		
11	Wenzer Aleksander	Topçu	Teğmen	67	Gornisiewicz Antoni	Topçu	
12	Moszczynski Mieczyslaw	Topçu	Teğmen	68	Wodecki	Topçu	
13	Stanisz Antoni	Topçu	Teğmen	69	Grzybowski Jan	Topçu	
14	Krasinski Alojzy	Topçu	Teğmen	70	Dziurzynski Jan	Topçu	
15	Jakubowski Faustyn	Topçu	Teğmen	71	Idzikowski Tadeusz	Piyade	Yarbay
16	Lewandowski Walenty	Topçu	Teğmen	72	Czernik Ignacy	Piyade	Yarbay
17	Podhorodecki Wojciech	Topçu	Teğmen	73	Englert Wladyslaw	Piyade	Binbaşı
18	Wolanski Zygmunt	Topçu	Teğmen	74	Wieruski Antoni	Piyade	Binbaşı
19	Nenycz Jan	Topçu	Başçavuş	75	Zoltowski Hipolit	Piyade	Binbaşı
20	Ladyzynski Cyril	Topçu	Başçavuş	76	Matczynski Konstanty	Piyade	Binbaşı
21	Czajkowski Piotr	Topçu	Başçavuş	77	Horodynski Ksawery	Piyade	Binbaşı
22	Mracowski Ludwik	Topçu	Başçavuş	78	Suryn Jan	Piyade	Yüzbaşı
23	Kaluzynski Teodor	Topçu	Çavuş	79	Rudnicki Jozef	Piyade	Yüzbaşı
24	Sziefersztein Aleksander	Topçu	Çavuş	80	Piglowski Antoni	Piyade	Yüzbaşı
25	Tomaszewski Adam	Topçu	Çavuş	81	Hoszowski Adam	Piyade	Yüzbaşı
26	Micholowski Boleslaw	Topçu	Çavuş	82	Jagmin Josef	Piyade	Yüzbaşı
27	Bilanski Karol	Topçu	Çavuş	83	Grotowski Andrzej	Piyade	Yüzbaşı
28	Lapinski Teodor	Topçu	Çavuş	84	Gladkowski Tomasz	Piyade	Yüzbaşı
29	Konopacki Aleksander	Topçu	Çavuş	85	Brazewicz Karol	Piyade	Yüzbaşı
30	Domanski Ludwik	Topçu	Çavuş	86	Piotrowski Piotr	Piyade	Yüzbaşı
31	Obutelewicz Walery	Topçu	Çavuş	87	Debicki Zegota	Piyade	Yüzbaşı
32	Kaczynski Franciszek	Topçu	Çavuş	88	Biernacki Jan	Piyade	Yüzbaşı
33	Gnitkowski Terenciusz	Topçu	Çavuş	89	Brzezinski Jan	Piyade	Yüzbaşı

34	Rucinski Wladyslaw	Topçu	Çavuş	90	Luniewski Konstanty	Piyade	Yüzbaşı
35	Wiktorovicz Franciszek	Topçu	Onbaşı	91	Ruszczynski Aleksander	Piyade	Yüzbaşı
36	Laskow Jozef	Topçu	Onbaşı	92	Markiewicz Aleksander	Piyade	Yüzbaşı
37	Kaniowski Franciszek	Topçu	Onbaşı	93	Labecki Konstanty	Piyade	Yüzbaşı
38	Durycz Jan	Topçu	Onbaşı	94	Dabski Nikodem	Piyade	Yüzbaşı
39	Ozga Franciszek	Topçu	Onbaşı	95	Szpaczek Ludwik	Piyade	Cerrah Yüzbaşı
40	Gromadzki Jozes	Topçu	Onbaşı	96	Pelczarsek Josef	Piyade	Cerrah Yüzbaşı
41	Sieroslawski Roman	Topçu		97	Slabowski Kacper	Piyade	Üsteğmen
42	Korytko Jan	Topçu		98	Kozakiewicz Wiktor	Piyade	Üsteğmen
43	Senowicz Antoni	Topçu		99	Karczmarski Jan	Piyade	Üsteğmen
44	Bodzen Jan	Topçu		100	Zima Franciszek	Piyade	Üsteğmen
45	Bellizaj Pawel	Topçu		101	Dabkowicz Wilhelm	Piyade	Üsteğmen
46	Boğdanowicz Jan	Topçu		102	Kruczkowski Franciszek	Piyade	Üsteğmen
47	Hendzel Walenty	Topçu		103	Luzynski Alfons	Piyade	Üsteğmen
48	Kasica Jan	Topçu		104	Kaminobrodzki Alfons	Piyade	Üsteğmen
49	Rastenburski Jan	Topçu		105	Burhard Gustaw	Piyade	Üsteğmen
50	Dobrzanski Karol	Topçu		106	Poisson Piotr	Piyade	Üsteğmen
51	Pawlowski Piotr	Topçu		107	Czarnicki Ludwik	Piyade	Üsteğmen
52	Banasik Szymon	Topçu		108	Dolanski Julian	Piyade	Üsteğmen
53	Sliczniakowski Teofil	Topçu		109	Jezioranski Antoni	Piyade	Üsteğmen
54	Wisniowski Jan	Topçu		110	Malczewski Narcyz	Piyade	Üsteğmen
55	Boberski Flawian	Topçu		111	Matuszynski Stanislaw	Piyade	Üsteğmen
56	Genzler Marko	Topçu		112	Orlowski Franciszek	Piyade	Üsteğmen

113	Zamojski Jan	Piyade	Üsteğmen	178	Pomykala Piotr	Piyade	Teğmen
114	Jagninski Ksawery	Piyade	Üsteğmen	179	Prorok Cyril	Piyade	Teğmen
115	Jastrzebski Ludwik	Piyade	Üsteğmen	180	Turzanski Aleksander	Piyade	Teğmen
116	Tchorzewski Emeryk	Piyade	Üsteğmen	181	Baczynski Antoni	Piyade	Teğmen
117	Milkowski Zygmunt	Piyade	Üsteğmen	182	Aichornowski Karol	Piyade	Teğmen
118	Osiecki Teofil	Piyade	Üsteğmen	183	Marcinkiewicz Ludwik	Piyade	Teğmen
119	Kaminobrodz ki Karol	Piyade	Üsteğmen	184	Kosicki Aleksander	Piyade	Teğmen
120	Osadkowski Grzegorz	Piyade	Üsteğmen	185	Kluczycki Budzislaw	Piyade	Teğmen
121	Malinowski Franciszek	Piyade	Teğmen	186	Galecki Ludwik	Piyade	Teğmen
122	Szumlanski Stanislaw	Piyade	Teğmen	187	Kryzanowski Aleksander	Piyade	Teğmen
123	Guminski Ksawery	Piyade	Teğmen	188	Kapuscinski Ernest	Piyade	Teğmen
124	Englert Karol	Piyade	Teğmen	189	Kwiatkowski Tomasz	Piyade	Teğmen
125	Heymowski Karol	Piyade	Teğmen	190	Bognarski Ksawery	Piyade	Teğmen
126	Dunajewski Edward	Piyade	Teğmen	191	Kopczyński Ksawery	Piyade	Teğmen
127	Dobzenski Faustyn	Piyade	Teğmen	192	Karozewski Mikolaj	Piyade	Teğmen
128	Powiadomski Alexsander	Piyade	Teğmen	193	Rozycki Karol	Piyade	Başçavuş
129	Guniewicz Jan	Piyade	Teğmen	194	Mamrot Aleksander	Piyade	Başçavuş
130	Malczewski Adam	Piyade	Teğmen	195	Biro Michal	Piyade	Başçavuş
131	Krawczynski Filip	Piyade	Teğmen	196	Zaborski Jan	Piyade	Başçavuş
132	Kaminski Wojciech	Piyade	Teğmen	197	Welczer Antoni	Piyade	Başçavuş
133	Derezinski Leon	Piyade	Teğmen	198	Jaroszewski Kazimierz	Piyade	Başçavuş
134	Stadnicki Edward	Piyade	Teğmen	199	Erner Antoni	Piyade	Başçavuş
135	Lopacinski Jozef	Piyade	Teğmen	200	Smalawski Julian	Piyade	Başçavuş
136	Folusiewicz	Piyade	Teğmen	201	Olszewski Jozef	Piyade	Çavuş

	Jan			-			
137	Rolof Alexsander	Piyade	Teğmen	202	Lunda Jozef	Piyade	Çavuş
138	Korostynski Bogumil	Piyade	Teğmen	203	Mireck Edmund	Piyade	Çavuş
139	Lopacinski Antoni	Piyade	Teğmen	204	Kotkowski Ignacy	Piyade	Çavuş
140	Slesenger Teodor	Piyade	Teğmen	205	Chlipalski Ludwik	Piyade	Çavuş
141	Czuszek Ignacy	Piyade	Teğmen	206	Wisniowski Jozef	Piyade	Çavuş
142	Kuilowski Julian	Piyade	Teğmen	207	Barwicki Jan	Piyade	Çavuş
143	Mazarski Eugien	Piyade	Teğmen	208	Czernielewicz Karol	Piyade	Çavuş
144	Zabicki Antoni	Piyade	Teğmen	209	Bojarski Stanislaw	Piyade	Çavuş
145	Klem Henryk	Piyade	Teğmen	210	Falusinski Karol	Piyade	Çavuş
146	Tokarski Wilhelm	Piyade	Teğmen	211	Ickowski Karol	Piyade	Çavuş
147	Koprowski Antoni	Piyade	Teğmen	212	Stanisz Jozef	Piyade	Çavuş
148	Ilnicki Aleksander	Piyade	Teğmen	213	Mularski Jan	Piyade	Çavuş
149	Matuszynski Maksymilian	Piyade	Teğmen	214	Bojarski Wladyslaw	Piyade	Çavuş
150	Szaszkiewicz Jakub	Piyade	Teğmen	215	Witowski Franciszek	Piyade	Çavuş
151	Figurski Jan	Piyade	Teğmen	216	Roman Antoni	Piyade	Çavuş
152	Skrawaczewski Jakub	Piyade	Teğmen	217	Borzykowski Ignacy	Piyade	Çavuş
153	Gluszkiewicz Grzegorz	Piyade	Teğmen	218	Bochniewicz Jozef	Piyade	Çavuş
154	Kulakowski Filip	Piyade	Teğmen	219	Bojnowski Michal	Piyade	Çavuş
155	Biskupski Adolf	Piyade	Teğmen	220	Tomaszewski Teofil	Piyade	Çavuş
156	Zabawa Jozef	Piyade	Teğmen	221	Broczkowski Konstanty	Piyade	Çavuş
157	Kolodziejski Wincenty	Piyade	Teğmen	222	Marszalkiewicz Wladyslaw	Piyade	Çavuş
158	Pawlowski Szymon	Piyade	Teğmen	223	Rajkowski Antoni	Piyade	Çavuş
159	Gladysz Walenty	Piyade	Teğmen	224	Zdrozdowski Tomasz	Piyade	Çavuş

160	Dewodzki Jan	Piyade	Teğmen	225	Prawdzinski Jan	Piyade	Çavuş
161	Zychon Hieronim	Piyade	Teğmen	226	Gacek Jan	Piyade	Çavuş
162	Krynicki Karol	Piyade	Teğmen	227	Chelminski Jozef	Piyade	Çavuş
163	Steblecki Konstanty	Piyade	Teğmen	228	Chmielinski Wiktor	Piyade	Çavuş
164	Smulski Franciszek	Piyade	Teğmen	229	GrundbekJan	Piyade	Çavuş
165	Kotkowski Ignacy	Piyade	Teğmen	230	Ruchiewicz Franciszek	Piyade	Çavuş
166	Lenczewski Adam	Piyade	Teğmen	231	Sozanski Antoni	Piyade	Çavuş
167	Golczewski Karol	Piyade	Teğmen	232	Smidowicz Konstanty	Piyade	Çavuş
168	Chrzanowski Ignacy	Piyade	Teğmen	233	Luge Jan	Piyade	Çavuş
169	Bielecki Jan	Piyade	Teğmen	234	Majewski Ignacy	Piyade	Çavuş
170	Zbylitowski Piotr	Piyade	Teğmen	235	Kowalski Antoni	Piyade	Çavuş
171	Zborski Wladyslaw	Piyade	Teğmen	236	Stokowski Leopold	Piyade	Çavuş
172	Saganowicz Stanislaw	Piyade	Teğmen	237	Malczewski Leonard	Piyade	Çavuş
173	Marchocki Saturnin	Piyade	Teğmen	238	Saganowski Pawel	Piyade	Çavuş
174	Kosicki Stanislaw	Piyade	Teğmen	239	Zagrobski Jan	Piyade	Çavuş
175	Warecki Bronislaw	Piyade	Teğmen	240	Transfeld Karol	Piyade	Çavuş
176	Czapski Ludwik	Piyade	Teğmen	241	Bielinski Dominik	Piyade	Çavuş
177	Waclawski Franciszek	Piyade	Teğmen	242	Surgenty Jozef	Piyade	Çavuş
243	Kuczewski Konstanty	Piyade	Çavuş	308	Rylski Wiktor	Piyade	Çavuş
244	Sinski Alojzy	Piyade	Çavuş	309	Lozinski Jan	Piyade	Çavuş
245	Lampkowski Ferdynand	Piyade	Çavuş	310	Zublowski Jan	Piyade	Onbaşı
246	Chomikiewicz Antoni	Piyade	Çavuş	311	Czuborski Michal	Piyade	Onbaşı
247	Szuszkiewicz Jerzy	Piyade	Çavuş	312	Olsztein Francizsek	Piyade	Onbaşı
248	Parysewicz	Piyade	Çavuş	313	Dabek Tomasz	Piyade	Onbaşı

	Wincenty						
249	Sokolowski Jan	Piyade	Çavuş	314	Prypelowski Felix	Piyade	Onbaşı
250	Kaczanowski Alexsander	Piyade	Çavuş	315	Wilinski Wiktor	Piyade	Onbaşı
251	Klodowski Jan	Piyade	Çavuş	316	Krzemienski Wojciech	Piyade	Onbaşı
252	Nedzowski Wladyslaw	Piyade	Çavuş	317	Juszczakiewicz Jozef	Piyade	Onbaşı
253	Szczepanski Stanislaw	Piyade	Çavuş	318	Burzynski	Piyade	Onbaşı
254	Welsing Jozef	Piyade	Çavuş	319	Rozycki	Piyade	Onbaşı
255	Medyeki Emil	Piyade	Çavuş	320	Slezynger	Piyade	Onbaşı
256	Merecki Jan	Piyade	Çavuş	321	Bryniewicz Antoni	Piyade	Er
257	Hadenik Jank	Piyade	Çavuş	322	Bryniewicz Jozef	Piyade	Er
258	Szajner Leon	Piyade	Çavuş	323	Martynski Pawel	Piyade	Er
259	Ritter Ferdynand	Piyade	Çavuş	324	Hlawaty Albin	Piyade	Er
260	Wolowski Hieronim	Piyade	Çavuş	325	Jaworski Jerzy	Piyade	Er
261	Bibula Mateusz	Piyade	Çavuş	326	Figiel Karol	Piyade	Er
262	Tehorzewski Zygmunt	Piyade	Çavuş	327	Hryniewicz Antoni	Piyade	Er
263	Kiszko Leopold	Piyade	Çavuş	328	Dolinski Jan	Piyade	Er
264	Jakobowski Michal	Piyade	Çavuş	329	Rotman Mojzesz	Piyade	Er
265	Plachecki Jozef	Piyade	Çavuş	330	molinowski Jozef	Piyade	Er
266	Szytkowski Edmund	Piyade	Çavuş	331	Dziurzynski Jan	Piyade	Er
267	Losicki Hieronim	Piyade	Çavuş	332	Sliwinski Jan	Piyade	Er
268	Maciejewski Franciszek	Piyade	Çavuş	333	Koniec Lukasz	Piyade	Er
269	Matuszewski Marceli	Piyade	Çavuş	334	Dzikowski Jozef	Piyade	Er
270	Snigowski Antoni	Piyade	Çavuş	335	Traczewski Jan	Piyade	Er
271	Pisarek Andrzej	Piyade	Çavuş	336	Szczepanowski Ignacy	Piyade	Er
272	Przygodzinski	Piyade	Çavuş	337	Popina Jan	Piyade	Er

	Marceli						
273	Rydalski Karol	Piyade	Çavuş	338	Kochanski Antoni	Piyade	Er
274	Orlowski Jozef	Piyade	Çavuş	339	Jaworski Michal	Piyade	Er
275	Minster Leon	Piyade	Çavuş	340	Weintraub Michal	Piyade	Er
276	Zcajkowski Walery	Piyade	Çavuş	341	Zalotynski Walenty	Piyade	Er
277	Postawka Ludwik	Piyade	Çavuş	342	Korecki Piotr	Piyade	Er
278	Kulaczkowski Ignacy	Piyade	Çavuş	343	Prawdzinski Jedrzej	Piyade	Er
279	Dybkiewicz Jakob	Piyade	Çavuş	344	Bil Michal	Piyade	Er
280	Ilnicki Ewaryst	Piyade	Çavuş	345	Kutwicki Antoni	Piyade	Er
281	Nachmann Sebestian	Piyade	Çavuş	346	Albertowski Adam	Piyade	Er
282	Krzewinski Karol	Piyade	Çavuş	347	Kaminski Wojciech	Piyade	Er
283	Goroczko Julian	Piyade	Çavuş	348	Topolnicki Jan	Piyade	Er
284	Rejowski Szymon	Piyade	Çavuş	349	Sliwinski Antoni	Piyade	Er
285	Zalasinski Karol	Piyade	Çavuş	350	Dabrowski Antoni	Piyade	Er
286	Kwiatkopwski Jozef	Piyade	Çavuş	351	Michalski Tomasz	Piyade	Er
287	Kowalski Jan	Piyade	Çavuş	352	Dzieweczka Jurko	Piyade	Er
288	Podobinski Kanty	Piyade	Çavuş	353	Michalski Tomasz	Piyade	Er
289	Jurkiewicz Jedrzej	Piyade	Çavuş	354	Wachs Jan	Piyade	Er
290	Przystanski Wladyslaw	Piyade	Çavuş	355	Turzanski Piotr	Piyade	Er
291	Izycki	Piyade	Çavuş	356	Klimaszewski	Piyade	Er
292	Mitelski Piotr	Piyade	Çavuş	357	Behudko Ignacy	Piyade	Er
293	Swierzewicz	Piyade	Çavuş	358	Myczkowski Alfons	Piyade	Er
294	Lasinski Jerzy	Piyade	Çavuş	359	Ballor	Piyade	Er
295	Machnikowski	Piyade	Çavuş	360	Ciaputkiewicz Jozef	Piyade	Er
296	Klodnicki	Piyade	Çavuş	361	Zawisza Jozef	Piyade	Er
297	Rybicki	Piyade	Çavuş	362	Kopczynski	Piyade	Er

					Wojciech		
298	Boczkowski Adam	Piyade	Çavuş	363	Malinowski Franciszek	Piyade	Er
299	Nowicki Jozef	Piyade	Çavuş	364	Loniecki Franciszek	Piyade	Er
300	Kupsc Dionizy	Piyade	Çavuş	365	Starczewski	Piyade	Er
301	Jankiewicz	Piyade	Çavuş	366	Cycon Franciszek	Piyade	Er
302	Ksylowski	Piyade	Çavuş	367	Dynis Piotr	Piyade	Er
303	Godsztein	Piyade	Çavuş	368	Nowakowski	Piyade	Er
304	Piller	Piyade	Çavuş	369	Piatkowski	Piyade	Er
305	Kramerzewski Adam	Piyade	Çavuş	370	Kica	Piyade	Er
306	Plotnicki Marian	Piyade	Çavuş	371	Karwacki	Piyade	Er
307	Jurkiewicz	Piyade	Çavuş				
372	Sieradzi Adolf	Piyade	Er	436	Dwernicki Klet	Süvari	Üsteğmen
373	Smyk Wasil	Piyade	Er	437	Miaczynski Feliks	Süvari	Üsteğmen
374	Leszczynski Henryk	Piyade	Er	438	Maliszewski Jan	Süvari	Üsteğmen
375	Rodakowski	Piyade	Er	439	Wagner Franciszek	Süvari	Üsteğmen
376	Trybulski Ignacy	Piyade	Er	440	Lessen Teofil	Süvari	Üsteğmen
377	Unger Morys	Piyade	Er	441	Kozlowski Wlodzimierz	Süvari	Üsteğmen
378	Chuchro Kasper	Piyade	Er	442	Drozdowski Wiktor	Süvari	Üsteğmen
379	Bieganski	Piyade	Er	443	Tanski Filip	Süvari	Üsteğmen
380	Damasiewicz Tomasz	Piyade	Er	444	Czajkowski Jozef	Süvari	Üsteğmen
381	Kulary Jozef	Piyade	Er	445	Kozlowski Jozef	Süvari	Üsteğmen
382	Blazewski	Piyade	Er	446	Strzelecki Pawel	Süvari	Üsteğmen
383	Turzanski Jan	Piyade	Er	447	Zyligowski Filip	Süvari	Üsteğmen
384	Zamorki Michal	Piyade	Er	448	Jakobson Bogumil	Süvari	Teğmen
385	Barasz Kanty	Piyade	Er	449	Bombay Maksymilian	Süvari	Teğmen
386	Bzdil	Piyade	Er	450	Zmigrodzki	Süvari	Teğmen

	Kazimierz				Karol		
287	Marszalkiewic z Sylwester	Piyade	Er	451	Swictochowski Hieronim	Süvari	Teğmen
388	Neumanowss ki	Piyade	Er	452	Zaliwski Karol	Süvari	Teğmen
389	Wlasiuk	Piyade	Er	453	Kossak Wladyslaw	Süvari	Teğmen
390	Buszko Gzegorz	Piyade	Er	454	Blaszke Dawid	Süvari	Teğmen
391	Lodzienski Teodor	Piyade	Er	455	Jarocinski Cyprian	Süvari	Teğmen
392	Szwarc	Piyade	Er	456	Grabowiecki Jan	Süvari	Teğmen
393	Ebhard	Piyade	Er	457	Jurcewicz Edward	Süvari	Teğmen
394	Klimek	Piyade	Er	458	Lewgot Dominik	Süvari	Teğmen
395	Juszkiewicz	Piyade	Er	459	Kaniowski Jozef	Süvari	Teğmen
396	Rawlo	Piyade	Er	460	Janiszewski Leopold	Süvari	Teğmen
397	Dumanski Feliks	Piyade	Er	461	Miernicki Antoni	Süvari	Teğmen
398	Szuszakiewicz Walenty	Piyade	Er	462	Skowronski Marcin	Süvari	Teğmen
399	Ostrowski Antoni	Piyade	Er	463	Gierzkowski Seweryn	Süvari	Teğmen
400	Sosnowski	Piyade	Er	464	Cybulski Julian	Süvari	Teğmen
401	Cieniowski	Piyade	Er	465	Stoklosinski Medard	Süvari	Teğmen
402	Hubicki	Piyade	Er	466	Pagowski Wladyslaw	Süvari	Teğmen
403	Kmitowicz Walenty	Piyade	Er	467	Stromski Fortunat	Süvari	Teğmen
404	Leszczynski Antoni	Piyade	Er	468	Bilanski Kazimierz	Süvari	Teğmen
405	Popiel	Piyade	Er	469	Halski Antoni	Süvari	Teğmen
406	Kieronski	Piyade	Er	470	Lenczewski Aleksander	Süvari	Teğmen
407	Towarnicki Wladyslaw	Piyade	Er	471	Koczorowski Aleksander	Süvari	Teğmen
408	Towarnicki Edward	Piyade	Er	472	Musialowicz Konstanty	Süvari	Teğmen
409	Przyluski Ignacy	Piyade	Er	473	Kozlowski Filip	Süvari	Teğmen
410	Malazdra	Piyade	Er	474	Popkiewieczki Jan	Süvari	Teğmen

411	Woloszanows ki	Piyade	Er	475	Drzewiecki Jan	Süvari	Teğmen
412	Kierzyski	Piyade	Er	476	Krajewski Marceli	Süvari	Teğmen
413	Gasiorowski Roman	Piyade	Er	477	Zditowiecki Mieczyslaw	Süvari	Teğmen
414	Posyniak	Piyade	Er	478	Dunajewski Adam	Süvari	Teğmen
415	Herszkowicz	Piyade	Er	479	Badowski Jozef	Süvari	Teğmen
416	Tchorznicki Wladyslaw	Süvari	Albay	480	Chojecki Stanislaw	Süvari	Teğmen
417	Poninski Wladyslaw	Süvari	Yarbay	481	Tyszkiewicz Jan	Süvari	Teğmen
418	Wolynski Tadeusz	Süvari	Binbaşı	482	Sorteleski Wladyslaw	Süvari	Teğmen
419	Toczyski Stanislaw	Süvari	Binbaşı	483	Klopotowski Jozef	Süvari	Teğmen
420	Korzelinski Seweyn	Süvari	Binbaşı	484	Bobczynski Konstanty	Süvari	Teğmen
421	Wojtkiewicz Adam	Süvari	Yüzbaşı	485	Lipinski Izydor	Süvari	Teğmen
422	Dominikowski Kajetan	Süvari	Yüzbaşı	486	Klossowski Wladyslaw	Süvari	Teğmen
423	Lipski Antoni	Süvari	Yüzbaşı	487	Przewlocki Walery	Süvari	Teğmen
424	Wagner Julian	Süvari	Yüzbaşı	488	Bakowski Filip	Süvari	Teğmen
425	Dunajewski Wiktor	Süvari	Yüzbaşı	489	Sochaczewski Jan	Süvari	Teğmen
426	Nowodworski Marceli	Süvari	Yüzbaşı	490	Krobicki Stanyslaw	Süvari	Teğmen
427	Lusakowski Jozef	Süvari	Yüzbaşı	491	Madejski Eustachy	Süvari	Teğmen
428	Latynik Hieronim	Süvari	Doktor Yüzbaşı	492	Farnezy Lubomir	Süvari	Teğmen
429	Niewiadomski Jozef	Süvari	Yüzbaşı	493	Ortynski Piotr	Süvari	Teğmen
430	Fredro Alexsander	Süvari	Üsteğmen	494	Mniszek Wladyslaw	Süvari	Teğmen
431	Tabaczynski Jozef	Süvari	Üsteğmen	495	Sokolowski Erazm	Süvari	Başçavuş
432	Beze Walenty	Süvari	Üsteğmen	496	Janisiewicz Edward	Süvari	Başçavu
433	Kozicki Tytus	Süvari	Üsteğmen	497	Moklowski Jozef	Süvari	Başçavu
434	Kuczynski Hipolit	Süvari	Üsteğmen	498	Smoczynski Tadeusz	Süvari	Başçavu

435	Bielinski Seweryn	Süvari	Üsteğmen	499	Chryst Maurycy	Süvari	Başçavuş
500	Wroblewski Edward	Piyade	Başçavuş	565	Bilanski Antoni	Piyade	Çavuş
501	Wroblewski Jozef	Piyade	Başçavuş	566	Rybicki Ludwik	Piyade	Çavuş
502	Jakobson Narcyz	Piyade	Başçavuş	567	Lochmann	Piyade	Çavuş
503	Tichtel Ignacy	Piyade	Başçavuş	568	Kisielewski Karl	Piyade	Çavuş
504	Poplawski Wladyslaw	Piyade	Çavuş	569	Zaranski	Piyade	Çavuş
505	Perkowski Ludwik	Piyade	Çavuş	570	Borkowski Teofil	Piyade	Çavuş
506	Suchodolski Piotr	Piyade	Çavuş	571	Bielkowski	Piyade	Çavuş
507	Suchodolski Marcin	Piyade	Çavuş	572	Krasnicki Alojzy	Piyade	Çavuş
508	Kosinski Antoni	Piyade	Çavuş	573	Baczynski Karol	Piyade	Çavuş
509	Smialowski Alexsander	Piyade	Çavuş	574	Rakowicz	Piyade	Çavuş
510	Morawieczki Leopold	Piyade	Çavuş	575	Koscielecki	Piyade	Çavuş
511	Miaczynski Mikolaj	Piyade	Çavuş	576	Mroszczyk Antoni	Piyade	Er
512	Rylski Adolf	Piyade	Çavuş	577	Swiezczynski Leopold	Piyade	Er
513	Bryganty Stanislaw	Piyade	Çavuş	578	Bozek Blazej	Piyade	Er
514	Panosiewicz	Piyade	Çavuş	579	Laskowski Antoni	Piyade	Er
515	Marynowski Waclaw	Piyade	Çavuş	580	Olszewski Franciszek	Piyade	Er
516	Maryn Ludwik	Piyade	Çavuş	581	Podbilski Kajetan	Piyade	Er
517	Zawadzki Juliusz	Piyade	Çavuş	582	Szalajski Franciszek	Piyade	Er
518	Leszczynski Jan	Piyade	Çavuş	583	Mazurkiewicz Antoni	Piyade	Er
519	Werecki Michal	Piyade	Çavuş	584	Nowicki Wincenty	Piyade	Er
520	Zorz Karol	Piyade	Çavuş	585	Jackowski Jan	Piyade	Er
521	Latkowski Karol	Piyade	Çavuş	586	Blazejewski Adam	Piyade	Er
522	Gutkowski Jan	Piyade	Çavuş	587	Skalski Adolf	Piyade	Er

523	Mroczkowski Maks	Piyade	Çavuş	588	Baranowski Leon	Piyade	Er
524	Brenner Wladyslaw	Piyade	Çavuş	589	Czencz Leon	Piyade	Er
525	Mandyk Hipolit	Piyade	Çavuş	590	Zienkowski Izydor	Piyade	Er
526	Roze Antoni	Piyade	Çavuş	591	Firjel Aleksander	Piyade	Er
527	Horodynski Ignacy	Piyade	Çavuş	592	Woroniecki Sebastian	Piyade	Er
528	Treczkin Karol	Piyade	Çavuş	593	Richter Stanislaw	Piyade	Er
529	Mrongowius Adolf	Piyade	Çavuş	594	Badlinski Aleksander	Piyade	Er
530	Tobis Mauryey	Piyade	Çavuş	595	Tabaczynski Julian	Piyade	Er
531	Frenczyk Jan	Piyade	Çavuş	596	Zlotnicki Wiktor	Piyade	Er
532	Kurkiewicz Henryk	Piyade	Çavuş	597	Kozlowski Leopold	Piyade	Er
533	Ines Henryk	Piyade	Çavuş	598	Bogunski Jozef	Piyade	Er
534	Romanski Antoni	Piyade	Çavuş	599	Strzelecki Erazm	Piyade	Er
535	Baraszkiewicz Wojciech	Piyade	Çavuş	600	Sokolnicki Wojciech	Piyade	Er
536	Wagner Henryk	Piyade	Çavuş	601	Radkiewicz Tomasz	Piyade	Er
537	Wojnakowski	Piyade	Çavuş	602	Dreksler Stanislaw	Piyade	Er
538	Strzembosz Michal	Piyade	Çavuş	603	Czerkawski Tomasz	Piyade	Er
539	Miller Kasper	Piyade	Çavuş	604	Wojs Leon	Piyade	Er
540	Antoniewski Edward	Piyade	Çavuş	605	Bednawski Konstanty	Piyade	Er
541	Krasnodebski Teofil	Piyade	Çavuş	606	Kurcwiel Henryk	Piyade	Er
542	Fortuna Jozef	Piyade	Çavuş	607	Borzecki Kolomp	Piyade	Er
543	Polaczek Adam	Piyade	Çavuş	608	Binder Franciszek	Piyade	Er
544	Ipnarski Ludwik	Piyade	Çavuş	609	Wisniewski Jan	Piyade	Er
545	Tetmajer Stanislaw	Piyade	Çavuş	610	Zielinski Franciszek	Piyade	Er
546	Lichnowski Franciszek	Piyade	Çavuş	611	Gasowski Piotr	Piyade	Er

547	Niecipirowicz Walenty	Piyade	Çavuş	612	Kasprzycki Lukasz	Piyade	Er
548	Nadmüller Juliusz	Piyade	Çavuş	613	Wolowski Antoni	Piyade	Er
549	Malicki	Piyade	Çavuş	614	Sztancel Gustaw	Piyade	Er
550	Pawlinski Jedrzej	Piyade	Çavuş	615	Furtek	Piyade	Er
551	Wolski Jan	Piyade	Çavuş	616	Wysocki	Piyade	Er
552	Sikorski Kazimierz	Piyade	Çavuş	617	Bednarczuk	Piyade	Er
553	Wicekowski Jan	Piyade	Çavuş	618	Sadanowski	Piyade	Er
554	Piasecki Robert	Piyade	Çavuş	619	Czernecki	Piyade	Er
555	Podowski Konstanty	Piyade	Çavuş	620	Gerber	Piyade	Er
556	Statkiewicz Aleksander	Piyade	Çavuş	621	Lewicki	Piyade	Er
557	Wysocki Jozef	Piyade	Çavuş	622	Ostrzeszewicz	Piyade	Er
558	Wyszynski Michal	Piyade	Çavuş	623	Gustnski	Piyade	Er
559	Murczkievicz	Piyade	Çavuş	624	Ratajski	Piyade	Er
560	Kowalski Profor	Piyade	Çavuş	625	Wilczynski	Piyade	Er
561	Kwiatkowski Jozef	Piyade	Çavuş	626	Kulczycki	Piyade	Er
562	Chmielewski Feliks	Piyade	Çavuş	627	Kalita Karol	Piyade	Er
563	Kwietniewski Piotr	Piyade	Çavuş	628	Kisz	Piyade	Er
564	Dunikowski Antoni	Piyade	Çavuş	629	Lagunski	Piyade	Er
630	Switalski	Piyade	Er	676	Malewski	Piyade	Er
631	Michalowski	Piyade	Er	677	Mazurkiewicz	Piyade	Er
632	CharlinskiJozef	Piyade	Er	678	Murczynski	Piyade	Er
633	Zawadzki	Piyade	Er	679	Gelber	Piyade	Er
634	Ruch	Piyade	Er	680	Gabrylo Jan	Piyade	Er
635	Dlugoszewski	Piyade	Er	681	Liczbinski Ludwik	Piyade	Er
636	Pilichowski Fransciszek	Piyade	Er	682	Ptaszynski Franceszek	Piyade	Er
637	Podgorski	Piyade	Er	683	Stefanowski Jan	Piyade	Er
638	Niwinski	Piyade	Er	684	Zukowski Jozef	Piyade	Er
639	Vocht	Piyade	Er	685	Ogorkowski	Piyade	Er

640	Lewinski	Piyade	Er	686	Erazm Pychowski Antoni	Piyade	Er
641	Twarowki	Piyade	Er	687	Wierzbicki Jozef	Piyade	Er
642	Lisowski	Piyade	Er	688	Szyller Leopold	Piyade	Er
643	Reinhold	Piyade	Er	689	Straz Stanislaw	Piyade	Er
644	Kulinski	Piyade	Er	690	Pizewicz	Piyade	Er
645	Plotnarski	Piyade	Er	691	Pisulski	Piyade	Er
646	Kmiecik Wojciech	Piyade	Er	692	Pecolt	Piyade	Er
647	Kielbowicz Antoni	Piyade	Er	693	Prazmowski	Piyade	Er
648	Frankowski Michal	Piyade	Er	694	Przybylski	Piyade	Er
649	Kalinowski Kasper	Piyade	Er	695	Pyzalski	Piyade	Er
650	Borkowski Jan	Piyade	Er	696	Radomski	Piyade	Er
651	Molodecki Ludwik	Piyade	Er	697	Roragiewicz	Piyade	Er
652	Kujawski Jozef	Piyade	Er	698	Rosiecki Aleksander	Piyade	Er
653	Gacki Adolf	Piyade	Er	699	Slomka Jozef	Piyade	Er
654	Klem Leon	Piyade	Er	700	Smolanski Tomasz	Piyade	Er
655	Lubanski Jozef	Piyade	Er	701	Stelmachniewicz	Piyade	Er
656	Juczewski Jozef	Piyade	Er	702	Suwczynski	Piyade	Er
657	Danicz Julian	Piyade	Er	703	Szumlanski Antoni	Piyade	Er
658	Adamski Jan	Piyade	Er	704	Szybinski	Piyade	Er
659	Kochlewski Rudolf	Piyade	Er	705	Tarnawski	Piyade	Er
660	Mostowski Edmund	Piyade	Er	706	Urbanowicz	Piyade	Er
661	Malinowski Dominik	Piyade	Er	707	Waleszynski	Piyade	Er
662	Machalski August	Piyade	Er	708	WYciejewski	Piyade	Er
663	Laskowski Roman	Piyade	Er	709	Wierzbicki Hilary	Piyade	Er
664	Daszkiewicz Wladyslaw	Piyade	Er	710	Winnicki	Piyade	Er
665	Kupiec Jedrzej	Piyade	Er	711	Wodzinski	Piyade	Er
667	Danylak Jurko	Piyade	Er	712	Wysocki Karol	Piyade	Er

668	Czech Franciszek	Piyade	Er	713	Wysocki Feliks	Piyade	Er
669	Czerwinski Seweryn	Piyade	Er	714	Zamorski	Piyade	Er
670	Czerwinski Stanislaw	Piyade	Er	715	Zyblekiewicz Marcelli	Piyade	Er
671	Brzuszkiewicz Wincenty	Piyade	Er	716	Borowicz	Piyade	Er
672	Groe Jan	Piyade	Er	717	Chmielewski	Piyade	Er
673	Monasterski Jan	Piyade	Er	718	Ferentz	Piyade	Er
674	Klopotowski Ignacy	Piyade	Er	719	Gothald Karol	Piyade	Er
675	Walasinski	Piyade	Er	720	Predkiewicz	Piyade	Er
676	Miram	Piyade	Er	721	Jodlowski	Piyade	Er
677	Zeifert	Piyade	Er	722	Wisniowski Jan	Piyade	Er
678	Bucynski Aleksander	Piyade	Er	723	Switalski	Piyade	Er
679	Kuterba Stanislaw	Piyade	Er	724	Roskowski Jan	Piyade	Er
680	Bochenski Julian	Piyade	Er				
681	Kurzynski Aleksander	Piyade	Er				
682	Cwiklinski Ferynand	Piyade	Er				
683	Jesiotrzynski Dominik	Piyade	Er				
684	Nadziak Marceli	Piyade	Er				
685	Daszkowski Konstanty	Piyade	Er				
686	Bilanski Ludwik	Piyade	Er				
687	Fichtelberg Mendel	Piyade	Er				
688	Tyniec	Piyade	Er				
689	Kaczynski Jan	Piyade	Er				
670	Fogel Fryderik	Piyade	Er				
671	Kowalewski Adam	Piyade	Er				
672	Jasinski	Piyade	Er				
673	Ilinski Hipolit	Piyade	Er				
674	Kowal	Piyade	Er				
675	Lechowski	Piyade	Er				

RESİMLER VE FOTOĞRAFLAR

Sultan Abdülmecid

Mustafa Reşit Paşa

Wladyslaw Koscieski (Sefer Paşa)

Josef Bem (Murad Paşa) ölüm döşeğinde.

Antoni İllinski (İskender Paşa)

Michal Czojkowski (Mehmet Sadık Paşa)

Mehmet Sadık Paşa'nın Beyoğlu'ndaki evi.

1840'lı yıllarda Lajos Kossuth.

Lajos Kossuth ve ailesi.

Kossuth'un Cegled konuşması.

1849 Bakanlar kurulu oturumu.

24 Şubat 1849'da Kapolna Muharebe Meydanı'nda Kossuth ibadet ediyor.

Kossuth'un yurt sınırında uğurlanması.

1851'de Kossuth Broadwayde New Yorkluları selamlıyor.

Kalk Macar! Özgürlük savaşının anı belgesi.

Kossuth Türk topraklarında.

Kossuth ve yanındakilerin yerleştiği Kütahya Kışlası.

19. yüzyılda Kütahya

Kossuth'un 80. yaşı için çıkarılmış bir resim.

Kossuth ailesinin arması.

1885'te Kossuth

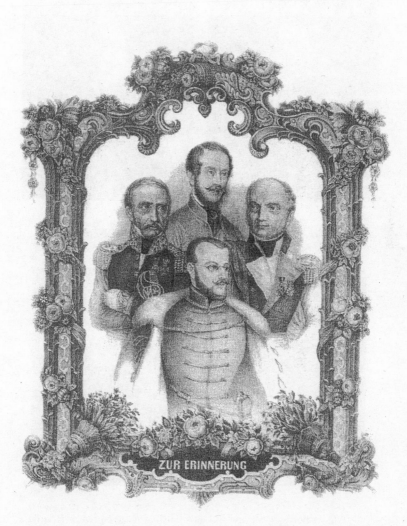

Kossuth ve generalleri Dembinszky, Kossuth, Görgei ve Bem.

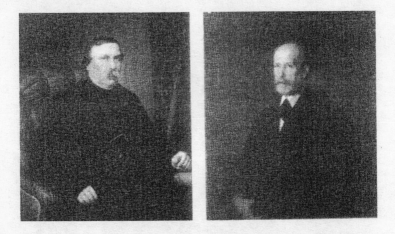

Macar ileri gelenlerinden Ferenc Deak ve Artur Görgei.

Macar ileri gelenlerinden Lajos Batthyany ve Istvan Szechenyi.

İNDEKS

Osmanlı Devleti, Avusturya, Fransa, Rusya, Macaristan ve Kossuth gibi metinde çokça geçen kelimelere indekste yer verilmemiştir.

Abdülkerim Paşa, 365, 366, 374, 375

Abdülmecid, 50, 51, 74, 113, 120, 135, 136, 141, 143, 175, 177, 182, 196, 204, 205, 213, 222, 223, 226, 227, 228, 232, 254, 255, 256, 258, 274, 279, 286, 296, 327, 330, 335, 336, 337, 339, 340, 351, 355, 356, 361, 376, 389, 390

Adam Donatschosky, 285, 387

Adolf Gyurman, 43, 333

Afrika, 384, 388

Ahmed Bey, 311, 344, 345, 346, 348

Ahmed Cevdet Paşa, 286, 393

Ahmed Efendi, 175, 177, 179, 180, 182, 225

Ahmed Vefik Efendi, 9, 149, 166, 173, 174, 175, 176, 177, 178, 179, 180, 181, 182, 183, 191, 194, 300, 302, 306, 312, 314, 315, 327, 362, 363, 364, 365, 368, 370, 385, 386, 387

Ahyolu, 169

Aksu, 345

Albay Kotona, 64

Alemdar Mustafa Paşa, 225

Alexsander Makai, 42

Ali Çavuş, 317

Ali Efendi, 45

Ali Onbaşı, 317

Ali Paşa, 19, 62, 154, 187, 188, 212, 213, 361, 366

Âlî Paşa, 120, 134, 149, 150, 161, 208, 211, 221, 227, 228, 231, 239, 242, 252, 253, 278, 280, 281, 282, 283, 286, 287, 290, 295, 351, 361

Alman, 16, 20, 50, 201, 374

Amerika, 9, 10, 142, 145, 146, 190, 191, 192, 193, 194, 196, 197, 198, 199, 200, 201, 202, 248, 249, 250, 252, 323, 326, 332, 334, 338, 346, 353, 354, 355, 356, 357, 358, 391

Andrassy, 82, 84, 93, 124, 134, 137, 138, 139, 140

Arabistan, 29, 214, 365, 371, 377

Arabistan Ordu-yı Hümayunu, 371

Arad, 28, 30, 31, 32, 33, 34, 36, 37, 47, 55, 87, 172

Ârif Efendi, 349, 350, 351, 353, 356

Armin Bey, 250, 251

Asboth, 47, 56, 71, 303, 328, 333, 349, 359, 398

Aupick, 49, 75, 79, 144, 221, 231, 233, 253, 289, 329

Aydın, 62, 251

Bağdat, 230

Balkan, 61, 117, 118, 123, 124, 137, 180

Balog, 60, 288, 399, 401, 402, 404, 405, 407, 408

Banat, 41

Baron Haynau, 25, 28

Baron Stein, 60, 368

Battal Paşa, 225

Batthyany, 22, 48, 56, 71, 79, 84, 99, 108, 116, 122, 135, 136, 137, 141, 146, 147, 288, 303, 305, 307, 310, 319, 320, 327, 333, 347, 349, 356, 358

Becsey, 29, 30, 49, 58

Belgrat Anlaşması, 209, 220, 222, 223, 225, 226, 228, 241, 351, 355

Berlin, 16, 201

Bizans, 129, 212

Bloomfield, 276, 278

Boekh, 75, 141, 148, 149, 151, 152, 169

Boğdan, 40, 44, 46, 50, 154, 156, 174, 175, 176, 205, 207, 217, 218, 219, 220, 221, 225, 285, 286

Boğdanof, 261

Bokonya, 259

Bosna, 9, 46, 186, 187, 188, 210, 222, 225, 251, 336, 337, 338, 395

Boyarlar, 45

Breslav, 201

Buda, 54, 202

Bulgar, 62, 126, 129, 337, 394, 396

Bulgarlar, 63, 124, 126

Buol, 261, 267

Bursa, 47, 143, 182, 192, 251, 286, 307, 308, 312, 314, 315, 317, 318, 322, 323, 324, 325, 344, 346, 357, 383

Bükreş, 38, 69, 70, 104, 111, 166, 174, 175, 179, 210, 211, 217, 218, 220, 256, 257, 258, 259, 260, 286, 362, 363, 398

Canning, 49, 70, 75, 76, 79, 97, 120, 122, 140, 144, 197, 198, 214, 216, 221, 231, 232, 233, 245, 246, 253, 289, 329, 331, 332, 336, 337, 338, 396

Cass, 249

Cezâyir-i Bahr-ı Sefîd, 251, 252

Colloredo, 211, 213, 214, 215

Cseh, 71, 302, 343, 349, 359, 399

Çanakkale Boğazı, 109, 118, 245

Çar, 13, 25, 87, 153, 203, 204, 205, 206, 208, 217, 218, 227, 231, 232, 235, 236, 238, 239, 240, 242, 256, 257, 258, 259, 260, 262, 263, 264, 265, 266, 267, 268, 269, 270, 271, 272, 273, 274, 275, 276, 278, 279, 282, 283, 285, 286, 360, 361, 393

Çardak, 314, 315, 386

Çelebi Bey, 103

Decsy, 42, 43

Deplat, 260

Dimitri Yanos, 348

Diyarbakır, 230, 234, 274, 279, 360, 361, 377

Dodurga köyü, 345

Duhamel, 39, 175, 207, 218, 221, 285, 286

Duschek, 48

Edirne, 109, 111, 147, 148, 214, 244, 251

Eduard Demarsky, 285, 387

Eflak, 31, 40, 42, 44, 46, 50, 58, 59, 110, 111, 154, 156, 174, 175, 176, 196, 205, 207, 217, 218, 220, 221, 225, 260, 285, 286, 363, 404, 405

Erdel, 25, 26, 28, 29, 35, 38, 39, 49, 57, 59, 65, 72, 136, 217, 219, 220, 221, 229

Ermeni, 129, 157, 162, 313
Erno Poeltenberg, 48
Erzurum, 16, 251, 366, 384, 396
Esad Paşa, 252
Eser-i Cedîd, 298
Eski Cuma, 126, 127, 128
Eski Orsova, 42, 43
Evergor, 321
Examiner, 77
Faik Bey, 130, 131, 132, 133,
    158, 159, 161, 163, 166, 176,
    184, 190, 196, 197
Fatonye, 118
Ferenc, 47, 48, 73, 97, 162, 199,
    237, 302, 317, 362, 394, 398,
    399, 400, 401, 402, 403, 404,
    405, 406, 407, 408
Ferhad Paşa, 92, 108, 119, 128,
    368, 369, 370
Fıskal Kovats, 104
Filibe, 109, 139, 145, 251
François Daschkevitch, 285,
    387
Frederick Charles Henningsen,
    77
Gelibolu, 112, 118, 147, 148
Gemlik, 176, 298, 299, 300, 301,
    307, 311, 312, 315, 317, 318,
    340, 344, 345, 346, 348, 356,
    357, 358, 369
Gemlik İskelesi, 176, 298, 299,
    312, 344, 345, 346, 358
Görgei, 24, 25, 26, 27, 28, 30, 31,
    32, 33, 34, 35, 36, 37, 38, 47,
    48, 49, 65, 75, 76, 87, 132,
    136, 200, 203, 321
Graf Ladislaus, 91, 305
Grandük Michael, 258
György Kmety, 42
Hafız Ağa, 309
Hajnal, 14, 51, 63, 73, 74, 75, 76,
    78, 79, 80, 83, 84, 88, 93, 95,
    98, 99, 100, 101, 102, 104,

105, 112, 114, 117, 120, 122,
    124, 125, 126, 127, 134, 135,
    136, 137, 138, 139, 140, 141,
    142, 143, 144, 145, 146, 147,
    148, 149, 150, 151, 152, 153,
    154, 155, 156, 157, 159, 160,
    161, 162, 167, 168, 169, 170,
    171, 172, 174, 175, 176, 182,
    204, 207, 208, 209, 210, 211,
    212, 213, 215, 216, 226, 227,
    228, 229, 230, 231, 232, 234,
    236, 240, 241, 242, 243, 248,
    251, 255, 256, 261, 262, 267,
    269, 270, 278, 279, 283, 284,
    285, 288, 290, 291, 293, 316,
    317, 319, 359, 360, 361, 367,
    368, 381, 387, 394, 409
Hakkari, 251
Halep, 11, 15, 97, 131, 161, 165,
    173, 175, 176, 177, 179, 183,
    193, 214, 251, 280, 283, 285,
    292, 295, 297, 298, 299, 300,
    301, 314, 359, 360, 361, 362,
    364, 365, 366, 367, 368, 369,
    370, 372, 373, 374, 375, 376,
    377, 378, 387, 394
Halil, 62, 72, 121, 394
Halil Paşa, 319
Halim Paşa, 9, 146, 160, 162,
    163, 164, 165, 168, 169, 170,
    171, 176, 179, 183, 370
Hamburg, 15, 61, 129, 201, 204,
    304, 395
Hasan Ağa, 312, 344
Hauslab, 8, 29, 87, 88, 89, 90,
    91, 92, 93, 94, 95, 96, 98, 157,
    180
Hayda, 251
Hazua, 326
Henri Dembinski, 28
Hermann, 37, 46, 48, 49, 50, 51,
    201, 394

Hersek, 186, 187, 188, 251, 336, 337, 338, 395

Hırvat, 20, 23, 161, 168, 203

Hindistan, 212

Howard, 201

Hurşid Efendi, 103

Hutter, 15, 30, 40, 48, 50, 51, 56, 60, 61, 62, 63, 64, 66, 67, 72, 82, 83, 85, 86, 88, 89, 90, 97, 103, 105, 113, 117, 118, 119, 121, 122, 123, 124, 125, 126, 127, 129, 130, 131, 132, 133, 160, 162, 163, 164, 165, 177, 179, 180, 182, 190, 191, 194, 196, 199, 286, 303, 304, 305, 306, 313, 368, 394, 399

Hüseyin Kapudan, 225

Hüseyin Paşa, 62, 130

Ihasz, 59, 398

Imrefi, 15, 27, 28, 29, 30, 31, 33, 36, 37, 38, 41, 42, 43, 44, 45, 46, 47, 49, 50, 51, 55, 56, 57, 58, 59, 60, 61, 65, 66, 67, 71, 72, 73, 77, 78, 79, 80, 82, 83, 84, 85, 86, 88, 89, 91, 92, 93, 94, 97, 98, 99, 100, 109, 117, 120, 122, 130, 131, 132, 137, 156, 157, 158, 159, 160, 163, 165, 167, 170, 171, 172, 173, 177, 179, 180, 181, 201, 202, 226, 237, 240, 241, 242, 243, 245, 247, 249, 250, 251, 252, 255, 270, 273, 293, 294, 296, 304, 305, 306, 308, 310, 313, 314, 316, 317, 318, 320, 321, 329, 333, 367, 368, 369, 370, 373, 374, 375, 387, 394

İnegöl, 345

İngiliz, 14, 31, 49, 69, 70, 73, 76, 77, 78, 80, 122, 138, 140, 141, 142, 143, 156, 169, 170, 171, 173, 175, 178, 198, 211, 212, 213, 214, 215, 216, 221, 230, 231, 233, 236, 245, 246, 260, 264, 266, 270, 275, 276, 278, 281, 282, 306, 325, 329, 331, 366

İpsilanti, 225, 226

İskenderun, 173, 176, 285, 298, 299, 364, 365, 366

İsmail Ağa, 103

İsmail Paşa, 39, 42, 86, 108, 119, 127, 128, 219, 220, 368, 369, 370, 375, 376

İsmail Rahmi, 244

İstanbul, 2, 9, 13, 15, 16, 19, 29, 40, 42, 44, 45, 46, 47, 50, 56, 62, 67, 70, 72, 73, 74, 75, 82, 84, 85, 86, 89, 93, 94, 97, 98, 103, 104, 107, 112, 113, 121, 122, 123, 124, 125, 130, 134, 137, 139, 140, 141, 142, 143, 147, 148, 149, 150, 155, 156, 161, 162, 165, 168, 169, 170, 171, 174, 178, 179, 186, 187, 188, 189, 190, 191, 192, 194, 195, 197, 198, 204, 205, 207, 209, 212, 213, 216, 222, 227, 228, 230, 232, 236, 237, 243, 244, 245, 246, 247, 250, 256, 257, 258, 261, 262, 263, 271, 280, 286, 295, 299, 301, 302, 307, 308, 309, 311, 313, 315, 316, 317, 318, 320, 322, 327, 338, 340, 341, 342, 344, 350, 352, 360, 362, 363, 364, 366, 373, 376, 377, 379, 384, 385, 386, 393, 394, 395, 396, 397, 398, 399, 400, 401, 402, 403, 404, 405, 406, 407

İsviçre, 199, 202, 210

İşkodra, 251, 366

İtalya, 19, 20, 21, 24, 28, 118, 164, 195, 246, 339

İzmir, 148, 174, 205, 251, 319, 360, 393, 395

İzzet Ağa, 118
Jacques Miastianovitch, 285
Jasmagy, 88, 169, 170, 171, 306,
    320, 321, 322, 323, 342, 343,
    344
Johan Somsich, 42
Joseph Bem, 29, 63, 367
Jules Zabadinsky, 285, 367, 387
Julia, 47, 317, 409
Kalafat, 45, 46, 56, 196, 197
Kalimaki Bey, 247, 248
Kara Giorgevich, 51, 55
Kavâid-i Osmaniyye, 286
Kaymakam Hüseyin, 119, 378
Kaynarca Anlaşması, 82, 225,
    235, 240, 262
Kızılkale, 38
Kinin, 39
Klapka, 24, 30, 201, 302, 359,
    380
Klatschel, 333, 337, 351, 353,
    355
Komaron, 202
Kont Orlof, 270
Konya, 283, 360, 361, 366
Korn, 15, 29, 30, 33, 34, 36, 37,
    38, 48, 49, 51, 54, 55, 56, 61,
    63, 64, 65, 66, 67, 73, 77, 78,
    79, 80, 82, 83, 85, 86, 88, 90,
    92, 93, 97, 98, 113, 117, 118,
    119, 121, 122, 124, 125, 127,
    129, 130, 131, 132, 133, 137,
    157, 158, 159, 160, 162, 163,
    164, 165, 166, 172, 173, 177,
    179, 180, 181, 183, 187, 188,
    189, 190, 191, 192, 193, 194,
    195, 196, 199, 200, 204, 302,
    304, 305, 306, 313, 314, 317,
    325, 326, 327, 367, 368, 369,
    370, 373, 374, 375, 376, 387,
    388, 395, 399
Koscielski, 169, 190, 194

Kostaki Mussurus, 89, 214,
    239, 242, 256, 287, 291, 349,
    351, 352, 395
Kovacs, 88, 199, 313, 344, 349,
    359, 398, 402, 404, 405, 409
Közlöny, 43
Krakov, 259
Krayova, 44, 220
Kurşunlu köyü, 345
Kusmir, 45
Küçük Kaynarca Anlaşması,
    81, 207, 222, 224, 225, 235,
    265, 266, 267, 277, 360, 367
Kütahya, 9, 10, 13, 15, 47, 97,
    131, 133, 134, 135, 137, 138,
    139, 143, 147, 148, 149, 150,
    152, 161, 165, 171, 174, 175,
    176, 177, 178, 179, 181, 182,
    183, 192, 193, 288, 289, 290,
    291, 292, 293, 294, 297, 298,
    299, 300, 301, 302, 304, 305,
    306, 307, 308, 309, 310, 311,
    312, 313, 314, 315, 316, 317,
    318, 319, 320, 321, 322, 323,
    324, 325, 326, 327, 328, 329,
    330, 331, 333, 334, 335, 336,
    338, 340, 342, 343, 344, 345,
    346, 347, 348, 349, 352, 354,
    357, 358, 362, 367, 368, 387,
    394, 397, 398, 399
Lajos, 7, 29, 31, 37, 46, 47, 48,
    199, 317, 348, 358, 394, 398,
    399, 400, 401, 402, 403, 404
Lapseki, 314, 315
Lapseki İskelesi, 386
Latif Ağa, 259, 286
Lazar Meszaros, 7, 29, 41
Lisburg, 259
Liverpool, 197, 198
Lompalanga, 124
Londra, 42, 50, 73, 76, 78, 89,
    211, 213, 214, 215, 237, 245,
    246, 264, 276, 331, 390

Lord Palmerston, 51, 73, 77, 78, 81, 84, 212, 232, 245, 246, 248, 276, 319, 331, 332

Losdsa, 125, 126

Luders, 57

Lugos, 28, 30, 31, 34, 35, 48, 49, 58, 59

Lujza Ruttkay, 317

Lüders, 26, 38

Lüllei Emanuel, 333

Mahmud Paşa, 159, 165, 166, 179, 183, 187

Main Sazinsky, 284, 387

Mardin, 143, 147, 148

Marsilya, 357

Mator, 47

Mavro Kordato, 225

Mayerhoffer, 104, 173

Mazhar Bey, 11, 295, 364, 367, 369, 370, 371, 372, 387

Meclis-i Hass, 228

Meclis-i Mahsus, 329

Meclis-i Vâlâ, 294, 309, 349, 366, 392

Meclis-i Vükelâ, 336, 353

Mehmed, 13, 19, 44, 45, 62, 80, 89, 118, 137, 154, 174, 186, 188, 205, 206, 212, 213, 214, 234, 235, 236, 238, 239, 240, 244, 246, 251, 252, 255, 256, 257, 258, 262, 263, 265, 266, 267, 268, 269, 270, 271, 272, 273, 274, 275, 287, 306, 307, 309, 316, 330, 331, 332, 349, 350, 353, 354, 355, 356, 360, 366, 367, 370, 372, 387, 395, 396

Mehmed Emin Paşa, 213, 214, 331, 332

Mehmed Hayreddin, 244

Mehmed Paşa, 44, 45, 186, 246, 307

Mehmed Ragıb, 252

Mehmed Reşid, 309

Mehmed Vecihi Paşa, 186

Mestan Ağa, 317

Metternich, 21, 22, 226

Mısır, 19, 62, 212, 251, 312, 366

Miralay Mehmed, 117

Mirliva İsmail Paşa, 219

Missisipi, 192

Mississipi Vapuru, 358

Monreo, 248

Monti, 30, 55, 118

Mor Perczel, 42, 132, 333

Moriciere, 260, 263, 264, 276

Moskof, 126

Mowcseinsky, 196

Muhbir-ı Surur Vapur-ı Hümayunu, 358

Murad Paşa, 11, 86, 87, 100, 101, 108, 112, 119, 128, 131, 168, 181, 284, 359, 362, 369, 371, 372, 373, 374, 375, 376

Mustafa Efendi, 315

Musul, 230

Müncer-i Sürûr, 347

Napolyon, 28, 29, 153

Nesselrod, 205, 206, 207, 209, 221, 261, 262, 263, 264, 265, 266, 267, 268, 269, 270, 272, 273, 274, 275, 276, 278, 279, 280, 281, 282, 283, 285, 360

New-York, 15, 191, 201, 202, 204, 304

Niş, 251

Normanby, 245

Osma Nehri, 125, 126

Osman Ağa, 92, 371

Osman Bey, 86, 119, 371

Osman Pazarı, 126

Ömer Paşa, 45, 46, 50, 55, 93, 94, 103, 105, 113, 117, 165, 174, 175, 187, 188, 189, 258, 363, 364, 382

Paris, 25, 28, 29, 50, 57, 73, 76,
93, 137, 204, 213, 237, 243,
245, 246, 247, 248, 316, 360,
390, 393, 394

Paskeviç, 26, 29, 36, 203

Pataky, 15, 22, 24, 31, 32, 34,
35, 36, 396

Pazarcık, 345

Perczel, 7, 8, 27, 31, 41, 42, 43,
44, 45, 46, 64, 65, 79, 84, 99,
103, 108, 122, 131, 132, 133,
135, 136, 137, 146, 147, 288,
303, 307, 318, 327, 333, 349,
357, 358, 398

Peşte, 27, 33, 47, 55, 87, 173,
317

Petersburg, 10, 14, 110, 123,
174, 189, 205, 214, 232, 236,
238, 242, 245, 246, 256, 257,
258, 260, 261, 264, 269, 270,
271, 272, 273, 274, 275, 276,
280, 281, 286, 389

Plevne, 124, 125

Pollak, 159, 163

Ponsonby, 213, 276

Pont-des-Chantres, 282

Prusya, 20, 141, 201

Przyimski, 118, 348, 359

Pulszky, 73, 76, 77

Radziwill, 204, 226, 227, 228,
231, 233, 234, 235, 236, 238,
243, 258, 263

Rakoczy Ferenc, 125

Ramiz Paşa, 225

Redna, 48

Regova, 45

Rekas, 30, 31, 42

Reşid Paşa, 50, 73, 74, 79, 81,
83, 208, 218, 226, 230, 231,
232, 233, 234, 235, 236, 237,
238, 242, 252, 254, 273, 279,
330, 332, 335, 337, 338, 340,
341, 352, 355, 358, 361, 389

Richard Guyon, 28, 31, 59, 93,
371

Rimnik, 39

Ritter von Hülfeman, 250

Rössler, 9, 157, 158, 159, 160,
161, 162, 163, 168, 184, 190,
302, 326, 368

Rudiger, 37

Rumeli, 46, 93, 141, 149, 175,
280, 287, 377, 381

Ruscuk, 50, 104, 157, 158, 168,
169

Sâik-i Şâdî, 347

Sandor, 16, 22, 25, 47, 333, 398,
399, 401, 402, 403, 404, 406,
407, 408

Sardunya, 66, 173, 202

Schwarzenberg, 25, 87, 95, 96,
104, 208, 209, 211, 215, 217,
226, 240, 242, 243, 251, 290,
291, 293, 338, 339, 349, 350,
351, 352, 354

Selanik, 111, 112, 147, 148, 149,
251

Semlin, 104

Severin Korserski, 284

Sewerd, 249

Seyyid Ömer Konağı, 345

Sırp, 20, 23, 55, 168, 203, 326

Sicilya, 216

Silistre, 158, 179, 251, 327

Sirozî Yusuf Paşa, 225

Sisam Adası, 298

Spaczek, 343, 349, 359

Stanislas Grigensky, 285, 387

Stanislas Hondzesky, 285

Stanislaus Schihnansky, 285,
387

Stürmer, 104, 134, 137, 138,
140, 147, 157, 158, 161, 204,
208, 209, 211, 221, 227, 228,
229, 230, 231, 232, 234, 239,
240, 241, 242, 243, 244, 251,

252, 255, 287, 288, 289, 290,
291, 292, 293, 295, 296, 302,
306, 312, 314, 363, 368

Süleyman Refik Bey, 115, 121,
176, 299, 300, 301, 306, 307,
308, 310, 311, 312, 313, 315,
316, 317, 318, 319, 320, 321,
322, 323, 325, 327, 330, 341,
342, 343, 344, 345, 348, 356,
357

Swetozar Jassinger, 168

Szeged, 26, 28, 35, 41, 47, 49

Szemere, 48, 57, 288

Szemlin, 173

Szerbe Dobrofzlovics, 88

Szolos, 37

Szöllösy, 56, 71, 288, 303

Şam, 29, 251, 371, 378

Şumnu, 8, 9, 10, 15, 47, 49, 72,
73, 74, 76, 93, 105, 109, 110,
112, 113, 114, 115, 116, 117,
118, 119, 121, 122, 123, 124,
125, 127, 128, 129, 130, 131,
132, 133, 134, 135, 137, 138,
139, 140, 148, 149, 150, 156,
157, 158, 159, 160, 161, 163,
164, 165, 166, 168, 169, 170,
171, 172, 173, 174, 175, 176,
177, 178, 179, 180, 181, 182,
183, 184, 187, 189, 190, 191,
193, 194, 195, 196, 197, 198,
285, 286, 297, 298, 299, 300,
301, 302, 303, 304, 305, 306,
308, 312, 314, 316, 320, 322,
325, 326, 327, 334, 342, 362,
363, 364, 366, 370, 373, 384,
385, 386, 387, 398, 409

Tabip Hüseyin, 378

Tahir Paşa, 186, 187

Tâif-i Bahri, 176

Tâir-i Bahrî, 176, 298, 299, 300,
307, 364, 368

Taylor, 202, 248, 391

Tayyar Paşa, 225

Teleky Laslo, 73

Temeşvar, 7, 26, 27, 28, 30, 31,
32, 33, 35, 37, 38, 42, 46, 58,
59, 84, 373

Teregova, 50, 51

Tevfik Bey, 259, 286

Theresia, 47

Thomson, 77, 319

Tırhâlâ, 62, 213, 251

Tırnova, 126, 213, 251

Timoni, 104, 211, 217, 220

Timurtaş Köyü, 307

Titof, 204, 205, 206, 207, 211,
221, 225, 227, 228, 231, 233,
234, 235, 236, 238, 239, 240,
241, 242, 243, 244, 252, 255,
258, 264, 278, 280, 281, 282,
283, 284, 286, 287, 316, 361,
363, 367, 386

Trablusgarb, 251

Trabzon, 244, 251

Tuna Nehri, 46, 64, 92, 103, 110

Tunus, 388

Turla Nehri, 58

Turnu-Severin, 43

Türkistan, 318

Ujhazi, 200, 201, 202

Ulu Cami, 129

Van, 251

Varna, 111, 113, 130, 147, 161,
169, 170, 173, 174, 176, 177,
178, 179, 187, 189, 198, 256,
285, 298, 299, 300, 301, 305,
306, 307, 312, 325, 364, 369,
383, 384, 385, 386, 387

Varşova, 29, 257, 258, 260, 261

Vaşkof, 285

Vidin, 7, 8, 15, 29, 30, 34, 37, 45,
46, 49, 51, 55, 56, 58, 59, 61,
62, 63, 64, 65, 66, 67, 68, 69,
70, 71, 72, 73, 74, 75, 76, 77,
78, 79, 82, 83, 84, 85, 86, 87,